Весь Эркюль Пуаро

AGATHA CHRISTIE

Весь Эркюль Пуаро

The Mysterious Affair at Styles

•

Lord Edgware Dies

•

Five Little Pigs

The Novels

Агата Кристи

Весь Эркюль Пуаро

Таинственное происшествие в Стайлз

Таинственное происшествие в Стайлз

·

Смерть лорда Эдвера

·

Пять поросят

Романы

Москва
ЦЕНТРПОЛИГРАФ
2000

УДК 820-31
ББК 84(4Вел)
К82

Серия «Весь Эркюль Пуаро»
выпускается с 2000 года

Выпуск 1

*Разработка серийного оформления
художника И.А. Озерова*

Художник Е.М. Ульянова

Кристи Агата

К82   Таинственное происшествие в Стайлз: Детективные романы. — Пер. с англ./Предисловие, комментарии. — «Весь Эркюль Пуаро». — М.: ЗАО Изд-во Центрполиграф, 2000. — 600 с.

ISBN 5-227-00646-6 (Вып. 1)
ISBN 5-227-00641-5

Усатый бельгиец Эркюль Пуаро по праву занимает место в первой шеренге великих литературных сыщиков. Он был придуман знаменитой английской писательницей Агатой Кристи в 1920 г. Именно тогда вышел ее первый роман «Таинственное происшествие в Стайлз», в котором сыщик расследует преступление; основываясь на фактах, известных всем собравшимся. В «Смерти лорда Эдвера» ему также приходится полагаться лишь на собственную логику. В романе «Пять поросят» найти разгадку убийства художника Эркюлю Пуаро позволяет единственная деталь — портрет одной из свидетельниц преступления.

**УДК 820-31
ББК 84(4Вел)**

ISBN 5-227-00646-6 (Вып. 1)
ISBN 5-227-00641-5

БЕССМЕРТНЫЙ ОБРАЗ ПУАРО

Издательство с готовностью откликается на многочисленные просьбы своих постоянных читателей опубликовать романы популярнейшей писательницы Агаты Кристи и предлагает новую серию «Весь Эркюль Пуаро» о легендарном сыщике, умеющем разгадывать самые хитроумные криминальные загадки.

Агату Кристи (1890—1976) по праву называют «королевой детектива». Ее литературная слава шагнула далеко за пределы Великобритании. К началу 1990-х годов общий тираж произведений писательницы перевалил за 2 миллиарда экземпляров, опубликованных на 103 языках мира.

В чем же секрет такой популярности?

Прежде чем ответить на этот вопрос и начать разговор о творчестве А. Кристи, необходимо хотя бы вкратце ознакомить читателя с основными фактами биографии «королевы детектива» — тем более что многие из них нашли свое отражение в ее книгах.

15 сентября 1890 года в семье переселившегося в Англию американца Фредерика Миллера родилась девочка, которую назвали Марией Клариссой. А при крещении ребенку дали и третье имя — Агата; именно оно и станет впоследствии знаменитым.

Вместе с сестрой Мадж и братом Монти девочка росла и взрослела в загородном доме, расположенном в предместье города Торки (графство Девоншир). Здесь она получила домашнее образование и воспитание в викторианском духе. Юная Агата много читала. Она любила как музыку, так и арифметику, неплохо пела, играла на мандолине. Наделенная богатым воображением, девочка сочиняла разные истории, придумывала себе подруг, которых ей не хватало в реальной жизни.

Когда ей исполнилось 12 лет, семья пережила тяжелую утрату: смерть отца, Фредерика Миллера. Он не оставил после себя значительного состояния, и материальное положение семьи резко ухудшилось.

И все же о детстве писательница сохранила в основном счастливые воспоминания, и многие ее произведения пронизаны атмосферой загородного дома — милого и уютного, наполненного знакомыми с детства вещами, с его традициями, непременными чаепитиями, визитами гостей и веселыми играми детей в саду... А викторианское воспитание, несомненно, способствовало формированию твердой нравственной позиции писательницы.

В 1910 году двадцатилетняя Агата совершает вместе с матерью поездку в Египет. Возможно, тогда у нее зародился горячий, неподдельный интерес к тайнам древних культур. Впоследствии действие многих произведений Кристи развернется на загадочном Востоке.

В октябре 1912 года на танцах в Клиффорде, неподалеку от Торки, молодая Агата Миллер знакомится с блестящим двадцатитрехлетним офицером, кандидатом в Королевский авиационный корпус, Арчибальдом Кристи. Офицер вскоре сделал Агате предложение, но по ряду причин свадьба была отложена и состоялась позднее, через два года.

Начавшаяся летом 1914 г. Первая мировая война разлучила супругов. Чтобы оказать посильную помощь фронту, Агата Кристи поступила на работу в госпиталь. Сначала она работала там санитаркой, а потом — провизором в аптеке при госпитале. Это занятие требовало большого напряжения, и молодой женщине нередко приходилось проводить долгие, томительные часы в окружении склянок с лекарствами. Старшая сестра, Мадж, уже опубликовала к тому времени несколько рассказов, и Агата решает доказать, что и она может писать, и к тому же не простенькие рассказы, а настоящие детективы.

Будущая писательница тщательно обдумывала сюжет своего первого произведения: злодей муж решает отравить жену (на способ убийства писательницу навело обилие ядов, хранившихся в аптеке), проницательный сыщик постепенно сужает круг подозреваемых в преступлении и докапывается до истины. Идея создания детектива все сильнее захватывала молодую женщину, и она спешит после работы воплотить свои замыслы на бумаге, сначала записывая начерно, от руки, а затем перепечатывая главы на машинке. Поглощенная мыслями о своем первом литературном опыте, Агата становится задумчивой и рассеянной, а ее мать, беспокоясь о здоровье дочери, советует ей взять отпуск и уехать подальше от дома, чтобы спокойно, без суеты поработать над будущим произведением.

Молодая женщина уезжает в Дартмур, где продолжает работу. Она подолгу писала каждое утро, а после завтрака отправлялась на прогулку, во время которой продумывала дальнейшие повороты сюжета. Но и после возвращения из отпуска продолжался творческий процесс: необходимо было сократить некоторые главы, кое-что подредактировать, переписать неудачные страницы.

Наконец Агата Кристи закончила свой первый роман — «Таинственное происшествие в Стайлз». Отвергнутый несколькими издательствами, он был издан только в 1920 году в США.

Но месяцы сочинительства не пропали даром: будущая писательница приобрела навыки литературного труда и созданный ею бессмертный образ талантливого сыщика Эркюля Пуаро впоследствии появится во многих произведениях Агаты Кристи.

Война закончилась, и теперь, после рождения дочери Розалинды, казалось, ничто не сможет разлучить молодых супругов. Но обстоятельства сложились иначе, и в 1926 году в жизни писательницы произошли события, которые и сами могли бы послужить сюжетом неплохого детектива.

Весной 1926 года выходит роман, впервые вознесший Агату Кристи на вершину успеха и популярности, — «Убийство Роджера Экройда»; парадоксальная концовка произведения опровергла устоявшиеся к тому времени представления о детективном жанре. Но в личной жизни писательницы происходят печальные события: пережившей тяжелую депрессию после смерти матери Агате муж объявляет о том, что полюбил другую женщину, Нэнси Нил, и желает развода.

Вечером 3 декабря писательница внезапно уезжает из дому, никому не сообщив ни о цели, ни о продолжительности поездки. А наутро полиция обнаружила в местечке Ньюленд-Корнер, в Суррее, ее брошенный автомобиль с оторванным капотом. Весть об исчезновении ставшей уже знаменитой Агаты Кристи мгновенно облетела всю Англию. Передовицы газет заполнили самые невероятные предположения и домыслы о судьбе писательницы, в Ньюленд-Корнер ринулись сотни репортеров и тысячи зевак: Арчибальд не успевал отбиваться от желающих взять у него интервью...

Прошла неделя, но поиски не дали никаких результатов и судьба исчезнувшей писательницы оставалась загадкой. Предполагая самое худшее, полиция предпринимает 12 декабря настоящую облаву в окрестностях Ньюленд-Корнер. Тысячи добровольцев обшарили многие мили вокруг в поисках тела пропавшей; были задействованы собаки-ищейки, водолазы, драга и даже самолет... Но и на этот раз никаких следов (не говоря уже о теле) обнаружить не удалось.

А через два дня писательница... нашлась! Все время поисков и треволнений она под вымышленной фамилией проживала в Хэрроугейте (Северный Йоркшир), в гостинице «Хэйдро-пэтик-отель». Там она вела активный образ жизни, ходила на прогулки, посещала танцевальные вечера, читала газеты... Происшедшее объясняли кратковременной потерей памяти. Вечером в гостиницу прибыл Арчибальд, а утром следующего дня воссоединившиеся супруги отправились на отдых, в Чилд, скрываясь от осаждавших их толпу журналистов и зевак.

В этой истории осталось немало тайн. Действительно ли Агата Кристи теряла память, как гласит официальная версия? Как она попала в Хэрроугейт? Не было ли все это спектаклем с целью удержать мужа от развода и нового скандала? Детективную версию происшедшего выдвинули авторы снятого в наши дни фильма об этой нашумевшей когда-то истории; роль писательницы в нем исполнила Ванесса Рэдгрейв.

Развода с Арчибальдом избежать не удалось. Пережитая Агатой Кристи душевная драма повлияла на творчество писательницы: в ее произведениях часто затрагивается тема любви — неразделенной или отвергнутой недостойным избранником молодой героини.

Время рубцует раны. В 1930 году на раскопках в Междуречье Агата знакомится с молодым, подающим надежды археологом Максом Мэллоуэном, который неожиданно делает ей предложение. Кристи не сразу принимает его — смущает молодость жениха (Макс был на пятнадцать лет моложе), к тому же он католик... Казалось, все говорит против нового брака, но он, несмотря ни на что, сложился удачно: супруги прожили вместе немало лет и в положенный срок отметили серебряную свадьбу.

С тех пор в жизни писательницы, ставшей теперь леди Мэллоуэн, не происходит бурных перемен. Ее жизнь наполнена увлекательной и плодотворной работой, путешествиями, занятиями благотворительностью. Она по-прежнему много читает, посещает все премьеры в лондонских театрах. Каждый год выходят новые книги Агаты Кристи (писательница не стала отказываться от фамилии первого мужа, принесшей ей литературную славу, и продолжала подписывать ею свои новые произведения).

В 30-х годах появляются такие романы, как «Восточный экспресс», «Смерть в облаках», «Убийство на Рождество», в 40-х — «Подвиги Геркулеса», «Пять маленьких поросят», «Кривой домишко»... А осенью 1952 года состоялась премьера пьесы «Мышеловка», сюжет которой переработан писательницей из небольшого рассказа. Полная скрытого напряжения, пьеса имела колоссальный, невероятный успех. Она 40 лет не сходила со сцен лондонских театров и за такое «долгожительство» была даже занесена в «Книгу рекордов Гиннеса».

Великобритания высоко оценила литературные заслуги писательницы. Агату Кристи избрали президентом «Клуба писателей детективного жанра». Она была удостоена высшей чести для англичанки — приема у королевы Елизаветы II. В 1971 году писательница стала кавалером ордена Британской империи II степени.

В последние годы жизни писательница немало сил уделяла работе над своей автобиографией, опасаясь, что журналисты впоследствии могут что-то исказить или неправильно истолковать. Но дожить до выхода в свет «Автобиографии» ей уже не было суждено — 2 января 1976 года Агата Кристи скончалась.

Творческое наследие писательницы составляют 68 романов, 17 пьес и более 100 рассказов.

Прошло уже более 20 лет с того дня, когда ушла из жизни «королева детектива», но к ней не ослабевает читательский интерес, ее книги переиздаются и охотно раскупаются, а литературоведы и критики пишут обстоятельные статьи и исследования, пытаясь объяснить феномен популярности Агаты Кристи. Постараемся и мы ответить на вопрос, поставленный в самом начале этой статьи, — а для этого обратимся к творчеству писательницы, к ее книгам.

Принимая заслуженные почести, Агата Кристи никогда не переоценивала собственные возможности. В отличие от Жоржа Сименона, успешно работавшего как в жанре детектива, так и в жанре психологического романа, Кристи завоевала всеобщее признание как автор детективов, но ее попытки писать «серьезную» прозу не увенчались успехом, и эти книги, выходившие под псевдонимом Мэри Уэстмакотт, событием литературной жизни не стали. Зато в избранном писательницей жанре она достигла подлинных высот и совершенства.

Большинство произведений Агаты Кристи написаны в жанре классического детектива. Ведущий начало от Эдгара По, развитый Артуром Конан Дойлом, Эмилем Габорио, Гастоном Леру, этот жанр быстро становится популярным и к началу XX века начинает составлять серьезную конкуренцию традиционным авантюрно-приключенческим романам.

Классический детектив создается по особым правилам, по жестким канонам. Для него обязательны загадочное преступление, талантливый сыщик, ограниченный круг подозреваемых, обилие ложных ходов и «ловушек», разоблачение преступника в конце произведения. Расследование в таком детективе ведется с помощью анализа и дедукции, а не кулаков и пистолета; большую роль играют многочисленные беседы сыщика с подозреваемым — каждая фраза может дать ключ к разгадке тайны. В лучших произведениях жанра до последних страниц неизвестно, кто же преступник, — им оказывается тот, кого читатель меньше всего склонен был подозревать. Читая такую книгу, мы вместе с сыщиком выстраиваем версии, сопоставляем факты — поэтому классические детективы часто называют «игрой ума».

Волна преступности, захлестнувшая в 1920—30-е годы США и страны Европы, не могла не найти отклика в детективной литературе, и на смену «игре ума» приходят «крутые», «черные» детективы, где герой-супермен, особенно не разбираясь в средствах, прокладывает себе дорогу к цели, а интерес к книге поддерживается смакованием сцен насилия, мафиозных разборок, изощренного секса (Хэммет, Чандлер, Чейз, Спиллейн и др.). После окончания Второй мировой войны появляется психологический детектив (Буало-Нарсежак, Жапризо), в котором внимание читателей приковывается к психологическому состоянию убийцы и/или будущей жертвы. Читатель погружается в мир тревоги, страха, постоянного ощущения опасности... А на рынке детектив теснят фантастика, мистика, эротика... Казалось бы, в изменившихся условиях классический детектив должен исчезнуть, забыться.

И если этого не произошло, то во многом благодаря писательской деятельности Агаты Кристи. Конечно, она была знакома с образцами новомодной литературы, но никогда не пыталась им подражать: ее отталкивали сцены насилия, заполнившие страницы этих книг, и она сохраняла верность классическому жанру.

«Мои книги не были призваны леденить в жилах кровь. Они — не череда простых инцидентов, ведущих к развязке, а накопление улик, которые призывают к дедуктивному мышлению» — так характеризовала свое творчество сама писательница.

Следуя законам жанра, Кристи выстраивала увлекательную, мастерски закрученную интригу. Трудно говорить о писательнице, не пересказывая ее произведений, — но жанр классического детектива строго-настрого предписывает воздерживаться от такого пересказа, ибо он резко снижает интерес к книге и читатель впоследствии не сможет оценить ее внутреннего напряжения. Недаром в лондонских театрах после окончания спектаклей, поставленных по знаменитой пьесе Кристи «Мышеловка», зрителей убедительно просят не раскрывать тайну и не рассказывать своим знакомым, кто преступник. Книги писательницы изобилуют неожиданными поворотами и сюжетами, а разгадка тайны всегда таит в себе сюрприз для читателя. Кто только не оказывался преступником в этих книгах: светская дама, компаньонка-приживалка, полицейский, медсестра-сиделка и даже одиннадцатилетняя девочка! А в одном из романов убийцей становится рассказчик. Такое «нарушение» традиций привело к неожиданному эффекту: редкий читатель может устоять перед искушением перечитать книгу заново, чтобы под другим углом зрения оценить ранее известные ему факты.

Но для создания удачного детектива недостаточно острого, запутанного сюжета, не менее важен и образ сыщика, на долю которого выпадает нелегкая задача: он должен постепенно, шаг за шагом, приближаться к истине, а в конце книги не только разоблачить преступника, но и выстроить свою, логически безукоризненную версию всех происшедших событий. В произведениях Агаты Кристи расследование ведут чаще всего Эркюль Пуаро или мисс Марпл.

Первым, как уже упоминалось, в когорту литературных персонажей-сыщиков вошел Эркюль Пуаро. Обдумывая сюжет своего первого романа, писательница решила, что ее герой должен быть столь же талантлив, как знаменитый Шерлок Холмс, но он не может копировать ни Холмса, ни других популярных сыщиков. Надо было создать совершенно новый образ.

И Кристи наделяет своего героя оригинальной, легко узнаваемой внешностью: он немолод, невысок, у него яйцевидная голова и пышные усы. В «Автобиографии» писательница делится с нами воспоминаниями о работе над образом: «...я остановилась на сыщике-бельгийце и дала образу прорасти. Он должен быть инспектором, чтобы кое-что знать о преступном мире. Он будет пунктуальным и очень аккуратным... Я уже видела его — аккуратного маленького человека, маниакально любящего порядок и предпочитающего квадратные предметы круглым. У него должна отлично работать голова — эти серые клеточки в мозгу. И имя у него будет довольно пышное...»

Кристи дала «сыщику-бельгийцу» действительно пышное, звучное имя: Геркулес (по-французски — Эркюль) Пуаро. Много лет спустя, в 40-х годах, она заставит его раскрыть подряд 12 преступлений, в каждом из которых найдутся парадоксальные аналоги с подвигами античного «прототипа» Пуаро («Подвиги Геракла»).

«Маленький человек» обладает не только звучным именем. Он не прочь похвастаться своими выдающимися способностями, подчеркнуть свое превосходство над окружающими. Свои выводы он до поры до времени скрывает даже от своего восхищенного почитателя капитана Гастингса, сопровождавшего Пуаро в ранних романах Кристи. К помощи полиции Пуаро прибегает редко, ведь для «черной» работы преуспевающий частный сыщик может нанять агентов (давно прошли годы, когда он сам был полицейским). Окружающие поначалу скептически относятся к «иностранцу», но потом это отношение меняется: Пуаро не только галантен и весьма учтив, но действительно талантлив, он с блеском раскрывает самые дерзкие и изобретательные преступления, и ни одному убийце не удавалось его обмануть, — а потому все, в том числе и читатели, охотно прощают присущие ему хвастливость, эгоизм и даже некоторый снобизм. Заметим, что Пуаро постоянно заявляет, что он не одобряет убийства и нет таких обстоятельств, которые заставили бы его посочувствовать преступнику — как бы несимпатична ни была жертва. Несомненно, здесь проявилась твердая нравственная позиция самой Агаты Кристи, писавшей в своих воспоминаниях: «Как и все, кто писал и читал эти книги, я была *против* преступника и *за[1]* невинную жертву».

Персонаж пришелся по сердцу читателям, и невозможно представить себе романы «Убийство Роджера Экройда», «Восточный экспресс», «Чаепитие в Хантербери», «Убийство на Рождество» и многие другие без этой колоритной фигуры. Свое последнее преступление Эркюль Пуаро раскрыл в книге «Занавес», опубликованной в 1975 году.

Итак, вполне правомерно говорить о «мире Агаты Кристи». Нет, это вовсе не сказочный мир: он не свободен от сплетен или ханжества, и в нем слишком большое значение придается соблюдению внешних приличий. Но в этом мире убийство и насилие не стали привычным явлением, в этом мире сохраняются нормы морали, и отступление от них вызывает общественное осуждение, там ценятся честность, порядочность, верность, там дорожат уютом и теплом домашнего очага. Этот мир вовсе не выдумка — просто он постепенно уходит в прошлое под натиском жестокой реальности. И как знать, может быть, среди тех, кто по-прежнему предпочитает томик Кристи «эротическому триллеру» или «мистическому боевику», есть немало читателей, просто желающих оживить в памяти старые добрые времена.

Впрочем, какими бы соображениями ни руководствовался наш читатель, он уже сделал свой выбор, взяв в руки книгу из серии «Весь Эркюль Пуаро». Приглашая его в увлекательное путешествие по страницам произведений «королевы детектива», мы надеемся, что он будет с интересом следить за развитием сюжетов, его увлекут методы Пуаро, он откроет для себя Англию с ее традициями и, конечно, по достоинству оценит тонкий юмор и литературный талант Агаты Кристи.

Олег Уваров

---

[1] Выделено автором.

Таинственное происшествие в Стайлз

Роман

The Mysterious Affair at Styles

Глава 1

Я ПРИЕЗЖАЮ В СТАЙЛЗ

Необычайный интерес, вызванный нашумевшим в свое время «убийством в Стайлз», сегодня уже заметно поутих. Однако вся история получила в те дни такую широкую огласку, что мой друг Пуаро и сами участники драмы попросили меня подробно изложить обстоятельства этого дела. Надеемся, что это положит конец скандальным слухам, до сих пор витающим вокруг этой истории.

Постараюсь коротко изложить обстоятельства, благодаря которым я стал свидетелем тех событий.

Я был ранен на фронте[1] и отправлен в тыл, где провел несколько месяцев в довольно неприглядном госпитале, после чего получил месячный отпуск. И вот когда я раздумывал, где его провести (поскольку не имел ни друзей, ни близких знакомых), случай свел меня с Джоном Кэвендишем. Виделся я с ним крайне редко, да мы никогда и не были особыми друзьями. Он на добрых пятнадцать лет был старше меня, хотя выглядел гораздо моложе своих сорока пяти. В детстве я часто бывал в Стайлз, в поместье его матери в Эссексе, и мы долго болтали, вспоминая то далекое время. Разговор закончился тем, что Джон предложил мне провести отпуск в Стайлз.

— Мама будет рада вновь увидеть тебя после стольких лет, — добавил он.

---

[1] Здесь речь идет о Первой мировой войне 1914—1918 годов.

— Она в добром здравии? — поинтересовался я.

— О да. Наверное, ты слышал — она снова вышла замуж!

Боюсь, что я не сумел скрыть своего удивления. Отец Джона, после смерти первой жены, оказался один с двумя детьми, и миссис Кэвендиш, которая вышла за него замуж, была, насколько я помню, женщиной хотя и привлекательной, но уже в возрасте. Сейчас ей, видимо, было не меньше семидесяти. Я помнил, что она была натурой энергичной, властной, но весьма щедрой и к тому же обладала довольно большим личным состоянием. Постоянная помощь бедным и участие в многочисленных благотворительных базарах даже принесли ей определенную известность.

Усадьбу Стайлз-Корт мистер Кэвендиш приобрел еще в самом начале их совместной жизни. Находясь полностью под влиянием жены, он перед смертью завещал ей поместье и большую часть состояния, что было весьма несправедливо по отношению к двоим его сыновьям. Впрочем, мачеха была исключительно добра к ним. К тому же братья были совсем маленькими, когда мистер Кэвендиш женился вторично, и всегда считали ее родной матерью.

Младший из братьев, Лоренс, был утонченным молодым человеком. Он получил медицинское образование; но вскоре оставил практику и поселился в поместье. Лоренс решил посвятить себя литературе, хотя стихи его не имели ни малейшего успеха.

Джон занимался некоторое время адвокатской практикой, но жизнь сквайра была ему больше по нутру, и вскоре он тоже поселился под родительским кровом. Два года назад он женился и теперь жил в Стайлз вместе с супругой, хотя я сильно подозреваю, что он предпочел бы получить от матери большее содержание и обзавестись собственным домом. Однако миссис Кэвендиш была из тех людей, которые устраивают жизнь так, как удобно им, полагая, что все остальные должны прилаживаться. Что ж, она была права, ведь в ее руках был самый сильный аргумент — деньги.

Джон заметил мое удивление по поводу замужества матери и уныло усмехнулся.

16

— На редкость гнусный тип! — резко выпалил он. — Поверь мне, Гастингс, наша жизнь стала просто невыносимой. Что же касается Иви... Ты ведь помнишь ее?

— Нет.

— Да, видимо, ее тогда у нас еще не было. Она компаньонка матери, скорее даже ее советчица во всех делах. Все знает, все умеет! Эта Иви для нас просто находка. Конечно, не красавица и не первой молодости, но в доме она буквально незаменима.

— Ты говорил о...

— Да, я говорил об этом типе. В один прекрасный день он неожиданно свалился нам на голову и заявил, что он троюродный брат Иви или что-то в этом роде. Иви не выглядела особенно счастливой от встречи с родственничком. Было сразу видно, что этот тип совсем ей не нужен. У него, кстати, огромная черная борода, и в любую погоду он носит одни и те же кожаные ботинки! Однако мамаша сразу к нему расположилась и сделала своим секретарем. Ты ведь знаешь, она всегда состоит в доброй сотне благотворительных обществ.

Я кивнул.

— А уж теперь, когда война, этих ее благотворительных лавочек вообще не счесть. Естественно, этот тип был ей весьма полезен, но, когда через три месяца она объявила о своей помолвке с Альфредом, это было для нас как гром среди ясного неба. Он же лет на двадцать моложе ее! Это просто откровенная охота за наследством. Но что поделаешь... Она ведь сама себе голова — вышла за него замуж, и все тут!

— Да, ситуация у вас не из приятных.

— Не из приятных? Да это просто кошмар!

Вот так случайная встреча и привела к тому, что тремя днями позже я сошел с поезда в Стайлз-Сент-Мэри. Это был маленький, нелепый полустанок, затерявшийся среди сельских проселочных дорог и зелени окрестных полей. Джон Кэвендиш встретил меня на перроне и пригласил в автомобиль.

— Получаем вот немного бензина, — заметил он. — В основном благодаря маминой деятельности.

От станции надо было ехать две мили до деревушки Стайлз-Сент-Мэри и оттуда еще милю до Стайлз-Корт.

Стоял тихий июльский день. Глядя на эти спокойные поля Эссекса, зеленеющие под ласковым полуденным солнцем, было трудно представить, что где-то недалеко шла страшная война. Мне казалось, что я вдруг перенесся в другой мир. Когда мы свернули в садовые ворота, Джон сказал:

— Брось, Гастингс, для тебя это слишком тихое место.

— Знаешь, дружище, больше всего на свете мне сейчас нужна именно тишина.

— Ну и отлично. У нас тут все условия для праздного существования. Я иногда вожусь на ферме и дважды в неделю занимаюсь с добровольцами. Зато моя жена бывает на ферме постоянно. Каждый день с пяти утра и до самого завтрака она доит коров. Да, и наша жизнь была бы прекрасна, если бы не этот чертов Альфред Инглторп.

Неожиданно он затормозил и взглянул на часы.

— Попробуем заехать за Цинтией. Хотя нет, не успеем: она, видимо, уже ушла из госпиталя.

— Твою жену зовут Цинтия?

— Нет, это протеже моей матери, сирота. Мать Цинтии была ее старой школьной подругой. Она вышла замуж за адвоката, занимавшегося какими-то темными делишками. Он разорился, и Цинтия оказалась без гроша в кармане. Моя мать решила ей помочь, и вот уже почти два года она живет у нас. А работает в Тэдминстерском госпитале Красного Креста в семи милях отсюда.

Пока Джон говорил, мы подъехали к прекрасному старинному особняку. Какая-то женщина в толстой твидовой юбке возилась у цветочной клумбы. Заметив нас, она выпрямилась.

— Привет, Иви! Знакомьтесь с нашим израненным героем. Мистер Гастингс. Мисс Говард.

Рукопожатие мисс Говард было крепким до боли. Выглядела она лет на сорок и обладала весьма приятной наружностью — загорелое лицо с удивительно голубыми глазами, крупная, плотная фигура. Голос низкий, почти мужской. Мисс Говард была обута в довольно большие ботинки на толстой добротной подошве. Говорила она в какой-то телеграфной манере:

— Сорняки растут как на дрожжах. Не успеваешь справляться. Берегитесь, а то и вас впряжем.

— Я буду рад принести хоть какую-то пользу, — сказал я.

— Не говорите так. Потом пожалеете.

— Да вы циник, Иви, — рассмеялся Джон. — Где будем пить чай: в доме или на воздухе?

— На воздухе. В такой день грех сидеть взаперти.

— Хорошо, пошли. Хватит возиться в саду. Вы уже наверняка отработали свое жалованье. Пора отдыхать.

— Согласна, — сказала Иви и, стянув садовые перчатки, повела нас за дом, где в тени большого платана был накрыт стол.

С одного из плетеных кресел поднялась женщина и пошла нам навстречу.

— Моя жена, Гастингс, — представил ее Джон.

Я никогда не забуду ту первую встречу с Мэри Кэвендиш: ее высокую стройную фигуру, освещенную ярким солнцем, тот готовый в любую секунду вспыхнуть огонь, мерцавший в неповторимых ореховых глазах, то излучаемое ею спокойствие, за которым, однако, чувствовалась, несмотря на утонченный облик, своенравная, неукротимая душа. Этот образ врезался в мою память. Навсегда.

Она приветствовала меня красивым низким голосом, и я уселся в плетеное кресло, вдвойне довольный, что принял приглашение Джона. Несколько слов, сказанных Мэри за чаем, сделали эту женщину еще прекрасней в моих глазах. К тому же она была еще и внимательным слушателем, и я, польщенный искренним ее интересом, постарался припомнить смешные истории, приключившиеся со мной в госпитале. Джон, конечно, отличный парень, но собеседник из него не ахти какой.

Вдруг рядом из-за приоткрытой стеклянной двери раздался хорошо знакомый голос: «Альфред, после чая не забудь написать княгине. Насчет второго дня я сама напишу леди Тэдминстер. Или лучше дождаться ответа от княгини? Если она откажется, леди Тэдминстер могла бы быть на открытии в первый день, а миссис Кросби во второй. И надо не забыть ответить герцогине по поводу школьного fête[1]». В ответ послышался тихий мужской голос, и затем снова голос миссис Инглторп: «Да,

_____

[1] Праздник *(фр.)*.

да, Альфред, конечно, мы успеем это и после чая. Милый мой, ты такой заботливый».

Стеклянная дверь распахнулась, и на лужайку вышла красивая седая женщина с властным лицом. За ней почтительно следовал мужчина. Миссис Инглторп бурно приветствовала меня:

— Дорогой мистер Гастингс, как чудесно, что через столько лет вы снова приехали к нам. Альфред, милый мой, познакомься. Мистер Гастингс. Мой муж.

Я взглянул на «милого Альфреда». С первого же взгляда меня поразил контраст между супругами. Неудивительно, что Джон так много говорил о его бороде: длиннее и чернее я в жизни не видел. Это невыразительное лицо не могло оживить даже пенсне в золотой оправе. Я подумал, что подобный человек смотрелся бы на театральных подмостках, но в реальной жизни выглядел диковато. Его рукопожатие было неестественно вялым, а голос тихим и вкрадчивым:

— Очень приятно, мистер Гастингс. — Затем, повернувшись к жене: — Эмили, дорогая, боюсь, что подушечка немного отсырела.

Пока он с подчеркнутой заботливостью менял подушечку, на которой сидела миссис Инглторп, она не сводила с него восторженных глаз. Подобная экзальтированность была довольно странной для этой весьма сдержанной женщины.

С появлением мистера Инглторпа в поведении всех присутствующих появилась какая-то скованность и скрытая недоброжелательность, а мисс Говард даже и не пыталась ее скрывать. Однако миссис Инглторп, казалось, ничего не замечала. За все эти годы ее словоохотливости нисколько не поубавилось. Она беспрестанно говорила, главным образом об организации предстоящих благотворительных базаров, уточняя у мужа числа и дни недели. Отвечая, он всячески подчеркивал свое заботливое отношение к жене. С самого начала этот человек был мне очень неприятен, и тот факт, что теперь первое впечатление подтвердилось (я редко ошибаюсь в людях!), весьма тешил мое самолюбие.

В то время как миссис Инглторп, повернувшись к мисс Говард, говорила о каких-то письмах, ее муж обратился ко мне своим вкрадчивым голосом:

— Мистер Гастингс, вы профессиональный военный?

— Нет, до войны я служил в агентстве Ллойда[1].

— И вы собираетесь туда вернуться, когда закончится война?

— Не исключено. А может, возьму и начну все сначала.

Мэри Кэвендиш склонилась ко мне и спросила:

— А чем бы вы хотели заняться, если бы вам был предоставлен полный выбор?

— На такой вопрос сразу не ответишь.

— Что, никаких тайных увлечений? У каждого ведь есть свое маленькое хобби, иногда даже весьма нелепое.

— Боюсь, вы будете надо мной смеяться.

Она улыбнулась:

— Возможно.

— Что ж, я скажу. У меня всегда была тайная мечта стать сыщиком.

— Официальным, при Скотленд-Ярде? Или как Шерлок Холмс?

— Да, да, как Шерлок Холмс! Нет, правда, меня все это очень привлекает. Однажды в Бельгии я познакомился с одним знаменитым детективом и благодаря ему буквально воспылал страстью к расследованиям. Я искренне восхищался этим славным человеком. Он утверждал, что вся детективная работа сводится к методичности. Кстати, моя система базируется на его методах, но я их, конечно, развил и дополнил. Да, это был забавный коротышка, страшный щеголь, однако человек редкого ума.

— Люблю хорошие детективы, — сказала мисс Говард. — Хотя написано много чепухи. Убийцу разоблачают в последней главе. Все поражены. А в жизни преступник известен сразу.

— Однако много преступлений так и остались нераскрытыми, — возразил я.

— Я говорю не о полиции, а о свидетелях преступлений. О семьях преступников. Этих не одурачить. Они все знают.

-----

[1] А г е н т с т в о Л л о й д а — страховое агентство, занимающееся преимущественно морским страхованием, основано в Лондоне в конце XVII века.

— Вы хотите сказать, — с улыбкой проговорил я, — что если бы рядом с вами произошло преступление, скажем убийство, то вы могли бы сразу определить убийцу?

— Конечно! Может, не сумею доказать ничего законникам, но, как только он окажется возле меня, сразу его почую.

— А вдруг это будет «она»?

— Возможно. Но для убийства нужна ужасная жестокость. Это больше похоже на мужчину.

— Однако не в случае отравления, — неожиданно раздался звонкий голос миссис Кэвендиш. — Доктор Бауэрстайн говорил вчера, что поскольку большинство врачей ничего не знают о мало-мальски редких ядах, то, возможно, сотни случаев отравления вообще прошли незамеченными.

— Ладно, Мэри, хватит. Что за ужасная тема для разговора! — воскликнула миссис Инглторп. — Мне кажется, что я уже в могиле. А, вот и Цинтия!

К нам весело бежала девушка в форме добровольного корпуса медицинской помощи.

— Что-то, Цинтия, ты сегодня позднее обычного. Знакомьтесь, мистер Гастингс — мисс Мердок.

Цинтия Мердок была цветущей юной девушкой, полной жизни и задора. Она сняла свою маленькую форменную шапочку, и я был восхищен золотисто-каштановыми волнистыми локонами, упавшими ей на плечи. Цинтия потянулась за чашкой, и белизна ее маленькой ручки тоже показалась мне очаровательной. Будь у нее темные глаза и ресницы, девушка была бы просто красавицей. Она уселась на траву рядом с Джоном. Я протянул ей блюдо с бутербродами и получил в ответ пленительную улыбку.

— Садитесь тоже на траву, так гораздо приятней.

Я послушно сполз со стула и уселся рядом.

— Мисс Мердок, вы работаете в Тэдминстере?

Она кивнула:

— Да, в наказание за грехи.

— Неужели вас там третируют? — с улыбкой спросил я.

— Попробовали бы! — с достоинством вскричала Цинтия.

— Моя двоюродная сестра работает сиделкой, и она просто в ужасе от медсестер.

— Не удивительно. Они действительно кошмарны, мистер Гастингс, вы даже себе не представляете, какие они противные. Слава Богу, что я работаю в аптеке, а не сиделкой.

— И скольких же людей вы отравили? — спросил я со смехом.

Цинтия тоже улыбнулась:

— Не одну сотню, мистер Гастингс.

— Цинтия, — обратилась к ней миссис Инглторп, — не могла бы ты помочь мне написать несколько писем?

— Конечно, тетя Эмили.

Она немедленно вскочила, и ее поспешность сразу напомнила мне, насколько эта девушка зависела от миссис Инглторп, которая при всей своей доброте не позволяла ей забывать о своем положении.

Мэри повернулась ко мне:

— Джон вам покажет вашу комнату. Ужин у нас в половине восьмого. В такое время, как сейчас, не пристало устраивать поздние трапезы. Член нашего общества леди Тэдминстер, дочь покойного лорда Эбботсбери, придерживается того же мнения. Она согласна со мной, что сейчас следует экономить во всем. Мы так организовали хозяйство в поместье, что ничего не пропадает зря, даже мелкие клочки исписанной бумаги собираем в мешки и отправляем на переработку. Все на счету, война ведь.

Я выразил свое одобрение, и Джон повел меня в дом. Мы поднялись по широкой лестнице, которая, разветвляясь, вела в правое и левое крыло здания. Моя комната была в левом крыле и выходила окнами в парк.

Джон вышел, и через несколько минут я увидел, как он медленно шел по лужайке под руку с Цинтией Мердок. Было слышно, как миссис Инглторп нетерпеливо позвала ее, и девушка, вздрогнув, бросилась назад. В ту же секунду из-за дерева вышел какой-то человек и неторопливо направился к дому. Это был мужчина лет сорока, смуглый, тщательно выбритый, со страшно унылым выражением лица.

Казалось, его одолевали мрачные мысли. Проходя мимо моего окна, он взглянул наверх, и я узнал его, хотя он очень изменился за те пятнадцать лет, что мы не виделись. Это был младший брат Джона, Лоренс Кэвендиш. Я терялся в догадках, что же повергло его в такое уныние. Однако вскоре я вернулся к мыслям о своих собственных делах.

Я провел замечательный вечер, и всю ночь мне снилась загадочная и прекрасная Мэри Кэвендиш.

Следующее утро было светлым и солнечным. Предвкушение новой встречи переполняло все мое существо. Утром Мэри не появлялась, но после обеда она пригласила меня на прогулку. Несколько часов мы бродили по лесу и возвратились примерно к пяти.

Едва мы зашли в большой холл, как Джон сразу позвал нас в курительную комнату. По выражению его лица я сразу понял: что-то стряслось. Мы последовали за ним, и он плотно закрыл дверь.

— Мэри, произошла очень неприятная история. Иви крепко повздорила с Альфредом Инглторпом и собирается уехать.

— Иви? Уехать?

Джон мрачно кивнул:

— Да. Она пошла к матери, и... А вот и она сама.

Мисс Говард вошла в комнату с небольшим чемоданом в руках. У нее был взволнованный и решительный вид. Губы плотно сжаты, и казалось, что она собирается от кого-то защищаться.

— По крайней мере, я сказала все, что думаю! — выпалила она.

— Ивлин, милая, этого не может быть! — воскликнула Мэри.

Мисс Говард мрачно кивнула:

— Все может быть! Думаю, Эмили никогда не забудет все, что я ей сказала. По крайней мере, простит мне это не скоро. Пускай. До нее хоть что-то дошло. Хотя с нее все как с гуся вода. Я ей прямо сказала: «Вы старая женщина, Эмили, а нет ничего хуже старых дур. Они еще дурнее молодых. Он же на двадцать лет моложе вас. Хватит вам в любовь играть. И так понятно, что он женился только из-за денег. Не давайте ему много. У фермера хорошенькая молодая женушка. Спросите-ка своего Альфреда, сколько он на нее тратит?» Ух как она разозлилась! Понятное дело! А я свое гну: «Я вас, Эмили, предупреждаю, хотите вы этого или нет, он вас придушит прямо в постели, как только рассмотрит хорошенько. Зря вы вышли за этого мерзавца. Можете говорить мне что угодно, но запомните мои слова: ваш муж — мерзавец!»

— А она что?

Мисс Говард сделала язвительную гримасу.

— «Милый Альфред», «бесценный Альфред», «мерзкая клевета», «мерзкая ложь», «мерзкая женщина обвиняет ее бесценного мужа». Нет, чем раньше я покину этот дом, тем лучше. Словом, я уезжаю.

— Ну, не надо так сразу! Неужели вы уедете прямо сейчас?

— Да, сию же минуту.

Несколько секунд мы сидели, молча уставившись на нее. Наконец Джон решил, что дальнейшие уговоры бесполезны, и пошел справиться о поезде. За ним последовала его жена, продолжая что-то бормотать насчет миссис Инглторп и что надо бы ее убедить прислушаться к словам Иви.

Когда она вышла из комнаты, выражение лица мисс Говард изменилось и она быстро наклонилась ко мне:

— Мистер Гастингс, вы честный человек. Я могу быть откровенной с вами?

Я был несколько обескуражен. Она взяла меня за руку и снизила голос до шепота:

— Присматривайте за ней, мистер Гастингс. Бедная моя Эмили! Ее окружает целая стая акул. Все без гроша в кармане. Все тянут из нее деньги. Я защищала ее, пока могла. Теперь меня не будет рядом. Они все начнут водить ее за нос.

— Не беспокойтесь, мисс Говард, естественно, я сделаю все, что в моих силах, хотя уверен, что вы просто переутомились и чересчур возбуждены.

— Молодой человек, поверьте мне. Я живу на свете немножко больше вашего. Прошу вас только об одном — не спускайте с нее глаз. Скоро вы поймете, что я имею в виду.

Через открытое окно донеслось тарахтение автомобиля. Мисс Говард встала и направилась к двери. Снаружи послышался голос Джона. Уже взявшись за ручку двери, она обернулась и добавила:

— И прежде всего, мистер Гастингс, присматривайте за этим дьяволом, ее мужем.

Больше она ничего не успела сказать. Вскоре ее голос потонул в громком хоре протестов и прощаний. Четы Инглторпов среди провожающих не было.

Когда автомобиль отъехал, миссис Кэвендиш внезапно отделилась от остальных и, перейдя дорогу, направилась к лужайке навстречу высокому бородатому человеку, шедшему в сторону усадьбы. Протягивая ему руку, она слегка покраснела.

— Кто это? — спросил я. Человек этот показался мне чем-то подозрителен.

— Это доктор Бауэрстайн, — буркнул Джон.

— А кто он такой, этот доктор Бауэрстайн?

— Живет тут в деревне, отдыхает после тяжелого нервного расстройства. Сам он из Лондона. Умнейший человек. Кажется, один из самых крупных в мире специалистов по ядам.

— И большой друг Мэри, — добавила неугомонная Цинтия.

Джон Кэвендиш нахмурился и перевел разговор на другую тему:

— Пойдем прогуляемся, Гастингс. Все это ужасно неприятно. Конечно, язычок был у нее довольно острый, но во всей Англии не сыскать друга более преданного, чем мисс Говард.

В лесок, окаймлявший поместье с одной стороны, уходила тропинка, и мы двинулись по ней в сторону деревни.

На обратном пути мы столкнулись с хорошенькой, похожей на цыганку, женщиной. Она кивнула и улыбнулась.

— Какая прелесть! — сказал я восхищенно.

— Это миссис Райкес.

— Та самая, о которой мисс Говард...

— Та самая, — резко перебил меня Джон.

Я подумал о седой старушке, затерянной в огромном доме, о миловидном и порочном личике, только что улыбнувшемся нам, и меня наполнило смутное предчувствие чего-то ужасного. Я попытался отогнать эти мысли.

— Действительно, Стайлз — чудесное место, — сказал я Джону.

Он мрачно кивнул:

— Да, неплохое имение, когда-нибудь оно станет моим, и я выберусь из этой проклятой нищеты. Я бы уже сейчас мог владеть усадьбой, если бы отец составил справедливое завещание.

— Ты на самом деле сильно нуждаешься?

— Милый мой Гастингс, скажу тебе откровенно — я просто с ног сбился в поисках денег.

— А что, брат не может тебе помочь?

— Лоренс? Да он же все деньги потратил на печатание своих бездарных стишков в экстравагантных переплетах. Мы с ним действительно в бедственном положении. Я не хочу показаться несправедливым: мать всегда была очень добра к нам, вплоть до самого последнего времени. Однако после замужества... — Он нахмурился и замолчал.

В первый раз я почувствовал, что вместе с Ивлин Говард что-то неуловимо исчезло из атмосферы дома. Ее присутствие создавало ощущение надежности. Теперь же, казалось, сам воздух наполнился подозрительностью. Перед моими глазами опять проплыло зловещее лицо доктора Бауэрстайна. Внезапно все вокруг стало внушать мне смутное беспокойство, и меня охватило предчувствие чего-то ужасного.

Глава 2

16 и 17 ИЮЛЯ

Я приехал в Стайлз пятого июля. Теперь речь пойдет о том, что случилось шестнадцатого и семнадцатого. Чтобы сделать свой рассказ, по возможности, более убедительным, я постараюсь не упустить ни малейшей мелочи. Во время следствия все эти детали выявлялись одна за другой с помощью долгих и скучных показаний свидетелей.

Через пару дней после отъезда Ивлин Говард я получил от нее письмо, в котором она сообщала, что работает медсестрой в большом госпитале в городке Миддлингхем, расположенном милях в пятнадцати от Стайлз. Она очень просила сообщить, если миссис Инглторп проявит хоть малейшее желание уладить ссору.

Единственное, что отравляло мое безоблачное существование, было постоянное, и для меня необъяснимое, желание миссис Кэвендиш видеть Бауэрстайна. Ума не приложу, что можно было в нем найти, но она все время приглашала его в дом, и они часто совершали длительные совместные прогулки. Должен признаться, что я не находил в нем ничего привлекательного.

Понедельник, шестнадцатое июля, был очень суматошным днем. В субботу состоялся большой благотворительный базар, а в понедельник вечером в честь его завершения планировался концерт, на котором миссис Инглторп собиралась прочесть стихотворение о войне. Целое утро мы провели в большом актовом зале, оформляя и подготавливая его к вечернему концерту. Пообедав позднее обычного, мы до вечера отдыхали в саду. Я заметил, что Джон в тот день выглядел странно. Он явно нервничал и, казалось, не мог найти себе места.

После чая миссис Инглторп решила прилечь перед своим вечерним выступлением, а я предложил миссис Кэвендиш партию в теннис.

Примерно без четверти семь миссис Инглторп крикнула нам, что мы рискуем опоздать на ужин, который был раньше обычного. Все очень торопились, и еще до того, как ужин завершился, к дверям подали автомобиль.

Концерт имел большой успех, а выступление миссис Инглторп вызвало настоящую бурю оваций. Было показано также несколько сценок, в них была занята и Цинтия. Подруги, с которыми она участвовала в представлении, пригласили ее на ужин, и она осталась ночевать в деревне.

На следующее утро миссис Инглторп не вставала до самого завтрака, отдыхая после вчерашнего концерта, но уже в двенадцать тридцать она появилась в прекрасном настроении и потребовала, чтобы мы с Лоренсом сопровождали ее на званый обед.

— Сама миссис Роллстон приглашает нас к себе. Она ведь сестра леди Тэдминстер, ни больше ни меньше. Род

Роллстонов один из старейших в Англии, о них упоминается уже во времена Вильгельма Завоевателя[1].

Мэри с нами не поехала, поскольку должна была встретиться с доктором Бауэрстайном.

Обед удался на славу, и, когда мы возвращались домой, Лоренс предложил заехать к Цинтии в Тэдминстер, тем более что госпиталь был всего в миле от нас. Миссис Инглторп нашла эту идею замечательной и согласилась подбросить нас до госпиталя. Ей, однако, надо было написать еще несколько писем, поэтому она сразу уехала, а мы решили дождаться Цинтию и возвратиться в экипаже.

Охранник в госпитале наотрез отказался впустить посторонних, пока не появилась Цинтия и не провела нас под свою ответственность. В белом халате она выглядела еще свежей и прелестней! Мы проследовали за девушкой в ее кабинет, и она познакомила нас с довольно величественной дамой, которую, смеясь, представила как «наше светило».

— Сколько здесь склянок! — воскликнул я, оглядывая комнату. — Неужели вы знаете, что в каждой из них?

— Ну придумайте вы что-нибудь поновее, — сказала Цинтия, вздыхая. — Каждый, кто сюда заходит, произносит именно эти слова. Мы собираемся присудить приз первому, кто не воскликнет: «Сколько здесь склянок!» Я даже знаю, что вы скажете дальше: «И сколько же людей вы отравили?»

Я улыбнулся, признавая свое поражение.

— Если бы вы все только знали, как легко по ошибке отравить человека, то не шутили бы над этим. Ладно, давайте лучше выпьем чаю. У нас тут в шкафу припрятано множество разных лакомств. Нет, не здесь, Лоренс, это шкаф с ядами. Я имела в виду вон тот большой шкаф.

Чаепитие прошло очень весело, после чего мы помогли Цинтии вымыть посуду. Едва были убраны чайные принадлежности, как в дверь постучали. Лица хозяек сразу сделались строгими и непроницаемыми.

---

[1] В и л ь г е л ь м З а в о е в а т е л ь — нормандский герцог, нанесший в 1066 году поражение англосаксам и ставший английским королем Вильгельмом I (1066—1087).

— Войдите, — сказала Цинтия резким, официальным голосом.

На пороге появилась молоденькая, немного испуганная медсестра, которая протянула «светиле» какую-то бутылочку. Та, однако, переадресовала ее Цинтии, сказав при этом довольно загадочную фразу: «На самом деле меня сегодня нет в госпитале». Цинтия взяла бутылочку и со строгостью судьи начала ее рассматривать.

— Это должны были отправить еще утром.

— Старшая медсестра просит извинить ее, но она забыла.

— Скажите ей, что надо внимательнее читать правила, вывешенные на дверях.

По лицу девушки было видно, что она не испытывает ни малейшего желания передавать эти слова грозной старшей медсестре.

— Теперь препарат не отправить раньше завтрашнего дня, — добавила Цинтия.

— Может быть, вы попытаетесь приготовить его сегодня?

— Ладно, попробуем, — милостиво согласилась Цинтия, — хотя мы ужасно заняты и я не уверена, что у нас будет на это время.

Цинтия подождала, пока медсестра вышла, затем взяла с полки большую бутыль, наполнила из нее склянку и поставила ее на стол в коридоре.

Я рассмеялся:

— Дисциплина прежде всего?

— Вот именно. А теперь прошу на балкон, оттуда видно весь госпиталь.

Я проследовал за Цинтией и ее подругой, и они показали мне расположение всех корпусов. Лоренс остался было в комнате, но Цинтия сразу же позвала его на балкон, затем она взглянула на часы.

— Ну что, светило, есть еще работа на сегодня?

— Нет.

— Ладно, тогда запираем двери и пошли.

В то утро я впервые по-настоящему разглядел Лоренса. В отличие от Джона, разобраться в нем было куда сложнее. Застенчивый и замкнутый, он совершенно не походил на своего брата. Но было в нем и некое обаяние, я подумал, что, узнав его поближе, невозможно к нему не привязаться. Я успел заметить его скованность в присутствии Цинтии, да и она при нем выглядела смущенной. Однако в то утро они были по-детски беспечны и болтали без умолку.

Когда мы проезжали через деревню, я вспомнил, что собирался купить несколько марок, и мы заехали на почту.

Выходя, я столкнулся в дверях с каким-то невысоким человечком и только собрался извиниться, как вдруг он с радостным восклицанием заключил меня в объятия. И расцеловал.

— Гастингс, mon ami[1], — воскликнул он, — неужели это вы?

— Пуаро! — вырвалось у меня.

Мы пошли к экипажу.

— Представляете, мисс Цинтия, я только что случайно встретил своего старого друга, мсье Пуаро, с которым мы не виделись уже много лет.

— Надо же, а ведь мы хорошо знаем мсье Пуаро, но мне и в голову не приходило, что вы с ним друзья.

— Да, — серьезно произнес Пуаро, — мы с мадемуазель Цинтией действительно знакомы. Ведь я оказался в этих краях лишь благодаря исключительной доброте миссис Инглторп.

Я удивленно взглянул на него.

— Да, друг мой, она великодушно пригласила сюда семерых моих соотечественников, которые, увы, вынуждены были покинуть пределы своей страны. Мы, бельгийцы, всегда будем вспоминать о ней с благодарностью.

Пуаро обладал весьма примечательной внешностью. Ростом он был не выше пяти футов и четырех дюймов[2], однако держался всегда с огромным достоинством. Свою яйцеобразную голову он обычно держал немного набок, а пышные усы придавали ему довольно воинственный вид. Костюм Пуаро был безупречен; думаю, что крохотное пятнышко причинило бы ему больше страданий, чем

---

[1] Друг мой *(фр.)*.
[2] Ф у т — в системе английских мер единица длины, равная 0,3048 м, или 12 д ю й м а м. Согласно этому, рост мсье Пуаро не превышает 155 см.

31

пулевое ранение. И в то же время этот изысканный щеголь (который, как я с сожалением отметил, теперь сильно прихрамывал) считался в свое время одним из лучших детективов в бельгийской полиции. Благодаря своему невероятному flair[1] он блестяще распутывал многие загадочные преступления.

Он показал мне маленький дом, в котором жили все бельгийцы, и я обещал навестить его в ближайшее время. Пуаро изящно приподнял свою шляпу, прощаясь с Цинтией, и мы тронулись в путь.

— Какой он милый, этот Пуаро, — сказала Цинтия. — Надо же, мне и в голову не могло прийти, что вы знакомы.

— Да, Цинтия, а вы, значит, сами того не подозревая, общаетесь со знаменитостью? — И весь остаток пути я рассказывал ей о былых подвигах моего друга.

В прекрасном настроении мы возвратились домой. В это время на пороге спальни показалась миссис Инглторп. Она была чем-то очень взволнована.

— А, это вы!

— Что-нибудь случилось, тетя Эмили? — спросила Цинтия.

— Нет, все в порядке, — сухо ответила миссис Инглторп. — Что у нас может случиться?

Увидев горничную Доркас, которая шла в столовую, она попросила занести ей несколько почтовых марок.

— Слушаюсь, мадам.

Затем, чуть помедлив, Доркас неуверенно добавила:

— Может быть, вам лучше не вставать с постели? Вы выглядите очень усталой.

— Возможно, ты и права, впрочем, нет, мне все-таки надо успеть написать несколько писем до прихода почтальона. Кстати, ты не забыла, что я просила разжечь камин в моей комнате?

— Все сделано, мадам.

— Хорошо. Значит, после ужина я смогу сразу лечь.

Она затворила дверь в спальню, и Цинтия в недоумении посмотрела на Лоренса:

— Ничего не понимаю. Что здесь происходит?

_____

[1] Чутье *(фр.)*.

Казалось, он не слышал ее слов. Не проронив ни звука, развернулся и вышел из дома.

Я предложил Цинтии поиграть немного в теннис перед ужином. Она согласилась, и я побежал наверх за ракеткой. Навстречу мне спускалась миссис Кэвендиш. Возможно, это были мои фантазии, но, похоже, и она выглядела необычайно взволнованной.

— Прогулка с доктором была приятной? — спросил я с наигранной беспечностью.

— Я никуда не ходила, — ответила она резко. — Где миссис Инглторп?

— В своей спальне.

Ее рука стиснула перила, она чуть помедлила, словно собираясь с силами, и, быстро спустившись, прошла через холл в комнату миссис Инглторп, плотно закрыв за собой дверь.

На пути к теннисному корту я проходил мимо окна в спальне Эмили Инглторп, оно было открыто, и, помимо своей воли, я стал свидетелем короткого обрывка их разговора.

— Итак, вы не хотите мне его показать? — спросила Мэри, тщетно пытаясь сохранить спокойный тон.

— Милая Мэри, оно не имеет никакого отношения к тому, о чем ты говоришь, — раздалось в ответ.

— Тогда покажите мне его.

— Да говорю тебе, это совсем не то, что ты думаешь. Ты здесь вообще ни при чем.

На это Мэри воскликнула с растущим раздражением:

— Конечно, я и сама должна была догадаться, что вы будете его защищать!..

Цинтия с нетерпением дожидалась моего прихода.

— Вот видите, я была права! Доркас говорит, что был ужасный скандал.

— Какой скандал?

— Между ним и тетей Эмили. Надеюсь, она его наконец-то вывела на чистую воду.

— Вы хотите сказать, что Доркас была свидетелем ссоры?

— Нет, конечно! Просто она будто бы совершенно случайно оказалась под дверью. Доркас утверждает, что там творилось нечто ужасное. Любопытно, что же все-таки произошло?

Я вспомнил о похожей на цыганку миссис Райкес и о предостережении мисс Говард, но на всякий случай промолчал, в то время как Цинтия, перебрав все мыслимые варианты, весело заключила:

— Тетя Эмили просто вышвырнет его вон и никогда больше не вспомнит.

Я решил поговорить с Джоном, но он куда-то исчез. Было ясно, что днем произошло что-то весьма серьезное. Мне хотелось забыть тот случайно услышанный разговор, но напрасно: я все время невольно возвращался к нему, пытаясь понять, какое отношение ко всему этому имела Мэри Кэвендиш.

Когда я спустился к ужину, мистер Инглторп сидел в гостиной. Лицо Альфреда, как и всегда, было совершенно непроницаемым, и меня вновь поразил его странный отсутствующий вид. Миссис Инглторп вошла последней. Она была по-прежнему чем-то взволнована. Весь ужин за столом царила напряженная тишина. Обычно мистер Инглторп постоянно суетился вокруг своей жены, поправлял подушечку, изображая чрезвычайно заботливого мужа. На этот раз он сидел совершенно отрешенный. Сразу после ужина миссис Инглторп снова пошла к себе.

— Мэри, пришли мой кофе сюда. Через пять минут придет почтальон, а я еще не закончила письма! — крикнула она из своей комнаты.

Мы с Цинтией пересели поближе к окну. Мэри подала нам кофе. Она явно нервничала.

— Ну что, молодежь, включить вам свет или вы предпочитаете полумрак? — спросила она. — Цинтия, я налью кофе для миссис Инглторп, а ты отнеси его, пожалуйста, сама.

— Не беспокойтесь, Мэри, я все сделаю, — послышался голос Альфреда.

Он налил кофе и, осторожно держа чашечку, вышел из комнаты. За ним последовал Лоренс, а Мэри присела рядом с нами.

Некоторое время мы сидели молча. Обмахиваясь пальмовым листом, миссис Кэвендиш словно вслушивалась в этот теплый безмятежный вечер.

— Слишком душно. Наверное, будет гроза, — сказала она.

Увы, эти райские мгновения длились недолго — из холла неожиданно послышался знакомый и столь ненавистный мне голос.

— Доктор Бауэрстайн! — воскликнула Цинтия. — Что за странное время для визитов?

Я ревниво взглянул на Мэри, она казалась совершенно безучастной, даже не покраснела.

Через несколько секунд Альфред Инглторп привел доктора в гостиную, хотя тот шутливо отбивался, говоря, что его внешний вид не подходит для визитов. И в самом деле, он был весь вымазан грязью и представлял собой довольно жалкое зрелище.

— Что случилось, доктор? — воскликнула миссис Кэвендиш.

— Приношу тысячу извинений за свой наряд, но я не собирался к вам заходить, — ответил тот. — Это мистер Инглторп затащил меня.

— Да, доктор, попали вы в переплет, — произнес Джон, заходя в гостиную. — Выпейте кофе и поведайте нам, что же произошло.

— Благодарю вас.

И доктор принялся весело рассказывать, как он обнаружил редкий вид папоротника, росшего в каком-то труднодоступном месте, и как, пытаясь сорвать его, поскользнулся и свалился в грязную лужу.

— Грязь вскоре высохла на солнце, — добавил он, — однако вид мой по-прежнему ужасен.

В этот момент миссис Инглторп позвала Цинтию в холл.

— Милая, отнеси мой портфель в спальню. Я уже собираюсь ложиться.

Дверь в прихожую была широко распахнута, к тому же я встал вместе с Цинтией. Джон тоже стоял рядом со мной. Таким образом, как минимум, мы трое были свидетелями того, что миссис Инглторп сама несла свою чашку с кофе, не сделав к тому моменту еще ни одного глотка.

Присутствие доктора Бауэрстайна полностью испортило мне весь вечер. Казалось, что этот человек никогда не уйдет. Наконец он встал, и я вздохнул с облегчением.

— Я пойду с вами вместе в деревню, — сказал мистер Инглторп. — Мне надо уладить кое-какие хозяйственные вопросы с нашим посредником.

Повернувшись к Джону, он добавил:

— Дожидаться меня не надо: я возьму ключи с собой.

Глава 3

НОЧНАЯ ТРАГЕДИЯ

Чтобы сделать дальнейшее изложение более понятным, я прилагаю план первого этажа поместья Стайлз.

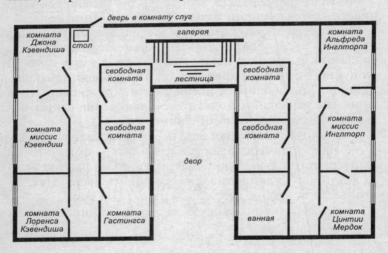

Нужно отметить, что комнаты прислуги не соединены с правым крылом, где расположены комнаты Инглторпов.

Около полуночи меня разбудил Лоренс Кэвендиш. Он держал в руке свечу, и по его лицу было сразу видно, что произошло нечто страшное.

— Что случилось? — спросил я, приподнимаясь и пробуя сосредоточиться.

— Маме очень плохо. У нее, похоже, какой-то припадок. И, как назло, она заперлась изнутри.

Спрыгнув с кровати и натянув халат, я прошел вслед за Лоренсом через коридор в правое крыло дома. К нам подошли Джон и несколько до смерти перепуганных служанок. Лоренс посмотрел на брата:

— Что будем делать?

Никогда еще его нерешительность не проявлялась столь явно, подумал я. Джон несколько раз сильно дернул дверную ручку. Все было напрасно: дверь заперли изнутри. К этому моменту все обитатели дома были уже на ногах. Из комнаты доносились ужасные крики. Надо было срочно что-то предпринять.

— Сэр, попытайтесь пройти через комнату мистера Инглторпа, — предложила Доркас. — Боже мой, как она мучается, бедняжка!

До меня вдруг дошло, что среди столпившихся в коридоре не было видно только Альфреда Инглторпа.

Джон вошел в его комнату. Сначала в темноте ничего нельзя было разобрать, затем на пороге появился Лоренс со свечой, и при ее тусклом свете нашему взору предстала пустая комната и кровать, в которой явно не спали в ту ночь. Бросившись к двери в комнату миссис Инглторп, мы увидели, что она тоже заперта или закрыта на засов. Положение было отчаянное.

— Господи, что же нам делать?! — воскликнула Доркас.

— Надо взламывать дверь. И вот что — пусть кто-нибудь спустится и разбудит Бэйли, чтобы он срочно бежал за доктором Уилкинсом. Давайте ломать дверь. Нет, постойте. Есть же еще дверь из комнаты Цинтии.

— Да, сэр, но она заперта на засов. Ее никогда не открывают.

— Надо все-таки проверить.

Пробежав по коридору, Джон влетел в комнату Цинтии, где увидел Мэри Кэвендиш. Она пыталась растолкать девушку, но та, однако, спала чрезвычайно крепко. Через несколько секунд он пробежал обратно в комнату Инглторпа.

— Бесполезно, она тоже заперта на засов. Будем ломать эту дверь, она, кажется, тоньше, чем дверь в коридоре.

Все навалились на эту проклятую дверь. Наконец она поддалась, и мы с оглушительным грохотом влетели в комнату. При свете свечи, которая по-прежнему была в руках у Лоренса, мы увидели на кровати бьющуюся в конвульсиях миссис Инглторп. Рядом валялся маленький столик, который она, видимо, перевернула во время приступа. С нашим появлением ей стало немного легче, и несчастная опустилась на подушки.

Джон зажег газовую лампу и приказал горничной Энни принести из столовой бренди. Он бросился к матери, а я снял засов с двери в коридор. Решив, что в моей помощи более не нуждаются, я повернулся к Лоренсу сказать, что мне лучше уйти. Но слова замерли у меня на устах. Никогда еще я не видел такого мертвенно-бледного лица. Свеча дрожала в его трясущейся руке, и воск капал прямо на ковер. Лоренс был белый как мел, его неподвижный, полный смертельного ужаса взгляд был устремлен куда-то на противоположную стену. Он словно оцепенел. Я тоже посмотрел туда, но не разглядел ничего особенного. Разве что слабо рдеющую золу на каминной решетке и строгий узор на плите.

Миссис Инглторп стало, видимо, немного лучше, превозмогая удушье, она прошептала: «Теперь лучше... совершенно внезапно... как глупо... закрывать комнату...»

На кровать упала тень. Я поднял глаза и увидел в дверях Мэри Кэвендиш, которая одной рукой поддерживала Цинтию. Лицо девушки было очень красным, она все время зевала и вообще выглядела довольно странно.

— Бедняжка Цинтия, она так испугалась, — сказала Мэри тихо.

На миссис Кэвендиш был белый халат, в котором она работала на ферме. Это означало, что приближался рассвет. И действительно, тусклый утренний свет уже слегка пробивался сквозь шторы. Часы на камине показывали около пяти.

Удушливый хрип заставил меня вздрогнуть. Было невыносимо видеть, как бедная миссис Инглторп опять начала биться в страшных конвульсиях. Мы стояли возле кровати несчастной, не в силах ничем помочь. Тщетно Мэри и Джон пытались влить в нее немного бренди. В этот момент в комнату уверенной походкой вошел доктор Бауэрстайн. На какое-то мгновение он застыл, пораженный кошмарным зрелищем, а миссис Инглторп, глядя прямо на него, прохрипела: «Альфред! Альфред!» — и, упав на подушки, затихла.

Доктор подбежал к кровати, схватил руки умирающей и начал делать искусственное дыхание. Дав несколько приказаний прислуге, он властным жестом попросил всех отойти. Затаив дыхание, мы ловили каждое его движение, хотя в глубине души каждый из нас догадывался, что состояние миссис Инглторп безнадежно. По лицу доктора я понял — спасти умирающую он не в силах.

Наконец он выпрямился и тяжело вздохнул. В это время в коридоре раздались шаги, и в комнату суетливо вбежал небольшого роста толстенький человечек, которого я сразу узнал. Это был доктор Уилкинс, лечащий врач миссис Инглторп.

В нескольких скупых фразах доктор Бауэрстайн рассказал, как он случайно проходил мимо садовых ворот в тот момент, когда оттуда выезжала машина, посланная за доктором, и как, узнав о случившемся, со всех ног бросился в дом. Он грустно взглянул на усопшую.

— Да, печально, весьма печально, — пробормотал доктор Уилкинс, — она всегда так перенапрягалась... несмотря на мои предупреждения, так перенапрягалась... Говорил же ей: «У вас, миссис Инглторп, сердечко пошаливает, поберегите вы себя...» Да, именно так ей и говорил: «Поберегите вы себя», — но нет, ее желание делать добро было слишком велико, да, слишком велико. Вот организм и не выдержал... Просто *не выдержал...*

Я заметил, что Бауэрстайн очень внимательно смотрел на доктора Уилкинса. Пристально глядя ему в глаза, он сказал:

— Характер конвульсий был весьма странным. Жаль, что вы опоздали и не видели. Это было похоже на... столбняк. Я бы хотел поговорить с вами наедине, — сказал Бауэрстайн. Он повернулся к Джону: — Вы не возражаете?

— Конечно нет.

Все вышли в коридор, оставив их вдвоем. Было слышно, как изнутри заперли дверь. Мы медленно спустились вниз. Я был очень взбудоражен: от моего пытливого взора не ускользнула странность поведения доктора Бауэрстайна, и это породило в моей разгоряченной голове множество догадок. Мэри Кэвендиш взяла меня за руку.

— Что происходит? Почему доктор Бауэрстайн ведет себя так необычно?

Я посмотрел ей в глаза:

— Знаете, что я думаю?

— Что?

— Слушайте. — Я понизил голос до шепота и, убедившись, что рядом никого нет, продолжал: — Я уверен, что ее отравили. Не сомневаюсь, что доктор Бауэрстайн подозревает именно это.

— Что?! — Глаза Мэри округлились от ужаса. Она попятилась к стене и вдруг издала страшный вопль: — Нет! Нет! Нет!!! Только не это!

От неожиданности я вздрогнул. Мэри бросилась вверх по лестнице, я побежал следом, боясь, что она лишится чувств. Когда я догнал ее, миссис Кэвендиш стояла, прислонившись к перилам. Лицо ее покрывала смертельная бледность. Нетерпеливо взмахнув рукой, она произнесла:

— Нет, нет, прошу вас, оставьте меня. Мне надо немного побыть одной и успокоиться. Идите вниз.

Нехотя я подчинился. Спустившись, увидел в столовой Джона и Лоренса. Некоторое время мы молчали, затем я сказал то, что было, наверное, у всех на уме:

— Где мистер Инглторп?

Джон пожал плечами:

— В доме его нет.

Наши глаза встретились. Где был Альфред Инглторп? Его отсутствие было очень странным. Я вспомнил последние слова миссис Инглторп. Что они означали? Что бы она сказала, если бы умерла несколькими минутами позже?

Наконец сверху послышались шаги. Оба доктора спустились вниз. Доктор Уилкинс был очень взволнован, хотя и пытался скрыть это. Он обратился к Джону с необычайно торжественным и важным видом:

— Мистер Кэвендиш, мне требуется ваше разрешение на вскрытие.

— Неужели это необходимо? — мрачно спросил Джон, и его лицо передернулось.

— Абсолютно необходимо, — сказал Бауэрстайн.

— Вы хотите сказать...

— Что ни я, ни доктор Уилкинс не можем дать заключение о смерти без вскрытия.

Джон опустил голову.

— В таком случае я вынужден согласиться.

— Спасибо, — поспешно поблагодарил доктор Уилкинс. — Мы предлагаем провести вскрытие завтра или даже лучше сегодня вечером. — Он посмотрел в окно. — Боюсь, что при сложившихся обстоятельствах дознание неизбежно. Но не беспокойтесь: это всего лишь необходимая формальность.

Все молчали, и доктор Бауэрстайн, вынув из кармана два ключа, протянул их Джону.

— Это ключи от комнат Инглторпов. Я их запер и думаю, что лучше пока туда никого не пускать.

Оба доктора откланялись.

Уже некоторое время я обдумывал одну идею и теперь решил, что пришло время поделиться ею с Джоном. Мне, однако, следовало делать это крайне осторожно, так как Джон до смерти боялся огласки и вообще принадлежал к тому типу беззаботных оптимистов, которые не любят готовиться к несчастью заранее. Его будет нелегко убедить в безопасности моего предложения. С другой стороны, вопросы светского приличия куда меньше волновали Лоренса, и я мог рассчитывать на его поддержку. Настал момент, когда надо было брать бразды правления в свои руки.

— Джон, — сказал я, — мне хочется кое-что предложить тебе.

— Я весь внимание.

— Помнишь, я рассказывал о моем друге Пуаро? Это тот самый бывший знаменитый бельгийский сыщик, который сейчас живет в Стайлз-Сент-Мэри.

— Конечно, помню.

— Так вот, я прошу твоего согласия, чтобы он занялся этим делом.

— Прямо сейчас, до результатов вскрытия?

— Да, нельзя терять ни минуты, если... Если, конечно, здесь что-то нечисто.

— Чепуха! — негодующе воскликнул Лоренс. — Все это сплошная выдумка Бауэрстайна. Уилкинсу и в голову это не приходило, пока Бауэрстайн не поговорил с ним. Каждый ученый на чем-нибудь помешан. Этот занимается ядами, вот и видит повсюду отравителей.

Признаться, меня удивила эта тирада Лоренса: он весьма редко проявлял эмоции. Что касается Джона, то тот явно колебался. Наконец он сказал:

— Я не согласен с тобой, Лоренс. Думаю, Гастингс прав, хотя я хотел бы немного подождать с расследованием. Надо во что бы то ни стало избежать огласки.

— Что ты, Джон, — запротестовал я. — Никакой огласки не будет. Пуаро — это сама осторожность.

— В таком случае поступай как знаешь. Я полагаюсь на тебя. Если наши подозрения верны, то дело это не слишком сложное. Прости меня Господи, если я возвел на кого-то напраслину.

Часы пробили шесть. Я решил не терять времени, хотя и позволил себе на пять минут задержаться в библиотеке, где отыскал в медицинском справочнике симптомы отравления стрихнином.

Глава 4

ПУАРО НАЧИНАЕТ ДЕЙСТВОВАТЬ

Дом, в котором жили бельгийцы, находился недалеко от входа в парк. Чтобы сэкономить время, я пошел не по основной деревенской дороге, которая слишком петляла, а через парк. Я уже почти достиг выхода, как вдруг увидел, что навстречу мне кто-то идет торопливым шагом. Это был мистер Инглторп. Где он был? Как он собирается объяснить свое отсутствие? Увидев меня, он сразу воскликнул:

— Боже мой, какое несчастье! Моя бедная жена! Я только что узнал!

— Где вы были?

— Я вчера задержался у Денби. Когда мы закончили все дела, было уже около часа. Оказалось, я забыл дома ключ и, чтобы не будить вас среди ночи, решил остаться у него.

— Как же вы узнали о случившемся? — спросил я.

— Уилкинс заехал к Денби и все ему рассказал. Бедная моя Эмили... В ней было столько самопожертвования, столько благородства! Она совсем себя не щадила!

Волна отвращения буквально захлестнула меня. Как можно так изощренно лицемерить! Извинившись, я сказал, что спешу, и был очень доволен, что он не спросил, куда я направлялся.

Через несколько минут я постучался в дверь коттеджа «Листвейз». Никто не открывал. Я снова нетерпеливо постучал. На этот раз верхнее окно осторожно приоткрылось, и оттуда выглянул Пуаро.

Он был явно удивлен моим визитом. Я сразу стал что-то говорить.

— Подождите, друг мой, сейчас я вас впущу, и, пока буду одеваться, вы все расскажете.

Через несколько секунд Пуаро открыл дверь, и мы поднялись в его комнату. Я очень подробно рассказал ему о том, что случилось ночью, стараясь не упустить ни малейшей детали. Пуаро тем временем с необыкновенной тщательностью приводил в порядок свой туалет. Я рассказал ему, как меня разбудили, о последних словах миссис Инглторп, о ее ссоре с Мэри, свидетелем которой я случайно стал, о ссоре между миссис Инглторп и мисс Говард и о нашем с ней разговоре. Пытаясь припомнить каждую мелочь, я поминутно повторялся.

Пуаро добродушно улыбнулся:

— Мысли смешались? Ведь так? Не торопитесь, mon ami. Вы возбуждены, вы взволнованы — это естественно. Вскоре, когда мы немного успокоимся, мы аккуратненько расставим факты по своим местам, исследуем их и отберем: важные отложим в одну сторону, неважные — пфф! — он сморщил свое личико немолодого херувима и довольно комично дунул, — отгоним прочь!

— Все это звучит прекрасно, но как мы узнаем, какие факты отбрасывать? По-моему, в этом и заключается главная трудность.

Но у Пуаро было другое мнение. Задумчиво поглаживая усы, он произнес:

— Отнюдь нет, друг мой. Судите сами: один факт ведет к другому, получается цепочка, в которой каждое звено связано с предыдущим. Если какой-то факт «повисает», значит, надо искать потерянное звено. Может быть, оно окажется какой-то незначительной деталью, но мы обязательно находим ее, восстанавливаем обрыв

43

в цепочке и идем дальше. — Он многозначительно поднял палец. — Вот в этом, друг мой, и заключается главная трудность.

— Д-да, вы правы... — И, энергично погрозив мне пальцем, — я даже вздрогнул, — Пуаро добавил: — И горе тому детективу, который отбрасывает факты, пусть самые ничтожные, если они не связываются с другими. Подобный путь ведет в тупик. Помните, любая мелочь имеет значение!

— Да, да, вы всегда говорили мне об этом. Вот почему я старался припомнить все до малейшей детали, хотя некоторые из них, по-моему, не имеют никакого отношения к делу.

— И я доволен вами! У вас хорошая память, и вы действительно рассказали все, что помните. Не будем говорить о достойном сожаления беспорядке, в котором были изложены события. Я это прощаю: вы слишком возбуждены. Прощаю я и то, что не была упомянута одна чрезвычайно важная деталь.

— Какая?

— Вы не сказали, много ли съела миссис Инглторп вчера за ужином.

Я пристально посмотрел на своего друга. Война для него не прошла даром: похоже, бедняга немного тронулся. Пуаро тем временем с величайшей тщательностью чистил пальто и, казалось, был всецело поглощен этим занятием.

— Не помню, — пробормотал я, — и вообще, я не понимаю.

— Вы не понимаете? Это же очень важно.

— Не вижу здесь ничего важного, — сказал я с раздражением. — Мне кажется, она ела совсем немного, ведь миссис Инглторп была сильно расстроена и ей было, видимо, не до еды.

— Да, — задумчиво произнес Пуаро, — ей было не до еды.

Он вынул из бюро небольшой чемоданчик и сказал:

— Теперь все готово, и я хотел бы немедленно отправиться в château[1], чтобы увидеть все своими глазами...

_____

[1] Замок (фр.).

Простите, mon ami, вы одевались в спешке и небрежно завязали галстук. Ça y est![1] Теперь можно идти.

Быстро пройдя деревню, мы свернули в парк, Пуаро остановился, печально взглянул на тихо покачивающиеся деревья, на траву, в которой еще блестели последние капли росы, и со вздохом сказал:

— Какая красота кругом! Но что до нее несчастному семейству покойной...

Пуаро внимательно посмотрел на меня, и я покраснел под его долгим взглядом. Так ли уж близкие миссис Инглторп оплакивают ее кончину? Так ли уж они убиты горем? Нельзя сказать, что окружающие обожали миссис Инглторп. Ее смерть была скорее происшествием, которое всех потрясло, выбило из колеи, но не причинило подлинного страдания. Пуаро как будто прочел мои мысли. Он мрачно кивнул и сказал:

— Вы правы. Она была добра и щедра по отношению к этим Кэвендишам, но она не была их родной матерью. Кровное родство — важная вещь, не забывайте, очень важная.

— Пуаро, мне хотелось бы все-таки узнать, почему вы так заинтересовались аппетитом миссис Инглторп? Я никак не могу понять, почему это вас так волнует?

Однако Пуаро молчал, наконец он все-таки сказал:

— Вы знаете, что не в моих правилах что-либо объяснять, пока дело не закончилось, но на этот раз я сделаю исключение. Итак, на данный момент предполагается, что миссис Инглторп была отравлена стрихнином, который подмешали ей в кофе.

— Неужели?

— Ну да, в какое время подали кофе?

— Около восьми.

— Следовательно, она выпила кофе между восемью и половиной девятого, не позже. Но стрихнин ведь действует очень быстро, примерно через час. А у миссис Инглторп симптомы отравления появились в пять утра, то есть через девять часов! Однако если в момент отравления человек плотно поел, то это может отсрочить действие яда, хотя вряд ли так надолго. Вы утверждаете, что

---

[1] Вот так! *(фр.)*

45

она съела за ужином очень мало, а симптомы тем не менее проявились лишь утром. Все это, друг мой, довольно странно. Возможно, вскрытие что-нибудь и прояснит, а пока запомним этот факт.

Когда мы подошли к усадьбе, Джон вышел нам навстречу. Он выглядел очень утомленным.

— Ужасно неприятная история, мсье Пуаро. Надеюсь, Гастингс сказал вам, что мы хотели бы избежать скандала?

— Я вас прекрасно понимаю.

— Видите ли, пока у нас нет никаких фактов, одни только подозрения.

— Вот именно. Но на всякий случай будем осторожны.

Джон достал из портсигара сигарету и повернулся ко мне:

— Ты знаешь, что этот тип вернулся?

— Да, я встретил его по дороге.

Он бросил спичку в ближайшую клумбу, но Пуаро, который не мог вынести подобной небрежности, нагнулся и тщательно закопал ее.

— Никто не знает, как себя с ним вести.

— Эта проблема скоро будет решена, — спокойно заявил Пуаро.

Джон удивленно взглянул на него, не совсем понимая смысл этой загадочной фразы.

Он протянул мне два ключа, которые получил от доктора Бауэрстайна.

— Покажите мсье Пуаро все, что его интересует.

— Разве комнаты заперты?

— Да, на этом настоял доктор Бауэрстайн.

Пуаро задумчиво кивнул.

— Он весьма предусмотрителен. Что ж, это значительно облегчает нашу задачу.

Мы пошли в комнату миссис Инглторп. Для удобства я прилагаю ее план, на котором также помечены основные предметы обстановки.

Пуаро запер за нами дверь и приступил к тщательному осмотру комнаты. Словно кузнечик, он перепрыгивал от предмета к предмету, а я топтался у двери, боясь случайно уничтожить какие-нибудь улики. Пуаро, однако, совершенно не оценил мою предусмотрительность.

— Друг мой, что вы застыли как изваяние?

Я объяснил ему, что боюсь уничтожить улики, например следы на полу.

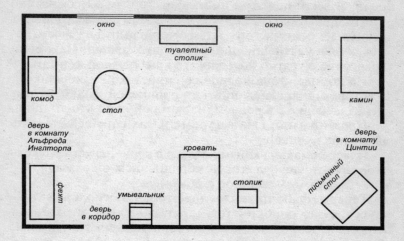

— Следы?! Вот так улика! Здесь же побывала целая толпа народа, а вы говорите про следы. Лучше идите сюда и помогите мне. Так, чемоданчик пока не нужен, отложим его на время.

Он поставил его на круглый столик у окна, как оказалось, неблагоразумно: незакрепленная крышка наклонилась и сбросила чемоданчик на пол.

— En voilà une table![1] — воскликнул Пауро. — Вот так, Гастингс, иметь огромный дом еще не значит жить в комфорте.

Отпустив это глубокомысленное замечание, мой друг продолжал осмотр комнаты. Его внимание привлек лежащий на письменном столе небольшой портфель. Из его замочка торчал ключ. Пуаро вынул его и многозначительно передал мне. Я не нашел в нем ничего достойного внимания: это был вполне обыкновенный ключ, надетый на небольшое проволочное кольцо.

Затем мой друг осмотрел раму выломанной двери, дабы убедиться, что она была действительно заперта на засов.

---

[1] Ну и столик! *(фр.)*

Затем подошел к двери, ведущей в комнату Цинтии. Как я уже говорил, она тоже была заперта. Пуаро отодвинул засов и несколько раз осторожно открыл и закрыл дверь, стараясь не произвести при этом ни малейшего шума. Неожиданно что-то привлекло его внимание на самом засове. Мой друг тщательно осмотрел его, затем быстро вынул из своего чемоданчика маленький пинцет и, ловко подцепив какой-то волосок, аккуратно положил его в небольшой конверт.

На комоде стоял поднос со спиртовкой и ковшиком, в котором виднелись остатки коричневой жидкости, тут же была чашка с блюдцем, из которой явно что-то пили.

Поразительно, как я не заметил их раньше! Это ведь настоящая улика!

Пуаро обмакнул кончик пальца в коричневую жидкость и осторожно лизнул его. Поморщившись, он сказал:

— Какао... смешанное с ромом.

Теперь Пуаро принялся осматривать осколки, валявшиеся возле опрокинутого столика. Рядом с разбитой вдребезги кофейной чашкой валялись спички, книги, связка ключей и настольная лампа.

— Однако это довольно странно, — сказал Пуаро.

— Должен признаться, что не вижу здесь ничего странного.

— Неужели? Посмотрите-ка на лампу — она раскололась на две части, и обе лежат рядом. А чашка раздроблена на сотни маленьких осколков.

— Ну и что? Наверное, кто-то наступил на нее.

— Вот и-мен-но, — как-то странно протянул Пуаро. — Кто-то наступил на нее.

Он встал с колен, подошел к камину и стал что-то обдумывать, машинально поправляя безделушки и выстраивая их в прямую линию, — верный признак того, что он очень взволнован.

— Mon ami, — произнес он наконец, — кто-то намеренно наступил на эту чашку, потому что в ней был стрихнин или, и это еще важнее, потому что в ней не было стрихнина!

Я был заинтригован, но, хорошо зная своего друга, решил пока ничего не спрашивать. Пуаро потребовалась еще пара минут, чтобы успокоиться и снова приступить к делу. Подняв с пола связку ключей, он тщательно осмотрел их, затем выбрал один, выглядевший новее других, и вставил его в замок портфельчика. Ключ подошел, но, едва приоткрыв портфель, Пуаро тотчас же его захлопнул и снова запер на ключ. Положив связку и ключ в карман, он сказал:

— Пока я не имею права читать эти бумаги, но это должно быть сделано как можно скорее.

Затем мой друг приступил к осмотру шкафчика над умывальником, после чего подошел к левому окну и склонился над круглым пятном, которое на темно-коричневом ковре было едва различимо. Он скрупулезно осматривал пятно с разных сторон, а под конец даже понюхал.

Закончив с пятном, он налил несколько капель какао в пробирку и плотно закрыл пробку. Затем Пуаро вынул записную книжку и, что-то быстро записав, произнес:

— Таким образом, мы сделали в этой комнате шесть интересных находок. Перечислить их или вы сделаете это сами?

— Нет, лучше вы, — ответил я не задумываясь.

— Хорошо. Итак, первая находка — это кофейная чашка, буквально растертая в порошок, вторая — портфель с торчащим из него ключом, третья — пятно на ковре...

— Возможно, оно уже здесь давно, — перебил я своего друга.

— Нет, оно до сих пор влажное и еще пахнет кофе. Дальше, крошечный кусочек зеленой материи, всего пара ниток, но по ним можно восстановить целое.

— А, так вот что вы положили в конверт! — воскликнул я.

— Да, хотя эти нитки могут оказаться от платья самой миссис Инглторп и в этом случае потеряют для нас интерес. Находка пятая — прошу вас... — И театральным жестом Пуаро указал на большое восковое пятно около письменного стола. — Вчера его еще не было, в противном случае служанка наверняка бы его удалила, прогладив горячим утюгом через промокательную бумагу. Однажды такая же история приключилась с моей лучшей шляпой. Я вам как-нибудь расскажу об этом.

— Видимо, пятно появилось минувшей ночью. Все были так взволнованы! А может быть, свечу уронила сама миссис Инглторп.

— Ночью у вас была с собой только одна свеча?

— Да, у Лоренса Кэвендиша, но он был совершенно невменяем. Бедняга что-то увидел на камине или рядом с ним и буквально оцепенел от этого.

— Очень интересно. — Пуаро внимательно осмотрел всю стену. — Любопытно, любопытно. Однако этот воск не от его свечи, ведь он белый, а свеча мсье Кэвендиша была из розового воска. Взгляните, она до сих пор стоит на туалетном столике. Между тем в комнате вообще нет ни одного подсвечника: миссис Инглторп пользовалась лампой.

— Что же вы хотите сказать?

Вместо ответа, Пуаро раздраженно пробормотал что-то насчет моих извилин.

— Ну а шестая находка — это, по-видимому, остатки какао?

— Нет, — задумчиво проговорил Пуаро. — Пока я ничего не хочу говорить о номере шесть.

Он еще раз оглядел комнату.

— Кажется, больше здесь нечего делать, разве что... — Он окинул долгим задумчивым взглядом золу в камине. — Тут что-то жгли — все сгорело, наверное. Но вдруг повезет — посмотрим.

Он встал на четвереньки и начал с величайшей осторожностью выгребать из камина золу. Внезапно Пуаро воскликнул:

— Гастингс, пинцет!

Я протянул ему пинцет, и он ловко вытащил из пепла наполовину обуглившийся клочок бумаги.

— Получите, друг мой! — И он протянул мне свою находку. — Что вы об этом думаете?

Я внимательно посмотрел на листок. Вот как он выглядел:

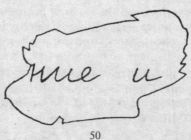

Но главное — бумага была необыкновенно плотная. Странно. Внезапно меня осенило.

— Пуаро! Это же остаток завещания!

— Естественно.

Я изумленно взглянул на него:

— И вас это не удивляет?

— Нисколько. Я предвидел это.

Взяв у меня листок, Пуаро аккуратно положил его в чемоданчик. У меня голова шла кругом: что скрывалось в этом сожженном завещании?.. Кто его уничтожил? Неизвестный, оставивший на полу восковое пятно? Да, это не вызывает сомнений. Но как он проник в комнату?.. Ведь все двери были заперты изнутри.

— Что ж, пойдемте, друг мой, — сказал Пуаро, — я хотел бы задать несколько вопросов горничной. Э-э-э... Доркас. Так ее, кажется, зовут.

Мы перешли в комнату Альфреда Инглторпа, где Пуаро задержался и внимательно все осмотрел. Затем он запер дверь в комнату миссис Инглторп, а когда мы вышли, запер также и дверь в коридор.

Я провел Пуаро в будуар и отправился на поиски Доркас. Возвратившись вместе с ней, я увидел, что будуар пуст.

— Пуаро! — закричал я. — Где вы?

— Я здесь, друг мой.

Он стоял на террасе и восхищенно разглядывал аккуратные цветочные клумбы.

— Какая красота! Вы только взгляните, Гастингс, какая симметрия! Посмотрите на ту клумбу, в форме полумесяца, или вот на эту, в виде ромба. А как аккуратно и с каким вкусом высажены цветы! Наверное, эти клумбы разбиты недавно.

— Да, кажется, вчера днем. Однако Доркас ждет вас, Пуаро. Идите сюда.

— Иду, друг мой, иду. Дайте мне только еще мгновение насладиться этим совершенством.

— Но время не терпит. К тому же здесь вас ждут дела поважнее.

— Как знать, как знать. Может быть, эти чудные бегонии представляют для нас не меньший интерес.

Я пожал плечами: когда Пуаро вел себя подобным образом, спорить с ним было бесполезно.

— Вы не согласны? Напрасно, всякое бывает... Ладно, давайте поговорим с нашей славной Доркас.

Горничная слушала нас, скрестив руки на груди, ее аккуратно уложенные седые волосы покрывала белоснежная шапочка, и весь облик являл собой образец идеальной служанки, которую уже редко найдешь в наши дни.

Поначалу в глазах Доркас была некоторая подозрительность, но очень скоро Пуаро сумел завоевать ее расположение. Пододвинув ей стул, мой друг сказал:

— Прошу вас, садитесь, мадемуазель.

— Благодарю вас, сэр.

— Если не ошибаюсь, вы служили у миссис Инглторп много лет?

— Десять лет, сэр.

— О, это немалый срок! Вы были к ней весьма привязаны, не так ли?

— Она была ко мне очень добра, сэр.

— Тогда, думаю, вы согласитесь ответить на несколько моих вопросов. Естественно, я задаю их с полного одобрения мистера Кэвендиша.

— Да, сэр, конечно.

— Тогда начнем с того, что произошло вчера днем. Кажется, здесь был какой-то скандал?

— Да, сэр. Не знаю, пристало ли мне... — Доркас нерешительно замолкла.

— Милая Доркас, мне совершенно необходимо знать, что произошло, причем в мельчайших подробностях. И не думайте, что вы выдаете секреты вашей хозяйки: она мертва, и ничто уже не вернет ее к жизни. Ну а если в этой смерти кто-то виновен, то наш долг привлечь преступника к суду. Но для этого мне надо знать все!

— И да поможет вам Господь! — торжественно добавила Доркас. — Хорошо. Не называя никого по имени, я скажу, что среди обитателей усадьбы есть человек, которого мы все ненавидим. Будь проклят тот день, когда он переступил порог нашего дома!

Пуаро выждал, пока негодование Доркас стихнет, и спокойно сказал:

— Но вернемся к вчерашней ссоре, Доркас. С чего все началось?

— Видите ли, сэр, я совершенно случайно проходила в этот момент через холл...

— Во сколько это было?

— Точно не скажу, сэр, часа в четыре или чуть позже, во всяком случае, до чая было еще далеко. И вот, значит, я проходила через холл, как вдруг услыхала крики из-за двери. Я не собиралась, конечно, подслушивать, но как-то само собой получилось, что я задержалась. Дверь была закрыта, однако хозяйка говорила так громко, что я слышала каждое слово. Она крикнула: «Ты лгал, бессовестно лгал мне!» Я не разобрала, что ответил мистер Инглторп, он говорил гораздо тише хозяйки, но ее слова я слышала отчетливо: «Да как ты мог? Я отдала тебе свой дом, кормила тебя, одевала, всем, что у тебя есть, ты обязан только мне! И вот она, благодарность! Это же позор и бесчестье для всей семьи!» Я снова не расслышала, что он сказал, а хозяйка продолжала: «Меня не интересует, что ты скажешь. Все решено, и ничто, даже страх перед публичным скандалом, не остановит меня!» Мне показалось, что они подошли к двери, и я выбежала из холла.

— Вы уверены, что это был голос Инглторпа?

— Конечно, сэр, чей же еще?

— Ладно. Что было дальше?

— Позже я еще раз зашла в холл, но все было тихо. В пять часов я услышала звон колокольчика, и хозяйка попросила принести ей чай, только чай, без всякой еды. Миссис Инглторп была ужасно бледна и печальна. «Доркас, — сказала она, — у меня большие неприятности». — «Мне больно это слышать, мадам, — ответила я. — Надеюсь, после чашки хорошего чая вам станет получше». Она что-то держала в руке, я не разглядела: письмо это или просто листок бумаги. Но там было что-то написано, и хозяйка все время рассматривала его, словно не могла поверить собственным глазам. Позабыв, что я рядом, она прошептала: «Всего несколько слов, а перевернули всю мою жизнь». Затем она посмотрела на меня и добавила: «Доркас, никогда не доверяйте мужчинам, они не стоят этого». Я побежала за чаем, а когда вернулась, миссис Инглторп сказала, что после хорошего крепкого чая наверняка будет чувствовать себя получше. «Не знаю, что и делать, — добавила она. — Скан-

53

дал между мужем и женой — это всегда позор. Может быть, попробовать все замять...» Она замолчала, потому что в этот момент в комнату вошла миссис Кэвендиш.

— Хозяйка по-прежнему держала этот листок?

— Да, сэр.

— Как вы думаете, что она собиралась с ним делать?

— Право, не знаю, сэр. Возможно, она положила его в свой лиловый портфель.

— Что, она обычно хранила там важные бумаги?

— Да, каждое утро она спускалась к завтраку с этим портфелем и вечером уносила его с собой.

— Когда был потерян ключ от портфеля?

— Вчера до обеда или сразу после. Хозяйка была очень расстроена и просила меня обязательно найти его.

— Но у нее же был дубликат?

— Да, сэр.

Доркас удивленно уставилась на Пуаро. Пуаро улыбнулся:

— Нечего удивляться, Доркас, это моя работа — знать то, чего не знают другие. Вы искали этот ключ? — И Пуаро достал из кармана ключ, который он вынул из портфеля. Глаза горничной округлились от изумления.

— Да, сэр! Но где вы его нашли? Я же обыскала весь дом!

— В том-то и дело, что вчера ключ был совсем не там, где я нашел его сегодня. Ладно, перейдем теперь к другому вопросу. Скажите, имелось ли в гардеробе хозяйки темно-зеленое платье?

Доркас была удивлена неожиданным вопросом.

— Нет, сэр.

— Вы уверены?

— Да, сэр, вполне.

— А у кого в доме есть зеленое платье?

Доркас немного подумала.

— У мисс Цинтии есть зеленое вечернее платье.

— Темно-зеленое?

— Нет, сэр, светло-зеленое, из шифона.

— Нет, это не то... И что же, больше ни у кого в доме нет зеленого платья?

— Насколько я знаю, нет, сэр.

54

По лицу Пуаро нельзя было понять, огорчил его ответ Доркас или, наоборот, обрадовал.

— Ладно, оставим это и двинемся дальше. Есть ли у вас основание предполагать, что миссис Инглторп принимала вчера снотворное?

— Нет, вчера она не принимала, я это точно знаю, сэр.

— Откуда у вас такая уверенность?

— Потому что снотворное у нее кончилось. Два дня назад она приняла последний порошок.

— Вы это точно знаете?

— Да, сэр.

— Что ж, ситуация проясняется. Кстати, хозяйка не просила вас подписать какую-нибудь бумагу?

— Подписать бумагу? Нет, сэр.

— Мистер Гастингс утверждает, что, когда он возвратился вчера домой, миссис Инглторп писала какие-то письма. Может быть, вы знаете, кому они были адресованы?

— Не знаю, сэр. Меня здесь вчера вечером не было. Возможно, Энни знает. Хотя она так небрежно ко всему относится! Вчера вот даже забыла убрать кофейные чашки. Стоит мне ненадолго отлучиться, как все в доме шиворот-навыворот.

Нетерпеливым жестом Пуаро остановил излияния Доркас.

— Пожалуйста, не убирайте ничего, пока я не осмотрю чашки.

— Хорошо, сэр.

— Когда вы вчера ушли из дому?

— Около шести, сэр.

— Спасибо, Доркас, это все, что я хотел спросить у вас.

Он встал и подошел к окну.

— Эти прекрасные клумбы восхищают меня! Сколько у вас, интересно, садовников?

— Только трое, сэр. Вот когда-то, до войны, у нас было пять. В то время эту усадьбу еще содержали так, как подобает джентльменам. Здесь действительно было чем похвастаться, жаль, что вы не приехали к нам тогда. А что теперь?.. Теперь у нас остались только старый Мэннинг, мальчишка Уильям и еще эта новая садовница — знаете, из современных — в бриджах и все такое. Господи, что за времена настали!

— Ничего, Доркас, когда-нибудь опять придут старые добрые времена, по крайней мере, я надеюсь на это. А теперь пришлите мне, пожалуйста, Энни.

— Да, сэр. Благодарю вас, сэр.

Я сгорал от любопытства и, как только Доркас вышла, сразу воскликнул:

— Как вы узнали, что миссис Инглторп принимала снотворное? И что это за история с ключом и дубликатом?

— Не все сразу, друг мой. Что касается снотворного, то взгляните на это... — И Пуаро показал мне небольшую коробку, в которой обычно продаются порошки.

— Где вы ее взяли?

— В шкафчике над умывальником. Это как раз и был «номер шесть».

— Думается мне, что это не очень ценная находка, так как последний порошок был принят два дня назад.

— Возможно, однако вам тут ничего не кажется странным?

Я тщательно осмотрел «номер шесть».

— Да нет, коробка как коробка.

— Взгляните на этикетку.

Я старательно прочел ее вслух:

— «Принимать по назначению врача. Один порошок перед сном. Миссис Инглторп». Все как полагается!

— Нет, друг мой, полагается еще имя аптекаря.

— Гм, это действительно странно.

— Вы видели когда-нибудь, чтобы аптекарь продал лекарство, не указав при этом свою фамилию?

— Нет.

Я был заинтригован, но Пуаро быстро охладил мой пыл, бросив небрежно:

— Успокойтесь, этот забавный факт объясняется очень просто.

Послышался скрип половиц, возвещавший приход Энни, и я не успел достойно возразить своему другу.

Энни была красивой, рослой девушкой. Я сразу заметил в ее глазах испуг, смешанный, однако, с каким-то радостным возбуждением.

— Я послал за вами, так как надеялся, что вы что-нибудь знаете о письмах, которые вчера вечером писала миссис Инглторп. Может быть, вы помните, сколько их было и кому они предназначались? — начал без проволочек Пуаро.

Немного подумав, Энни сказала:

— Было четыре письма, сэр. Одно для мисс Говард, другое для нотариуса Вэлса, а про оставшиеся два я не помню, хотя... одну минуту... Да, третье письмо было адресовано Россу в Тэдминстер, он нам поставляет продукты. А вот кому было предназначено четвертое... хоть убейте, не помню.

— Постарайтесь вспомнить, Энни.

Девушка наморщила лоб и попыталась сосредоточиться.

— Нет, сэр. Я, кажется, и не успела рассмотреть адрес на последнем письме.

— Ладно, не расстраивайтесь, — сказал Пуаро, ничем не выдав своего разочарования. — Теперь я хочу вас спросить по поводу какао, которое стояло в комнате миссис Инглторп. Она пила каждый вечер?

— Да, сэр, какао ей подавалось ежедневно, и хозяйка сама его подогревала ночью, когда хотела пить.

— Это было обычное какао?

— Да, сэр, обыкновенное — молоко, ложка сахара и две ложки рома.

— Кто приносил его в ее комнату?

— Я, сэр.

— Всегда?

— Да, сэр.

— В какое время?

— Обычно когда я поднималась наверх, чтобы задернуть шторы.

— Вы брали какао на кухне?

— Нет, сэр. На плите не хватает места, и повариха готовит его раньше, прежде чем варить овощи к ужину. Потом я поднимаю его наверх и оставляю у двери, сэр, а в комнату заношу позже.

— Вы имеете в виду дверь в левом крыле?

— Да, сэр.

— А столик находится с этой стороны двери или в коридоре, на половине прислуги?

— С этой стороны, сэр.

— Когда вы вчера поставили какао на столик?

— Примерно в четверть восьмого, сэр.

— А когда отнесли его наверх?

— Около восьми. Миссис Инглторп легла в кровать еще до того, как я успела задернуть все шторы.

— Таким образом, с четверти восьмого до восьми чашка стояла на столике возле двери?

— Да, сэр. — Энни сильно покраснела и неожиданно выпалила: — А если там была соль, то, извините, это не моя вина. Я никогда не ставлю соль даже рядом с подносом.

— С чего вы взяли, что там была соль?

— Я видела ее на подносе.

— На подносе была рассыпана соль?

— Да, сэр, такая крупная, грубого помола. Я ее не видела, когда забирала поднос с кухни, но, когда понесла его наверх, сразу заметила и даже хотела вернуться, чтобы кухарка сварила новое какао, но я очень торопилась. Доркас же куда-то ушла. А я подумала, что раз соль только на подносе, то можно не варить его снова. Поэтому я смахнула ее передником и отнесла какао хозяйке.

С большим трудом мне удавалось сдерживать свое волнение: ведь, сама того не подозревая, Энни сообщила нам ценнейшие сведения. Хотел бы я на нее посмотреть, если бы она узнала, что «соль грубого помола» была на самом деле стрихнином, одним из самых страшных ядов!

Я восхищался самообладанием Пуаро, ну и выдержка у моего друга! Я с нетерпением ожидал, какой же будет следующий вопрос, но он разочаровал меня:

— Когда вы зашли в комнату миссис Инглторп, дверь в комнату мисс Цинтии была заперта на засов?

— Да, сэр, как обычно. Ее ведь никогда не открывают.

— А дверь в комнату мистера Инглторпа? Вы уверены, что она была заперта на засов?

Энни задумалась.

— Не могу сказать наверняка, сэр. Она была закрыта, а вот на задвижку или просто так — не знаю.

— Когда вы вышли из комнаты, миссис Инглторп закрыла дверь на засов?

— Нет, сэр, но потом, наверное, закрыла — обычно на ночь она запирала дверь в коридор.

— А вчера, когда вы убирали комнату, на ковре было большое восковое пятно?

— Нет, сэр. Да в комнате и не было никаких свечей; миссис Инглторп пользовалась лампой.

— Вы хотите сказать, что, если бы на полу было большое восковое пятно, вы бы его обязательно заметили?

— Да, сэр. Я бы непременно его удалила, прогладив горячим утюгом через промокательную бумагу.

Затем Пуаро задал Энни тот же вопрос, что и Доркас:

— У вашей хозяйки имелось зеленое платье?

— Нет, сэр.

— Может быть, какая-нибудь накидка, или плащ, или, э-э... как это у вас называется... куртка?

— Нет, сэр. Ничего зеленого у нее не было.

— А у кого из обитателей дома было?

— Ни у кого, сэр, — ответила Энни, немного подумав.

— Вы уверены в этом?

— Да, вполне, сэр.

— Bien!¹ Это все, что я хотел узнать. Весьма вам признателен.

Энни поклонилась и с каким-то странным нервным смешком вышла из комнаты. Мое ликование вырвалось наконец наружу:

— Пуаро, поздравляю! Это меняет все дело!

— Что вы имеете в виду, Гастингс?

— Как это — что? То, что яд был не в кофе, а в какао! Теперь ясно, почему яд подействовал так поздно: ведь миссис Инглторп пила какао уже под утро.

— Итак, Гастингс, вы считаете, что в какао — будьте внимательны! — в какао содержался стрихнин?

— Конечно! Соль на подносе — что же это еще могло быть?

— Это могла быть соль, — спокойно ответил Пуаро.

Я пожал плечами. Когда Пуаро говорил в таком тоне, спорить с ним было бесполезно. И я опять подумал о том, что мой друг, увы, стареет. Какое счастье, что рядом с ним находится человек, способный трезво оценивать факты!

Пуаро лукаво взглянул на меня:

— Вы считаете, что я заблуждаюсь, mon ami?

¹ Хорошо! *(фр.)*

— Дорогой Пуаро, — сказал я довольно холодно, — не мне вас учить. Вы имеете право думать все, что вам угодно. Равно как и я.

— Прекрасно сказано, Гастингс! — воскликнул Пуаро, резко вставая. — В этой комнате нам делать больше нечего. Кстати, чье это бюро в углу?

— Мистера Инглторпа.

— Ах вот как! — Он подергал верхнюю крышку. — Закрыто. Может быть, подойдет какой-нибудь ключ из связки?

После нескольких безутешных попыток открыть бюро Пуаро торжествующе воскликнул:

— Подходит! Это ключ, конечно, не отсюда, но он все-таки подходит.

Он отодвинул крышку стола и окинул быстрым взглядом ровные стопки бумаг. К моему удивлению, он не стал осматривать их, только одобрительно заметил, запирая стол:

— Этот Инглторп явно человек методичный!

В представлении Пуаро «методичный человек» — самая высокая похвала, которой кто-либо может быть удостоен.

«Он даже не посмотрел бумаги, — подумал я. — Да, это, безусловно, старость». Следующие его слова только подтвердили мои грустные мысли:

— В бюро не было почтовых марок, но они могли там быть. Как вы думаете, они же могли там быть, правда? — Он еще раз обвел глазами будуар. — Больше здесь делать нечего. Да, не много нам дала эта комната. Только вот это. — Он вынул из кармана смятый конверт и протянул его мне. Это был довольно странный документ. Старый, грязный конверт, на котором были криво нацарапаны несколько слов. Вот как он выглядел:

обладать
обладают

или обладают
мной обладают

Я обладаю

Глава 5

«ЭТО, СЛУЧАЙНО, НЕ СТРИХНИН?»

— Где вы это нашли? — спросил я, сгорая от любопытства.

— В корзине для бумаг. Вы узнаете почерк?

— Да, это рука миссис Инглторп. Но что все это значит?

— Пока точно не знаю, но у меня есть одно предположение.

Я вдруг подумал, что миссис Инглторп была не в своем уме. А если ее одолевали маниакальные идеи, например, что ее преследует нечистая сила? Если это так, то вполне можно допустить, что она могла добровольно уйти из этого мира. Пуаро прервал ход моих мыслей как раз в тот момент, когда я уже собирался поделиться с ним своей догадкой:

— Пойдемте, друг мой, надо осмотреть кофейные чашки.

— Господи, Пуаро, на что они нам сдались, если установлено, что яд был подмешан в какао?

— Ох, как вам запало в душу это злополучное какао!

Он рассмеялся и шутливо воздел руки к небу. Раньше я не замечал за моим другом склонности к подобному фиглярству.

— Раз миссис Инглторп взяла свой кофе наверх, — сказал я раздраженно, — то непонятно, что вы ожидаете найти в этих чашках? Может быть, пакетик стрихнина, услужливо оставленный на подносе?

Пуаро мгновенно стал серьезным.

— Полноте, мой друг, — сказал он, взяв меня за руку. — Ne vous fâchez pas![1] Дайте мне взглянуть на кофейные чашки, а я обязуюсь уважить и ваше какао. По рукам?

Все это прозвучало в устах Пуаро настолько забавно, что я невольно рассмеялся. Мы направились в гостиную, где на подносе увидели неубранные вчерашние чашки.

Пуаро попросил меня подробно описать, что происходило накануне в этой комнате, и педантично проверил местоположение всех чашек.

---

[1] Не сердитесь! *(фр.)*

— Значит, миссис Кэвендиш стояла около подноса и разливала. Так. Потом она подошла к окну и села рядом с вами и мадемуазель Цинтией. Так. Вот эти три чашки. А из той чашки на камине, должно быть, пил мистер Лоренс Кэвендиш. Там даже еще остался кофе. А чья чашка стоит на подносе?

— Джона Кэвендиша. Я видел, как он ее сюда поставил.

— Хорошо. Вот все пять чашек, а где же чашка мистера Инглторпа?

— Он не пьет кофе.

— В таком случае кое-что становится понятным. Одну минутку, Гастингс. — И он аккуратно налил из каждой чашки по нескольку капель в пробирки. Выражение его лица было несколько странным: с одной стороны, мой друг освободился от каких-то подозрений, а с другой — был явно чем-то озадачен. — Bien! — наконец произнес он. — Безусловно, я ошибался, да, все именно так и происходило... Однако это весьма забавно... Ладно, разберемся.

И в одно мгновение он словно выбросил из головы все, что его смущало. Ох, как мне хотелось в эту минуту сказать, что все произошло точь-в-точь как я ему подсказывал и что нечего было суетиться вокруг этих чашек, все и так ясно. Однако я сдержался: грешно смеяться над стареющей знаменитостью, ведь он действительно был когда-то совсем неплох и пользовался заслуженной славой.

— Завтрак готов, — сказал Джон Кэвендиш, входя в холл, — вы с нами позавтракаете, мсье Пуаро?

Пуаро согласился. Я взглянул на Джона. Видимо, вчерашнее событие ненадолго выбило его из колеи, и он уже успел обрести свою обычную невозмутимость. В отличие от своего брата Джон не страдал излишней эмоциональностью.

С самого утра он был весь в делах — не слишком веселых, но неизбежных для всякого, кто потерял близкого человека, — давал объявления в газеты, улаживал необходимые формальности и рассылал телеграммы, причем одна из первых была адресована Ивлин Говард.

— Я хотел бы узнать, как продвигаются ваши дела, — спросил Джон. — Расследование подтвердило, что моя мать умерла естественной смертью, или... мы должны быть готовы к худшему?

— Мистер Кэвендиш, — печально ответил Пуаро, — боюсь, что вам не следует себя слишком обнадеживать. А что думают по этому поводу другие члены семьи?

— Мой брат Лоренс уверен, что мы попусту тратим время. Он утверждает, что это был обычный сердечный приступ.

— Вот как, он действительно так считает? Это очень интересно, — пробормотал Пуаро. — А что говорит миссис Кэвендиш?

Джон чуть нахмурился.

— Понятия не имею, что думает об этом моя жена.

Наступило неестественное молчание, которое Джон попытался разрядить.

— Не помню, говорил ли я вам, что приехал мистер Инглторп? — спросил он.

Пуаро кивнул.

— Это создало очень неприятную ситуацию. Мы, конечно, должны вести себя с ним как обычно, но, черт возьми, нам придется сидеть за одним столом с предполагаемым убийцей, всех просто тошнит от этого.

Пуаро понимающе закивал:

— Да, я вам сочувствую, мистер Кэвендиш, ситуация не из приятных. Но все-таки я хочу задать один вопрос. Мистер Инглторп объяснил свое решение остаться ночевать в деревне тем, что забыл ключ от входной двери, не так ли?

— Да.

— Надеюсь, вы проверили и он *действительно* забыл его?

— Н-нет... мне это не пришло в голову. Ключ обычно лежит в шкафчике в холле. Сейчас я сбегаю и посмотрю, на месте ли он.

Пуаро взял его за руку и улыбнулся.

— Поздно, сейчас ключ наверняка там. Даже если у мистера Инглторпа и был с собой ключ, я уверен, что он уже положил его на место.

— Вы так думаете?

— Я ничего не думаю, просто если бы кто-то до его прихода потрудился проверить, что ключ действительно на месте, это было бы сильным аргументом в пользу мистера Инглторпа. Вот и все.

Джон был совершенно сбит с толку.

— Не беспокойтесь, — мягко сказал Пуаро, — мы можем обойтись и без этого. И вообще, раз уж вы меня пригласили, пойдемте лучше завтракать.

В столовой собрались все обитатели дома. При сложившихся обстоятельствах мы, конечно, представляли собой не слишком веселое общество. Люди всегда мучительно переживают подобные события. Естественно, правила приличия требовали, чтобы внешне все выглядело, как всегда, благопристойно, но мне показалось, что собравшимся не так уж трудно выглядеть спокойными. Ни заплаканных глаз, ни тяжелых вздохов. Да, видимо, я был прав, сильнее всех переживает кончину миссис Инглторп ее служанка Доркас.

Когда я проходил мимо Альфреда Инглторпа, меня вновь охватило чувство омерзения от того лицемерия, с каким он разыгрывал из себя безутешного вдовца. Интересно, знал ли Инглторп, что мы его подозреваем? Он, конечно, должен был догадываться, даже если бы мы скрывали свои чувства более тщательно. Что же испытывал этот человек?.. Тайный страх перед разоблачением или уверенность в собственной безнаказанности? Во всяком случае, витавшая в воздухе подозрительность должна была его насторожить.

Однако все ли подозревали мистера Инглторпа? Например, миссис Кэвендиш? Я взглянул на Мэри — она сидела во главе стола, как всегда элегантная, спокойная и таинственная. В этом нежно-сером платье с белыми оборками, наполовину прикрывавшими ее тонкие кисти, она была удивительно красива. Но стоило ей только захотеть, и ее лицо становилось непроницаемым, как у древнего сфинкса. За весь завтрак Мэри произнесла лишь несколько слов, однако чувствовалось, что одним своим присутствием она подавляет собравшихся.

А наша юная Цинтия? Девушка выглядела очень усталой и болезненной, это сразу бросалось в глаза. Я спросил, уж не заболела ли она.

— Да, у меня страшная головная боль, — откровенно призналась Цинтия.

— Может быть, налить вам еще чашечку кофе, мадемуазель? — галантно предложил Пуаро. — Он вернет вас к жизни. Нет лучше средства от mal de tête[1], чем чашечка хорошего кофе. — Он вскочил, взял ее чашку и потянулся за сахарными щипцами.

— Не надо, я пью без сахара.

— Без сахара? Это что, тоже режим военного времени?

— Что вы, я и раньше никогда не пила кофе с сахаром.

— Sacré![2] — тихо выругался Пуаро, наполняя чашечку Цинтии.

Никто больше не слышал слов моего друга; он старался не выдать своего волнения, но я заметил, что его глаза, как обычно в такие минуты, сделались зелеными, словно у кошки. Несомненно, он увидел или услышал что-то его поразившее, но что же?

Обычно мне трудно отказать в сообразительности, но признаюсь, что в данном случае я просто терялся в догадках.

В это время в столовую вошла Доркас.

— Сэр, вас хочет видеть мистер Вэлс, — сказала она Джону.

Я вспомнил, что это был тот самый нотариус, которому миссис Инглторп писала накануне вечером. Джон немедленно встал из-за стола и сказал:

— Пусть он пройдет ко мне в кабинет. — Затем, повернувшись к нам с Пуаро, добавил: — Это нотариус моей матери и... и местный коронер. Может быть, вы хотите пойти со мной?

Мы вышли из столовой вслед за Джоном. Он шел немного впереди, и я успел шепнуть Пуаро:

— Это означает, что все-таки будет дознание?

Он рассеянно кивнул. Мой друг был всецело погружен в свои мысли, что еще больше подстегнуло мое любопытство.

— Что с вами, Пуаро? Вы, кажется, сильно взволнованы?

---

[1] Головная боль *(фр.)*.
[2] Черт побери! *(фр.)*

— Да, меня беспокоит один факт.

— Какой же?

— Мне очень не нравится, что мадемуазель Цинтия пьет кофе без сахара.

— Что?! Вы шутите?

— Нисколько. Я более чем серьезен. Что-то здесь не так, и интуиция меня не подвела.

— В чем?

— В том, что я настоял на осмотре кофейных чашек. Chut![1]

Мы зашли в кабинет Джона, и он запер дверь.

Мистер Вэлс был человеком средних лет с приятным, типично судейским лицом и умными живыми глазами. Джон представил нас, пояснив, что мы помогаем расследованию.

— Вы, конечно, понимаете, мистер Вэлс, что мы не хотим лишнего шума, так как все еще надеемся избежать следствия.

— Я понимаю, — мягко произнес мистер Вэлс, — и хотел бы избавить вас от неприятностей, связанных с официальным дознанием. Боюсь, однако, что оно стало неизбежным, ведь у нас нет медицинского заключения.

— Увы, я так и думал.

— Какая умница этот доктор Бауэрстайн, к тому же, говорят, он крупнейший токсиколог.

— Да, — сухо подтвердил Джон. Затем он неуверенно спросил: — Вы думаете, всем нам придется выступить в качестве свидетелей?

— Во всяком случае, вам и... э-э... мистеру Инглторпу. — Возникла небольшая пауза, и мистер Вэлс мягко добавил: — Показания остальных свидетелей будут просто небольшой формальностью.

— Да, я понимаю.

Мне показалось, что Джон облегченно вздохнул, что было странно, так как в словах мистера Вэлса я не услышал ничего обнадеживающего.

— Если вы не против, — продолжал юрист, — я хотел бы назначить дознание на пятницу. Мы уже будем знать

---

[1] Ни слова больше! *(фр.)*

66

результаты вскрытия, ведь оно состоится, кажется, сегодня вечером?

— Да.

— Итак, вы не возражаете против пятницы?

— Нет, нисколько.

— Думаю, нет нужды говорить вам, дорогой мистер Кэвендиш, как тяжело я сам переживаю эту трагедию.

— В таком случае, мсье, я уверен, что вы поможете нам в расследовании. — Это были первые слова, произнесенные Пуаро с момента, как мы зашли в кабинет.

— Я?

— Да, мы слышали, что миссис Инглторп написала вам вчера вечером письмо. Вы должны были его получить сегодня утром.

— Так и есть, но вряд ли оно вам поможет. Это обыкновенная записка, в которой миссис Инглторп просила меня зайти сегодня утром, чтобы посоветоваться по поводу какого-то важного дела.

— А она не намекнула, что это за дело?

— К сожалению, нет.

— Жаль, очень жаль, — мрачно согласился Пуаро.

Мой друг о чем-то задумался, последовала долгая пауза. Наконец он взглянул на нотариуса и сказал:

— Мистер Вэлс, я хотел бы задать вам один вопрос, конечно, если это позволительно с точки зрения профессиональной этики. Словом, кто является наследником миссис Инглторп?

Немного помедлив, мистер Вэлс произнес:

— Это все равно скоро будет официально объявлено, поэтому, если мистер Кэвендиш не возражает...

— Нет, нет, я не против.

— ...то я не вижу причин скрывать имя наследника. Согласно последнему завещанию миссис Кэвендиш, датированному августом прошлого года, все состояние, за вычетом небольшой суммы в пользу прислуги, наследуется ее приемным сыном мистером Джоном Кэвендишем.

— Не считаете ли вы, — простите мой бестактный вопрос, мистер Кэвендиш, — что это несправедливо по отношению к ее другому сыну, мистеру Лоренсу Кэвендишу?

— Не думаю. Видите ли, согласно завещанию их отца, в случае смерти миссис Инглторп, Джон наследует всю недвижимость, в то время как Лоренс получает весьма крупную сумму денег. Зная, что мистер Джон Кэвендиш должен будет содержать поместье, миссис Инглторп оставила свое состояние ему. На мой взгляд, это справедливое и мудрое решение.

Пуаро задумчиво кивнул:

— Согласен, но мне кажется, что по вашим английским законам это завещание было автоматически аннулировано, когда миссис Кэвендиш вторично вышла замуж и стала зваться миссис Инглторп.

— Да, я как раз собирался сказать, что теперь оно не имеет силы.

— Вот как! — Пуаро на мгновение задумался и спросил: — А миссис Инглторп знала об этом?

— Точно утверждать не могу.

— Зато я могу точно утверждать, что знала. Только вчера мы обсуждали с ней условия завещания, аннулированного замужеством, — неожиданно произнес Джон.

— Еще один вопрос, мистер Вэлс. Вы говорили о ее «последнем завещании». Означает ли это, что до него миссис Инглторп составила еще несколько?

— В среднем каждый год она составляла по крайней мере одно новое завещание, — спокойно ответил мистер Вэлс. — Она часто меняла свои пристрастия и составляла завещания попеременно то в пользу одного, то в пользу другого члена семьи.

— Предположим, что, не ставя вас в известность, она составила завещание в пользу лица, вообще не являющегося членом этой семьи, ну, например, в пользу мисс Говард. Вас бы это удивило?

— Нисколько.

— Так, так. — Кажется, у Пуаро больше не было вопросов.

Пока Джон обсуждал с юристом что-то по поводу просмотра бумаг покойной, я наклонился к Пуаро и тихо спросил:

— Вы думаете, миссис Инглторп составила новое завещание в пользу мисс Говард?

Пуаро улыбнулся:

— Нет.

— Тогда зачем же вы спрашивали об этом?

— Тише!

Джон повернулся в нашу сторону:

— Мсье Пуаро, мы собираемся немедленно заняться разбором маминых бумаг. Не хотите ли вы присутствовать при этом? Мистер Инглторп поручил это нам, его самого не будет.

— Что значительно облегчает дело, — пробормотал мистер Вэлс. — Хотя формально он, конечно, должен был... — Он не закончил фразу, а Джон тем временем сказал Пуаро:

— Прежде всего мы осмотрим письменный стол в будуаре, а затем поднимемся в мамину спальню. Самые важные бумаги она обычно держала в лиловом портфеле, поэтому его надо просмотреть с особой тщательностью.

— Да, — подтвердил мистер Вэлс, — возможно, там обнаружится завещание более позднее, чем то, которое хранится у меня.

— Там действительно есть более позднее завещание, — произнес Пуаро.

— Что?! — хором воскликнули Джон и мистер Вэлс.

— Точнее, оно там было, — невозмутимо добавил мой друг.

— Что вы имеете в виду? Где оно сейчас?

— Оно сожжено.

— Сожжено?

— Да. Вот, взгляните. — И Пуаро показал им обуглившийся клочок бумаги, найденный в камине спальни миссис Инглторп, и в двух словах рассказал, как он попал к нему.

— Но может быть, это старое завещание?

— Не думаю. Более того, я уверен, что оно составлено вчера днем.

— Что?! Это невозможно! — хором воскликнули наши собеседники.

Пуаро повернулся к Джону:

— Если вы позовете садовника, я смогу это доказать.

— Да, конечно, но я не понимаю, при чем тут...

— Сделайте то, что я говорю, а потом я отвечу на все ваши вопросы, — перебил его Пуаро.

— Хорошо.

Джон позвонил в колокольчик, и в дверях появилась Доркас.

— Доркас, мне надо поговорить с Мэннингом, пусть он зайдет сюда.

— Да, сэр, — ответила Доркас и вышла.

Наступила напряженная тишина, один лишь Пуаро сохранял полное спокойствие. Он обнаружил островок пыли на стекле книжного шкафа и рассеянно стирал его.

Вскоре за окном послышался скрип гравия под тяжелыми, подбитыми гвоздями сапогами. Это был Мэннинг. Джон взглянул на Пуаро, тот кивнул.

— Заходи, Мэннинг; я хочу поговорить с тобой...

Садовник медленно зашел в комнату и нерешительно остановился у двери. Сняв шапку, он нервно мял ее в руках. Спина у Мэннинга была очень сгорбленная, и поэтому он выглядел старше своих лет, зато умные живые глаза никак не вязались с его медлительной речью.

— Мэннинг, я хочу, чтобы ты ответил на все вопросы, которые задаст тебе этот джентльмен.

— Ясно, сэр.

Пуаро шагнул вперед, и садовник смерил его с головы до ног несколько презрительным взглядом.

— Вчера вы сажали бегонии с южной стороны дома, не так ли, Мэннинг?

— Точно, сэр, еще Вильм мне помогал.

— И миссис Инглторп позвала вас из окна, так?

— Верно, хозяйка нас звала.

— Расскажите, что произошло потом.

— Так ничего особенного не произошло, сэр. Хозяйка первым делом попросила Вильма, чтобы он сгонял на велосипеде в деревню и купил, знаете, такую форму для завещания, бланк что ли, не знаю точно, как называется, она все на листке записала.

— И что же?

— Ну, он, понятное дело, привез, что нужно.

— И что было дальше?

— А дальше, сэр, мы опять занялись бегониями.

— Потом миссис Инглторп позвала вас еще раз? Так?

— Верно, сэр. Хозяйка опять позвала нас с Вильмом.

— Зачем?

— Она велела подняться к ней и дала подписать какую-то длиннющую бумагу, под которой уже стояла ее подпись.

— Вы видели, что там было написано? — резко спросил Пуаро.

— Нет, сэр, на ней промокашка лежала, и нельзя было ничего увидеть.

— И вы подписали, где она велела?

— Да, сэр, сперва я, потом Вильм.

— Что она сделала с этой бумагой?

— Положила в большой конверт и засунула его в лиловый портфель, который стоял у нее на столе.

— Во сколько она позвала вас в первый раз?

— Да где-то около четырех, сэр.

— Может, раньше? А не в половине четвертого?

— Нет, сэр, скорее даже после четырех.

— Спасибо, Мэннинг, можете идти.

Садовник взглянул на своего хозяина, тот кивнул. Приложив пальцы к виску и что-то бормоча, Мэннинг деликатно попятился из комнаты.

Мы переглянулись.

— Господи, — пробормотал Джон, — что за странное совпадение.

— Какое совпадение?

— Странно, что мама решила составить новое завещание как раз в день смерти!

Мистер Вэлс откашлялся и сухо спросил:

— А вы уверены, что это просто совпадение, мистер Кэвендиш?

— Что вы имеете в виду?

— Вы говорили, что вчера днем у вашей матери был крупный скандал с... с одним из обитателей дома.

— Что вы хотите сказать?.. — Джон запнулся на полуслове и страшно побледнел.

— Вследствие этого скандала ваша мать в спешке составляет новое завещание, причем его содержание мы так никогда и не узнаем. Она никому не сообщает об этом. Сегодня она, без сомнения, собиралась проконсультироваться со мной по поводу этого документа... собиралась, но не смогла. Завещание исчезает, и она уносит его тайну в могилу. Мистер Кэвендиш, боюсь, что все это мало похоже на цепь случайностей. Мсье Пуаро, думаю, вы согласитесь со мной: все эти факты наводят на определенные мысли...

— Наводят или не наводят, — перебил его Джон, — но надо поблагодарить мсье Пуаро за то, что он нам помог. Если бы не он, мы бы и не подозревали, что существовало еще одно завещание. Мсье Пуаро, позвольте спросить, что натолкнуло вас на эту мысль?

Пуаро улыбнулся и сказал:

— Каракули на старом конверте и засаженная только вчера клумба бегоний.

Похоже, Джон был не совсем удовлетворен таким ответом и собирался задать еще один вопрос, но в этот момент послышался звук подъехавшего автомобиля, и мы подошли к окну.

— Иви! — воскликнул Джон. — Простите меня, мистер Вэлс, я сейчас вернусь. — И Джон торопливо выбежал из комнаты.

Пуаро вопросительно взглянул на меня.

— Это мисс Говард, — пояснил я.

— Чудесно. Я рад, что она вернулась. Эта женщина, Гастингс, обладает двумя редкими качествами — у нее светлая голова и доброе сердце, но, увы, Бог не дал ей красоты.

Я вышел в холл и увидел мисс Говард, пытавшуюся выпутаться из доброй дюжины вуалей, которые покрывали ее лицо. Когда наши глаза встретились, я ощутил острое и мучительное чувство вины, ведь эта женщина предупреждала меня о приближающейся трагедии, а я так легкомысленно отнесся к ее словам. Как быстро я забыл наш последний разговор! Теперь, когда ее правота подтвердилась, я ощутил и свою долю вины в том, что произошло это страшное событие. Лишь она одна до конца понимала, на что способен Альфред Инглторп. Кто знает, останься мисс Говард в Стайлз, возможно, Инглторп испугался бы ее всевидящего ока и несчастная миссис Инглторп была бы сейчас жива.

Она пожала мне руку (как хорошо я помню это сильное, мужское рукопожатие!), и у меня немного отлегло от сердца. Ее опухшие от слез глаза были печальны, но они не смотрели на меня укоризненно. Говорила она в своей обычной, немного резкой манере:

— Выехала, как только получила телеграмму. Как раз вернулась с ночной смены. Наняла автомобиль. Быстрее сюда не доберешься.

— Вы что-нибудь ели сегодня? — спросил Джон.

— Нет.

— Так я и думал. Пойдемте в столовую, завтрак еще не убрали, вас накормят и принесут свежий чай.

Он повернулся ко мне:

— Гастингс, пожалуйста, позаботьтесь о ней. Меня ждет Вэлс... А, вот и мсье Пуаро. Знаете, Иви, он помогает нам в этом деле.

Мисс Говард обменялась с Пуаро рукопожатием, но тут же настороженно спросила у Джона:

— Что значит «помогает»?

— Мсье Пуаро помогает нам разобраться в том, что произошло.

— Нечего тут разбираться! Его разве еще не упекли в тюрьму?

— Кого?

— То есть как это — кого? Альфреда Инглторпа!

— Милая Иви, не надо торопить события. Лоренс, например, уверен, что мама умерла от сердечного приступа.

— Ну и дурень! Нет никакого сомнения, что бедную Эмили убил Альфред. Я вас давно предупреждала!

— Иви, ну не надо так кричать. Что бы мы ни предполагали, лучше пока об этом не говорить вслух. Дознание назначено на пятницу, и до этого...

— Какой вздор! — гневно фыркнула мисс Говард. — Вы тут все с ума посходили! До пятницы Инглторп преспокойно улизнет из Англии. Он же не идиот, чтобы сидеть и дожидаться, пока его повесят!

Джон Кэвендиш беспомощно посмотрел на Иви.

— Знаю я, в чем дело, — воскликнула она, — вы больше докторов слушайте! Что они понимают? Ни черта! Или ровно столько, чтобы их стоило опасаться. Уж я-то знаю: мой собственный отец был врачом. Большего болвана, чем этот коротышка Уилкинс, я в жизни не видывала! Сердечный приступ! Да он же больше ничего и не знает! А любому, у кого есть голова на плечах, сразу ясно — Эмили отравил ее муженек. Я же всегда говорила, что он ее, бедняжку, прикончит прямо в постели. Так и произошло. И даже теперь вы несете какую-то околесицу. Сердечный приступ! Следствие, назначенное на пятницу! Стыдно, Джон Кэвендиш, стыдно!

— Угомонитесь, Иви, что я, по-вашему, должен делать? Я же не могу отвести его за шиворот в полицию, — сказал Джон с чуть заметной улыбкой.

— Многое можно сделать. Узнать, что он ей подсунул. Он ушлый тип. Может, вымочил липкую ленту от мух. Спросите повариху, все ли на месте.

Я подумал, что Джону сейчас не позавидуешь: приютить под одной крышей Альфреда и Иви да еще сохранить при этом мир в доме — такое под силу разве что всесильному Гераклу. По лицу Джона было видно, что он и сам это прекрасно понимает. Он постоял в раздумье, не зная, как выпутаться из создавшейся ситуации, и быстро вышел из комнаты.

Доркас внесла свежий чай. Пуаро, который на протяжении всего разговора стоял в дверях, дождался, пока она вышла в сад, и сел напротив мисс Говард.

— Мадемуазель, — печально начал Пуаро, — я хотел бы вас кое о чем спросить.

— Спрашивайте, — ответила Иви довольно сухо.

— Я очень надеюсь на вашу помощь.

— Я сделаю все, что смогу, чтобы «милого Альфреда» отправили на виселицу, — сказала она резко. — Это для него даже слишком большая честь. Таких надо топить или четвертовать, как в добрые старые времена.

— Значит, мы заодно. Я тоже хочу повесить убийцу.

— Альфреда Инглторпа?

— Его или кого-то другого.

— Какого еще другого? Бедная Эмили была бы сейчас жива, не появись он в этом доме. Да, ее окружали акулы. Но они интересовались только ее кошельком. Жизнь Эмили была вне опасности. Но появляется мистер Инглторп, и вот пожалуйста, не проходит и двух месяцев, как она мертва!

— Поверьте, мисс Говард, — твердо сказал Пуаро, — если мистер Инглторп убийца, то он не ускользнет от меня. Уж кто-кто, а я-то обеспечу ему виселицу не ниже, чем у Амана[1].

— Так-то лучше, — сказала Иви, несколько успокоившись.

— Но я хочу, чтобы вы мне доверяли. Ваше содействие для меня просто незаменимо. И я скажу почему: во всем этом доме, погруженном в траур, только один человек искренне оплакивает усопшую. Это вы!

Мисс Говард опустила глаза, и в ее резком голосе появились новые нотки.

— Вы хотите сказать, что я ее любила? Да, это так. Знаете, старая Эмили была большая эгоистка. Она, конечно, делала людям много добра. Но не бескорыстно: всегда требовала благодарности. Она никому не позволяла забывать, как его облагодетельствовала. Поэтому ее не очень любили. Но, кажется, она этого не чувствовала. Со мной — другое дело. Я с самого начала знала свое место. Вы мне платите столько-то фунтов в неделю, и все. Никаких подарков мне не надобно, ни перчаток, ни театральных билетов. Она это не понимала. Даже иногда обижалась. Говорила, что я слишком горда. Я ей пыталась объяснить, но без толку. Зато совесть моя была чиста. Думаю, из всего ее окружения привязана к Эмили была только я. Присматривала за ней, сохраняла ее деньги. Но вот появляется этот бойкий проходимец, и в одно мгновение все мои многолетние старания оказываются напрасными.

Пуаро сочувственно кивнул:

— Мадемуазель, я прекрасно понимаю ваши чувства, но вы напрасно думаете, что мы топчемся на месте. Уверяю, что это не так.

В этот момент появился Джон и, сообщив, что осмотр бумаг в будуаре закончен, пригласил меня с Пуаро в комнату миссис Инглторп.

Поднимаясь по лестнице, он оглянулся и тихо сказал:

— Даже не представляю, что произойдет, когда они встретятся.

---

[1] А м а н — согласно Библии, приближенный персидского царя Артаксеркса, добившийся от него указа об истреблении евреев; однако козни Амана были расстроены благодаря вмешательству царицы Эсфири, а сам Аман повешен на виселице высотой в 50 локтей (Ветхий Завет, Книга Эсфири, гл. I—VI).

Я беспомощно развел руками.

— Я просил Мэри, чтобы она постаралась держать их подальше друг от друга.

— Но удастся ли ей?

— Не знаю. В одном лишь я уверен — Инглторп и сам не испытывает особого желания показываться ей на глаза.

Когда мы подошли к дверям комнаты миссис Инглторп, я спросил:

— Пуаро, ключи все еще у вас?

Взяв у него ключи, Джон открыл дверь, и мы зашли в комнату. Мистер Уилкинс и Джон сразу направились к письменному столу.

— Обычно мама держала самые важные бумаги в портфеле, — сказал Джон.

Пуаро вынул небольшую связку ключей.

— Разрешите мне. Утром я его на всякий случай закрыл на замок.

— Но он открыт!

— Не может быть!

— Взгляните. — И Джон раскрыл портфель.

— Milles tonnerres![1] — воскликнул пораженный Пуаро. — Как это могло случиться? Ведь оба ключа у меня!

Он наклонился, начал рассматривать замок и вдруг снова воскликнул:

— En voilà une affaire![2] Замок взломали!

— Что?!

Пуаро показал нам сломанный замок.

— Но кто это сделал? Зачем? Когда? Дверь же была закрыта! — выпалили мы, перебивая друг друга.

Пуаро уверенно и спокойно ответил:

— Кто? Пока неизвестно. Зачем? Я тоже хотел бы это знать! Когда? После того, как я покинул эту комнату час назад. Что касается закрытой двери, то и это не проблема: к такому незамысловатому замку подходит, наверное, ключ от любой двери в коридоре.

Ничего не понимая, мы с Джоном уставились друг на друга. Пуаро подошел к каминной полке. Внешне он был

---

[1] Тысяча чертей! *(фр.)*
[2] Ну и дела! *(фр.)*

спокоен, но его руки, поправляющие бумажные жгуты в вазочке на полке, тряслись.

— Слушайте, — произнес он наконец, — вот как это произошло: в портфеле находилась какая-то улика, возможно совсем незначительная, но достаточная, чтобы навести нас на след преступника. Для него было чрезвычайно важно успеть уничтожить эту улику до того, как мы ее обнаружим. Поэтому он пошел на огромный риск и проник в комнату. Обнаружив, что портфель заперт, преступник вынужден был взломать замок, тем самым выдав свой приход. Он сильно рисковал, следовательно, улика казалась убийце очень важной.

— Но что это было?

— Откуда я знаю! — сердито воскликнул Пуаро. — Без сомнения, какой-то документ. Может быть, листок, который Доркас видела в руках у миссис Инглторп... Но я-то хорош! — в бешенстве прокричал Пуаро. — Старый кретин! Ни о чем не подозревал! Как последний идиот оставил портфель здесь, вместо того чтобы забрать с собой! И вот результат — документ украден и уничтожен... хотя, может быть, у нас пока есть шанс... Вдруг документ еще цел? Надо перерыть весь дом!

Мой друг как безумный выскочил из комнаты. Опомнившись, я через несколько секунд бросился за ним, но Пуаро уже исчез.

На площадке, там, где лестница разветвлялась на две, стояла миссис Кэвендиш и удивленно смотрела вниз.

— Что стряслось с вашим другом, мистер Гастингс? Он пронесся мимо меня, как бешеный бык.

— Он чем-то сильно расстроен, — ответил я уклончиво, поскольку не знал, до какой степени можно было посвящать Мэри в наши дела.

Заметив легкую усмешку на устах миссис Кэвендиш, я попытался перевести разговор на другую тему.

— Они еще не видели друг друга?

— Кто?

— Мистер Инглторп и мисс Говард.

Мэри на секунду задумалась и смущенно спросила:

— А так ли уж плохо, если они встретятся?

Я даже опешил.

— Конечно! Неужели вы сомневаетесь в этом?

77

Она спокойно улыбнулась:

— А я бы не прочь устроить небольшой скандал. Это разрядит атмосферу. Пока что мы слишком много думаем и слишком мало говорим вслух.

— Джон считает иначе. Он хотел бы избежать стычки.

— Ох уж этот Джон!

Мне не понравилось, как она это сказала, и я запальчиво воскликнул:

— Джон очень разумный и хороший человек!

Мэри изучающе посмотрела на меня и неожиданно сказала:

— Вы мне нравитесь, Гастингс: вы настоящий друг.

— И вы мой настоящий друг!

— Нет, я очень плохой друг.

— Не говорите так, Мэри.

— Но это правда. Я могу привязаться к кому-нибудь, а назавтра о нем даже и не вспомнить.

Меня больно задели ее слова, и неожиданно для самого себя я довольно бестактно возразил:

— Однако ваше отношение к доктору Бауэрстайну отличается завидным постоянством.

И сразу же пожалел о сказанном. Лицо Мэри сделалось непроницаемым, словно какая-то маска скрыла живые черты женщины. Она молча повернулась и быстро пошла наверх. А я стоял как идиот и смотрел ей вслед.

Шум, поднявшийся внизу, вернул меня к действительности. Я услышал голос Пуаро, громко рассказывающий чуть ли не всем в доме о пропаже.

«Выходит, моя осторожность в разговоре с Мэри была излишней, — подумал я раздраженно. — Пуаро поднял на ноги весь дом, и это, на мой взгляд, было не самым разумным решением. Что делать, мой друг в минуты волнения совершенно теряет голову!» Я быстро спустился вниз. Едва завидев меня, Пуаро мгновенно успокоился. Отведя его в сторону, я сказал:

— Пуаро, дорогой, что вы творите? Весь дом в курсе ваших дел, а следовательно, и убийца тоже!

— Вы считаете, что я погорячился?

— Я уверен в этом.

— Что ж, друг мой, впредь не давайте мне забываться.

— Ладно. Но боюсь, что сегодня я уже опоздал.

— Увы, это так.

Пуаро выглядел таким смущенным и пристыженным, что мне даже стало его жаль, но я все равно считал, что он заслужил мои упреки.

— А теперь, mon ami, пойдемте отсюда.

— Вы уже осмотрели все, что хотели?

— На данный момент — да. Вы проводите меня до деревни?

— С удовольствием.

Он взял свой чемоданчик, и мы вышли из дома через открытую дверь в гостиной. Навстречу шла Цинтия, и Пуаро, галантно уступив ей дорогу, обратился к девушке:

— Простите, мадемуазель, можно вас на минуту?

— Да, конечно, — ответила она немного удивленно.

— Скажите, вы когда-нибудь изготовляли лекарства для миссис Инглторп?

Цинтия слегка покраснела.

— Нет.

В ее голосе чувствовалась какая-то неуверенность.

— Только порошки?

— Ах да! Однажды я действительно приготовила снотворное для тети Эмили, — сказала она, покраснев еще больше.

— Это?

И Пуаро показал ей пустую коробку из-под порошков.

Девушка кивнула.

— Не могли бы вы сказать, что здесь было? Сульфонал? Или, может быть, веронал?

— Нет, обычный бромид.

— Спасибо, мадемуазель. Всего хорошего.

Мы быстро двинулись в сторону деревни, и я несколько раз украдкой посматривал на Пуаро. Как я уже неоднократно говорил, в минуты волнения его глаза становились зелеными, как у кошки. Так было и на этот раз.

— Друг мой, — прервал он затянувшееся молчание, — у меня есть одна идейка, очень странная, я бы даже сказал, невероятная, но она объясняет все факты.

Я пожал плечами. Мне всегда казалось, что Пуаро питает слабость к различного рода невероятным идеям.

Вот и сейчас он верен себе, хотя все было совершенно очевидным.

— Итак, мы знаем, почему на коробке не было фамилии аптекаря, — сказал я. — Действительно, все объясняется очень просто, странно, что мне самому это не пришло в голову.

Пуаро словно не слышал моих слов.

— А ведь там еще кое-что обнаружили, — сказал он, ткнув пальцем в сторону усадьбы. — Когда мы поднимались по лестнице, мистер Вэлс сообщил мне об этом.

— И что же?

— Помните письменный стол в будуаре? Так вот, там обнаружилось завещание миссис Инглторп, составленное еще до замужества. По нему наследником объявлялся мистер Инглторп. По-видимому, оно было составлено в период их помолвки и явилось полной неожиданностью для мистера Вэлса, равно как и для Джона Кэвендиша. Оно составлено на стандартном бланке для завещаний и засвидетельствовано двумя лицами из числа прислуги — но не Доркас.

— Мистер Инглторп знал об этом завещании?

— Он утверждает, что нет.

— Мне что-то не очень в это верится, — сказал я. — Ну и путаница со всеми этими завещаниями! Кстати, как те несколько слов на измятом конверте подсказали вам, что вчера днем было составлено еще одно завещание?

Пуаро улыбнулся:

— Mon ami, случалось ли вам во время составления какого-нибудь документа сомневаться в правописании того или иного слова?

— Да, и весьма часто. Думаю, это свойственно каждому.

— Вот именно. А не пытались ли вы в подобных случаях по-разному написать это слово на клочке бумаги, чтобы на глаз определить, какой из вариантов правильный? Ведь именно так и поступила миссис Инглторп. Вы заметили, что в первый раз она написала слово «обладаю» через «о», а затем через «а» и, чтобы окончательно убедиться в том, что это правильно, посмотрела, как оно выглядит в предложении «я обладаю». Отсюда я сделал вывод, что миссис Инглторп вчера днем хотела написать слово «обладаю», и, помня о клочке бумаги, найденном в камине, я сразу подумал о завещании, в котором почти наверняка должно было встретиться это слово. Мое предположение подтверждал и тот факт, что будуар на следующее утро не подметали — в сложившейся ситуации прислуге было не до этого, — и я обнаружил возле письменного стола крупные следы, причем земля была коричневого цвета и очень рыхлой. В последние дни стояла прекрасная погода, поэтому на обычных ботинках не могло налипнуть столько грязи.

Я подошел к окну и сразу заметил свежие клумбы с бегониями, причем земля была точно такой же, как и та, что я обнаружил в будуаре. Узнав от вас, что клумбы действительно были разбиты вчера, я уже не сомневался, что садовник, а скорее всего, оба садовника (поскольку в будуаре было два ряда следов) заходили в комнату. Если бы миссис Инглторп просто захотела поговорить с ними, она, скорее всего, подошла бы к окну, и им не пришлось входить в комнату. У меня уже не осталось никаких сомнений в том, что она составила новое завещание и просила садовников засвидетельствовать ее подпись. Дальнейшие события доказали, что я был прав.

— Пуаро, вы великолепны! — вырвалось у меня. — Должен признаться, что по поводу исписанного конверта у меня были совсем другие предположения.

Он улыбнулся:

— Вы даете слишком большую волю воображению. Оно хороший слуга, но не годится в хозяева. Обычно правильным оказывается самое простое объяснение.

— Еще один вопрос. Как вы узнали, что был потерян ключ от портфеля?

— Я не был уверен в этом, просто моя догадка подтвердилась. Помните, ключ был с обрывком проволоки? Я сразу заподозрил, что это остаток проволочного кольца, на котором висела вся связка. Однако, если бы миссис Инглторп позже нашла потерянный ключ, она сразу присоединила бы его к остальным, но там, как вы помните, был совершенно новенький, явно запасной. Это навело меня на мысль, что не миссис Инглторп, а кто-то другой открывал портфель ключом, который был вставлен в замок.

— Не кто иной, как мистер Инглторп.

Пуаро с удивлением взглянул на меня:

— Вы абсолютно уверены, что он убийца?

— Конечно! Все факты свидетельствуют против него.

— Почему же? — тихо проговорил Пуаро. — Есть несколько сильных аргументов в пользу невиновности мистера Инглторпа.

— Вы шутите?!

— Ничуть.

— Я вижу только один такой аргумент.

— Интересно, какой же?

— То, что в ночь убийства его не было дома.

— Как говорят у вас в Англии, мимо цели! Вы выбрали как раз тот факт, который говорит против него.

— Почему?

— Потому что, если мистер Инглторп знал, что его жена будет отравлена, он бы непременно ночевал в другом месте, что и было сделано, причем под явно надуманным предлогом. Это может объясняться двояко: либо ему действительно было известно, что должно случиться, либо у него была иная причина не приходить домой.

— И какая же? — скептически спросил я.

Пуаро пожал плечами.

— Откуда я знаю? Без сомнения, нечто, что не делает ему чести. Этот Инглторп, похоже, порядочный подлец, но это еще не означает, что он убийца.

Я в сомнении покачал головой.

— Вы опять не согласны? — спросил Пуаро. — Что ж, оставим это. Время покажет, кто из нас прав. Давайте теперь обсудим другие детали этого дела. Как вы объясняете тот факт, что все двери в спальню были заперты изнутри?

— Тут надо... — неуверенно начал я, — тут надо привлечь на помощь логику.

— Несомненно.

— Думаю, дело обстояло так: двери действительно были заперты (мы это видели собственными глазами), однако восковое пятно на ковре и уничтоженное завещание говорят о том, что ночью в комнате был еще кто-то. Так?

— Отлично. Очень точные наблюдения. Ну а дальше?

— Следовательно, — сказал я, приободрившись, — если этот человек не влетел в окно и не проник в комнату с помощью нечистой силы, то остается допустить, что миссис Инглторп сама открыла ему дверь. А кому, как не собственному мужу, могла она открыть? Следовательно, подтверждается мое предположение, что ночью в комнате побывал мистер Инглторп!

Пуаро покачал головой:

— Как раз наоборот. С какой стати миссис Инглторп станет впускать своего мужа, если за несколько часов до этого у них был страшный скандал и она сама, вопреки обыкновению, заперла дверь в его комнату? Нет, кого-кого, а уж его она бы не впустила!

— Но вы согласны, что она сама открыла дверь?

— Есть еще одно объяснение. Возможно, она попросту забыла закрыть на засов дверь в коридор, а потом, вспомнив об этом, встала и закрыла ее уже под утро.

— Пуаро, неужели вы действительно так считаете?

— Я не говорил этого, но вполне возможно, что дело происходило именно так. Теперь обратимся еще к одному факту. Что вы думаете об услышанном вами обрывке разговора между миссис Инглторп и ее невесткой?

— А ведь я о нем совсем забыл. Да, это загадка. Непонятно, как сдержанная и гордая Мэри Кэвендиш могла столь беспардонно вмешиваться в дела, ее не касающиеся.

— Вот именно. Для женщины ее воспитания это более чем странно.

— Да, странно. Впрочем, это не имеет отношения к делу, и не стоит ломать голову над их разговором.

Пуаро тяжело вздохнул.

— Сколько раз вам надо повторять, что любая мелочь должна иметь свое объяснение. Если какой-то факт не согласуется с нашей гипотезой, то тем хуже для гипотезы.

— Ладно, время покажет, кто из нас прав, — раздраженно проговорил я.

— Да, время покажет.

Между тем мы подошли к коттеджу «Листвейз», и Пуаро пригласил меня подняться к нему в комнату. Он предложил мне одну из тех крошечных русских сигарет, которые мой друг иногда позволял себе. Было очень забавно наблюдать, қак Пуаро аккуратно опускает горелые спички в маленькую фарфоровую пепельницу, и мое раздражение постепенно исчезло. Пуаро поставил оба наших стула возле открытого окна, выходившего на улицу. С улицы тянуло свежестью и теплом. День обещал быть жарким. Неожиданно я увидел довольно невзрачного на вид молодого человека, торопливо идущего по улице. Сразу бросалось в глаза необычное выражение его лица — странная смесь волнения и ужаса.

— Пуаро, взгляните, — произнес я.

Он посмотрел в окно.

— Это мистер Мэйс, помощник аптекаря! Уверен, что он направляется сюда.

Молодой человек остановился возле нашего дома и после некоторого колебания решительно постучал в дверь.

— Одну минуту, — крикнул в окно Пуаро, — я сейчас спущусь!

Он пригласил меня жестом следовать за собой и, быстро сбежав по лестнице, открыл дверь.

Прямо с порога мистер Мэйс выпалил:

— Извините за непрошеный визит, мсье Пуаро, но говорят, что вы только что возвратились из Холла?[1]

— Да, мы действительно недавно пришли оттуда.

Молодой человек нервно облизнул пересохшие губы. Его лицо выдавало сильное волнение.

— Вся деревня только и говорит о неожиданной смерти миссис Инглторп. Знаете, ходят слухи, — он снизил голос до шепота, — что ее отравили.

На лице Пуаро не дрогнул ни один мускул.

— Это могут сказать только врачи.

— Да, да, конечно... — Юноша помедлил, затем, не в силах справиться с волнением, схватил Пуаро за рукав и прошептал: — Скажите мне только, мистер Пуаро, это... это, случайно, не стрихнин?

Я даже не услышал, что сказал ему Пуаро. Разумеется, он уклонился от прямого ответа. Молодой человек удалился. Закрывая дверь, Пуаро взглянул на меня.

---

[1] Холл — господский дом.

— Да, — сказал он, кивая. — На дознании ему будет что рассказать.

Пуаро стал медленно подниматься по лестнице. Увидев, что я собираюсь задать очередной вопрос, он раздраженно махнул рукой.

— Не сейчас, mon ami, не сейчас. Мне надо сосредоточиться. У меня в голове полная неразбериха, а я терпеть этого не могу.

Минут десять он молчал, только брови его изредка подергивались, а глаза стали совсем зелеными. Наконец он глубоко вздохнул.

— Вот так. Теперь все в порядке. У каждого факта есть свое объяснение. Путаницы быть не должно. Конечно, кое-что еще остается непонятным: ведь это очень сложное дело. Сложное даже для меня, Эркюля Пуаро! Итак, есть два обстоятельства, на которые надо обратить особое внимание.

— Какие?

— Во-первых, очень важно, какая погода была вчера.

— Пуаро, вчера был чудесный день! — воскликнул я. — Вы просто разыгрываете меня!

— Нисколько! Термометр показывал двадцать семь градусов в тени. Постарайтесь не забыть об этом: тут кроется ключ к разгадке.

— А какое второе обстоятельство?

— Очень важно, что мистер Инглторп одевается крайне необычно, да еще очки, черная борода — вид у него довольно экзотический.

— Пуаро, я не верю, что вы говорите серьезно.

— Уверяю вас, друг мой, я абсолютно серьезен.

— Но то, что вы говорите, — чистое ребячество.

— Напротив, это факты первостепенной важности.

— А если допустить, что присяжные обвинят Альфреда Инглторпа в преднамеренном убийстве, что станет тогда с вашими теориями?

— Если двенадцать деревенских ослов совершат ошибку, это еще не значит, что я не прав. К тому же этого не случится. Во-первых, местные присяжные не будут особо стремиться брать на себя такую ответственность: ведь мистер Инглторп у них вроде здешнего помещика; во-вторых, — добавил он спокойно, — я не позволю им этого!

— То есть как это не позволите?

— Очень просто, не позволю, и все!

Я взглянул на него со смешанным чувством удивления и раздражения: как можно быть таким самоуверенным!

Словно прочтя мои мысли, Пуаро кивнул и тихо повторил:

— Да, mon ami, я не позволю им этого.

Он встал и положил руку мне на плечо. Лицо Пуаро было печально, и в глазах блестели слезы.

— Знаете, я все время думаю о несчастной миссис Инглторп. Она, конечно, не пользовалась всеобщей любовью, но к нам, бельгийцам, покойная была исключительно добра. Я в долгу перед ней.

Я хотел перебить его, но Пуаро продолжал:

— Гастингс, думаю, она не простила бы мне, если я позволил бы арестовать мистера Инглторпа *сейчас*, когда одно лишь мое слово может спасти его.

Глава 6

ДОЗНАНИЕ

За время, которое оставалось до пятницы, Пуаро успел сделать множество дел. К примеру, он дважды совещался с мистером Вэлсом и несколько раз совершал длительные прогулки в окрестностях Стайлз-Сент-Мэри. Я обижался, что мой друг ни разу не взял меня с собой, тем более что я мучился от любопытства, не понимая, что было у него на уме. Мне показалось, что он особенно интересовался фермой Райкеса, поэтому в среду вечером, зайдя в «Листвейз» и не обнаружив там Пуаро, я направился через поле в сторону фермы, надеясь встретить его по дороге. Я дошел почти до самой фермы, так и не обнаружив Пуаро, и повернул назад. По пути мне повстречался старый крестьянин, который как-то хитро взглянул на меня и спросил:

— Вы из Холла, мистер?

— Да, я ищу своего друга. Он должен был идти по этой тропинке.

— Такого коротышку, который все руками размахивает, когда говорит? Он, кажись, из бельгийцев, которые живут в деревне.

— Да, да! Вы его встречали?

— Встречал, и не раз. Значит, друг ваш? Да, много ваших здесь бывает!

И он лукаво подмигнул мне.

— Вы хотите сказать, что здесь часто можно встретить обитателей усадьбы? — спросил я нарочито беспечно.

Он хитро улыбнулся:

— Уж один-то, по крайней мере, частенько сюда наведывается. Кстати, очень щедрый господин. Но что-то я разболтался. Мне пора, прощайте, сэр.

Я шел по тропинке и думал, что, видимо, Ивлин Говард была права. Меня переполняло чувство омерзения, когда я представлял, как беззастенчиво Альфред Инглторп транжирил чужие деньги. Неужели он совершил убийство из-за этого смазливого цыганского личика? Или основной причиной были все-таки деньги? Скорее всего, истина была где-то посередине.

К одному обстоятельству Пуаро проявлял особое внимание. Он несколько раз подчеркивал, что Доркас, наверное, ошибается, утверждая, что ссора между Инглторпами произошла в четыре часа. Мой друг настойчиво пытался ее убедить, что скандал произошел в четыре тридцать.

Однако Доркас настаивала, что с момента, как услышала перебранку, до пяти часов, когда она принесла хозяйке чай, прошел добрый час, а может быть, и больше.

Дознание состоялось в пятницу в деревенской гостинице «Стайлитиз Армз». Мы с Пуаро сели вместе, нам не надо было давать показания.

После предварительных формальностей присяжные осмотрели тело покойной, и Джон Кэвендиш официально подтвердил, что это была Эмили Инглторп.

Отвечая на дальнейшие вопросы, Джон рассказал о том, как он проснулся среди ночи, и о последующих обстоятельствах кончины своей матери.

После этого коронер попросил огласить медицинское заключение. В зале воцарилась напряженная тишина, все глаза были устремлены на нашего знаменитого лондонского специалиста, одного из крупнейших экспертов в области токсикологии.

В нескольких скупых фразах он сообщил результаты вскрытия. Опуская медицинские термины и технические подробности, скажу, что, по его словам, вскрытие полностью подтвердило факт отравления стрихнином. Согласно результатам лабораторного анализа, в организме миссис Инглторп содержалось от $3/4$ до 1 грана яда.

— Могла ли миссис Инглторп случайно принять яд? — спросил коронер.

— Думаю, это маловероятно. В отличие от некоторых других ядов стрихнин не используется в домашнем хозяйстве. К тому же на его продажу наложены некоторые ограничения.

— Можете ли вы теперь, зная результаты вскрытия, определить, каким образом был принят яд?

— Нет.

— Вы, кажется, оказались в Стайлз раньше доктора Уилкинса?

— Да, я встретил автомобиль, выезжавший из садовых ворот, и, узнав о случившемся, со всех ног бросился в усадьбу.

— Не могли бы вы подробно рассказать, что произошло дальше?

— Когда я зашел в комнату, миссис Инглторп билась в конвульсиях. Увидев меня, она прохрипела: «Альфред... Альфред».

— Скажите, мог стрихнин содержаться в кофе, который ей отнес мистер Инглторп?

— Это маловероятно, поскольку стрихнин — быстродействующий яд. Симптомы отравления обычно проявляются уже через час или два. При некоторых условиях, ни одно из которых в данном случае обнаружено не было, его действие может быть замедлено. Миссис Инглторп выпила кофе примерно в восемь вечера, но признаки отравления появились лишь под утро. Это доказывает, что яд попал в организм гораздо позже восьми часов.

— Миссис Инглторп имела обыкновение пить ночью какао. Не мог ли стрихнин быть подмешан туда?

— Нет, я лично сделал анализ остатков какао. Никакого стрихнина там не было.

При этих словах Пуаро удовлетворенно улыбнулся.

— Как вы догадались? — спросил я шепотом.

— Слушайте дальше.

— Смею заметить, — продолжал доктор, — что, если бы экспертиза дала иной результат, я бы очень удивился.

— Почему?

— Потому что у стрихнина чрезвычайно горький вкус. Его можно почувствовать даже в растворе один к семидесяти тысячам, чтобы замаскировать такую горечь, нужна жидкость с очень резким вкусом. Какао для этого совершенно не годится.

Один из присяжных поинтересовался, может ли кофе замаскировать привкус яда.

— Весьма возможно, поскольку у самого кофе чрезвычайно горький вкус.

— Таким образом, вы предполагаете, что яд был подсыпан в кофе, но по каким-то причинам его действие было замедлено.

— Да, но так как кофейная чашка вдребезги разбита, мы не можем сделать анализ ее содержимого.

На этом доктор Бауэрстайн закончил свои показания.

Доктор Уилкинс был во всем согласен со своим коллегой.

Он начисто отверг возможность самоубийства, которое предположил один из присяжных.

— У покойной было больное сердце, — сказал он, — но состояние ее здоровья не внушало опасений. Она обладала уравновешенным характером и поражала всех своей огромной энергией. Нет, миссис Инглторп не могла покончить с собой.

Следующим был вызван Лоренс Кэвендиш. В его выступлении не было ничего нового, он почти слово в слово повторил показания брата. Заканчивая выступление, он вдруг смущенно сказал:

— Если можно, я хотел бы высказать одно предположение.

Лоренс посмотрел на коронера, который сразу воскликнул:

— Конечно, мистер Кэвендиш! Мы здесь для того и собрались, чтобы выслушать все, что поможет узнать правду об этом деле.

— Это только мое предположение, — пояснил Лоренс, — я могу ошибаться, но мне до сих пор кажется, что мама могла умереть естественной смертью.

— Как это возможно, мистер Кэвендиш?

— Дело в том, что она уже некоторое время принимала тонизирующее, в котором содержался стрихнин.

— Вот так новость! — воскликнул коронер.

Присяжные были явно заинтригованы.

— Известны случаи, — продолжал Лоренс, — когда происходило постепенное накопление яда в организме больного и это в конце концов вызывало смерть. К тому же мама могла по ошибке принять слишком большую дозу лекарства.

— Мы в первый раз слышим, что миссис Инглторп принимала тонизирующее, содержащее стрихнин. Это весьма ценное свидетельство, и мы вам очень благодарны, мистер Кэвендиш.

Был вызван доктор Уилкинс, который сразу высмеял это предположение.

— То, что сказал мистер Кэвендиш, чистый абсурд. Любой врач вам скажет то же самое. Стрихнин действительно может накапливаться в организме больного, но при этом исключается такая агония и внезапная смерть, как в данном случае. Когда яд накапливается в организме, это сопровождается длительным хроническим заболеванием, симптомы которого я бы уже давно заметил. Поэтому считаю предположение мистера Кэвендиша совершенно необоснованным.

— А что вы думаете по поводу его второго высказывания? Могла ли миссис Инглторп случайно принять слишком большую дозу лекарства?

— Даже три или четыре дозы не могут вызвать летальный исход. У миссис Инглторп имелся, правда, большой запас этой микстуры, она получала ее из аптеки Кута в Тэдминстере. Но чтобы в организм попало столько стрихнина, сколько было обнаружено при вскрытии, она должна была выпить целую бутыль.

— Итак, вы считаете, что эта микстура не могла явиться причиной смерти миссис Инглторп?

— Несомненно. Подобное предположение просто смехотворно.

Присяжный, задавший предыдущий вопрос, спросил у доктора Уилкинса, не мог ли фармацевт, изготовлявший лекарство, допустить ошибку.

— Это, конечно, возможно, — ответил доктор.

Однако Доркас, дававшая показания вслед за Уилкинсом, начисто отвергла это предположение, поскольку лекарство было изготовлено довольно давно, она даже помнила, что в день смерти миссис Инглторп приняла последнюю дозу.

Таким образом подозрения по поводу лекарства рассеялись, и коронер попросил Доркас рассказать все с самого начала. Она сообщила, что проснулась от громкого звона колокольчика и сразу подняла тревогу в доме. Затем ее попросили рассказать о ссоре, случившейся накануне.

Доркас почти дословно повторила то, что уже говорила нам с Пуаро, поэтому я не буду здесь приводить ее показания.

Следующей свидетельницей была Мэри Кэвендиш. Гордо подняв голову, она отвечала тихим и уверенным голосом. Мэри рассказала, что она встала, как обычно, по будильнику в четыре тридцать и, одеваясь, вдруг услышала какой-то грохот, словно упало что-то очень тяжелое.

— Видимо, это был столик, стоявший около кровати, — предположил коронер.

— Я открыла дверь и прислушалась, — продолжала Мэри. — Через несколько мгновений раздался неистовый звон колокольчика. Прибежавшая Доркас разбудила моего мужа, и мы направились в комнату миссис Инглторп, но дверь оказалась запертой изнутри.

На этом месте коронер прервал миссис Кэвендиш:

— Думаю, не стоит утруждать вас изложением дальнейших событий, поскольку мы неоднократно слышали, что произошло потом. Но я буду вам весьма признателен, если вы расскажете присутствующим все, что касается ссоры, которую вы нечаянно подслушали накануне.

— Я?

В голосе Мэри звучало плохо скрытое высокомерие.

Она неторопливо поправила воротничок платья, и я внезапно подумал: «А ведь она пытается выиграть время!»

— Да. Насколько я понимаю, — осторожно произнес коронер, — вы читали книгу, сидя на скамейке рядом с окном будуара. Не так ли?

Для меня это было новостью, и, взглянув на Пуаро, я понял, что он тоже не знал об этом.

Чуть-чуть помедлив, Мэри ответила:

— Да, вы правы.

— И окно будуара было открыто?

Я заметил, что лицо Мэри слегка побледнело.

— Да.

— В таком случае вы не могли не слышать голосов, доносившихся из комнаты. К тому же там говорили на повышенных тонах, и с вашего места их можно было услышать даже лучше, чем из холла.

— Возможно.

— Не расскажете ли нам, что вы слышали?

— Уверяю вас — я ничего не слышала.

— Вы утверждаете, что не слышали ничьих голосов?

— Я слышала голоса, но не вслушивалась в то, что говорили. — Она слегка покраснела. — У меня нет привычки подслушивать интимные разговоры.

Однако коронер продолжал упорствовать:

— Неужели вы ничего не помните, миссис Кэвендиш, ни единого слова? Может быть, какую-нибудь фразу, из которой можно было понять, что разговор действительно был интимным.

Оставаясь внешне совершенно спокойной, Мэри задумалась на несколько секунд, затем сказала:

— Я, кажется, припоминаю слова миссис Инглторп по поводу скандала между мужем и женой.

— Прекрасно! — Коронер удовлетворенно откинулся в кресле. — Это совпадает с тем, что слышала Доркас. Простите, миссис Кэвендиш, но, хотя вы и поняли, что разговор был сугубо личный, тем не менее вы остались сидеть на том же месте возле открытого окна. Не так ли?

Я заметил, как ее темные глаза на мгновение вспыхнули. В ту секунду она, кажется, могла разорвать коронера на куски, но, взяв себя в руки, Мэри спокойно ответила:

— Просто там было очень удобно. Я постаралась сосредоточиться на книге.

— Это все, что вы можете нам рассказать?

— Да.

Мэри Кэвендиш возвратилась на место. Я взглянул на коронера. Вряд ли он был полностью удовлетворен показаниями миссис Кэвендиш. Чувствовалось, что она что-то недоговаривала.

Следующей давала показания продавщица Эми Хилл. Она подтвердила, что семнадцатого июля продала бланк для завещания Уильяму Эрлу, помощнику садовника в Стайлз.

Затем выступили Уильям Эрл и Мэннинг. Они рассказали, что подписались под каким-то документом. Мэннинг утверждал, что это было в шестнадцать тридцать, Уильям же считал, что это произошло немного раньше.

После них вызвали Цинтию Мердок. Ей почти нечего было добавить к предыдущим показаниям, поскольку до того, как ее разбудила Мэри Кэвендиш, девушка вообще не подозревала о случившемся.

— Неужели вы не слышали, как упал столик?

— Нет, я спала очень крепко.

Коронер улыбнулся:

— Люди с чистой совестью всегда спят крепко. Спасибо, мисс Мердок, у нас больше нет к вам вопросов.

Следующей выступала мисс Говард. Она показала письмо, которое миссис Инглторп послала ей вечером 17 июля. Мы с Пуаро уже видели его раньше. В нем не содержалось ничего нового. Ниже я привожу текст письма.

«17 июля
Стайлз-Корт
Эссекс

Дорогая Ивлин!

Может быть, забудем обиды? Мне трудно простить твои выпады против моего милого мужа, но я старая женщина и очень привязана к тебе.

Преданная тебе

Эмили Инглторп».

Письмо было передано присяжным, которые внимательно его прочитали.

— Боюсь, что пользы от этого документа немного, — со вздохом сказал коронер. — Здесь нет даже упоминания о событиях, происходивших в тот день.

— Все и так предельно ясно, — произнесла мисс Говард. — Из письма видно, что бедняжка Эмили в тот день впервые поняла, что ее водят за нос.

— Но в письме нет ни единого слова об этом, — возразил коронер.

— Потому что Эмили была не тем человеком, который может признать себя неправым. Но я-то ее знаю. Она желала моего возвращения. Но признать, что я была права, не могла. Мало кто способен признавать свои ошибки. Я и сама, например, такая.

Мистер Вэлс и несколько присяжных усмехнулись. Да, мисс Говард явно умела найти подход к любому.

— Я только не пойму, к чему вся эта канитель? Пустая трата времени, да и только! — сказала мисс Говард и негодующе посмотрела на присяжных. — Слова, слова, слова, хотя все мы прекрасно знаем, что...

Коронер торопливо перебил ее:

— Спасибо, мисс Говард, спасибо. Вы можете идти.

Мне показалось, что он даже облегченно вздохнул, когда Иви села на место.

Теперь настала очередь рассказать о подлинной сенсации, случившейся в тот день.

Коронер вызвал Элберта Мэйса, помощника аптекаря. Это был тот нервный юноша, который приходил к Пуаро. В ответ на первый вопрос коронера молодой человек рассказал, что он дипломированный фармацевт, но в здешней аптеке работает недавно, с тех пор как его предшественника призвали в армию.

Закончив с предварительными формальностями, коронер перешел непосредственно к делу:

— Скажите, мистер Мэйс, в последнее время вы продавали стрихнин кому-нибудь, кто не имел на это специального разрешения?

— Да, сэр.

— Когда это было?

— В понедельник вечером.

— Вы уверены, что в понедельник, а не во вторник?

— Да, сэр, в понедельник, шестнадцатого числа.

— И кому же вы продали стрихнин?

Весь зал замер в напряжении.

— Мистеру Инглторпу.

Словно по команде, все головы повернулись в сторону Альфреда Инглторпа. Он сидел совершенно неподвижно, хотя в тот момент, когда юноша произнес свои убийственные слова, он слегка вздрогнул и, казалось, хотел подняться, однако остался сидеть и только хорошо разыгранное выражение удивления отразилось на его лице.

— Вы уверены в своих словах?

— Да, сэр, абсолютно уверен.

— Скажите, а на старом месте вы тоже продавали стрихнин любому желающему?

Юноша, и без того выглядевший довольно тщедушным, совсем обмяк под строгим судейским взором.

— Нет, нет, что вы, сэр! Я никогда так не поступал! Но это же был сам мистер Инглторп из Холла, и я подумал, что ничего не случится, если я продам ему то, что он просит. Мистер Инглторп сказал, что ему надо усыпить собаку.

В глубине души я посочувствовал молодому человеку, его естественному желанию угодить людям из Холла — тем более что они могут начать обращаться за покупками не к Куту, а в местную аптеку.

— При продаже яда покупатель обычно расписывался в регистрационном журнале?

— Да, сэр. Мистер Инглторп сделал это.

— Журнал у вас с собой?

— Да, сэр.

Журнал был передан присяжным, затем коронер произнес еще несколько грозных слов по поводу безответственности некоторых аптекарей, после чего отпустил до смерти перепуганного мистера Мэйса.

И вот наконец настала очередь Альфреда Инглторпа. Зал замер.

«Интересно, — подумал я, — понимает ли Альфред, что находится в двух шагах от виселицы?»

Коронер сразу перешел к делу:

— В понедельник вечером вы покупали стрихнин, чтобы усыпить собаку?

— Нет, в усадьбе вообще нет собак, за исключением дворовой овчарки, которая совершенно здорова, — спокойно ответил Инглторп.

— Вы категорически отрицаете, что в понедельник покупали стрихнин у Элберта Мэйса?

— Да.

— Это вы тоже отрицаете?

И коронер показал Альфреду регистрационный журнал с его подписью.

— Конечно. Почерк абсолютно не похож на мой, вы можете в этом убедиться сами.

Он вынул из кармана старый конверт, расписался на нем и передал присяжным. Действительно, почерк был совершенно другим.

— В таком случае как вы объясните показания мистера Мэйса?

— Думаю, он ошибается, — невозмутимо ответил Инглторп.

Коронер выдержал паузу и спросил:

— Мистер Инглторп, не сочтите за труд, скажите, где вы находились вечером в понедельник шестнадцатого июля?

— Честно говоря, не помню.

— Это звучит неубедительно, мистер Инглторп, — резко сказал коронер. — Попытайтесь все-таки вспомнить.

Инглторп пожал плечами.

— Точно не помню, но, кажется, в тот вечер я вышел прогуляться.

— В каком направлении?

— Этого уж я совсем не помню.

Лицо коронера стало еще более хмурым.

— Вы гуляли один?

— Да.

— А по дороге вы никого не встретили?

— Нет.

— Жаль, — сухо сказал коронер, — я вынужден констатировать, что вы отказываетесь сказать, где находились в то время, когда, согласно показаниям мистера Мэйса, покупали у него стрихнин.

— Как вам будет угодно.

— Вы играете с огнем, мистер Инглторп.

— Sacré! — пробормотал Пуаро. — Этот идиот хочет, чтобы его арестовали?

Действительно, показания Инглторпа звучали крайне неубедительно. Его словам не поверил бы даже ребенок, однако коронер быстро перешел к следующему вопросу, и Пуаро облегченно вздохнул.

— Во вторник утром у вас была ссора с женой?

— Простите, но вас неверно информировали. Никакой ссоры с женой у меня не было. Вся эта история выдумана от начала до конца. В то утро меня вообще не было дома.

— Кто-нибудь может подтвердить ваши слова?

— А что, моих слов вам недостаточно? — запальчиво спросил Инглторп.

Коронер промолчал.

— Двое свидетелей утверждают, что слышали скандал между вами и миссис Инглторп.

— Они ошибаются.

Меня поражало, с какой уверенностью держался Инглторп. Я взглянул на Пуаро. Его лицо выдавало крайнее возбуждение, причина которого оставалась для меня загадкой. Неужели он поверил наконец в виновность Альфреда Инглторпа?

— Мистер Инглторп, — обратился к нему коронер, — из показаний свидетелей мы знаем предсмертные слова вашей жены. Вы можете их объяснить?

— Конечно, могу.

— Сделайте милость.

— По-моему, все и так понятно. Во-первых, комната была плохо освещена, во-вторых, доктор Бауэрстайн примерно такого же роста, как и я, и тоже носит бороду. Моя несчастная жена, находясь в полуобморочном состоянии, просто приняла его за меня.

— Ого! — услышал я голос Пуаро. — А ведь это идея!

— Вы ему верите? — спросил я шепотом.

— Я не говорил этого, но объяснение мистера Инглторпа я нахожу весьма любопытным.

— Вы восприняли последние слова моей жены, — продолжал Инглторп, — как обвинение, а они на самом деле были призывом о помощи.

Коронер надолго задумался, затем спросил:

— Мистер Инглторп, правда ли, что это вы наливали кофе в чашку, которую затем собственноручно отнесли вашей жене?

— Я действительно налил кофе, но отнести не успел — как раз в этот момент мне сказали, что кто-то пришел, и я вышел из дома, поставив чашку на столик в холле. Когда через несколько минут я возвратился, ее там уже не было.

«Даже если последние утверждения Инглторпа правда, — подумал я, — это нисколько не облегчает его участи. Все равно у него было достаточно времени, чтобы подсыпать яд».

Пуаро прервал мои размышления, указав на двух незнакомых мужчин, сидевших у двери. Один был высокий и светловолосый, другой — небольшого роста подвижный брюнет с лицом, напоминающим мордочку хорька.

Я вопрошающе взглянул на Пуаро.

— Вы знаете, кто этот невысокий господин? — спросил он тихо.

Я покачал головой.

— Это инспектор Джеймс Джепп из Скотленд-Ярда. И тот, другой, тоже из полиции. Так-то, друг мой, события развиваются стремительно.

Я внимательно посмотрел на них и подумал, что эти люди совершенно не похожи на полицейских. Трудно было поверить, что они представители власти.

Неожиданно я вздрогнул: коронер огласил вердикт присяжных — преднамеренное убийство, совершенное неизвестным лицом или группой лиц.

Глава 7

ПУАРО ПЛАТИТ ДОЛГИ

Когда мы вышли из «Стайлитиз Армз», Пуаро отвел меня в сторону. Я сразу понял, что он хочет подождать своих знакомых из Скотленд-Ярда. Через несколько минут они вышли, и Пуаро подошел к тому, что был пониже ростом.

— Верно, вы не узнаете меня, инспектор Джепп?

— Это я-то не узнаю мистера Пуаро? — воскликнул Джепп. Он повернулся к своему коллеге. — Помните, я вам рассказывал о нем? В 1904 году мы работали вместе в Брюсселе, там был арестован знаменитый фальшивомонетчик Эберкромби. Да, мсье, славное было время! А помните дело Альтара? Вот это был пройдоха! Половина европейской полиции гонялась за ним, и все без результата. В конце концов мы его схватили в Антверпене, и то лишь благодаря усилиям мистера Пуаро.

Я тем временем подошел ближе, и Пуаро представил меня инспектору Джеппу, который в свою очередь познакомил нас со своим спутником, инспектором Саммерхэем.

— Джентльмены, думается, нет нужды спрашивать, зачем вы в наших краях, — сказал Пуаро.

Джепп хитро подмигнул моему другу.

— Вы правы, однако дело не стоит и выеденного яйца.

— Я не согласен с вами.

— Полноте! — вступил в разговор Саммерхэй. — Дело совершенно ясное: Инглторп, можно сказать, пойман с поличным. Я только удивляюсь, как можно быть таким ослом.

Джепп пристально посмотрел на Пуаро, затем с улыбкой произнес:

— Умерьте ваш пыл, Саммерхэй. Я работал с мсье и знаю, что он слов на ветер не бросает. Почти уверен, что он может поведать нам что-то любопытное. Не так ли, мсье?

Пуаро улыбнулся:

— Есть у меня некоторые соображения.

Саммерхэй скептически усмехнулся, однако Джепп, продолжая внимательно смотреть на Пуаро, сказал:

— Беда в том, что Скотленд-Ярд зачастую находится слишком далеко от места происшествия, мы слишком поздно узнаем обстоятельства, при которых совершено убийство, — чуть ли не после дознания, а нужно идти по горячему следу. Мсье Пуаро, естественно, нас опередил. Если бы не расторопность доктора, мы бы приехали еще позже. Мсье Пуаро был здесь с самого начала, и, видимо, он выяснил что-то интересное. Из показаний свидетелей совершенно очевидно, что мистер Инглторп отравил свою жену, и, если бы в этом сомневался не мсье Пуаро, а кто-то другой, я бы просто поднял на смех этого человека. Я даже удивился, как это присяжные сразу не обвинили его в преднамеренном убийстве. По-моему, если бы не коронер, они наверняка бы это сделали.

— Возможно, — сказал Пуаро, — впрочем, не сомневаюсь, что у вас с собой ордер на арест Инглторпа.

Лицо Джеппа мгновенно вытянулось и стало официально-непроницаемым.

— Возможно, — бросил он сухо.

Пуаро задумчиво посмотрел на инспектора:

— Господа, мне очень нужно, чтобы он пока оставался на свободе.

— Ну-ну, — саркастически обронил Саммерхэй.

Джепп обескураженно посмотрел на Пуаро:

— Мсье Пуаро, может быть, вы нам все-таки что-то расскажете? Ваши сведения сейчас на вес золота. Я очень уважаю ваше мнение, но Скотленд-Ярд не любит совершать ошибок, вы же знаете.

Пуаро задумчиво кивнул:

— Я так и думал. Вот что я вам скажу: хотите — арестовывайте мистера Инглторпа. Но это вам ничего не даст. Обвинения против него мгновенно развалятся. Comme ça![1] — И он выразительно щелкнул пальцами.

Джепп как-то сразу посерьезнел, а Саммерхэй недоверчиво фыркнул.

Я же просто онемел, уже не сомневаясь, что мой друг сошел с ума.

Джепп вынул платок и приложил его ко лбу.

— Будь моя воля, мистер Пуаро, я бы выполнил ваше пожелание, но у меня есть начальство, которое потребует объяснения подобных фокусов. Намекните хотя бы, что вам удалось узнать.

Пуаро на мгновение задумался, затем сказал:

— Хорошо, но признаюсь, что делаю это неохотно — не люблю раньше времени раскрывать карты. Я хотел бы сначала сам довести это дело до конца, но вы, конечно, правы — одного лишь слова бывшего бельгийского полицейского явно недостаточно. Однако Альфред Инглторп должен оставаться на свободе. Клянусь, мой друг Гастингс — свидетель. Джепп, дружище, вы сразу отправляетесь в Стайлз?

---

[1] Вот так! *(фр.)*

— Через полчасика. Сначала поговорим с коронером и с доктором.

— Хорошо. Вы будете проходить мимо моего дома — вон тот, в конце улицы, — зайдите за мной, мы вместе отправимся в Стайлз. Там мистер Инглторп даст вам такие сведения, что станет очевидной полная бессмысленность его ареста. Если же он откажется, что вполне вероятно, я это сделаю за него. Договорились?

— Договорились! — с готовностью проговорил Джепп. — От имени Скотленд-Ярда благодарю вас за помощь, только я лично не вижу в свидетельских показаниях никаких изъянов. Но вы ведь всегда умели творить чудеса! Итак, до скорого, мсье.

Полицейские удалились, причем на лице у Саммерхэя была по-прежнему скептическая ухмылка.

— Что вы обо всем этом думаете, мой друг? — спросил Пуаро до того, как я успел вымолвить хотя бы слово. — Mon Dieu![1] Ну и переволновался я во время дознания. Господи, я и не подозревал, что Инглторп может быть настолько недальновиден, чтобы не сказать вообще ни единого слова. Нет, он решительно неумен.

— Почему же, его действия становятся понятными, если допустить, что Инглторп все-таки виновен. В этом случае ему остается только молчать, поскольку сказать он ничего не может.

— Как это — не может? Будь я на его месте, я бы уже придумал десяток версий, одна убедительнее другой, во всяком случае, убедительнее, чем его упрямое молчание!

Я рассмеялся:

— Дорогой Пуаро, я не сомневаюсь, что вы в состоянии придумать и сотню таких версий, но скажите, неужели вы действительно продолжаете верить в невиновность Альфреда Инглторпа?

— А почему бы и нет? По-моему, ничего не изменилось.

— Но свидетельские показания были очень убедительными.

— Да, я бы даже сказал, что они слишком убедительны.

---

[1] Мой Бог! *(фр.)*

— Вот именно — слишком убедительны!

Мы подошли к «Листвейз» и поднялись по знакомой лестнице.

— Да, да, слишком убедительные, — продолжал Пуаро, словно обращаясь к самому себе. — Настоящие улики, как правило, косвенные, их всегда не хватает, их приходится отбирать, просеивать. А здесь все готово — пожалуйста. Нет, мой друг, эти улики ловко подброшены, и так ловко, что подрывают сами себя.

— Почему вы так полагаете?

— Потому что пока улики против него остаются косвенными и бессвязными, их очень трудно опровергнуть. Но преступник для пущей уверенности затянул сеть так крепко, что лишь один обрыв нити освободит Инглторпа.

Я молча слушал моего друга.

Пуаро продолжал:

— Давайте рассуждать здраво. Допустим, есть человек, который хочет отравить собственную жену. Он, как говорится у вас, «жил умом», следовательно, ум у него есть. Он не дурак. И как же он осуществляет свой замысел? Он спокойно идет в ближайшую аптеку, покупает стрихнин, ставит свою подпись в журнале и сочиняет при этом глупейшую историю про несуществующую собаку. Но в этот вечер он не использует яд, нет, он ждет, пока произойдет скандал с женой, о котором знает весь дом, и, следовательно, навлекает на себя еще большее подозрение. Он не пытается защитить себя, не представляет даже мало-мальски правдоподобных алиби, хотя знает, что помощник аптекаря непременно выступит с показаниями... Нет, мой друг, не пытайтесь меня убедить, что на свете существуют подобные идиоты. Так может вести себя только сумасшедший, решивший свести счеты с жизнью.

— Но тогда я не понимаю.

— Я тоже не понимаю! Я, Эркюль Пуаро!

— Но если вы уверены, что Инглторп не виновен, скажите, зачем ему было покупать стрихнин?

— А он его и не покупал.

— Но Мэйс узнал его!

— Простите, друг мой, но Мэйс видел всего лишь человека с черной бородой, как у мистера Инглторпа,

102

в очках, как у мистера Инглторпа. И так же странно одетого. Он при всем желании не мог бы узнать человека, которого ни разу не видел вблизи, ведь он всего две недели, как поселился в Стайлз-Сент-Мэри, к тому же миссис Инглторп имела дело в основном с аптекой Кута в Тэдминстере.

— Вы хотите сказать...

— Mon ami, помните те два факта, на которые я просил вас обратить внимание? Первый пока оставим, а какой был второй?

— То, что Альфред Инглторп одевается крайне необычно, имеет черную бороду и носит очки, — припомнил я.

— Правильно. А теперь предположим, что кто-то хочет, чтобы его приняли за Джона или Лоренса Кэвендиша. Как вы думаете, легко это сделать?

— Н-нет, — пролепетал я удивленно. — Хотя, конечно, актер...

Но Пуаро резко перебил меня:

— А почему это трудно? Да потому, друг мой, что оба они гладко выбриты. Чтобы среди бела дня кого-нибудь приняли за Лоренса или Джона, надо быть гениальным актером и обладать при этом определенным природным сходством. Но в случае Альфреда Инглторпа все гораздо проще. Его одежда, борода, очки, скрывающие глаза, — все это легко узнаваемо. А какое первое желание преступника? Отвести от себя подозрения! Как это проще всего сделать? Конечно, заставить подозревать кого-нибудь другого! Мистер Инглторп очень подходил для этой роли. В глазах обитателей дома Альфред Инглторп всегда был человеком, способным на любую подлость. Такое предвзятое отношение и привело к тому, что он сразу попал под подозрение. Но чтобы погубить его наверняка, требовался какой-нибудь неопровержимый факт, скажем, то, что он собственноручно купил стрихнин. Учитывая его характерную внешность, организовать это было совсем нетрудно. Не забывайте, мистер Мэйс никогда даже не разговаривал с Альфредом Инглторпом, откуда же ему знать, что человек в одежде мистера Инглторпа, в его очках и с его бородой не был мистером Инглторпом?

— Возможно, это и так, — согласился я, сраженный красноречием своего друга, — но почему в таком случае Альфред не сказал, где он находился в шесть вечера в понедельник?

— Действительно, почему? — тихо спросил Пуаро. — Наверное, если его арестуют, он скажет это, но я не могу доводить дело до ареста. Необходимо, чтобы Инглторп понял, какая над ним нависла угроза. Конечно, молчит он неспроста, наверняка есть какая-то мерзость, которую он хочет скрыть. Хотя Инглторп и не убивал свою жену, он все равно остается негодяем, которому есть что скрывать.

«Что же это может быть?» — подумал я, побежденный доводами Пуаро. Однако в глубине души я все еще питал слабую надежду на то, что первоначальная ясная схема, в которую укладывались все свидетельские показания, окажется в конце концов верной.

— А вы не догадываетесь? — с улыбкой спросил Пуаро.

— Нет.

— А мне вот недавно пришла в голову одна идейка, которая теперь полностью подтвердилась.

— Вы мне не говорили об этом, — сказал я с упреком.

Пуаро развел руками:

— Простите, mon ami, но вы сами держали меня на некотором отдалении. Ну, я убедил вас, что не следует допускать его ареста?

— Отчасти, — нерешительно произнес я, будучи совершенно равнодушен к судьбе Инглторпа и полагая, что припугнуть его будет нелишне.

Пуаро внимательно посмотрел на меня и вздохнул.

— Ладно, друг мой, скажите мне лучше, что вы думаете о фактах, которые всплыли во время дознания?

— По-моему, мы не услышали ничего нового.

— Неужели вас ничто не удивило?

Я сразу подумал о показаниях Мэри Кэвендиш.

— Что, например?

— Ну, скажем, выступление Лоренса Кэвендиша.

У меня стало легче на душе!

— А, вы говорите о Лоренсе? Но ведь он всегда отличался излишней впечатлительностью.

— И тем не менее вас не удивило его предположение, что причиной смерти миссис Инглторп могло быть лекарство, которое она принимала?

— Нет. Хотя врачи и отвергли такую возможность, но для человека неискушенного подобное предположение было вполне естественным.

— Но мсье Лоренса трудно назвать неискушенным, вы же сами мне говорили, что он изучал медицину и даже имеет врачебный диплом.

— А ведь действительно! Мне это не приходило в голову. В таком случае его слова действительно кажутся странными.

Пуаро кивнул:

— С самого начала в его поведении было что-то непонятное. Из всех обитателей дома он единственный должен был сразу распознать симптомы отравления стрихнином, но случилось наоборот — лишь он один до сих пор допускает возможность естественной смерти; если бы это предположение выдвинул Джон, я бы не удивился. Он не специалист и к тому же немного тугодум по натуре. Но Лоренс — это совсем другое дело. Тем не менее он выдвинул предположение, абсурдность которого должен был понимать лучше других. Mon ami, тут есть над чем подумать!

— Да, странно.

— А миссис Кэвендиш! Она ведь тоже не рассказывает всего, что знает. Как вы это расцениваете?

— Для меня ее поведение совершенно непонятно... Не может же она выгораживать Инглторпа? Хотя внешне это выглядит именно так...

Пуаро задумчиво кивнул:

— Согласен. В одном лишь я не сомневаюсь. Сидя у раскрытого окна, миссис Кэвендиш слышала гораздо больше, чем те несколько фраз, о которых говорила.

— И в то же время трудно поверить, что Мэри могла намеренно подслушивать чужой разговор.

— Правильно. Но ее показания все-таки дали мне кое-что. Я ошибался, Гастингс, и Доркас была права, ссора действительно произошла около четырех.

Я удивленно взглянул на Пуаро — дались ему эти полчаса!

— Да, сегодня выяснилось много странных фактов, — продолжал мой друг. — К примеру, доктор Бауэрстайн. Что он делал среди ночи возле усадьбы? Странно, что никого это не удивляет.

— Кажется, у него бессонница, — неуверенно ответил я.

— Объяснение и хорошее и плохое одновременно, — заметил Пуаро. — Оно оправдывает многое, но не объясняет ничего. Надо будет присмотреться к нашему умному доктору Бауэрстайну.

— Еще какие-нибудь огрехи в показаниях? — шутливо спросил я.

— Mon ami, — хмуро ответил Пуаро, — если вы обнаруживаете, что люди говорят неправду, будьте осторожны. Либо я очень сильно заблуждаюсь, либо из всех выступавших лишь один, от силы два человека ничего не утаили.

— Пуаро, вы увлекаетесь! Допустим, что Лоренс и миссис Кэвендиш не были до конца искренни, но уж Джон и мисс Говард, без сомнения, говорили только правду.

— Оба? Ошибаетесь, друг мой, только один из них!

Я даже вздрогнул от этих слов. Мисс Говард, хотя и говорила всего пару минут, произвела на меня такое сильное впечатление, что я бы никогда не усомнился в ее искренности. С другой стороны, я очень уважал мнение Пуаро, за исключением, правда, тех случаев, когда он проявлял свое дурацкое упрямство.

— Вы так думаете? Странно, мне мисс Говард всегда казалась на редкость честной и бескомпромиссной, порой даже чересчур.

Пуаро бросил на меня какой-то странный взгляд, значение которого я так и не понял. Он хотел что-то сказать, но передумал.

— А мисс Мердок, — продолжал я, — уверен, что и она ничего не скрывала.

— А вам не кажется странным, что она не слышала, как в соседней комнате с грохотом упал столик, в то время как миссис Кэвендиш в другом крыле здания слышала это отчетливо?

— Ну, она молодая и спит крепко.

— Что верно, то верно! Соня, каких мало.

Я не успел ответить на эту бесцеремонную реплику, поскольку в этот момент во входную дверь постучали, и, выглянув в окно, мы увидели, что двое детективов поджидают нас внизу.

Пуаро взял шляпу, лихо завернул кончики усов и смахнул с рукавов несуществующие пылинки. Потом мы спустились вниз и вместе с детективами отправились в Стайлз.

Появление полицейских из Скотленд-Ярда вызвало некоторое замешательство среди обитателей усадьбы. Особенно это касалось Джона, хотя после объявления присяжными приговора он должен был ожидать всего.

По дороге Пуаро о чем-то тихо беседовал с Джеппом, и, как только мы оказались в усадьбе, инспектор потребовал, чтобы все обитатели дома, за исключением прислуги, собрались в гостиной. Я сразу понял, в чем дело: Пуаро всегда был неравнодушен к внешним эффектам.

Меня мучили сомнения по поводу того, что затеял мой друг, — он может сколько угодно утверждать, что Инглторп не виновен, но Саммерхэй не из тех, кто поверит ему на слово, и я опасался, что Пуаро не сможет предоставить достаточно веские доказательства.

Через некоторое время все наконец собрались в гостиной, и Джепп плотно прикрыл дверь. Пуаро суетился, усаживая собравшихся, в то время как в центре внимания были, естественно, люди из Скотленд-Ярда. Думаю, только сейчас все окончательно поняли, что это был не кошмарный сон, нет, убийство произошло на самом деле. Мы сами были участниками событий, о которых раньше читали только в книгах. Завтра, наверное, все газеты Англии выйдут с сенсационными заголовками:

ЗАГАДОЧНОЕ УБИЙСТВО В ЭССЕКСЕ.
ОТРАВЛЕНИЕ БОГАТОЙ ЛЕДИ

Появятся фотографии Стайлз и родственников, выходящих из зала суда (местный фотограф не терял времени даром). Сколько раз собравшиеся читали леденящие заголовки, касающиеся кого-то. И вот убийство совершено в их собственном доме. Теперь перед ними «детективы, ведущие следствие»... Все эти газетные трюки овладели моим воображением, но Пуаро очень скоро вернул меня к действительности.

Думаю, все были несколько удивлены, что он, а не представитель Скотленд-Ярда будет говорить первым.

— Дамы, господа, — произнес Пуаро, низко поклонившись, как некая знаменитость перед началом публичной лекции, — я созвал вас сюда не случайно. Дело касается мистера Альфреда Инглторпа.

Инглторп сидел немного в стороне; наверное, каждый инстинктивно стремился сесть подальше от предполагаемого убийцы. Альфред чуть заметно вздрогнул, когда Пуаро произнес его имя.

— Мистер Инглторп, — обратился к нему Пуаро, — над этим домом нависла мрачная тень, тень убийства.

Инглторп печально кивнул и пробормотал:

— Моя несчастная жена... бедняжка... Как это ужасно!

— Я полагаю, мсье, вы даже не подозреваете, насколько это ужасно для вас!

Инглторп никак не отреагировал на эти слова, и Пуаро пояснил:

— Мистер Инглторп, вы находитесь в большой опасности.

Оба детектива нервно заерзали в своих креслах. Мне казалось, что Саммерхэй уже готов был произнести официальную преамбулу: «Все, что вы скажете, может быть использовано против вас».

Пуаро снова обратился к Инглторпу:

— Вы меня понимаете, мсье?

— Нет. О какой опасности вы говорите?

— Я говорю о том, — отчетливо произнес Пуаро, — что вы подозреваетесь в убийстве собственной жены.

При этих словах присутствующие замерли.

— Боже мой, — вскочив, воскликнул Инглторп, — что за чудовищное предположение! Я убил несчастную Эмили?!

Мой друг пристально взглянул на него:

— Мне кажется, вы не совсем понимаете, в каком невыгодном свете вы предстали во время дознания. Итак, учитывая то, что я сейчас сказал, вы по-прежнему отказываетесь сказать, где вы находились в шесть часов вечера в понедельник?

Инглторп застонал и, опустившись в кресло, закрыл лицо ладонями.

Пуаро подошел к нему вплотную и вдруг угрожающе крикнул:

— Говорите!

Инглторп медленно поднял глаза и отрицательно покачал головой.

— Вы не будете говорить?

— Нет. Я не верю, что меня можно обвинить в таком чудовищном преступлении.

Пуаро задумчиво кивнул, словно решаясь на что-то.

— Будь по-вашему... Тогда я скажу это сам!

Инглторп снова вскочил:

— Вы?! Откуда вы можете знать? Я же... — Он неожиданно замолчал.

Пуаро повернулся к собравшимся:

— Дамы, господа. Говорить буду я, Эркюль Пуаро! Я утверждаю, что человек, покупавший стрихнин в шесть часов вечера в понедельник, не был мистером Инглторпом, так как в это время он провожал домой миссис Райкес, возвращавшуюся с соседней фермы. Есть по меньшей мере пять свидетелей, видевших их вместе в шесть и даже немного позже. Как известно, «Эбби-Фарм», дом миссис Райкес, расположен в двух милях от Стайлз-Сент-Мэри, поэтому алиби мистера Инглторпа сомнений не вызывает.

Глава 8

НОВЫЕ ПОДОЗРЕНИЯ

От изумления никто не мог вымолвить ни слова. Первым нарушил молчание Джепп, видимо меньше других склонный к эмоциям.

— Потрясающе! Вы просто великолепны, мистер Пуаро, надеюсь, ваши свидетели надежны?

— Voilà[1]. Вот список с именами. Можете встретиться с каждым из них лично. Но, поверьте, я отвечаю за свои слова!

---

[1] Конечно *(фр.)*.

— Не сомневаюсь в этом. — Джепп понизил голос. — Весьма благодарен вам, мсье Пуаро. Действительно, арест Инглторпа был бы величайшей глупостью.

Он повернулся к Инглторпу:

— Сэр, почему же вы не могли сказать об этом во время дознания?

— Я вам отвечу почему, — перебил его Пуаро. — Кое-кто распускает слухи, что...

— Совершенно необоснованные и гадкие! — негодующе прервал его Альфред Инглторп.

— И мистер Инглторп не хотел дать новую пищу для сплетен. Я прав?

— Вы совершенно правы. Сейчас, когда Эмили еще не предали земле, я делал все возможное, чтобы не дать пищу для этих оскорбительных и лживых слухов.

— Сэр, — сказал Джепп, — честно говоря, я бы предпочитал несправедливые слухи несправедливому аресту по обвинению в убийстве. Уверен, что, будь миссис Инглторп жива, она бы вам сказала то же самое. Не окажись здесь вовремя мсье Пуаро, вас бы, как пить дать, арестовали!

— Да, я вел себя глупо, — пробормотал Инглторп, — но, инспектор, если бы вы только знали, до какой степени оклеветали и опозорили мое честное имя.

И он злобно посмотрел в сторону Ивлин Говард.

— Сэр, — обратился инспектор к Джону Кэвендишу, — я бы хотел осмотреть спальню вашей матери и после этого, если позволите, немного побеседовать с прислугой. Мсье Пуаро проводит меня, так что вы можете заниматься своими делами.

Все вышли из комнаты, и Пуаро кивнул мне, чтобы я следовал за ним наверх. На лестнице он тихо попросил:

— Быстро идите в противоположное крыло. Встаньте возле занавешенной двери и никуда не уходите, пока я не приду.

Сказав это, он быстро догнал детективов и начал с ними что-то обсуждать.

Я тем временем встал возле двери, недоумевая, зачем это могло понадобиться моему другу? И почему надо охранять именно эту дверь? Но, осмотрев коридор, я все-таки догадался, в чем дело: за исключением комнаты

Цинтии Мердок, все остальные комнаты находились в левом крыле. Видимо, мне надо было следить за теми, кто появится в коридоре. Я бдительно нес свою вахту, но проходила минута за минутой, а в коридоре было пусто.

Примерно через двадцать минут появился Пуаро.

— Вы никуда не отлучались отсюда?

— Нет, я был недвижен, как скала, но ничего так и не произошло.

— Так-так.

Непонятно, был ли Пуаро разочарован или наоборот.

— Значит, вы ничего не видели?

— Нет.

— Может быть, вы что-нибудь слышали, скажем, какой-нибудь шум? Вспомните, mon ami.

— Нет, все было тихо.

— Странно... Знаете, я так зол на себя: меня ведь нельзя назвать неуклюжим, но на этот раз я сделал неосторожное движение рукой (знаю я эти неосторожные движения своего друга!), и столик, стоявший возле кровати, рухнул на пол.

Пуаро расстроился, как ребенок, я поспешил его успокоить.

— Ничего страшного, старина, просто вас немного взбудоражил триумф с Инглторпом. Ведь все буквально опешили от того, что вы сказали. В отношениях Альфреда и миссис Райкес наверняка есть нечто, что заставляет его так упорно молчать. Пуаро, что вы собираетесь предпринять сейчас? И кстати, где люди из Скотленд-Ярда?

— Они спустились вниз, чтобы поговорить с прислугой. Я показал им все наши находки, но Джепп разочаровал меня — никакого метода!

— Принимайте гостей, — сказал я, взглянув в окно. — Смотрите, доктор Бауэрстайн, собственной персоной. Видимо, вы правы по поводу этого человека, мне он тоже не нравится.

— Однако он умен, — задумчиво произнес мой друг.

— Ну и что с того? Все равно он очень неприятный тип. Признаюсь, то, что произошло с ним во вторник, доставило мне истинное удовольствие. Вы даже не представляете, что это было за зрелище!

Я рассказал Пуаро историю, происшедшую с доктором Бауэрстайном.

— Клянусь, он выглядел как настоящее чучело — весь с головы до ног в грязи.

— Так вы видели его?

— Да, сразу после обеда. Он, конечно, не хотел заходить, но мистер Инглторп буквально силой затащил его в дом.

— Что?! — Пуаро порывисто схватил меня за плечи. — Доктор Бауэрстайн был здесь во вторник, и вы мне ничего не сказали?! Почему вы не сказали раньше? Почему?! — Он был совершенно вне себя.

— Пуаро, дорогой, — попытался я успокоить своего друга, — у меня и в мыслях не было, что это может вас заинтересовать. Эпизод казался мне настолько незначительным...

— Незначительным?! Да это же все меняет! Все! Ведь доктор Бауэрстайн был здесь во *вторник* вечером, то есть непосредственно перед убийством. Вы понимаете, Гастингс? Почему же вы не сказали об этом раньше?

Я никогда не видел Пуаро таким расстроенным. Забыв обо мне, он машинально передвигал подсвечники, повторяя: «Это же все меняет!» Неожиданно ему в голову пришла какая-то мысль.

— Allons!¹ Нельзя терять ни минуты. Где мистер Кэвендиш?

Мы нашли Джона в курительной. Пуаро решительно подошел к нему:

— Мистер Кэвендиш, мне срочно нужно в Тэдминстер. Появились новые улики. Разрешите воспользоваться вашим автомобилем?

— Конечно. Он вам нужен прямо сейчас?

— Да, если позволите.

Джон позвонил в колокольчик и приказал завести машину.

Через десять минут мы уже были на пути в Тэдминстер.

— Пуаро, — робко начал я, — может быть, вы объясните мне, что происходит?

_____

¹ Пойдемте! *(фр.)*

— Mon ami, о многом вы можете догадаться сами. Понятно, что теперь, когда мистер Инглторп оказался вне подозрения, положение сильно изменилось. Сейчас перед нами совершенно иная ситуация. Мы выяснили, что он не покупал стрихнин. Мы обнаружили сфабрикованные улики. Теперь надо найти настоящие. В принципе любой из обитателей усадьбы, кроме миссис Кэвендиш, игравшей в тот вечер с вами в теннис, мог выдавать себя за мистера Инглторпа. Далее, мистер Инглторп утверждает, что оставил кофе в холле. Во время дознания никто не обратил внимания на его слова, но сейчас они приобрели первостепенное значение. Следует выяснить, кто отнес кофе миссис Инглторп и кто проходил через холл, пока чашка находилась там. Из ваших слов следует, что только двое были достаточно далеко — миссис Кэвендиш и мадемуазель Цинтия.

Я почувствовал глубокое облегчение — миссис Кэвендиш была вне подозрений.

— Снимая обвинение с Альфреда Инглторпа, я был вынужден раскрыть свои карты раньше, чем хотел бы. Пока я делал вид, что подозреваю Инглторпа, преступник, вероятно, был спокоен. Теперь же он будет вдвойне осторожен. Да, да — вдвойне.

Пуаро посмотрел мне в глаза.

— Скажите, Гастингс, вы лично кого-нибудь подозреваете?

Я медлил с ответом. Откровенно говоря, утром мне в голову пришла странная мысль, совершенно абсурдная, но почему-то не дававшая мне покоя.

— Какое там подозрение, так, одна дурацкая идея.

— Говорите не стесняясь, — подбодрил меня Пуаро, — надо доверять своему чутью.

— Хорошо, я скажу. Пусть это звучит дико, но я думаю, что мисс Говард что-то скрывает.

— Мисс Говард?

— Да, вы будете смеяться надо мной, но...

— Почему же я должен смеяться над вами?

— Мне кажется, — сказал я, — что мы автоматически исключаем мисс Говард из числа подозреваемых лишь на том основании, что ее не было в Стайлз. Но если разобраться, она находилась в каких-то пятнадцати милях отсюда. Это полчаса езды на машине. Можем ли мы с уверенностью утверждать, что в ночь убийства ее здесь не было?

— Да, мой друг, — неожиданно произнес Пуаро, — можем. Я в первый же день позвонил в больницу, где она работала.

— И что вы узнали?

— Я выяснил, что мисс Говард работала во вторник в вечернюю смену. В конце ее дежурства привезли много раненых, и она благородно предложила остаться и помочь ночной смене. Ее предложение было с благодарностью принято. Так что здесь все чисто, Гастингс.

— Вот как... — растерянно пробормотал я. — Честно говоря, именно ненависть, которую она испытывает к Инглторпу, и заставила меня подозревать Иви. Она не оставит Инглторпа в покое. Вот я и подумал, что она может что-то знать по поводу сожженного завещания. Кстати, мисс Говард сама могла сжечь новое завещание, ошибочно приняв его за то, в котором наследником объявлялся Альфред Инглторп. Ведь она его так ненавидит!

— Вы находите ее ненависть неестественной?

— Да, Иви прямо вся дрожит при виде Альфреда. Боюсь, как бы она вообще не помешалась на этой почве.

Пуаро покачал головой:

— Что вы, друг мой! Мисс Говард прекрасно владеет собой, для меня она является образцом истинно английской невозмутимости. Поверьте, Гастингс, вы на ложном пути.

— Тем не менее ее ненависть к Инглторпу переходит все границы. Мне в голову пришла мысль — довольно нелепая, не спорю, — что она собиралась отравить Альфреда, но яд по ошибке попал к миссис Инглторп. Хотя я не представляю, как это могло случиться. Предположение совершенно абсурдное и нелепое.

— Но в одном вы правы: нужно подозревать всех, пока вы для себя не докажете невиновность каждого. Итак, почему мисс Говард не могла намеренно отравить миссис Инглторп?

— Но она же была так ей предана!

— Ну-у, друг мой, — недовольно проворчал Пуаро, — вы рассуждаете как ребенок. Если она могла отравить

миссис Инглторп, она, без сомнения, могла инсцениро-
вать и безграничную преданность. Вы абсолютно правы,
утверждая, что ее ненависть к Альфреду Инглторпу выглядит несколько неестественно, но вы сделали из этого
совершенно неверные выводы. Надеюсь, что я более
близок к истине, но предпочел бы пока не обсуждать
своих соображений.

Пуаро немного помолчал, потом добавил:

— Есть обстоятельство, заставляющее усомниться в
виновности мисс Говард.

— Какое?

— Я не вижу, какая ей выгода от смерти миссис Инглторп. А убийств без причины не бывает!

Я задумался.

— А не могла миссис Инглторп составить завещание
в ее пользу?

Пуаро покачал головой.

— Но вы же сами высказали подобное предположение
мистеру Вэлсу?

Пуаро улыбнулся:

— На то была причина. Я не хотел называть человека, которого имел в виду. Мисс Говард занимает в доме
примерно такое же положение, вот я и назвал ее.

— Все равно миссис Инглторп могла оставить все ей.
Завещание, написанное в тот день...

Мой друг так энергично закрутил головой, что я
осекся.

— Нет, Гастингс, у меня есть маленькая идея по поводу этого завещания. Уверяю вас, оно было не в пользу
мисс Говард.

Я положился на своего друга, хотя не понимал, откуда у него такая уверенность.

— Что же, — вздохнул я. — Оставим мисс Говард.
Сказать по правде, я и подозревать-то ее начал благодаря вам. Помните, что вы сказали по поводу ее показаний на дознании?

— Ну и что же? — удивленно посмотрел на меня
Пуаро.

— Не помните? Когда я сказал, что ее и Джона Кэвендиша подозревать не в чем?

— Ах да!

Пуаро немного смешался, но быстро обрел свою обычную невозмутимость.

— Кстати, Гастингс, мне нужна ваша помощь.

— В чем?

— Когда вы окажетесь наедине с Лоренсом Кэвендишем, скажите, что я просил передать ему следующее: «Найдите еще одну кофейную чашку, и все образуется». Ни слова меньше, ни слова больше.

— «Найдите еще одну кофейную чашку, и все образуется»? — переспросил я удивленно.

— Совершенно верно.

— Что это означает?

— А это уж догадайтесь сами. Вы знаете все факты. Итак, Гастингс, просто скажите ему эти слова и посмотрите, как он прореагирует.

— Хорошо, я скажу, хотя и не понимаю, что это значит.

Тем временем мы приехали в Тэдминстер, и Пуаро остановился около здания с вывеской: «Химическая лаборатория».

Мой друг быстро выскочил из автомобиля и вошел в лабораторию. Через несколько минут он возвратился.

— Все в порядке, Гастингс.

— Что вы там делали?

— Оставил им кое-что для анализа.

Я был весьма заинтригован.

— А вы не можете сказать, что именно?

— Остатки какао, которое мы обнаружили в спальне.

— Но результат этого анализа уже известен! — воскликнул я удивленно. — Доктор Бауэрстайн собственноручно сделал его, и, помните, вы сами смеялись над предположением, что там может быть стрихнин.

— Да, анализ сделан именно Бауэрстайном, — тихо проговорил Пуаро.

— Так в чем же дело?

— Гастингс, мне бы хотелось повторить его.

Пуаро замолчал, и мне больше не удалось вытянуть из него ни слова. Честно говоря, я терялся в догадках, зачем понадобился еще один анализ. Но как бы то ни было, я верил в интуицию своего друга, хотя совсем недавно мне казалось, что Пуаро уже не тот, но теперь, когда невиновность Инглторпа блестяще подтвердилась, он снова стал для меня непререкаемым авторитетом.

На следующий день состоялись похороны миссис Инглторп.

В понедельник, когда я спустился к завтраку, Джон отвел меня в сторону и сообщил, что Альфред Инглторп после завтрака уезжает в «Стайлитиз Армз», где будет жить, пока не примет решения относительно своих дальнейших планов.

— Сказать по правде, Гастингс, это большое облегчение для всех, — добавил Джон. — Присутствие Инглторпа в доме очень тяготило нас и раньше, когда он подозревался в убийстве, теперь же, как ни странно, оно стало просто невыносимо — нам стыдно взглянуть Альфреду в глаза. Конечно, все улики были против него, и нас трудно упрекнуть в предвзятости, однако Инглторп оказался не виновен, и теперь мы должны были как-то загладить свою вину. Это стало настоящей пыткой для всех обитателей дома, поскольку и сейчас особо теплых чувств к Альфреду никто не испытывал. Словом, чертовски затруднительное положение. Я рад, что у него хватило такта уехать отсюда. Хорошо, что хоть усадьба нам досталась. Мне даже представить страшно, что этот тип мог стать хозяином Стайлз! Хватит с него маминых денег!

— А у тебя хватит средств на содержание усадьбы?

— Надеюсь. Похороны, конечно, влетят в копеечку, но все-таки мне причитается половина отцовского состояния, да и Лоренс пока собирается жить здесь, так что я могу рассчитывать на его долю. Сначала, правда, придется вести хозяйство очень экономно, ведь я тебе уже говорил, что мои личные финансовые дела находятся в плачевном состоянии... Но нас ждут, пойдем, Гастингс.

Весть об отъезде Инглторпа так всех обрадовала, что завтрак получился самым приятным и непринужденным за все время после смерти миссис Инглторп. Цинтия вновь обрела свое юное очарование, и все мы, за исключением Лоренса, который был по-прежнему мрачен, предавались радужным мечтам о будущем.

Газеты тем временем оживленно обсуждали ход расследования.

Кричащие заголовки, подробные биографии всех без исключения обитателей усадьбы, самые невероятные предположения. Как водится, поползли слухи, что полиция уже напала на след убийцы. На фронте наступило временное затишье, и газеты, казалось, целиком переключились на обсуждение «загадочного происшествия в Стайлз», мы неожиданно оказались в центре внимания, что было очень тягостно для братьев Кэвендиш.

Толпы репортеров, которым было запрещено входить в дом, шныряли вокруг усадьбы, пытаясь сфотографировать какого-нибудь зазевавшегося обитателя Стайлз.

Все это, конечно, осложняло наше существование, тем более что детективы из Скотленд-Ярда тоже не сидели на месте — они постоянно что-то осматривали, допрашивали свидетелей и ходили с чрезвычайно загадочным видом. Но напали ли они на след убийцы или нет — этого мы так и не смогли узнать.

После завтрака ко мне подошла с таинственным видом Доркас и взволнованным голосом сказала, что хочет кое-что сообщить.

— Слушаю вас, Доркас.

— Сэр, я вот по какому делу. Вы сегодня увидите бельгийского джентльмена?

Я кивнул.

— Так вот, помните, он спрашивал, у кого есть зеленое платье?

— Конечно, помню! Неужели вы нашли его?!

— Нельзя сказать «нашла», сэр. Просто я вспомнила про «театральный сундук», как его называют молодые джентльмены. — Джон и Лоренс так и остались для Доркас «молодыми джентльменами». — Он на чердаке, сэр. Большой сундук, набитый старой одеждой, карнавальными костюмами и всякой всячиной. Мне вдруг подумалось, что там может быть и зеленое платье. Так что, если вы скажете бельгийскому джентльмену...

— Обязательно скажу, Доркас, — пообещал я.

— Большое спасибо, сэр. Он очень приятный джентльмен, сэр. Не чета детективам из Лондона, которые всюду суют нос и пристают с расспросами. Обычно я не хочу иметь дел с иностранцами, но в газетах пишут, что вроде бы эти храбрые бельгийцы не такие, как большинство иностранцев, и к тому же он очень вежливый господин.

Милая Доркас! Я смотрел на ее открытое честное лицо и с грустью думал, что в старые времена такую горничную можно было встретить в любом доме, теперь же, увы, их почти не осталось.

Я решил срочно разыскать Пуаро и отправился к нему в «Листвейз», но на полпути встретил его самого: он как раз шел в усадьбу. Я рассказал ему о предположении Доркас.

— Славная Доркас! — воскликнул Пуаро. — Какая она умница! Может быть, этот сундук преподнесет нам сюрприз. Надо взглянуть, что там находится.

Когда мы зашли в дом, в прихожей никого не было, и мы сразу отправились на чердак. Там действительно стоял старинный, обитый медными гвоздями сундук, до краев наполненный ворохом одежды.

Пуаро начал аккуратно выкладывать его содержимое на пол. Среди прочего мы увидели два зеленых платья, но моего друга не устроил их цвет. Неторопливо, словно уверовав в безрезультатность наших поисков, Пуаро продолжал рыться в сундуке. Неожиданно он воскликнул:

— А это что такое? Взгляните, Гастингс!

На дне сундука лежала огромная черная борода!

— Вот это да! — проговорил Пуаро, рассматривая свою находку. — К тому же она совсем новая.

Немного подумав, он положил бороду обратно в сундук, снова наполнил его старьем, валявшимся на полу, и мы быстро спустились вниз.

Мой друг сразу направился в кладовку, где мы увидели Доркас, чистящую столовое серебро.

Пуаро поприветствовал ее с галльской вежливостью, затем сказал:

— Мы просмотрели сундук, Доркас. Я очень обязан вам за то, что вы вспомнили о нем. Действительно, великолепная коллекция. Можно узнать, часто ли ею пользуются?

— Сейчас не так уж часто, сэр, хотя время от времени молодые джентльмены устраивают костюмерные вечера. Иногда очень смешные, сэр. Мистер Лоренс просто чудесен. Такой забавный! Никогда не забуду, как он был персидским шахом — кажется, так он сказал, — в общем, королем с Востока. Ходил с большим картонным ножом в руке. Учтите, Доркас, говорит, вам придется быть очень почтительной. Вот мой остро отточенный ятаган, который вмиг отрубит вам голову, если вы впадете в немилость! Мисс Цинтия была... как бишь ее? Апаш, кажется, — что-то вроде французского головореза. Ну и вид у нее был! Никогда бы не подумала, что симпатичная юная леди может превратиться в такую негодницу. Никто бы не узнал ее.

— Да, я представляю, как это было весело, — сказал Пуаро. — Кстати, когда мистер Лоренс наряжался персидским шахом, он использовал бороду, которую мы нашли в сундуке?

— Конечно, у него была борода, — смеясь, ответила Доркас. — Уж мне-то ее не знать! Ведь чтобы ее сделать, мистер Лоренс взял у меня два мотка черной пряжи. Клянусь вам, сэр, она издали выглядела точь-в-точь как настоящая. Но я не знала, что в сундуке есть еще одна борода. Она там, видимо, недавно. Вот рыжий парик я помню, а про бороду так в первый раз слышу. Обычно они разрисовывали лицо жженой пробкой, хотя отмывать ее морока. Мисс Цинтия как-то нарядилась негром, так мы потом ее еле-еле отмыли.

Когда мы вышли в холл, Пуаро задумчиво произнес:

— Итак, Доркас ничего не знает про бороду.

— Вы думаете, это и есть *та самая*? — спросил я с надеждой.

Пуаро кивнул:

— Уверен. Вы заметили, что ее подравнивали ножницами?

— Нет.

— А я вот заметил. Она выглядела точь-в-точь как борода мистера Инглторпа. Я даже нашел на дне сундука несколько отстриженных волосков. Да, Гастингс, это очень затейливое дело.

— Интересно, кто же ее положил в сундук?

— Человек с хорошей головой, — сухо ответил Пуаро. — Он выбрал единственное место в доме, где ее присутствие никого не удивит. Да, он умен. Но мы будем еще умнее. Мы должны вести себя так, чтобы он даже не подумал, что мы умнее.

Я согласился.

— И здесь, mon ami, я полагаюсь на вашу помощь.

Я был польщен и воспрянул духом. Временами мне казалось, что Пуаро меня недооценивает.

— Да, — задумчиво добавил Пуаро, глядя мне в глаза, — ваша помощь будет просто неоценима.

Я снисходительно улыбнулся, но следующие слова моего друга оказались не столь приятными.

— Гастингс, мне нужен помощник из тех, кто живет в усадьбе.

— Но разве я вам не помогаю?

— Помогаете, но мне этого недостаточно. — Увидев, что я обижен его словами, Пуаро поспешно добавил: — Вы меня не поняли. Все знают, что мы работаем вместе, а мне нужен человек, чья помощь оставалась бы тайной.

— А, понятно! Может быть, Джон?

— Нет, не подходит.

— Да, пожалуй, он не слишком сообразителен.

— Смотрите, Гастингс, сюда направляется мисс Говард. Она как нельзя лучше подходит для нашей цели. Правда, Иви зла на меня за то, что я снял подозрения с мистера Инглторпа, но все же попробуем.

Пуаро попросил мисс Говард уделить ему несколько минут, на что она ответила более чем сдержанным кивком.

Мы зашли в небольшую комнату, и Пуаро плотно закрыл дверь.

— Ну, мсье Пуаро, выкладывайте, что там у вас, — нетерпеливо сказала мисс Говард. — Только быстро — я очень занята.

— Мадемуазель, помните, я как-то обратился к вам за помощью?

— Помню. Я ответила, что с удовольствием помогу вам — повесить Альфреда Инглторпа.

— Да-да. — Пуаро внимательно посмотрел на Иви. — Мисс Говард, я хотел бы задать вам один вопрос. Очень прошу вас ответить на него откровенно.

— Не имею привычки лгать.

— Я знаю. Тогда скажите, вы до сих пор уверены, что миссис Инглторп была отравлена своим мужем?

— Что вы имеете в виду? — резко спросила она. — Не думайте, что ваши бойкие объяснения собьют меня с толку. Согласна, он не покупал стрихнин в аптеке. Ну и что? Значит, вымочил липкую ленту, как я сразу сказала.

— Это мышьяк, а не стрихнин, — мягко возразил Пуаро.

— Какая разница? Мышьяком отравили бедную Эмили или стрихнином? Я уверена: убийца — он, и меня не интересует, как он убил ее.

— Хорошо, — спокойно промолвил Пуаро, — если вы уверены в этом, я задам вопрос по-другому. В глубине души вы верите, что миссис Инглторп отравил ее муж?

— Боже! — воскликнула мисс Говард. — Не я ли вам всегда говорила, что он отъявленный негодяй? Не я ли говорила, что он прикончит Эмили прямо в кровати? Я его ненавидела с самого начала.

— То-то и оно. Это как раз подтверждает одну мою идейку, — сказал Пуаро.

— Какую идейку?

— Мисс Говард, вы помните разговор, происходящий в день приезда Гастингса в Стайлз? По его словам, вы бросили фразу, которая меня очень заинтересовала. Я имею в виду утверждение, что вы бы наверняка почувствовали, кто это сделал, даже без всяких улик.

— Не отрекаюсь от своих слов. Хотя вы, наверное, считаете их пустой болтовней.

— Отнюдь нет, мисс Говард.

— Почему же вы не доверяете моей интуиции в отношении Альфреда Инглторпа?

— Да потому, что интуиция подсказывает вам совсем другое имя.

— Что?!

— Вы искренне хотите верить, что Инглторп убийца. Вы знаете, что он способен на преступление. Но интуиция подсказывает вам, что Альфред не виновен. Более того, вы уверены, что... мне продолжать?

Удивленно глядя на Пуаро, мисс Говард кивнула.

— Сказать, почему вы так ненавидите мистера Инглторпа? Потому что вы пытаетесь поверить в то, во что хотите верить. Но у вас на уме совсем другое имя, и от этого никуда не деться.

— Нет, нет, нет! — воскликнула мисс Говард, заламывая руки. — Замолчите! Ни слова больше! Этого не может быть! Сама не знаю, как я могла даже подумать такое! Боже, какой ужас!

— Значит, я прав? — спросил Пуаро.

— Да, но как вы догадались? В этом есть что-то сверхъестественное! Нет, не может быть! Подобное предположение слишком чудовищно! Убийцей *должен* быть Альфред Инглторп!

Пуаро покачал головой.

— Не спрашивайте меня ни о чем, — продолжала мисс Говард. — Мне даже самой себе страшно признаться в подобной мысли. Господи, наверное, я схожу с ума!

Пуаро удовлетворенно кивнул:

— Я не стану спрашивать вас. Мне достаточно знать, что моя догадка была верна. И я... у меня тоже есть интуиция. Мы с вами думаем одинаково.

— Даже не просите меня помочь вам. Я и пальцем не пошевелю, чтобы... — Она запнулась.

— Вы поможете мне против вашего желания. Я ни о чем вас не прошу, но вы будете моим союзником. Вы сделаете то, что мне от вас требуется.

— Что же?

— Вы будете следить!

Ивлин Говард кивнула:

— Да, я не могу не следить. Я постоянно слежу — надеясь увериться, что ошибаюсь.

— Если мы ошибаемся, тем лучше, — сказал Пуаро. — Я первый буду рад. А если мы правы? Если мы правы, мисс Говард, тогда на чьей вы стороне?

— Не знаю.

— И все-таки?

— В таком случае надо будет замять дело.

— Но это не в нашей власти.

— Но ведь сама Эмили...

Она снова запнулась.

— Мисс Говард, — мрачно промолвил Пуаро, — я не узнаю вас.

Иви гордо вскинула голову и сказала тихим, но уверенным голосом:

— Я сама себя не узнаю, точнее, не узнавала. А теперь перед вами прежняя Ивлин Говард. — Она еще выше подняла голову. — А Ивлин Говард всегда на стороне закона! Чего бы это ни стоило!

С этими словами она вышла из комнаты.

— Иметь такого союзника — большая удача, — произнес Пуаро, глядя вслед удаляющейся Иви. — Она очень умна и при этом способна испытывать нормальные человеческие чувства. Уверяю вас, Гастингс, это редкое сочетание!

Я промолчал.

— Странная все-таки вещь — интуиция, — продолжал Пуаро, — и отмахнуться от нее нельзя, и объяснить невозможно.

— Видимо, вы с мисс Говард прекрасно понимали друг друга, — холодно заметил я, — но не мешало бы и меня ввести в курс дела. Я так и не понял, о ком шла речь.

— Mon ami, неужели?

— Да скажите же, наконец, кого вы имели в виду?

Несколько секунд Пуаро внимательно смотрел мне в глаза, затем отрицательно покачал головой:

— Не могу.

— Да почему же, Пуаро?

— Если секрет знают больше чем двое, это уже не секрет.

— Я считаю вопиющей несправедливостью скрывать от меня какие-то факты.

— Я ничего от вас не скрываю. Вам известно столько же, сколько мне. Можете делать свои собственные выводы. Главное — сопоставить факты.

— Но я бы хотел услышать и ваши соображения.

Пуаро снова внимательно взглянул на меня и покачал головой.

— Гастингс, — грустно сказал мой друг, — к сожалению, у вас нет интуиции.

— Но ведь только что вы требовали от меня лишь сообразительности.

— Трудно представить себе одно без другого.

Последняя фраза показалась мне настолько бестактной, что я даже не потрудился на нее ответить. Но про себя подумал, что, если я сделаю важные и интересные открытия — в чем нет сомнений, — буду нем как рыба, сообщу Пуаро лишь конечный результат.

Бывают моменты, когда просто необходимо доказать себе, что ты прав.

Глава 9
ДОКТОР БАУЭРСТАЙН

Мне все никак не удавалось передать Лоренсу послание Пуаро. Но вот, проходя как-то по лужайке возле дома, я увидел Лоренса, державшего в руках облезлый молоток для игры в крокет. Он бесцельно бил по еще более облезлым шарам. Я подумал, что удобнее случая мне не представится, и вообще побаивался, что Пуаро, чего доброго, освободит меня от этой миссии. Не совсем понимая смысл слов, которые мне надлежало передать, я тешил себя надеждой, что их значение станет понятным из ответа Лоренса, а также из его реакции на еще несколько вопросов, которые я тщательно подготовил по собственной инициативе. Я решил не мешкать, и, тщательно обдумав предстоящий разговор, я подошел к Лоренсу.

— А ведь я тебя ищу, — произнес я нарочито беспечно.

— Правда? В чем дело?

— Пуаро кое-что просил тебе передать.

— Да?

— Он просил выбрать момент, когда мы будем одни, — сказал я, многозначительно понизив голос и украдкой наблюдая за выражением его лица. Я наслаждался своим умением создавать нужную атмосферу для разговора.

— И что же? — с обычным умным видом спросил Лоренс.

Интересно, догадывается ли он, о чем я собираюсь сказать?

— Пуаро просил передать следующее, — произнес я почти шепотом. — «Найди еще одну кофейную чашку, и все образуется».

— Что?! Какую еще чашку?

Лоренс уставился на меня в неподдельном изумлении.

— Неужели ты сам не понимаешь?

— Конечно нет. А ты?

Я покачал головой.

— О какой кофейной чашке идет речь?

— Честно говоря, не знаю.

— Пусть лучше твой друг поговорит с Доркас или с другими служанками. Это их дело — следить за посудой. Я чашками не интересуюсь! Знаю только, что у нас есть другой старинный кофейный сервиз, которым никогда не пользуются. Если бы ты его видел, Гастингс! Настоящая вустерская работа![1] Ты любишь старинные вещи?

Я снова покачал головой.

— О, ты многого себя лишаешь! Нет ничего приятней, чем держать в руках старинную фарфоровую чашку. Даже смотреть на нее — наслаждение!

— И все-таки, что мне сказать Пуаро?

— Передай ему, что я не имею ни малейшего понятия, о чем он говорит.

— Хорошо, я так и скажу.

Попрощавшись, я пошел в сторону дома, как вдруг Лоренс окликнул меня:

— Подожди, Гастингс! Повтори, пожалуйста, еще конец фразы. Нет, лучше даже всю целиком.

— «Найди еще одну кофейную чашку, и все образуется». Ты по-прежнему не понимаешь, о чем идет речь? — спросил я со скорбью в голосе.

Лоренс пожал плечами.

— Нет, но очень хотел бы понять.

Из дома раздался звук гонга, возвещающего приближение обеда, и мы с Лоренсом отправились в усадьбу. Пуаро, которого Джон пригласил остаться на обед, уже сидел за столом.

Во время застольной беседы все старательно избегали упоминания о недавней трагедии.

Мы обсуждали ход военных действий и прочие нейтральные темы. Но когда Доркас, подав сыр и бисквит,

---

[1] Особая марка фарфора, производимая в г. Вустере с XVIII века.

вышла из комнаты, Пуаро внезапно обратился к миссис Кэвендиш:

— Простите, мадам, что напоминаю вам о неприятном, но у меня появилась маленькая идейка, — «маленькие идейки» Пуаро стали притчей во языцех, — и мне хотелось бы задать пару вопросов.

— Мне? Что ж, извольте.

— Благодарю, мадам. Меня интересует следующее: вы утверждаете, что дверь из комнаты мадемуазель Цинтии, ведущая в комнату миссис Инглторп, была заперта, не так ли?

— Конечно, — удивленно проговорила Мэри Кэвендиш. — Я так и сказала на дознании.

— Я имею в виду, — пояснил Пуаро, — что она была на задвижке, не просто заперта?

— А, вот вы о чем. Не знаю. Я сказала «заперта» в том смысле, что не могла открыть ее. И потом, кажется, все двери были закрыты на задвижку.

— Так вы не можете точно сказать, на ключ или на задвижку?

— Не могу.

— А сами вы, войдя в комнату миссис Инглторп, не заметили, как она была заперта?

— Нет. Я не посмотрела.

— Я посмотрел, — вступил в разговор Лоренс. — Она была заперта на задвижку.

— Этот вопрос выяснили, — мрачно пробормотал Пуаро.

Я не мог не порадоваться тому, что хоть одна из его «идеек» пошла прахом.

После обеда Пуаро попросил меня проводить его до дома.

Я согласился не слишком охотно.

— Вы злитесь на меня? — спросил он, когда мы достигли парка.

— Нисколько, — сухо отозвался я.

— Вот и хорошо. А то я очень боялся, что ненароком вас обидел.

Я ожидал услышать не только это, ведь холодная сдержанность моего ответа была совершенно очевидной. Но дружелюбие и искренность его слов сделали свое дело, и мое раздражение вскоре прошло.

— Я передал Лоренсу то, что вы просили.

— И что он сказал? Наверное, был очень удивлен?

— Да. Я уверен, что он даже не понял, о чем идет речь. — Я ожидал, что Пуаро будет разочарован, но он, напротив, очень обрадовался моим словам и сказал, что надеялся именно на такую реакцию Лоренса.

Гордость не позволяла мне задавать никаких вопросов, а Пуаро тем временем переключился на другую тему.

— Почему мадемуазель Цинтия отсутствовала сегодня за обедом?

— Она в госпитале. С сегодняшнего дня мисс Мердок снова работает.

— Какое трудолюбие! А какая красавица! Мадемуазель Цинтия словно сошла с одной из тех картин, которые я видел в Италии. Кстати, мне бы хотелось посмотреть ее госпиталь. Как вы думаете, это удобно?

— Уверен, что она обрадуется вашему приходу. Вы получите большое удовольствие, это очень интересное место.

— Мисс Цинтия ездит в госпиталь ежедневно?

— Нет, по средам она отдыхает, а по субботам успевает приехать сюда на обед. Остальные дни Цинтия полностью проводит в госпитале.

— Постараюсь не забыть ее расписание. Да, Гастингс, женщинам сейчас приходится много работать. Между прочим, она производит впечатление очень умной девушки, как вы считаете?

— Безусловно, к тому же мисс Мердок пришлось сдавать довольно сложный экзамен.

— Конечно, ведь у нее очень ответственная работа. Наверное, в госпитале много сильнодействующих ядов?

— Конечно, я их даже видел. Они хранятся в маленьком шкафчике. Цинтии и ее коллегам приходится быть очень осторожными, и каждый раз, выходя из кабинета, она забирает ключ от шкафчика с собой.

— Этот шкафчик стоит возле окна?

— Нет, у противоположной стены, а что?

— Да ничего, просто интересно.

Мы подошли к коттеджу «Листвейз».

— Зайдете? — спросил Пуаро.

— Нет, уже поздно. К тому же я хочу возвратиться другой дорогой, через лес, а она немного ша-

гу стояли Джон и Мэри Кэвендиш и явно ссорились. Столь же явно они не подозревали о моем присутствии. Прежде чем я успел пошевелиться и заговорить, Джон повторил слова, разбудившие меня:

— Говорю тебе, Мэри, я не потерплю этого!

— А есть ли у тебя хоть малейшее право осуждать меня? — спокойно ответила миссис Кэвендиш.

— Мэри, начнутся сплетни! Маму только в субботу похоронили, а ты уже разгуливаешь под ручку с этим типом.

Она пожала плечами.

— Ну, если тебя беспокоят только сплетни, тогда все в порядке!

— Нет, ты меня не поняла. Я сыт по горло этим типом. К тому же он польский еврей!

— Примесь еврейской крови еще не самая плохая вещь. Во всяком случае, это лучше, чем чистая кровь, текущая в жилах породистых англосаксов и делающая их, — она посмотрела на Джона, — вялыми и бесстрастными тупицами.

Глаза Мэри сверкали, но голос был ледяным. Джон густо покраснел.

— Мэри!

— Да? — отозвалась она тем же тоном.

В его голосе уже не слышалось просящих ноток.

— Насколько я понял, ты и дальше собираешься встречаться с Бауэрстайном вопреки моей настойчивой просьбе?

— Если захочу.

— Ты идешь против меня?

— Нет. Просто я считаю, что ты не имеешь это... критиковать мои поступки. Разве у *тебя* нет... против которых я бы возражала?

Джон отступил назад, кровь мед... лица какая... смягчилось, но... сам как... Дж...

— Нет!

Она повернулась и хо... за руку.

— О чем ты гово...

— Вот в...

М... лась...

— Мэри, неужели ты любишь эт...

Миссис Кэвендиш не ответила, и стран... нет, как... жение ее лица. Вечная молодость и древняя, как... ля, мудрость сияли в этой тайной улыбке, загадочн... у египетского сфинкса.

Она высвободила руку и, надменно бросив через плечо: «Возможно», быстро зашагала прочь.

Потрясенный, Джон не мог сдвинуться с места.

Я сделал неосторожный шаг, и под ногой хрустнула ветка. Джон резко обернулся. К счастью, он подумал, что я просто проходил мимо.

— Привет, Гастингс! Ну что, ты проводил своего забавного приятеля? Чудной он какой-то! Неужели коротышка и правда знает толк в своем деле?

— Он считался одним из лучших детективов Бельгии.

— Ладно, будем надеяться, что это действительно так. Как, однако, все отвратительно.

— А в чем дело?

— И ты еще спрашиваешь? Зверское убийство мамы! Полицейские из Скотленд-Ярда, шныряющие по усадьбе, словно голодные крысы! Куда ни зайди — они тут как тут. А эти пошлые заголовки газет! Я бы повесил этих чертовых журналистов. Сегодня утром у ворот усадьбы собралась целая толпа зевак. Для них это вроде бесплатного музея мадам Тюссо[1]. И ты считаешь, что ничего не случилось?

— Успокойся, Джон, так не может продолжаться вечно.

— Мы сойдем с ума раньше, чем закончится следствие!

— Ты слишком сгущаешь краски.

— Легко тебе говорить! Еще бы, тебя не осаждает стадо орущих журналистов. На тебя не пялится каждый болван на улице. Но и это не самое страшное! Гастингс, тебе не приходило в голову, что вопрос, кто это сделал, стал для меня настоящим кошмаром? Я все пытаюсь убедить себя, что произошел несчастный случай, поскольку... поскольку теперь, когда Инглторп вне подозрений, получается, что преступник — один из нас. Да от таких мыслей можно и правда сойти с ума! Выходит, что в доме живет убийца, если только...

И тут мне в голову пришла любопытная мысль. Да, все сходится! Становятся понятными действия Пуаро и его загадочные намеки. Как же я не догадался раньше! Но зато теперь я смогу рассеять эту гнетущую атмосферу подозрительности.

— Нет, Джон, среди нас нет убийцы!

— Я тоже надеюсь на это. Но кто тогда убийца?

— А ты не догадываешься?

---

[1] Лондонский музей восковых фигур знаменитых людей, в том числе и известных преступников, который был открыт в 1802 году и назван по имени его основательницы мадам Тюссо.

— Нет.

Я опасливо огляделся вокруг и тихо, но торжественно провозгласил:

— Доктор Бауэрстайн.

— Это невозможно!

— Я бы не сказал.

— Но на кой черт ему понадобилась смерть моей мамы?

— Не знаю, — честно признался я, — Пуаро тоже его подозревает.

— Пуаро? Неужели? Но ты откуда знаешь?

Я рассказал Джону, как взволновало Пуаро известие, что доктор Бауэрстайн приходил в усадьбу в тот роковой вечер.

— К тому же, — добавил я, — он дважды повторил: «Это меняет все дело». Ты сам подумай — Инглторп утверждает, что оставил чашку в холле. Как раз в этот момент туда заходил Бауэрстайн. Проходя мимо, он мог незаметно подсыпать в кофе яд.

— Но это очень рискованно.

— Но возможно!

— А откуда он мог узнать, что это мамина чашка? Нет, Гастингс, тут концы с концами не сходятся.

Но я не собирался сдаваться.

— Да, я немного увлекся. Зато теперь мне все ясно. Слушай.

И я рассказал Джону о том, как Пуаро решил сделать повторный анализ какао.

— Ничего не понимаю, — перебил меня Джон. — Бауэрстайн ведь уже сделал этот анализ!

— В том-то и дело! Я сам сообразил это только сейчас. Неужели ты не понимаешь? Если Бауэрстайн убийца, то для него было проще простого подменить отравленное какао обычным и отправить его на экспертизу. Теперь понятно, почему там не обнаружили яд. И главное, никому и в голову не придет заподозрить в чем-то Бауэрстайна — никому, кроме Пуаро!

Лишь сейчас я оценил в полной мере проницательность своего друга! Однако Джон, кажется, все еще сомневался.

— Но ведь он утверждал, что какао не может замаскировать вкус стрихнина!

— И ты ему веришь? К тому же наверняка можно как-то смягчить горечь яда. Бауэрстайн в этом деле собаку съел: как-никак — крупнейший токсиколог!

— Крупнейший кто? Повтори, пожалуйста.

— Он досконально знает все, что связано с ядами, — пояснил я Джону. — Видимо, Бауэрстайн нашел способ, позволяющий сделать стрихнин безвкусным. Вдруг вообще не было никакого стрихнина? Он мог использовать какой-нибудь редкий яд, вызывающий похожие симптомы.

— Допустим, ты прав, только как он подсыпал яд, если какао, насколько мне известно, все время находилось наверху?

Я пожал плечами и вдруг... вдруг с ужасом понял все! В эту секунду у меня было только одно желание — чтобы Джон подольше оставался в неведении. Стараясь не показать виду, я внимательно посмотрел на него. Джон что-то напряженно обдумывал, и я вздохнул с облегчением — похоже, он не догадывался о том, в чем я уже не сомневался: Бауэрстайн имел сообщника!

Нет, этого не может быть! Не верю, что такая очаровательная женщина, как миссис Кэвендиш, способна убить человека! Впрочем, история знает немало подобных примеров. Внезапно я вспомнил тот первый разговор с Мэри в день моего приезда. Она утверждала, что яд — это оружие женщин. А как объяснить ее волнение во вторник вечером? Может быть, миссис Инглторп узнала о связи Мэри с Бауэрстайном и собиралась рассказать об этом Джону? Неужели миссис Кэвендиш выбрала такой страшный способ, чтобы заставить ее замолчать?

Я вспомнил загадочный разговор между Пуаро и мисс Говард. Так, значит, они имели в виду Мэри! Вот, оказывается, во что не хотела поверить Ивлин! Да, все сходится. Неудивительно, что Ивлин предложила замять дело. Теперь стала понятной и ее последняя фраза: «Но ведь сама Эмили...» — действительно, миссис Инглторп сама предпочла смерть позору, который угрожал ее семье.

Голос Джона отвлек меня от этих мыслей.

— Есть еще одно обстоятельство, доказывающее, что ты ошибаешься.

— Какое? — спросил я, обрадовавшись, что он уводит разговор в сторону от злополучного какао.

— Зачем Бауэрстайн потребовал провести вскрытие? Ведь Уилкинс не сомневался, что мама умерла от сердечного приступа. Непонятно, с какой стати Бауэрстайн стал бы впутываться в это дело?

— Не знаю, — проговорил я неуверенно, — возможно, чтобы обезопасить себя в дальнейшем. Он же понимал, что поползут разные слухи и министерство внутренних дел все равно могло потребовать провести вскрытие. В этом случае Бауэрстайн оказался бы в очень затруднительном положении, поскольку трудно поверить, что специалист его уровня мог спутать отравление стрихнином с сердечным приступом.

— Пускай ты прав, но я, хоть убей, не понимаю, зачем ему понадобилась смерть моей матери.

Я вздрогнул — только бы он не догадался!

— Я могу и ошибаться, поэтому очень прошу тебя, Джон, чтобы наш разговор остался в тайне.

— Можешь не беспокоиться.

Тем временем мы подошли к усадьбе. Поблизости раздались голоса, и я увидел, что под старым платаном, как и в день моего приезда, был накрыт стол к чаю.

Я подсел к Цинтии, уже вернувшейся с работы, и сказал, что Пуаро хотел бы побывать у нее в госпитале.

— Буду очень рада. Надо договориться, чтобы он приехал к чаю. Мне очень нравится ваш друг, он такой забавный! Представляете, на днях заставил меня снять брошку и затем сам ее приколол, утверждая, что она была приколота не совсем ровно.

Я рассмеялся:

— Это на него похоже!

— Да, человек он своеобразный.

Несколько минут мы сидели молча, затем Цинтия, украдкой взглянув на миссис Кэвендиш, сказала шепотом:

— Мистер Гастингс, после чая я хотела бы поговорить с вами наедине.

Ее взгляд в сторону Мэри вселил в меня подозрение, что эти две женщины, похоже, недолюбливали друг друга. «Печально, — подумал я, — неизвестно, что ждет Цинтию в будущем. Ведь миссис Инглторп не оставила ей ни пенни. Надеюсь, Джон и Мэри предложат девушке остаться в Стайлз, по крайней мере до конца войны. Джон очень привязан к Цинтии, и, думаю, ему будет нелегко с ней расстаться».

Джон, выходивший куда-то из комнаты, снова появился в дверях. Его лицо было непривычно сердитым.

— Чертовы полицейские! — сказал он возмущенно. — Всю усадьбу вверх дном перевернули, в каждую комнату сунули нос — и все безрезультатно! Так больше продолжаться не может. Сколько еще они собираются болтаться по нашему дому? Нет, хватит, я хочу серьезно поговорить с Джеппом.

— С этим Джеппом и говорить-то противно, — буркнула мисс Говард.

Лоренс высказал мысль, что полицейские, возможно, создают видимость бурной деятельности, не зная, что делать дальше.

Мэри не проронила ни слова.

После чая я пригласил Цинтию на прогулку, и мы отправились в ближайшую рощу.

— Мисс Мердок, кажется, вы хотели мне что-то сказать.

Цинтия тяжело вздохнула. Она опустилась на траву, сняла шляпку, и упавшие ей на плечи каштановые волосы зазолотились в лучах заходящего солнца.

— Мистер Гастингс, вы такой умный, такой добрый, мне просто необходимо поговорить с вами.

«До чего же она хороша! — подумал я восхищенно. — Даже лучше, чем Мэри, которая, кстати, никогда не говорила мне таких слов».

— Цинтия, дорогая, я весь внимание.

— Мистер Гастингс, мне нужен ваш совет.

— Относительно чего?

— Относительно моего будущего. Понимаете, тетя Эмили всегда говорила, что обо мне здесь будут заботиться. То ли она забыла свои слова, то ли смерть произошла слишком внезапно, но я снова оказалась без гроша в кармане. Не знаю, что и делать. Может быть, надо немедленно уехать отсюда, как вы думаете?

— Что вы, Цинтия, я уверен, что никто не желает вашего отъезда!

Несколько секунд она молча рвала травинки, но потом все же произнесла:

— Этого желает миссис Кэвендиш. Она ненавидит меня!

— Ненавидит?! Вас?!

Цинтия кивнула:

— Да. Не знаю почему, но терпеть меня не может, да и он тоже.

— Вот тут вы ошибаетесь, Джон к вам очень привязан.

— Джон? Я имела в виду Лоренса. Не стоит, конечно, придавать этому такое большое значение, но все-таки обидно, когда тебя не любят.

— Но, Цинтия, милая, вы ошибаетесь, здесь вас очень любят. Возьмем, к примеру, Джона или мисс Говард.

Цинтия мрачно кивнула:

— Да, Джон любит меня. Что касается Иви, то и она, несмотря на свои грубоватые манеры, не обидит даже муху. Зато Лоренс разговаривает со мной сквозь зубы, а Мэри вообще едва сдерживается, когда я рядом. Вот Иви ей действительно нужна, только посмотрите, как она умоляет мисс Говард остаться. А я кому нужна?

Девушка разразилась рыданиями. Я вдруг почувствовал какое-то новое, дотоле незнакомое чувство. Не знаю, что произошло, возможно, меня ослепило ее прекрасное юное лицо и радость разговора с человеком, который ни в коей мере не может быть причастным к убийству, а возможно, я просто почувствовал жалость к этому прелестному беззащитному существу — словом, неожиданно для самого себя я наклонился к девушке и прошептал:

— Цинтия, выходите за меня замуж.

Мои слова подействовали как прекрасное успокоительное — мисс Мердок тотчас перестала плакать и резко выпалила:

— Не болтайте ерунду!

Я даже опешил.

— Мисс Мердок, я не болтаю ерунду, а прошу оказать мне честь и стать моей женой.

К моему огромному удивлению, мисс Мердок расхохоталась и обозвала меня глупышкой.

— Мистер Гастингс, вы очень добры, но такие предложения не делают из жалости.

136

— Но я вовсе не из жалости...

— Перестаньте, вы совсем этого не хотите, и я — тоже.

— Мое предложение было совершенно искренним, что же в нем смешного? — обиделся я.

— Не сердитесь, когда-нибудь вы встретите девушку, которая примет его с благодарностью. А теперь прощайте.

Цинтия побежала в сторону дома. Весь разговор оставил у меня довольно неприятный осадок. Вот что значит слоняться без дела! Я решил немедленно отправиться в деревню и посмотреть, что делает Бауэрстайн. За этим типом нужно присматривать. Но чтобы не вызвать подозрений, надо вести себя очень осмотрительно — не зря же Пуаро так ценит мою осторожность!

В окне дома, где жил Бауэрстайн, была выставлена табличка: «Сдаются комнаты». Я постучал, и дверь открыла хозяйка.

— Добрый день, — любезно начал я. — Доктор Бауэрстайн дома?

Она уставилась на меня:

— Вы что, не слышали?

— О чем?

— О нем.

— А что о нем можно услышать?

— Его забрали в полицию.

— В полицию! — ахнул я. — Вы хотите сказать, его арестовали?

— Да, и...

Не дослушав, я бросился искать Пуаро.

Глава 10

АРЕСТ

Пуаро не оказалось дома. Старый бельгиец, открывший дверь, сказал, что мой друг, видимо, уехал в Лондон.

Я был ошеломлен. Надо же выбрать настолько неподходящий момент для отъезда! И к чему такая срочность? А может быть, Пуаро уже давно решил съездить в Лондон, но ничего не говорил об этом?

Испытывая некоторую досаду, я отправился восвояси. Без Пуаро я был не слишком в себе уверен. Неужели он предвидел арест Бауэрстайна? А не он ли сам его устроил? Эти вопросы не давали мне покоя. Что же делать? Рассказать об аресте обитателям Стайлз или не стоит? Втайне меня тяготила мысль о Мэри. Каково ей будет узнать об этом? Сама она наверняка не причастна к убийству — иначе что-нибудь да выдало ее, об этом бы уже говорила вся деревня...

Завтра сообщение об аресте появится в газетах, поэтому скрывать этот факт от Мэри бессмысленно. Однако что-то останавливало меня. Как жаль, что я не могу посоветоваться с Пуаро! Что заставило его так неожиданно уехать?

Приходилось признать, что его острый ум вовсе не ослаб с годами, а стал еще изощренней. Самому мне и в голову бы не пришло подозревать Бауэрстайна. Нет, положительно, мой друг обладает редким умом.

Поразмыслив, я решил откровенно поговорить с Джоном. Пусть он сам решает, сообщать об аресте своим домочадцам или нет.

Услышав эту новость, Джон даже присвистнул от удивления.

— Вот тебе и Скотленд-Ярд! Так, значит, ты был прав, Бауэрстайн — убийца. А ведь я тебе сначала не поверил!

— И зря! Я же говорил, что все улики против него. Ладно, давай лучше решим, стоит ли говорить об аресте или подождем до завтра, когда об этом сообщат газеты.

— Думаю, торопиться не стоит. Лучше подождать.

Однако, открыв на следующий день газету, я, к своему великому удивлению, не обнаружил ни строчки об аресте доктора. Маленькая заметка из ставшей уже постоянной рубрики «Отравление в Стайлз» не содержала ничего нового. Может быть, Джепп решил пока держать все в тайне? Наверное, он собирается арестовать еще кого-то.

После завтрака я собрался пойти в деревню и разузнать, не вернулся ли Пуаро, как вдруг услышал знакомый голос:

— Bonjour, mon ami![1]

---

[1] Здравствуйте, мой друг! *(фр.)*

Я схватил своего друга за руку и, не говоря ни слова, потащил в соседнюю комнату.

— Пуаро, наконец-то! Я не мог дождаться, когда вы вернетесь. Не волнуйтесь, кроме Джона, никто ничего не знает.

— Друг мой, о чем вы говорите?

— Естественно, об аресте Бауэрстайна!

— Так его все-таки арестовали?

— А вы не знали?

— Понятия не имел. — Немного подумав, он добавил: — Впрочем, ничего удивительного, до побережья здесь всего четыре мили.

— До побережья? — переспросил я удивленно.

— Конечно. Неужели вы не поняли, что произошло?

— Пуаро, видимо, я сегодня туго соображаю. Какая связь между побережьем и смертью миссис Инглторп?

— Никакой. Но вы говорили о Бауэрстайне, а не о миссис Инглторп!

— Ну и что? Раз его арестовали в связи с убийством...

— Как?! Он арестован по подозрению в убийстве? — удивился Пуаро.

— Да.

— Не может быть, это чистый абсурд. Кто вам об этом сказал?

— Честно говоря, никто, но сам факт его ареста доказывает...

— Доказывает, что Бауэрстайн арестован за шпионаж.

— За шпионаж?! Не за отравление!

— Если старина Джепп считает доктора убийцей, значит, он просто выжил из ума.

— Странно. Я был уверен, что и вы так думаете.

Пуаро соболезнующе посмотрел на меня, но промолчал.

— Вы хотите сказать, что Бауэрстайн — шпион? — пробормотал я, еще не привыкнув к этой странной мысли.

Пуаро кивнул.

— Неужели вы не догадывались об этом?

— Нет.

— Вас не удивляло, что известный лондонский врач вдруг уезжает в крошечную деревушку и заводит обыкновение бродить по округе ночью?

— Нет, — признался я. — Я не думал об этом.

— Он, конечно, родился в Германии, — задумчиво сказал Пуаро, — хотя столько лет проработал в этой стране, что его давно считают англичанином. Он получил подданство лет пятнадцать назад. Очень умный человек — немец по рождению, а вообще-то еврей.

— Негодяй! — воскликнул я, возмущенный.

— Отнюдь. Наоборот — патриот. Подумайте, что он теряет. Я восхищаюсь им.

Но я не мог, как Пуаро, относиться к этому философски.

— И с таким человеком миссис Кэвендиш ходила на прогулки! — возмущенно вскричал я.

— Да. Я бы сказал, для него она оказалась очень полезным компаньоном, — заметил Пуаро. — Люди сплетничали об их совместных прогулках и меньше обращали внимания на странные привычки доктора.

— Значит, по-вашему, он не любил ее? — тут же спросил я, проявляя чересчур горячий интерес.

— Это, конечно, я не могу сказать, но... Хотите знать мое личное мнение, Гастингс?

— Да.

— Ну так вот: миссис Кэвендиш не любит и никогда не любила доктора Бауэрстайна!

— Вы и правда так считаете? — Я не мог скрыть своей радости.

— Уверен. Знаете почему?

— Почему?

— Она любит другого человека.

В груди моей приятно защемило. Нет, я вовсе не самонадеян, особенно в отношении женщин. Но, припомнив некоторые знаки внимания, о них и говорить не стоит, но все же вдруг...

Мои сладостные раздумья были прерваны появлением мисс Говард. Увидев, что в комнате никого, кроме нас, нет, она подошла к Пуаро и протянула ему потрепанный листок оберточной бумаги.

— Нашла на платяном шкафу, — в обычной своей телеграфной манере сообщила она и, не добавив ни слова, вышла из комнаты.

Пуаро развернул листок и удовлетворенно улыбнулся.

— Посмотрите-ка, Гастингс, что нам принесли. И помогите мне разобраться в инициалах — я не могу понять, «Д» это или «Л».

Я подошел ближе. Листок был небольшим, судя по слою пыли, он долго где-то валялся. Внимание Пуаро привлек штемпель — «Парконс» — известная фирма по производству театрального реквизита. Что касается адреса — Эссекс, Стайлз-Сент-Мэри, Кэвендиш, то буква, стоящая перед фамилией, была действительно написана неразборчиво.

— Это либо «Т», либо «Л», но точно не «Д».

— Я думаю, что «Л», — сказал Пуаро.

— Это важная улика?

— В общем, да. Она подтверждает мои догадки. Предполагая его существование, я попросил мисс Говард поискать его, и, как видите, ей удалось его найти.

— Но что она имела в виду, сказав «на платяном шкафу»?

— Она имела в виду, — быстро ответил Пуаро, — что нашла его на платяном шкафу.

— Странное место для оберточной бумаги, — заметил я.

— Почему же. Самое подходящее место для оберточной бумаги и картонных коробок. Я всегда хранил их на шкафу. Очень красиво смотрится, если аккуратно разложить.

— Пуаро, — спросил я, — вы пришли к какому-нибудь выводу относительно того, как было совершено преступление?

— Да, кажется, я знаю.

— А?

— К сожалению, у меня нет доказательств, разве что...

Неожиданно он схватил меня за руку и потащил в холл, перейдя от волнения на французский:

— Mademoiselle Dorcas, mademoiselle Dorcas, un moment, s'il vous plaît![1]

---

[1] Мадемуазель Доркас, мадемуазель Доркас, минуточку, будьте любезны! *(фр.)*

Опешившая Доркас выскочила из буфетной.

— Моя милая Доркас, у меня есть одна идейка... одна идейка... будет замечательно, если она окажется верной! Скажите, Доркас, в понедельник, — не во вторник, а в понедельник, — за день до трагедии, звонок миссис Инглторп не испортился?

Доркас удивилась:

— Да, сэр, так оно и было. Не знаю, кто сказал вам. Верно, мышь перегрызла проводок. Во вторник утром пришел мастер и починил его.

Радостно воскликнув, Пуаро вернулся в малую гостиную.

— Видите, не нужно никаких доказательств — достаточно догадки. Но человек слаб, хочется получить подтверждение, что ты на верном пути. Ах, мой друг, я как воспрянувший гигант. Я бегаю! Я прыгаю!

И он действительно принялся носиться по газону под окном.

— Что делает ваш замечательный друг? — раздался голос за моей спиной, и, повернувшись, я увидел Мэри Кэвендиш. Она улыбнулась, и я улыбнулся в ответ. — Что случилось?

— Даже не знаю, что вам сказать. Он задал Доркас какой-то вопрос насчет звонка и был так доволен ответом, что начал с криком носиться по газону.

Мэри рассмеялась:

— Как забавно! Он вышел за ворота. Сегодня, наверное, уже не вернется?

— Трудно сказать. Его действия абсолютно непредсказуемы. Невозможно догадаться, что он будет делать дальше.

— Он сумасшедший, мистер Гастингс?

— Честно говоря, не знаю. Иногда мне кажется, что он совершенно свихнулся, но чем безумнее он себя ведет, тем более оправданным оказывается потом его безумство.

— Понятно.

Несмотря на ее смех, Мэри была задумчива и печальна.

«И все-таки, — подумал я, — надо поговорить с ней о будущем Цинтии».

Я очень осторожно завел разговор о девушке, но не успел произнести и двух фраз, как Мэри перебила меня:

— Вы прекрасный адвокат, мистер Гастингс, но зачем попусту растрачивать свой талант? Поверьте, я прекрасно отношусь к Цинтии и конечно же позабочусь о ее будущем.

Я начал сбивчиво оправдываться, пусть она только не думает... Но она снова прервала меня, и то, что я услышал, заставило меня вмиг забыть о Цинтии.

— Мистер Гастингс, как вы думаете, мы с Джоном счастливы вместе?

Я смог лишь пробормотать, что это личное дело супругов и постороннему не пристало обсуждать подобные темы.

— Да, это наше личное дело, но вам я все-таки скажу: мистер Гастингс, мы несчастливы друг с другом!

Я промолчал, чувствуя, что это только начало.

— Вы же ничего не знаете обо мне — ни откуда я родом, ни кем была до того, как вышла за Джона. Вам я могу исповедаться, ведь вы очень добры.

Признаться, я не слишком стремился оказаться в роли отца исповедника. Во-первых, я помнил, чем закончилась исповедь Цинтии. Во-вторых, в исповедники обычно выбираются люди весьма зрелого возраста, а я был слишком молод для этой роли.

— Мой отец — англичанин, а мать — русская.

— А, теперь понятно...

— Что понятно? — резко спросила Мэри.

— Понятно, почему во всем вашем облике чувствуется что-то нездешнее, что-то отстраненное и необычное.

— Мать считалась красавицей. Я ее не помню — она умерла, когда я была совсем ребенком. За ее смертью скрывалась какая-то трагедия. По словам отца, мама по ошибке приняла слишком большую дозу снотворного. Отец тяжело переживал ее смерть. Через некоторое время он поступил на дипломатическую службу, и мы начали разъезжать по свету. К двадцати трем годам я, кажется, побывала везде, где только можно. Такая жизнь казалась мне восхитительной.

Откинув голову, она улыбалась, целиком погрузившись в воспоминания о счастливой юности.

— Но неожиданно умер отец, почти ничего не оставив мне в наследство. Мне пришлось поселиться у своей престарелой тетки в Йоркшире. Естественно, после стольких лет, проведенных с отцом, жизнь в сельской глуши казалась ужасной — унылая монотонность тамошнего существования просто сводила меня с ума.

Она замолчала и уже сдержанней продолжила:

— И вот в это время я встретила Джона. Конечно, с точки зрения тетушки, о лучшей партии нельзя было и мечтать. Но я думала не о деньгах — единственное, чего мне хотелось, — это выбраться поскорее из сельской глуши, из соседских сплетен и ворчания тетушки.

Я решил воздержаться от комментариев.

— Поймите меня правильно, — продолжала Мэри, — я откровенно призналась Джону, что он мне нравится, очень нравится, но это, конечно, не любовь. Я сказала, что потом, возможно, смогу его полюбить, но тогда он был мне просто симпатичен, и только. Однако Джон посчитал, что этого достаточно, и сделал мне предложение.

Чуть нахмурившись, она долго молчала, видимо снова погрузившись в прошлое.

— Кажется, да нет, я уверена, что поначалу он меня очень любил. Но мы с Джоном слишком разные. Вскоре после свадьбы наступило охлаждение, а затем я ему и вовсе надоела. Говорить об этом неприятно, мистер Гастингс, но я хочу быть с вами полностью откровенной. К тому же сейчас мне это безразлично — все уже позади.

— Что вы хотите сказать?

— Я хочу сказать, что покидаю Стайлз навсегда.

— Вы с Джоном купили другой дом?

— Нет, Джон, наверное, останется здесь, но я скоро уеду.

— Вы хотите его оставить?

— Да.

— Но почему?

После долгого молчания Мэри ответила:

— Потому что для меня дороже всего... свобода.

Мне вдруг представились широкие просторы, нехоженые леса и неоткрытые земли... та свобода, которая нужна такому человеку, как Мэри. На миг мне приоткрылась суть этой женщины — непокорное создание, гордая пти-

144

ца, угодившая в клетку. Тихое рыдание вырвалось из ее груди:

— Стайлз — это тюрьма, ненавистная мне тюрьма!

— Я понимаю, но, Мэри, вам следует хорошенько все обдумать.

— Обдумать? — В ее голосе прозвучала насмешка над моим благоразумием.

И тут у меня вырвалось:

— Вам известно, что доктор Бауэрстайн арестован?

Лицо Мэри стало холодным и непроницаемым.

— Джон заботливо сообщил мне об этом сегодня утром.

— Ну и какого вы мнения? — глупо спросил я.

— О чем?

— Об аресте.

— Какого я могу быть мнения? Он, судя по всему, немецкий шпион; так сказал Джону садовник.

Мэри говорила совершенно спокойно. Неужели арест Бауэрстайна ее нисколько не волнует?

Она взглянула на цветочную вазу.

— Цветы уже совсем завяли. Надо срезать новые. Я, пожалуй, пойду. Благодарю вас, Гастингс.

И, еле заметно кивнув на прощанье, она вышла в сад.

Да, наверное, Мэри безразлична к судьбе Бауэрстайна. Ни одна женщина не сумеет так умело скрывать свои чувства!

На следующее утро ни Пуаро, ни полицейские в усадьбе не появлялись. Зато к обеду разрешилась загадка последнего из четырех писем, отправленных миссис Инглторп в тот роковой вечер. Не сумев в свое время определить адресата, мы решили не ломать над этим голову — рано или поздно все прояснится само собой. Так и случилось. Почтальон принес письмо, отправленное французской музыкальной фирмой. В нем говорилось, что чек миссис Инглторп получен, но, к сожалению, нужные ей ноты русских народных песен разыскать не удалось. Итак, наши надежды на то, что четвертое письмо поможет пролить свет на убийство, оказались напрасными.

Перед чаем я решил прогуляться до «Листвейз» и сообщить Пуаро про письмо, но, увы, он, по словам привратника, снова уехал.

— Опять в Лондон?

— Нет, мсье, на этот раз в Тэдминстер. Сказал, что хочет навестить какую-то леди. Она там в госпитале работает.

— Вот болван! — не сдержался я. — Я же говорил ему, что по средам Цинтия не работает. Ладно, когда мсье Пуаро вернется, скажите, что его ожидают утром в Стайлз.

— Хорошо, мсье, я передам.

Но на следующий день Пуаро так и не появился. Я начал сердиться. Не вздумал ли он подшутить над нами?

После обеда Лоренс отвел меня в сторону и спросил, не собираюсь ли я навестить своего друга.

— Нет, — сухо сказал я, — если Пуаро захочет, он и сам может сюда прийти.

— А-а... — Лоренс выглядел каким-то неуверенным. Его явная нервозность меня заинтриговала.

— А что случилось? Если дело серьезное, я, так и быть, схожу в «Листвейз».

— Ничего серьезного. Просто, если увидишь мсье Пуаро, передай ему, — Лоренс снизил голос до шепота, — что я нашел еще одну кофейную чашку.

Сказать по правде, я уже давно забыл про «послание» Пуаро, и слова Лоренса подстегнули мое любопытство.

Лоренс ничего мне больше не сказал, и я, умерив гордость, снова отправился в «Листвейз».

На этот раз мне радостно сообщили, что Пуаро у себя.

Мой друг сидел за столом, обхватив голову руками. Увидев меня, он вскочил.

— Что случилось? Вы не заболели? — спросил я с тревогой.

— Нет, все в порядке. Просто передо мной возникла одна важная дилемма.

— Брать преступника или оставить его на воле? — решился пошутить я.

К моему изумлению, он кивнул с абсолютно серьезным видом.

— М-да, как сказано у вашего гениального Шекспира: «Сказать иль не сказать — вот в чем вопрос»[1].

---

[1] Обыгрывается начало знаменитого монолога Гамлета из трагедии Шекспира «Гамлет» (1602): «Быть иль не быть — вот в чем вопрос...»

Я был настолько ошарашен, что даже не поправил моего друга.

— Пуаро, вы шутите!

— Нет, Гастингс, речь идет о вещи, к которой я всегда относился серьезно.

— А именно?

— Я говорю о счастье женщины!

Я не знал, что и сказать.

— Пришло время действовать, — продолжал он, — а я не знаю, имею ли на это право. Игра слишком рискованна. Но я, Эркюль Пуаро, все же не побоюсь риска. — Он постучал себя по гордо выпяченной груди.

Он снова погрузился в свои мысли, и я подумал, что теперь уже можно рассказать о разговоре с Лоренсом.

— Так он все-таки нашел еще одну чашку?! — торжествующе воскликнул Пуаро. — А этот ваш Лоренс оказался умнее, чем я предполагал.

Я был невысокого мнения об умственных способностях Лоренса, но, дав себе зарок никогда больше не спорить со своим другом, не стал возражать.

— Пуаро, как же вы забыли, что Цинтия в среду не работает?

— Верно, дырявая моя голова! Хорошо еще, что коллега мадемуазель Цинтии сжалилась надо мной и любезно показала мне все, что меня интересовало.

— Но вы должны как-нибудь снова съездить в госпиталь. Цинтия мечтает напоить вас чаем! Кстати, чуть не забыл, сегодня выяснилось, кому миссис Инглторп отправила четвертое письмо.

Я рассказал про письмо из Франции.

— Жаль, — грустно произнес мой друг, — я возлагал на него определенные надежды. А впрочем, так даже лучше — мы распутаем этот клубок изнутри. Если пошевелить маленькими серыми клеточками, то можно решить любую головоломку, не правда ли, Гастингс? Между прочим, что вам известно об отпечатках пальцев?

— Только то, что они у всех разные.

— Правильно!

Вынув из бюро несколько фотографий, Пуаро разложил их на столе.

— Вот, Гастингс: номер один, номер два и номер три. Что вы скажете об этих фотографиях?

Я внимательно изучил все три фотоснимка.

— Во-первых, изображения сильно увеличены. Номер один, похоже, отпечатки большого и указательного пальцев мужчины. Отпечатки номер два принадлежат женщине — они гораздо меньше. Что касается третьего снимка, — я пригляделся внимательней, — то на нем видно множество отпечатков, но эти чуть поодаль, кажется, такие же, как и на первом снимке.

— Вы уверены?

— Да, отпечатки совершенно одинаковые.

Пуаро удовлетворенно кивнул и снова спрятал фотографии в бюро.

— Наверное, вы опять откажетесь объяснить мне, в чем дело.

— Почему же, друг мой? Отпечатки на первой фотографии принадлежат мсье Лоренсу, на второй — мадемуазель Цинтии, хотя это не важно, они нужны только для сравнения. Что касается третьей фотографии, то здесь дело серьезней, легче рассказать сказку о Джеке, который построил дом[1], чем объяснить, что тут изображено.

Пуаро на мгновение задумался.

— Как вы верно заметили, изображения сильно увеличены, причем третья фотография вышла менее четкой, чем первые две. Я не буду объяснять, как получены снимки, — это довольно сложный процесс. Достаточно того, что они перед вами. Остается только сказать, с какого предмета сняты эти отпечатки.

— Пуаро, я сгораю от любопытства.

— Гастингс, — торжественно провозгласил Пуаро, — отпечатки под номером три обнаружены на бутылочке с ядом, которая хранится в шкафу в госпитале Красного Креста в Тэдминстере!

— Господи, как на склянке с ядом оказались отпечатки пальцев Лоренса? Он ведь даже не подходил к шкафу.

---

[1] Имеется в виду детское стихотворение со многими повторениями, известное читателю в переводе С. Маршака — «Дом, который построил Джек».

— Гастингс, он подходил!

— Вы ошибаетесь, Пуаро, мы все время были вместе.

— Это вы ошибаетесь, Гастингс. Если вы все время были вместе, зачем же мисс Цинтия звала его, когда вы с ней вышли на балкон?

— Да, верно.. Но все равно, Лоренс был один всего несколько мгновений.

— Этого оказалось вполне достаточно.

— Для чего?

— Для того чтобы удовлетворить любопытство человека, изучавшего когда-то медицину.

Наши глаза встретились. Пуаро снова улыбнулся. Он встал и, подойдя к окну, стал что-то весело насвистывать.

— Пуаро, так что же было в склянке?

— Гидрохлорид стрихнина, — ответил мой друг, все так же насвистывая.

— Боже!.. — произнес я почти шепотом, но без удивления: я предчувствовал этот ответ.

— Учтите, Гастингс, что гидрохлорид стрихнина применяется крайне редко. Обычно используется другой раствор. Вот почему отпечатки пальцев Лоренса сохранились до сих пор — он был последним, кто держал в руках склянку.

— Как вы смогли сделать эту фотографию?

— Я вышел на балкон и якобы случайно обронил шляпу. Несмотря на мои возражения, коллега мисс Цинтии сама спустилась за ней вниз, ибо в этот час в госпиталь уже не пускают посторонних.

— Так вы знали, что искать?

— Нет. Просто из вашего рассказа следовало, что мсье Лоренс *мог* взять яд. И это предположение следовало либо подтвердить, либо опровергнуть.

— Пуаро, вы не обманете меня своим беспечным тоном. Обнаружена чрезвычайно важная улика!

— Возможно. Но есть одна вещь, которая меня действительно поражает. Думаю, и вас тоже.

— Какая?

— Что-то часто в этом доме встречается стрихнин. Вам не кажется, Гастингс? Стрихнин содержался в лекарстве миссис Инглторп. Стрихнин купил человек, выдав	ший себя за Инглторпа. И вот теперь снова — на склянке со стрихнином обнаружены отпечатки пальцев мсье Лоренса. Тут какая-то путаница, друг мой, а я терпеть этого не могу.

Дверь отворилась, и появившийся на пороге бельгиец сказал, что Гастингса внизу дожидается какая-то дама.

— Дама? — Я вскочил.

Пуаро поспешил за мной по узкой лестнице. В дверях стояла Мэри Кэвендиш.

— Я навещала одну старушку в деревне, — сказала она, — и решила зайти за мистером Гастингсом — вместе возвращаться веселее. Лоренс сказал мне, что он у вас, мсье Пуаро.

— Жаль, мадам, — воскликнул мой друг, — а я-то надеялся, что вы оказали мне честь своим визитом!

— Не знала, что это такая честь! — улыбнувшись, сказала Мэри. — Обещаю оказать ее в ближайшие дни, мсье Пуаро, если вы меня пригласите.

— Буду счастлив, мадам. И помните — если вам захочется исповедаться (Мэри вздрогнула), то «отец Пуаро» всегда к вашим услугам!

Миссис Кэвендиш внимательно посмотрела в глаза Пуаро, словно пытаясь постигнуть истинный смысл услышанных слов, затем спросила:

— Мсье Пуаро, может, вы тоже пойдете с нами в усадьбу?

— С удовольствием, мадам.

По дороге Мэри все время что-то рассказывала, шутила и старалась казаться совершенно беззаботной. Однако я заметил, что ее смущают пристальные взгляды Пуаро.

Погода изменилась, задул по-осеннему резкий ветер. Мэри вздрогнула и застегнула доверху свою спортивную куртку. Ветер мрачно шелестел листьями, и казалось, что это вздыхает какой-то невидимый гигант.

Мы подошли к парадной двери и тут же поняли, что произошло что-то ужасное.

Доркас, плача и ломая руки, выбежала нам навстречу. Я заметил столпившихся поодаль слуг, внимательно следящих за нами.

— О, мэм, о, мэм! Не знаю, как и сказать...

— В чем дело, Доркас? — нетерпеливо спросил я. — Говорите же.

— Все эти проклятые детективы!.. Они арестовали его — арестовали мистера Кэвендиша!

— Лоренса? — выдохнул я.

Доркас смотрела недоумевающе.

— Нет, сэр. Не мистера Лоренса — мистера Джона.

За моей спиной раздалось восклицание, и Мэри Кэвендиш, оступившись, нечаянно оперлась на меня. Повернувшись, чтобы поддержать ее, я увидел спокойный и торжествующий взгляд Пуаро.

Глава 11

СУД

Суд над Джоном Кэвендишем по обвинению в убийстве его матери состоялся через два месяца.

Не стану подробно описывать недели, прошедшие до суда, скажу только, что Мэри Кэвендиш завоевала мою искреннюю симпатию и восхищение. Она безоговорочно приняла сторону своего мужа, с гневом отвергая малейшие обвинения в его адрес, она боролась за него, не жалея сил.

Когда я поделился с Пуаро своим восхищением насчет ее преданности, он сказал:

— Да, Гастингс, миссис Кэвендиш как раз из тех друзей, которые познаются в беде. Случилось несчастье, и она забыла о гордости, о ревности...

— О ревности?

— Конечно. Разве вы не заметили, что миссис Кэвендиш ужасно ревнива? Но теперь, когда над Джоном нависла опасность, она думает только об одном — как его спасти.

Мой друг говорил с таким чувством, что я невольно вспомнил его колебания — «сказать иль не сказать», когда на карту поставлено «счастье женщины». Слава Богу, что теперь решение примут другие!

— Пуаро, мне даже сейчас не верится, что Джон — убийца, я почти не сомневался, что преступник — Лоренс.

Пуаро улыбнулся:

— Я знаю, друг мой.

— Как же так?! Джон, мой старый друг Джон, и вдруг — убийца!

— Каждый убийца — чей-то друг, — глубокомысленно изрек Пуаро. — Но мы не должны смешивать разум и чувства.

— Но вы могли хотя бы намекнуть, что мой друг Джон...

— Я не делал этого как раз потому, mon ami, что Джон ваш старый друг.

Я смутился, вспомнив, как доверчиво рассказывал Джону о подозрениях Пуаро. Ведь я был уверен, что речь шла о Бауэрстайне. Кстати, на суде его оправдали — доктор очень ловко сумел доказать несостоятельность обвинений в шпионаже, — но карьера его, безусловно, рухнула.

— Пуаро, неужели Джона признают виновным?

— Нет, друг мой, я почти уверен, что его оправдают.

— Но почему?

— Я же постоянно твержу вам, что улик против него пока нет. Одно дело — не сомневаться в виновности преступника, совсем другое — доказать это на суде. Здесь-то и заключается основная трудность. Кстати, я могу кое-что и доказать, но в цепочке не хватает последнего звена, и, пока оно не отыщется, увы, Гастингс, меня никто не будет слушать.

Он печально вздохнул.

— Пуаро, когда вы начали подозревать Джона?

— А вы разве вообще не допускали мысли, что он убийца?

— Нет, конечно.

— Даже после услышанного вами разговора между миссис Инглторп и Мэри? Даже после, мягко говоря, неоткровенного выступления Мэри на дознании?

— Я не придавал этому большого значения.

— Неужели вы не думали, что, если ссора, подслушанная Доркас, происходила не между миссис Инглторп и ее мужем — а он это начисто отрицает, — значит, в комнате находился один из братьев Кэвендишей? Допустим, там был Лоренс. Как тогда объяснить поведение

Мэри Кэвендиш? Если же допустить, что там находился Джон, то все становится на свои места.

— Вы хотите сказать, что ссора происходила между миссис Инглторп и Джоном?

— Конечно.

— И вы это знали?

— Разумеется. Как иначе можно объяснить поведение миссис Кэвендиш?

— Но тем не менее вы уверены, что его оправдают!

— Несомненно оправдают! Во время предварительного судебного разбирательства мы услышим только речь прокурора. Адвокат наверняка посоветует Джону повременить со своей защитой до суда — когда на руках козырный туз, выкладывать его следует в последнюю очередь! Кстати, Гастингс, мне нельзя появляться на судебном разбирательстве.

— Почему?

— Потому что официально я не имею никакого отношения к следствию. Пока в цепочке доказательств отсутствует последнее звено, я должен оставаться в тени. Пусть миссис Кэвендиш думает, что я на стороне Джона.

— Пуаро, это нечестная игра! — воскликнул я негодующе.

— Мы имеем дело с очень хитрым и изворотливым противником. В средствах он не стесняется, поэтому и нам надо сделать все, чтобы преступник не ускользнул из рук правосудия. Пускай все лавры — пока! — достанутся Джеппу, а я тем временем доведу дело до конца. Если меня и вызовут для дачи показаний, — Пуаро улыбнулся, — то я выступлю как свидетель защиты.

Мне показалось, что я ослышался!

— Я хочу быть объективным, — пояснил Пуаро, — и поэтому отклоню один из пунктов обвинения.

— Какой?

— По поводу сожженного завещания. Джон здесь ни при чем.

Пуаро оказался настоящим пророком. Боюсь утомить читателя скучными деталями и скажу лишь, что во время предварительного разбирательства Джон не произнес ни слова и дело передали в суд.

Сентябрь застал нас в Лондоне. Мэри сняла дом в Кэнсингтоне, Пуаро тоже поселился поблизости, и я имел возможность часто их видеть, поскольку устроился на работу в том же районе — в министерство обороны.

Чем меньше времени оставалось до начала суда, тем сильнее нервничал Пуаро. Он все не мог разыскать «последнее звено». В глубине души я этому даже радовался, так как не представлял, что будет делать Мэри, если Джона признают виновным.

Пятнадцатого сентября Джон предстал перед судом в Олд-Бейли[1] по обвинению в «преднамеренном убийстве Эмили Эгнис Инглторп» и наотрез отказался признать себя виновным. Его защищал знаменитый адвокат Эрнест Хевивэзер.

Первым взял слово прокурор Филипс. Убийство, сказал он, было преднамеренным и хладнокровным. Ни больше ни меньше, как отравление любящей и доверчивой мачехи пасынком, которому она заменяла мать. С самого детства она поддерживала его. Они с женой жили в Стайлз-Корт в роскошных условиях, окруженные заботой и вниманием щедрой благодетельницы.

Он намеревается представить свидетелей — они докажут, что заключенный, расточитель и мот, погряз в финансовых проблемах, да еще и завязал интрижку с некоей миссис Райкес, женой соседского фермера. Узнав об этом, его мачеха в день смерти бросила обвинение ему в лицо, и разразилась ссора, часть которой была услышана. Днем раньше подсудимый купил стрихнин в деревенской аптеке, предварительно переодевшись, чтобы тем самым бросить подозрение на другого человека, а именно мужа миссис Инглторп, к которому испытывал ревность. К счастью для мистера Инглторпа, у него оказалось безупречное алиби.

Семнадцатого июля, сразу после ссоры с подсудимым, миссис Инглторп составила новое завещание. Обуглившиеся остатки этого документа были на следующее утро найдены в камине, но можно с уверенностью утверждать, что завещание было в пользу мистера Инглторпа.

---

[1] О л д-Б е й л и — центральный уголовный суд в Лондоне, названный по имени улицы, на которой он находился.

154

Существует завещание, составленное накануне свадьбы, где покойная объявляла его же своим наследником, но подсудимый (мистер Филипс многозначительно поднял палец) ничего не знал об этом. Трудно сказать, что заставило миссис Инглторп составить новое завещание, в то время как предыдущее еще оставалось в силе. Возможно, она просто забыла о нем или, что более вероятно, считала, что после замужества оно стало недействительным. Женщины, тем более в таком возрасте, не слишком хорошо разбираются в юридических тонкостях. За год до этого она составляла еще одно завещание — на этот раз в пользу подсудимого.

Свидетели утверждают, продолжал мистер Филипс, что именно подсудимый отнес кофе наверх в тот злополучный вечер. Ночью он пробрался в спальню матери и уничтожил завещание, составленное накануне, после чего — по мысли подсудимого — вступало в силу завещание в его пользу. Арест последовал после того, как инспектор Джепп, замечательный коллега, обнаружил в комнате мистера Кэвендиша флакон со стрихнином, который был продан в аптеке человеку, выдававшему себя за мистера Инглторпа. Теперь пусть присяжные сами решат, требуются ли еще какие-нибудь доказательства вины этого человека.

И, тонко намекнув присяжным, насколько невероятно, чтобы они пришли к иному заключению, мистер Филипс уселся и вытер лоб.

Поначалу свидетелями обвинения выступали те, кто уже давал показания на дознании.

Первым вызвали доктора Бауэрстайна.

Все знали, что сэр Хевивэзер никогда не церемонится со свидетелями, выступающими против его подзащитных. Вот и на этот раз он задал всего два вопроса — но каким тоном!

— Доктор Бауэрстайн, если не ошибаюсь, стрихнин действует очень быстро?

— Да.

— Тем не менее вы не можете объяснить, почему смерть наступила только утром?

— Не могу.

— Спасибо.

155

Мистеру Мэйсу был предъявлен флакон с ядом, найденный в комнате Джона, и он подтвердил, что продал его мистеру Инглторпу. При допросе он сознался, что знал мистера Инглторпа только в лицо, но никогда не разговаривал с ним. Перекрестному допросу его не подвергли.

Выступивший затем мистер Инглторп утверждал, что не покупал яд и тем более не ссорился со своей женой. Несколько свидетелей подтвердили его показания.

Садовники рассказали, как подписались под завещанием. Затем выступила Доркас.

Верная своим хозяевам, она категорически отрицала, что из-за двери доносился голос Джона. Напротив, она могла поклясться — хозяйка разговаривала со своим мужем Альфредом Инглторпом.

Услышав это, Джон чуть заметно улыбнулся. Он-то знал, что зря старается верная Доркас — защита не будет отрицать его разговор с матерью. Миссис Кэвендиш не стали вызывать для обвинения ее собственного мужа.

Слово взял мистер Филипс.

— Скажите, в июле на имя мистера Лоренса Кэвендиша приходила бандероль из фирмы «Парксон»?

— Не помню, сэр. Может, и приходила, но мистер Лоренс в июле часто уезжал из усадьбы.

— Если бы бандероль пришла в его отсутствие, что бы с ней сделали?

— Ее бы оставили в комнате мистера Лоренса либо отправили вслед за ним.

— А что бы сделали с бандеролью вы?

— Я? Наверное, положила бы на стол в холле. Только это не мое дело, за почтой следит мисс Говард.

Ивлин как раз выступала вслед за Доркас. Ее спросили, помнит ли она о бандероли на имя Лоренса.

— Может, и была какая-то. Много почты приходит. Всего не упомнишь.

— Значит, вы не знаете, послали бандероль мистеру Лоренсу в Уэльс или оставили в его комнате?

— В Уэльс ничего не посылали. Я бы запомнила.

— Предположим, пришла посылка, адресованная мистеру Лоренсу Кэвендишу, и исчезла. Вы бы заметили ее отсутствие?

— Вряд ли. Подумала бы, что кто-то распорядился ею.

— Кажется, мисс Говард, вы нашли этот лист оберточной бумаги? — Он продемонстрировал потрепанный пыльный лист, который мы с Пуаро осматривали в малой гостиной в Стайлз.

— Да, я.

— Как получилось, что вы искали его?

— Меня попросил об этом бельгийский детектив, приглашенный для расследования.

— Где вы его обнаружили?

— На платяном шкафу.

— В комнате подсудимого?

— Да, кажется.

— Вы сами его там обнаружили?

— Да.

— Тогда вы должны все помнить точно.

— Да, в комнате подсудимого.

— Так-то лучше.

Служащий фирмы «Парксон» подтвердил, что от мистера Лоренса Кэвендиша приходил чек и письмо, в котором он просил выслать ему накладную черную бороду, что и было сделано двадцать девятого июня. К сожалению, письмо не сохранилось, но есть соответствующая запись в регистрационном журнале.

Поднялась массивная фигура сэра Эрнеста Хевивэзера.

— Откуда было послано письмо?

— Из Стайлз-Корт.

— Тот же адрес, по которому вы послали посылку?

— Да.

— Письмо пришло оттуда?

— Да.

Хевивэзер, как хищная птица, набросился на него:

— Откуда вы знаете?

— Я... я не понимаю.

— Откуда вы знаете, что письмо пришло из Стайлз-Корт? Вы посмотрели на штемпель?

— Нет... но...

— А, вы *не посмотрели* на штемпель! И тем не менее уверенно заявляете, что оно пришло из Стайлз, тогда как на штемпеле могло стоять что угодно?

— Д-да.

— Другими словами, письмо, даже написанное на маркированной бумаге, могло прийти откуда угодно? Из Уэльса, например?

Свидетель подтвердил такую возможность, и сэр Эрнест закончил допрос.

Затем была вызвана служанка Элизабет Вэлс. По ее словам, уже лежа в кровати, она вспомнила, что закрыла входную дверь на засов, а не на ключ, как просил мистер Инглторп. Спускаясь вниз по лестнице, она услышала шум в западном крыле здания. Мисс Вэлс прошла по коридору и увидела мистера Джона Кэвендиша, стоящего у двери в комнату миссис Инглторп.

Сэру Эрнесту понадобилось всего несколько минут, чтобы совершенно запутать бедную служанку. Казалось, она была готова отречься от своих показаний, лишь бы не отвечать на вопросы этого ужасного человека!

Последней в тот день выступала Энни. Она сказала, что еще накануне воскового пятна на полу в спальне не было, и подтвердила, что видела, как Джон взял кофе и отправился наверх.

По дороге домой Мэри Кэвендиш гневно ругала обвинителя:

— Какой мерзкий человечишка! Прямо сетями опутал беднягу Джона! Как он искажал каждую мелочь, перетолковывая все, как ему удобно!

— Ничего, — попытался я успокоить Мэри, — завтра будет иначе. Джона несомненно оправдают.

Миссис Кэвендиш о чем-то задумалась и вдруг тихо сказала:

— Но в таком случае... нет, нет, это не Лоренс... не может быть!

Но я и сам был озадачен и, улучив минутку наедине с Пуаро, спросил его, куда, по его мнению, клонит сэр Эрнест?

— А! — одобрительно сказал Пуаро. — Умный человек сэр Эрнест.

— Вы полагаете, он считает Лоренса виновным?

— Я не думаю, что он так считает. Его это совершенно не заботит. Он пытается сбить присяжных с толку, разделить их во мнениях, чтобы они не знали, какой из братьев виновен. Он намерен показать, что против Лоренса не меньше улик, чем против Джона, — и, думаю, у него это должно получиться.

На следующий день первым давал показания инспектор Джепп.

— На основании полученной информации, — деловито начал Джепп, — мною и инспектором Саммерхэем был произведен обыск в комнате подсудимого. В комоде под кипой нижнего белья мы обнаружили две улики. Во-первых, позолоченное пенсне, похожее на пенсне мистера Инглторпа. Во-вторых, флакон с ядом.

Это был тот самый пузырек с белым порошком, о котором говорил аптекарь, — из синего стекла, с наклейкой: «Стрихнин гидрохлорид. Яд».

Далее мистер Джепп рассказал еще об одной находке, сделанной в комнате миссис Инглторп. Он показал полоску промокательной бумаги, на которой с помощью зеркала легко можно было прочесть: «...все, чем я обладаю, завещается моему любимому мужу Альфреду Ингл...»

— Отпечаток совсем свежий, — заявил Джепп, — поэтому теперь мы точно знаем, что и в последнем завещании наследником объявлялся мистер Инглторп. У меня все.

Мистер Хевивэзер сразу бросился в атаку:

— Когда производился обыск в комнате подсудимого?

— Во вторник, двадцать четвертого июля.

— То есть через неделю после убийства?

— Да.

— Ящик комода, в котором найдены пенсне и флакон, был заперт?

— Нет.

— А вам не кажется странным, что убийца держит компрометирующие улики у себя в комнате, да еще в незапертом ящике?

— Возможно, он их засунул туда в спешке. Наверное, ящик был выдвинут.

— Но ведь прошла целая неделя. Как вы думаете, этого времени достаточно, чтобы уничтожить улики?

— Возможно.

159

— Что значит «возможно»? Да или нет?

— Да.

— Белье, под которым лежали предметы, было тонким или плотным?

— Скорее плотным.

— Другими словами, это было зимнее белье. Заключенный вряд ли станет открывать этот ящик, так?

— Возможно.

— Будьте любезны отвечать на мои вопросы. Станет ли заключенный в самую жару открывать ящик с зимним бельем? Да или нет?

— Нет.

— В этом случае вам не кажется вероятным, что данные предметы могли быть положены туда кем-то другим без ведома заключенного?

— Нет, не кажется.

— Но это возможно?

— Да.

— Все.

Выступавшие вслед за Джеппом свидетели подтвердили финансовые трудности, которые испытывал Джон, а также то, что у него давний роман с миссис Райкес. Бедная Мэри, с ее-то гордостью выслушивать такое!

Выходит, мисс Говард была права! Просто в своем озлоблении против Инглторпа она посчитала, что миссис Райкес встречается с ним, а не с Джоном.

И вот наконец судья вызвал Лоренса Кэвендиша. Тот тихо, но решительно заявил, что никакого письма в фирму «Парксон» не посылал и, более того, двадцать девятого июня находился в Уэльсе.

Сэр Эрнест Хевивэзер не собирался упускать инициативу.

— Итак, мистер Кэвендиш, вы отрицаете, что заказывали накладную бороду в фирме «Парксон»?

— Да.

— Хорошо. Тогда скажите, если что-то случится с вашим братом, кто станет владельцем поместья Стайлз-Корт?

Лоренс покраснел, услышав столь бестактный вопрос. Даже судья пробормотал что-то неодобрительное, однако Хевивэзер продолжал настаивать:

— Потрудитесь, пожалуйста, ответить на мой вопрос.

— Владельцем Стайлз-Корт, видимо, стану я.

— А почему «видимо»? Детей у вашего брата нет, следовательно, вы — единственный наследник.

— Выходит, что так.

Мистер Хевивэзер злобно усмехнулся:

— Замечательно. Кроме усадьбы, к вам в этом случае переходит весьма крупная сумма.

— Помилуйте, сэр Эрнест, — воскликнул судья, — все это не имеет никакого отношения к делу!

Однако Хевивэзер продолжал наседать на Лоренса:

— Во вторник, семнадцатого июля, вместе с одним из своих друзей вы посещали госпиталь Красного Креста в Тэдминстере, не так ли?

— Да.

— Оставшись на несколько секунд один в комнате, вы открывали шкаф, в котором хранились яды. Так?

— Не помню. Возможно.

— А точнее?

— Да, кажется, открывал.

— И одна из бутылочек в особенности привлекла ваше внимание.

— Нет, я сразу закрыл шкаф.

— Осторожно, мистер Кэвендиш, — ваши показания фиксируются. Я имею в виду склянку с гидрохлоридом стрихнина.

Лоренс страшно побледнел.

— Нет, нет, я не трогал стрихнин.

— Тогда почему на этой склянке обнаружены отпечатки ваших пальцев?

Лоренс вздрогнул и, немного помедлив, тихо произнес:

— Да, теперь вспомнил. Действительно, я держал в руках бутылочку со стрихнином.

— Я тоже так думаю! А зачем вы отливали ее содержимое?

— Неправда! Я ничего не отливал!

— Тогда зачем же вы сняли с полки именно эту бутылочку?

— Я получил медицинское образование, и, естественно, меня интересуют различные медикаменты.

— Ах вот как! Вы находите интерес к ядам вполне естественным? Однако, чтобы удовлетворить свое «естественное» любопытство, вы дожидались, пока все выйдут из комнаты!

— Это случайное совпадение. Если бы кто-то и находился в комнате, я все равно открыл бы шкаф.

— И все же, когда вы держали в руках стрихнин, в комнате никого не было!

— Да говорю же вам...

— Мистер Лоренс, — перебил его Хевивэзер, — все утро вы находились в обществе своих друзей. Лишь на пару минут вы остались один в комнате, и как раз в этот момент вы решили удовлетворить свое естественное любопытство. Какое милое совпадение!

Лоренс стоял словно оглушенный.

— Я... я...

— Мистер Кэвендиш, у меня больше нет вопросов!

Показания Лоренса вызвали большое оживление в зале. Присутствующие, в основном дамы, начали живо обсуждать услышанное, и вскоре судья пригрозил, что если шум не прекратится, то суд будет продолжен при закрытых дверях.

Вслед за Лоренсом судья вызвал экспертов-графологов. По их словам, подпись Альфреда Инглторпа в аптечном журнале, несомненно, сделана не Джоном. Но при перекрестном допросе они признали, что заключенный мог сам ловко изменить почерк.

Речь сэра Эрнеста Хевивэзера, открывающая защиту, была краткой, но чрезвычайно выразительной.

— Никогда еще, — патетически заявил сэр Эрнест, — я не сталкивался со столь необоснованным обвинением в убийстве! Факты, якобы свидетельствующие против моего подзащитного, оказались либо случайными совпадениями, либо плодом фантазии некоторых свидетелей. Давайте беспристрастно обсудим все, что нам известно. Стрихнин нашли в ящике комода в комнате мистера Кэвендиша. Ящик был открыт, и нет никаких доказательств, что именно обвиняемый положил туда яд. Просто кому-то понадобилось, чтобы в убийстве обвинили мистера Кэвендиша, и этот человек ловко подбросил яд в его комнату.

Далее, прокурор ничем не подкрепил свое утверждение, что мой подзащитный заказывал бороду в фирме «Парксон».

Что касается своего скандала с миссис Инглторп, то подсудимый и не думает его отрицать. Однако значение этого скандала, равно как и финансовые затруднения мистера Кэвендиша, сильно преувеличены.

— Мой многоопытный коллега, — продолжал сэр Эрнест, кивнув в сторону мистера Филипса, — заявляет: если бы подсудимый был не виновен, то он бы уже на предварительном следствии признал, что в ссоре участвовал не мистер Инглторп, а он сам. Но вспомним, как было дело. Возвратившись во вторник вечером домой, мистер Кэвендиш узнает, что днем случился скандал между супругами Инглторп. Поэтому он до последнего момента считал, что в этот день произошли две ссоры — ему и в голову не пришло, что кто-то мог спутать его голос с голосом Инглторпа.

Прокурор утверждает, что в понедельник, шестнадцатого июля, подсудимый под видом мистера Инглторпа купил в аптеке стрихнин. На самом же деле мистер Кэвендиш находился в уединенном местечке, называемом Марстонз-Спинни, куда был вызван анонимным письмом, угрожающим сообщить его жене некоторые сведения, если он не выполнит определенные условия. Заключенный направился в указанное место и, напрасно прождав там полчаса, вернулся домой. К сожалению, он никого не встретил по дороге и не может поэтому подтвердить свои слова. Однако записка у подсудимого сохранилась, и суд сможет с ней ознакомиться.

Что касается обвинения, — продолжал мистер Хевивэзер, — что подсудимый сжег завещание, то оно просто абсурдно. Мистер Кэвендиш хорошо знает законы (ведь он заседал в свое время в местном суде), потому он понимал, что завещание, составленное за год до описываемых событий, после замужества миссис Инглторп потеряло силу. Я вызову свидетелей, которые расскажут, кто уничтожил завещание, и, возможно, это придаст совершенно иной аспект делу.

Заканчивая свое выступление, сэр Эрнест заявил, что имеющиеся улики свидетельствуют не только против его подзащитного: скажем, роль мистера Лоренса в этом деле выглядит более чем подозрительно.

Слово предоставили Джону.

Он очень складно и убедительно (хотя и не без помощи сэра Эрнеста!) рассказал, как все произошло. Анонимная записка, показанная присяжным, а также готовность, с которой Джон признал свою ссору с матерью и свои финансовые затруднения, произвели большое впечатление на присяжных.

— Теперь я хочу сделать заявление, — сказал Джон. — Я категорически возражаю против обвинений, выдвинутых сэром Эрнестом против моего брата. Убежден, что Лоренс совершенно не виновен.

Сэр Эрнест только улыбнулся, заметив, что протест Джона произвел хорошее впечатление на присяжных.

Потом начался перекрестный допрос.

— Подсудимый, — обратился к Джону мистер Филипс, — я не понимаю, как вы сразу не догадались, что служанка перепутала ваш голос с голосом мистера Инглторпа? Это очень странно!

— Не вижу здесь ничего странного. Мне сказали, что днем произошел скандал между мамой и мистером Инглторпом. Почему же я должен был в этом усомниться?

— Но когда служанка Доркас в своих показаниях процитировала несколько фраз, вы не могли их не вспомнить!

— Как видите — мог.

— В таком случае у вас на удивление короткая память.

— Просто мы оба были рассержены и наговорили друг другу лишнего. Я не обратил внимания на слова, сказанные сгоряча.

Недоверчивое фырканье мистера Филипса было вершиной прокурорского искусства. Он перешел к письму.

— Вы очень кстати предъявили анонимное письмо. Скажите, почерк вам знаком?

— Нет.

— А вам не кажется, что почерк подозрительно напоминает ваш собственный, чуть-чуть, впрочем, измененный?

— Нет, не кажется!

— А я утверждаю, что вы сами написали эту записку.

— Я?! Для чего?

— Чтобы иметь неопровержимое алиби! Вы назначили самому себе свидание в уединенном месте, а для большей убедительности написали эту записку.

— Это неправда.

— Нет, но почему, скажите на милость, я должен верить, что в тот вечер вы находились в каком-то сомнительном месте, а не покупали стрихнин под видом Инглторпа?

— Но я не покупал стрихнин!

— А я утверждаю, что покупали, нацепив бороду и напялив темный костюм!

— Это ложь!

— Тогда я предоставляю присяжным самим сделать выводы — почерк, которым написана эта записка, поразительно напоминает ваш!

С видом человека исполнившего свой долг, но непонятого мистер Филипс возвратился на место, и судья объявил, что следующее заседание состоится в понедельник.

Я взглянул на Пуаро. Он выглядел крайне расстроенным.

— Что случилось? — спросил я удивленно.

— Mon ami, дело приняло неожиданный оборот. Все очень плохо.

Но меня эти слова обрадовали, значит, есть еще надежда, что Джона оправдают.

В Стайлз мой друг отказался от чая.

— Спасибо, пойду к себе.

Я проводил Пуаро до дома, и он предложил зайти. Настроение моего друга нисколько не улучшилось. Тяжело вздохнув, он взял с письменного стола колоду карт и, к моему великому удивлению, начал строить карточный домик.

Заметив мое недоумение, Пуаро сказал:

— Не беспокойтесь, друг мой, я еще не впадаю в детство! Просто нет лучшего способа успокоиться. Четкость движений влечет за собой четкость мысли, а она мне сейчас нужна, как никогда.

— В чем же проблема? — спросил я.

Сильно стукнув по столу, Пуаро разрушил тщательно воздвигнутое сооружение.

— Я могу построить карточные домики в семь этажей высотой, но я не могу, — щелчок по картам, — найти, — еще щелчок, — последнее звено, о котором говорил вам.

Я не знал, что сказать, и промолчал.

Пуаро начал строить новый домик, приговаривая:

— Одна карта, и еще — сверху, главное — рассчитать как следует!

Я наблюдал, как растет этаж за этажом. Точность необыкновенная, ни одного неверного движения.

Я не мог сдержать восхищения.

— Какая четкость! Кажется, я лишь однажды видел, как у вас дрожат руки.

— Наверное, в тот момент я очень волновался.

— Волновался — не то слово. Помните, как вы разозлились, когда увидели, что у лилового портфеля взломан замок? Подойдя к камину, вы стали выравнивать безделушки, и я заметил, как сильно дрожат ваши руки. Однако...

Внезапно мой друг издал странный стон и, закрыв лицо руками, откинулся в кресле, снова разрушив карточный домик.

— Что случилось, Пуаро? Вам плохо?

— Гастингс! Гастингс! Кажется, я все понял!

Я облегченно вздохнул.

— Что, очередная «идейка»?

— Друг мой, на этот раз не идейка, а грандиозная идея! Потрясающая! Спасибо, Гастингс.

— За что?

— Этой идеей я обязан вам.

Внезапно обняв, он жарко поцеловал меня в обе щеки и, прежде чем я оправился от изумления, выскочил из комнаты.

В этот момент вошла Мэри Кэвендиш.

— Что случилось с вашим другом? Он подбежал ко мне с криком: «Где гараж?» — но, прежде чем я успела ответить, он выскочил на улицу.

Мы подошли к окну. Пуаро без шляпы, со съехавшим набок галстуком, бежал по улице.

— Его остановит первый же полицейский.

Мы с Мэри озадаченно переглянулись.

— Не понимаю, что случилось!

Я пожал плечами.

— Не знаю! Он строил карточный домик, вдруг подскочил как ужаленный и выбежал из комнаты.

— Надеюсь, к обеду он вернется.

Однако ни к обеду, ни к ужину Пуаро не появился.

Глава 12

ПОСЛЕДНЕЕ ЗВЕНО

Внезапный отъезд Пуаро всех заинтриговал.

Все утро следующего дня я тщетно прождал своего друга и начал было уже беспокоиться, когда около трех часов с улицы послышался звук подъезжающего автомобиля.

Я подошел к окну и увидел, что в машине сидели Пуаро и Джепп с Саммерхэем. Мой друг излучал блаженное самодовольство. Завидев миссис Кэвендиш, он выскочил из автомобиля и обратился к ней с изысканным поклоном:

— Мадам, позвольте мне собрать всех в гостиной.

Мэри грустно улыбнулась:

— Мсье Пуаро, вам предоставлена carte blanche[1]. Поступайте как считаете нужным.

— Благодарю, мадам, вы очень любезны.

Когда я вошел в гостиную, он уже расставил стулья и деловито пересчитывал пришедших.

— Так. Мисс Говард — здесь. Мадемуазель Цинтия — здесь. Мсье Лоренс. Доркас. Энни. Bien! Сейчас придет мистер Инглторп — я послал ему записку, — и можно начинать.

— Если здесь снова появится этот человек, — воскликнула мисс Говард, — я буду вынуждена уйти!

— Мисс Говард, — взмолился Пуаро, — очень прошу вас — останьтесь!

Иви нехотя села на место. Через несколько минут вошел Альфред Инглторп, и Пуаро торжественно обратился к собравшимся:

_____

[1] Полная свобода действий *(фр.)*.

— Дамы, господа! Как вы знаете, мистер Джон Кэвендиш попросил меня помочь в поисках убийцы его матери.

Я сразу осмотрел комнату покойной, которая до моего прихода была заперта, и там обнаружил три улики. Первая — кусочек зеленой материи на засове двери, ведущей в комнату мисс Мердок. Вторая — свежее пятно на ковре, возле окна. Третья — пустая коробка из-под бромида, который принимала покойная.

Кусочек материи я передал полиции, но на него не обратили большого внимания и даже не поняли, что он был оторван от зеленого нарукавника.

Последние слова Пуаро вызвали большое оживление среди присутствующих.

— Из всех обитателей дома, — продолжал мой друг, — рабочие нарукавники есть только у миссис Кэвендиш, которая ежедневно работает на ферме. Поэтому можно смело утверждать, что миссис Кэвендиш ночью заходила в комнату миссис Инглторп, причем через дверь, ведущую в комнату мисс Мердок.

— Но эта дверь была заперта изнутри на задвижку! — воскликнул я.

— К моему приходу дверь действительно была закрыта на засов. Но это не означает, что она была закрыта и ночью. В суматохе, которая продолжалась до полудня, миссис Кэвендиш вполне могла сама закрыть эту дверь.

Далее, из выступления миссис Кэвендиш на дознании я заключил, что она что-то скрывает. Скажем, она утверждала, что слышала, как упал столик в комнате миссис Инглторп. Чтобы проверить ее слова, я попросил своего друга мсье Гастингса встать в коридоре возле комнаты миссис Кэвендиш. Вместе с полицейскими я отправился в комнату миссис Инглторп и во время обыска случайно опрокинул столик. Как и следовало ожидать, мой друг не слышал ни звука. Теперь я уже почти не сомневался, что в тот момент, когда подняли тревогу, миссис Кэвендиш находилась не в своей комнате (как было сказано в ее показаниях!), а в комнате миссис Инглторп.

Я взглянул на Мэри. Ее лицо покрывала смертельная бледность, но она мужественно улыбалась.

— Теперь попробуем восстановить ход событий. Миссис Кэвендиш находится в комнате своей свекрови.

Она пытается найти какой-то документ. Вдруг миссис Инглторп просыпается, издает жуткий хрип и начинает биться в конвульсиях. Она пытается дотянуться до звонка и случайно переворачивает столик. Миссис Кэвендиш вздрагивает, роняет свечу, и воск разливается по ковру. Она поднимает свечу, быстро перебегает в комнату мисс Мердок и оттуда в коридор. Но там уже слышен топот бегущей прислуги. Что делать? Она спешит обратно в комнату мисс Мердок и начинает будить девушку. Из коридора слышны крики. Все пытаются проникнуть в комнату миссис Инглторп, и отсутствия миссис Кэвендиш никто не замечает. Почему-то никто не видел ее выходящей из другого крыла.

Пуаро взглянул на Мэри:

— Пока все верно, мадам?

Мэри кивнула:

— Да, совершенно верно. Я бы и сама уже давно все рассказала, если бы была уверена, что это облегчит положение моего мужа. Но мне показалось, что мой рассказ не докажет ни его вину, ни его невиновность.

— В какой-то степени да, мадам. Но он помог бы мне избежать недоразумений и увидеть другие факты в верном освещении.

— Завещание! — вскричал Лоренс. — Так это ты сожгла завещание, Мэри?

Она покачала головой, и Пуаро покачал головой тоже.

— Нет, — возразил он. — Только один человек мог сжечь завещание — сама миссис Инглторп.

— Но постойте! Она сама только накануне его составила, — вырвалось у меня.

Пуаро улыбнулся:

— Тем не менее, mon ami, так оно и было. Иначе вы не сможете объяснить, почему в жаркий день миссис Инглторп просила разжечь камин у себя в комнате.

Действительно, подумал я, как же это никому не пришло в голову раньше?

— Температура в тот день была двадцать семь градусов в тени. Камин в такую жару ни к чему. Значит, его разожгли, чтобы сжечь то, что нельзя уничтожить иначе. Поскольку в усадьбе строго соблюдался режим экономии и прислуга не давала пропасть ни одному клочку исписанной бумаги, то завещание оставалось только сжечь. Узнав о том, что зажигали камин, я сразу понял: нужно было уничтожить что-то важное, возможно, что завещание. Поэтому обугленный обрывок не был для меня неожиданностью. Конечно, тогда я еще не знал, что сожженное завещание было составлено лишь несколькими часами ранее. Более того, когда все это выяснилось, я ошибочно связал уничтожение завещания со ссорой, которую слышала Доркас, и посчитал, что завещание составлено еще до скандала. Однако выяснились дополнительные подробности, и я понял, что ошибался. Пришлось заново сопоставлять все факты. Итак, в четыре часа Доркас слышит, как разгневанная миссис Инглторп кричит, что не побоится скандала между мужем и женой, даже если он станет достоянием гласности. А вдруг эти слова были адресованы не ее мужу, а мистеру Джону Кэвендишу? Через час, то есть около пяти, она говорит почти то же самое, но уже в иной ситуации. Она признается Доркас, что не знает, как поступить, поскольку боится скандала между мужем и женой. В четыре часа миссис Инглторп хотя и была разгневана, но вполне владела собой. В пять часов она выглядела совершенно подавленной и опустошенной.

Я предположил, что речь шла о двух разных скандалах, причем скандал, о котором говорилось в пять часов, касался лично миссис Инглторп.

Давайте теперь проследим, как развивались события. В четыре часа миссис Инглторп ссорится со своим сыном и угрожает рассказать обо всем миссис Кэвендиш, которая, кстати, слышала большую часть их разговора.

В четыре тридцать, после обсуждения, в каких случаях завещания теряют силу, миссис Инглторп составляет новое — в пользу своего мужа. Оба садовника ставят под ними свои подписи. В пять часов Доркас застает хозяйку совершенно убитой. В руках у нее листок бумаги — то, что Доркас называла «письмом», — и она приказывает разжечь камин. Таким образом, примерно между половиной пятого и пятью произошло что-то из ряда вон выходящее. Миссис Инглторп потрясена и решает сжечь только что написанное завещание.

Что же случилось? Как известно, в эти полчаса в будуар никто не входил, и нам остается только строить догадки. Но, кажется, я знаю, что произошло.

Установлено, что в письменном столе миссис Инглторп не было почтовых марок, ведь чуть позже она просила Доркас принести ей несколько штук. Миссис Инглторп решает поискать марки в бюро своего мужа. Бюро закрыто, но один из ее ключей подходит (я проверял это), и миссис Инглторп открывает крышку. В поисках марок она находит то, что совершенно не предназначалось для ее глаз. Я говорю о листке, который она держала в руке, разговаривая с Доркас. Однако миссис Кэвендиш считала, что «письмо», которое свекровь упорно отказывалась ей показать, являлось письменным доказательством неверности Джона. Ей хотелось прочесть «письмо», но миссис Инглторп уверяла Мэри — нисколько при этом не покривив душой, — что «письмо» не имеет никакого отношения к ее мужу. Однако миссис Кэвендиш была уверена, что миссис Инглторп просто защищает своего сына. Мэри — женщина очень решительная и, несмотря на внешнее безразличие, ужасно ревнивая. Она хочет во что бы то ни стало завладеть «письмом». К тому же ей помог случай: она находит потерянный утром ключ от лилового портфеля, в котором, как ей известно, свекровь хранит важные документы.

Лишь ослепленная ревностью женщина способна на шаг, который предприняла миссис Кэвендиш. Вечером она незаметно открывает засов двери, ведущей из комнаты мисс Мердок в комнату миссис Инглторп. Видимо, она смазывает петли, поскольку дверь на следующий день открывалась совершенно бесшумно. Миссис Кэвендиш считает, что безопаснее всего проникнуть в комнату свекрови под утро, так как прислуга не обратит внимания на шаги — миссис Инглторп всегда вставала в это время, чтобы разогреть какао.

Итак, Мэри одевается так, словно идет на ферму, и тихо проходит через комнату мисс Мердок.

— Но я бы наверняка проснулась от этого, — перебила моего друга Цинтия.

— Поэтому вас и усыпили.

— Усыпили?

— Да, мадемуазель.

Пуаро выдержал эффектную паузу и вновь обратился к присутствующим:

— Вы помните, мисс Мердок крепко спала, несмотря на страшный шум в соседней комнате. Этому было два объяснения: либо она притворялась спящей (во что я не верил), либо сон был вызван каким-то сильнодействующим средством.

Я тщательно осмотрел кофейные чашки, поскольку именно миссис Кэвендиш наливала кофе для мисс Мердок. Однако химический анализ содержимого всех чашек ничего не дал. Я тщательно·сосчитал чашки. Шесть человек пили кофе, чашек тоже шесть. Я уже собирался признать ошибочность своей гипотезы, как вдруг выяснилось, что кофе пили не шесть, а семь человек, ведь вечером приходил доктор Бауэрстайн! Значит, одна чашка все-таки исчезла! Слуги ничего не заметили: Энни накрыла на семь персон; она не знала, что Инглторп не пьет кофе, Доркас утром нашла, как обычно, шесть чашек, вернее, пять, ведь шестую нашли в комнате миссис Инглторп — разбитой. Я не сомневался, что пропала именно чашка мисс Мердок, поскольку во всех чашках был обнаружен сахар, а мадемуазель Цинтия никогда не пьет сладкий кофе. В это время Энни вспоминает, что, когда она несла какао наверх, на подносе была рассыпана соль. Я решил сделать химический анализ какао.

— Но зачем, — удивленно спросил Лоренс, — ведь анализ какао уже сделал Бауэрстайн?

— В первый раз в какао искали стрихнин. Я же проверил какао на содержание снотворного.

— Снотворного?

— Да, и моя догадка подтвердилась — миссис Кэвендиш действительно добавила сильнодействующее, но безвредное снотворное в чашку мисс Мердок и миссис Инглторп. Можно представить, что испытала Мэри, когда у нее на глазах в страшных мучениях скончалась свекровь и все начали говорить об отравлении. Видимо, она решила, что подсыпала слишком большую дозу снотворного и, таким образом, ответственна за эту смерть.

172

В панике она бежит вниз и бросает чашку и блюдце мисс Мердок в большую вазу, где их впоследствии обнаружил мсье Лоренс.

Остатки какао она тронуть не решилась, поскольку в комнате покойной находилось слишком много народу. Вскоре выяснилось, что смерть наступила в результате отравления стрихнином, и миссис Кэвендиш немного успокоилась.

Теперь ясно, почему смерть наступила только утром, — сильная доза снотворного отсрочила действие яда.

Мэри взглянула на Пуаро, лицо ее чуть порозовело.

— Мсье, вы совершенно правы, те мгновения, когда у меня на глазах билась в конвульсиях миссис Инглторп, были на самом деле ужасны. Поражаюсь, как вы сумели обо всем этом догадаться. Теперь я понимаю смысл...

— Моего предложения исповедаться? Но вы так и не захотели довериться «отцу Пуаро»!

— Так, значит, — сказал Лоренс, — какао со снотворным, выпитое после отравленного кофе, отсрочило действие яда?

— Верно, но был ли он отравлен: ведь миссис Инглторп к этому кофе не прикасалась.

— Что?!

— Помните, — продолжал Пуаро, довольный произведенным эффектом, — пятно на ковре в комнате покойной? Оно выглядело совсем свежим, еще чувствовался запах кофе. Рядом валялись мелкие фарфоровые осколки. За несколько минут до того, как я его обнаружил, произошел любопытный эпизод. Я положил свой чемоданчик на стол у окна. Не успел я опомниться, как столик накренился, и мои инструменты упали на пол, причем именно в то место, где находилось пятно. Уверен, что то же самое произошло и у миссис Инглторп, когда она поставила чашку на этот злополучный столик.

О дальнейшем можно только догадаться. Скорее всего, она подняла разбитую чашку и поставила ее возле кровати. Но миссис Инглторп хотела пить, поэтому она разогрела какао, хотя обычно делала это гораздо позже. И вот теперь мы подошли к самому главному. Мы выяснили, что кофе миссис Инглторп не пила, а в какао стрихнина не было, однако следствием установлено, что стрихнин в ее организм попал как раз в это время — от семи до девяти вечера.

Значит, миссис Инглторп выпила еще что-то, что, с одной стороны, обладало достаточно резким вкусом, способным замаскировать горечь яда, а с другой — выглядело настолько безобидным, что никому и в голову не пришло искать там яд.

Надеюсь, вы уже догадались — я говорю о тонике, который миссис Инглторп принимала каждый вечер.

— Иными словами, — переспросил я удивленно, — вы утверждаете, что убийца подсыпал стрихнин в тоник?

— Друг мой, подсыпать ничего не требовалось. Стрихнин содержался в самой микстуре. Сейчас вам все станет ясно. Вот что написано в рецептурном справочнике госпиталя Красного Креста.

Пуаро достал небольшой листок и прочел следующее:

«Следующий состав получает все более широкое распространение:

сульфат стрихнина — 1 грамм, поташ бромида — $^3/_5$ грамма, вода — $^5/_8$ грамма.

В течение нескольких часов в нем происходит брожение благодаря неразбавленному бромиду. Одна леди в Англии скончалась, приняв эту микстуру: выделившийся стрихнин собрался на дне, и она выпила его почти весь с последней дозой».

— В микстуре, прописанной доктором Уилкинсом, бромида, конечно, не содержалось. Но, как вы помните, в комнате покойной найдена пустая коробка из-под бромида. Достаточно добавить два таких порошка в микстуру, и весь стрихнин осядет на дно бутылки. Как вы вскоре узнаете, человек, обычно наливавший лекарство миссис Инглторп, старался не взбалтывать бутылочку, чтобы не растворять собравшийся осадок. В ходе расследования я обнаружил несколько фактов, указывающих, что убийство первоначально было намечено на вечер понедельника. В понедельник кто-то сломал звонок в комнате миссис Инглторп, в понедельник мадемуазель Цинтия не ночевала дома, и миссис Инглторп оставалась одна в правом крыле дома. Ее призывы о помощи никто бы не услышал. Однако миссис Инглторп торопилась на концерт и в спешке забыла принять микстуру. На следующий день она обедала у миссис Роулстон и поэтому приняла последнюю — смертельную! — дозу лекарства только вечером, то есть на двадцать четыре часа позже, чем рассчитывал убийца. Именно благодаря этой задержке в моих руках оказалась самая важная улика, ставшая последним звеном в цепи доказательств.

В комнате воцарилась гнетущая тишина. Все глаза были устремлены на Пуаро. Он вынул три бумажные полоски.

— Mes amis[1], перед вами письмо, написанное рукой убийцы. Будь оно чуть подробней, миссис Инглторп осталась бы жива.

Мой друг соединил полоски и, неторопливо откашлявшись, прочел:

— «*Милая Ивлин, не волнуйся, все в порядке. То, что мы наметили на вчера, случится сегодня. Представляешь, как мы заживем, когда старуха подохнет! Не беспокойся, меня никто не заподозрит. Твоя идея с бромидом просто гениальна! Я буду предельно осторожен, ведь любой неверный шаг...*» — на этом письмо обрывается, однако его авторство не вызывает сомнений. Все мы прекрасно знаем почерк мистера....

Страшный крик потряс комнату:

— Подлец! Как ты это нашел?

С грохотом опрокинулся стул. Пуаро проворно отскочил в сторону, и нападавший рухнул на пол.

— Дамы, господа, — торжественно провозгласил Пуаро, — разрешите представить вам убийцу — мистера Альфреда Инглторпа.

Глава 13

ПУАРО ОБЪЯСНЯЕТ

— Ну, Пуаро, ну, старый злодей, и вы называли меня своим другом? Выходит, все это время вы морочили мне голову?

---

[1] Друзья мои *(фр.)*.

Разговор происходил в библиотеке на втором этаже поместья. Инглторп и мисс Говард уже несколько дней находились под следствием. Джон и Мэри помирились, улеглись первые волнения, и я наконец заполучил Пуаро и мог удовлетворить свое любопытство.

Пуаро ответил не сразу. Наконец он вздохнул и сказал:

— Mon ami, я не обманывал вас. Просто иногда я позволял вам обманывать самого себя.

— Но зачем?

— Как бы вам объяснить? Понимаете, Гастингс, вы настолько благородны и искренни, настолько не привыкли кривить душой и притворяться, что, расскажи я о своих подозрениях, вы при первой же встрече с Инглторпом невольно выдали бы свои чувства. Инглторп — хитрая лисица, он сразу бы почуял неладное и в ту же ночь улизнул из Англии.

— Мне кажется, я умею держать язык за зубами!

— Друг мой, не обижайтесь. Без вашей помощи я бы никогда не раскрыл это преступление.

— И все-таки можно было хотя бы намекнуть.

— Я это делал, Гастингс, и не один раз! Но вы не обращали внимания на мои намеки. Разве я вам когда-нибудь говорил, что считаю убийцей Джона Кэвендиша? Наоборот, я предупреждал, что его оправдают.

— Да, но...

— А разве после суда я не сказал, что самое трудное — не поймать преступника, а доказать его вину? Неужели вы не поняли, что я говорил о двух разных людях?

— Нет, не понял.

— А разве еще в самом начале я не говорил вам, что попытаюсь всеми силами предотвратить арест Инглторпа *сейчас*? Но вы не обратили внимания и на эти слова.

— Неужели вы подозревали Инглторпа с самого начала?

— Конечно. От смерти миссис Инглторп выигрывали многие, но больше всех — ее муж. Это и следовало взять за основу. В первый день, отправляясь с вами в Стайлз, еще не зная, как было совершено преступление, но зная мистера Инглторпа, я не сомневался, что его трудно будет на чем-нибудь поймать.

Мне сразу стало ясно, что завещание сожгла миссис Инглторп. Здесь вам не в чем меня упрекнуть — я несколько раз повторял, что камин в такой жаркий день разожгли неспроста.

— Ладно, — проговорил я нетерпеливо, — рассказывайте дальше.

— Так вот, вскоре я начал сомневаться в виновности Инглторпа. Слишком уж много было против него улик.

— А когда вы снова стали его подозревать?

— Когда заметил одну странную вещь — Инглторп всеми силами старался, чтобы его арестовали. А вскоре мои подозрения переросли в уверенность, ведь выяснилось, что у миссис Райкес был роман с Джоном, а не с Инглторпом.

— А при чем тут миссис Райкес?

— Гастингс, подумайте сами. Допустим, у Инглторпа действительно был с ней роман. В таком случае его молчание было бы вполне понятным, но коль скоро это не так, значит, поведение Альфреда на дознании объяснялось другими причинами. Помните, он утверждал, что боялся скандала? Однако никакой скандал на самом деле ему не грозил. Следовательно, Инглторп зачем-то хотел быть арестованным, а значит, моя задача была не допустить ареста.

— Но почему он добивался собственного ареста?

— Только потому, mon ami, что он хорошо знает законы вашей страны. Человек, оправданный на суде, не может быть вторично судим за это же преступление! Инглторп понимал, что в любом случае его заподозрят в убийстве. Поэтому он подготавливает множество улик, чтобы укрепить эти подозрения и поскорее предстать перед судом. А на суде он предъявит неопровержимое алиби, и его оправдают!

— Пуаро, я совсем запутался. Откуда у Инглторпа взялось неопровержимое алиби, если он покупал в аптеке стрихнин?

Пуаро удивленно взглянул на меня:

— Друг мой, неужели вы до сих пор ничего не поняли? Инглторп и не думал покупать стрихнин. В аптеку приходила мисс Говард.

— Мисс Говард?

— А кто же еще? Для нее было совсем несложно загримироваться под Инглторпа. Мисс Говард женщина высокая, широкоплечая, с низким мужеподобным голосом. К тому же Инглторп ее родственник, и между ними есть определенное сходство, особенно в походке и манере держаться. Надо отдать им должное, Гастингс, идея была великолепной.

— А каким образом бромид попал в микстуру?

— Сейчас объясню. Видимо, весь план преступления, вплоть до мельчайших подробностей, разработала мисс Говард. Она прекрасно разбирается в фармакологии — отец Ивлин был доктором, и, по-видимому, она помогала ему в приготовлении лекарств. Во время подготовки к экзамену мисс Мердок приносила домой рецептурный справочник. Наверное, Ивлин взяла его полистать и случайно вычитала, что бромид имеет свойство осаждать стрихнин. Какая удача — миссис Инглторп как раз принимает бромид и микстуру, содержащую стрихнин! Остается только подсыпать две-три дозы порошка в микстуру!

Все очень просто, к тому же никакого риска. Трагедия произойдет только спустя две недели. Если кто-то и заметит мисс Говард с бутылочкой в руке, к этому времени все забудется. А чтобы окончательно избежать подозрений, надо затеять ссору с миссис Инглторп и с видом поруганной добродетели уехать из усадьбы. Блестящий план, не правда ли, Гастингс? Если бы они только им и ограничились, преступление могло бы остаться нераскрытым. Но нет, они решили еще чем-нибудь подстраховаться — и перестарались.

Пуаро прикурил, затянулся, впившись взглядом в потолок, и продолжал:

— Эта парочка хотела, чтобы в покупке стрихнина обвинили Джона Кэвендиша. Вспомните, почерк человека, расписавшегося в аптечном журнале, очень напоминал почерк Джона.

Они знали, что в понедельник миссис Инглторп должна принять последнюю дозу микстуры. Поэтому в понедельник, около шести, Инглторп намеренно прогуливается подальше от деревни, и его видят несколько человек. Мисс Говард заранее распускает слух, что у него роман с миссис Райкес, чтобы впоследствии Инглторп мог объяснить свое молчание по поводу этой прогулки. Итак, пока Альфред совершает вечерний моцион, мисс Говард в костюме Инглторпа покупает стрихнин якобы для собаки и подписывается в журнале, имитируя почерк Джона. Но трюк не сработает, если мистер Кэвендиш сможет предъявить алиби. Поэтому Ивлин пишет (снова почерком Джона!) записку, и мистер Кэвендиш послушно отправляется в уединенное место. Свидетелей, видевших его там, нет, следовательно, в алиби Джона никто не поверит!

До этого момента все идет по плану. Мисс Говард в тот же вечер уезжает в Миддлинхэм, а Инглторп спокойно возвращается домой. Теперь он абсолютно вне подозрений. Ведь стрихнин, купленный для того, чтобы подставить Джона, находится у мисс Говард. И тут происходит осечка: в тот вечер миссис Инглторп не принимает лекарство. Сломанный звонок, отсутствие мисс Мердок (которое Инглторп ловко организовал через свою жену) — все оказалось напрасным! Инглторп нервничает... и совершает ошибку! Он хочет предупредить свою сообщницу, что, мол, все идет по плану и нечего волноваться, и, воспользовавшись отсутствием жены, пишет письмо в Миддлинхэм. Неожиданно появляется миссис Инглторп. Он спешно прячет записку в бюро и закрывает его на ключ. В комнате оставаться опасно — вдруг миссис Инглторп что-нибудь у него попросит, придется открыть бюро, и она может заметить записку. Поэтому он отправляется на прогулку. Ему и в голову не приходит, что миссис Инглторп может открыть бюро собственным ключом и натолкнуться на письмо.

Однако именно это и происходит.

Миссис Инглторп узнает, что ее муж и мисс Говард замышляют убийство, но не знает, с какой стороны ждать опасность, конечно, упомянутые в письме бромиды ни о чем ей не говорят. Решив пока ничего не сообщать мужу, она сжигает только что составленное завещание и пишет нотариусу, чтобы тот завтра приехал в Стайлз. Записку она оставляет у себя.

— Так, значит, ее муж взломал замок лилового портфеля, чтобы извлечь оттуда записку?

— Да, и раз Инглторп шел на такой риск, значит, понимал важность этой, по сути дела единственной, улики.

— Но почему же он не уничтожил письмо?

— Потому что боялся держать его при себе.

— Вот бы и уничтожил его сразу!

— Не все так просто. У него имелось всего пять минут, как раз перед нашим приходом, ведь до этого Энни мыла лестницу и могла заметить, что кто-то прошел в правое крыло здания. Представьте, как Инглторп дрожащими руками пробует различные ключи, наконец один подходит, и он вбегает в комнату. Но портфель заперт! Если он взломает замок, то тем самым выдаст свой приход. Однако выбора нет — письмо оставлять нельзя.

Инглторп ломает замок перочинным ножиком и лихорадочно перебирает бумаги. Вот и письмо! Но куда его деть? Оставлять при себе нельзя, если заметят, что он выходит из комнаты покойной, его могут обыскать. Наверное, в этот момент снизу доносятся голоса Джона и Вэлса, поднимающихся по лестнице. В распоряжении Альфреда всего несколько секунд. Куда же девать это чертово письмо?! В корзину? Нельзя, ее содержимое наверняка проверят! Сжечь? Нет времени. Он растерянно озирается по сторонам и видит... как вы думаете, что, mon ami?

Я пожал плечами.

— Он видит вазу с бумажными жгутами, стоящую на каминной полке. В мгновение ока Инглторп разрывает письмо и, скрутив поплотнее три тонкие полоски, бросает их в вазу.

От удивления я не мог вымолвить ни слова.

— Никому не придет в голову, — продолжал Пуаро, — искать улики в вазе, стоящей на самом виду. При первом же удобном случае он сюда возвратится и уничтожит эту единственную улику.

— Неужели письмо все время находилось в вазе?

— Да, мой друг, именно там я и отыскал «недостающее звено». И это место подсказали мне вы.

— Я?

— Представьте себе — да! Помните, вы говорили, как я трясущимися руками выравнивал безделушки на каминной полке?

— Помню, но при чем тут...

— Гастингс, я вдруг вспомнил, что, когда мы в то утро заходили в комнату, я тоже машинально выравнивал эти безделушки. Но через некоторое время мне пришлось их снова поправлять. Значит, кто-то их трогал!

— Так вот почему вы как угорелый выскочили из комнаты и помчались в Стайлз!

— Совершенно верно, главное было не опоздать.

— Но я все равно не понимаю, почему Инглторп не уничтожил письмо. Возможностей у него было предостаточно.

— Ошибаетесь, друг мой. Я позаботился, чтобы он не смог этого сделать.

— Но каким образом?

— Помните, как я бегал по дому и рассказывал каждому встречному о пропаже документа?

— Да, я вас еще упрекнул за это.

— И напрасно. Я понимал, что убийца (не важно, Инглторп или кто-то другой) спрятал украденный документ. После того как я рассказал о пропаже, у меня появилась дюжина добросовестных помощников. Инглторпа и так подозревал весь дом, теперь же с него вообще не спускали глаз, он даже близко не мог подойти к комнате покойной. Альфреду ничего не оставалось, как уехать из Стайлз, так и не уничтожив злополучное письмо.

— Но почему это не сделала мисс Говард?

— Мисс Говард? Да она и не подозревала о существовании письма. За Инглторпом постоянно следили, к тому же они разыгрывали взаимную ненависть, поэтому уединиться для разговора было очень рискованно. Инглторп надеялся, что сможет в конце концов сам уничтожить письмо. Но я не спускал с него глаз, и Альфред решил не рисковать. Ведь несколько недель в вазу никто не заглядывал, вряд ли заглянут и впредь.

— Понятно. А когда вы начали подозревать мисс Говард?

— Когда понял, что она лгала на дознании. Помните, она говорила о письме, полученном от миссис Инглторп?

— Да. Но в чем состоит ее ложь?

— А вспомните, как выглядело письмо.

— Ничего особенного я не заметил. Письмо как письмо.

— Не совсем, друг мой. Как известно, почерк у миссис Инглторп был очень размашистый и она оставляла большие промежутки между словами. Однако дата на письме — «17 июля» — выглядела несколько иначе. Вы понимаете, о чем я говорю?

— Честно говоря, нет.

— Гастингс, письмо было отправлено *седьмого* июля, то есть на следующий день после отъезда Ивлин, а мисс Говард поставила перед семеркой единицу.

— Но зачем?

— Я тоже задавал себе этот вопрос. Зачем мисс Говард понадобилось подделывать дату? Может быть, она не хотела показывать настоящее письмо от семнадцатого июля? Но по какой причине? И тут мне в голову пришла любопытная мысль. Помните, я говорил, что надо остерегаться людей, которые скрывают правду?

— Да, но вы же сами указывали на две причины, по которым мисс Говард не может быть убийцей.

— Гастингс, я тоже долгое время не мог в это поверить, пока не вспомнил, что мисс Говард — троюродная сестра Инглторпа. И что, если она не убийца, а сообщница убийцы? Если предположить, что преступников двое, то становится понятной ее бешеная ненависть к Инглторпу: под ней Ивлин скрывала совсем иные чувства! Думаю, их роман начался задолго до приезда Инглторпа в Стайлз. Тогда же в голове у мисс Говард созрел коварный план: Инглторп женится на богатой, но недалекой хозяйке поместья, глупая старуха делает его своим наследником, затем ей помогают отправиться на тот свет, а влюбленная парочка отправляется на континент, где до конца своих дней ведет безбедное существование.

Казалось, все было предусмотрено. Пока Инглторп отмалчивался на дознании, она возвращается из Миддлинхэма с полным набором улик против Джона Кэвендиша. Никто за ней не следит, и мисс Говард спокойно подкидывает стрихнин и пенсне в комнату Джона, затем кладет черную бороду на дно сундука, справедливо полагая, что рано или поздно эти улики будут обнаружены.

— Не понимаю, почему они решили сделать своей жертвой Джона? По-моему, было бы гораздо легче все свалить на Лоренса.

— Правильно, но так получилось, что подозревать стали именно Джона Кэвендиша. Поэтому нашей парочке выбирать не пришлось.

— Но именно Лоренс вел себя очень странно.

— Кстати, вы поняли причину его необычного поведения?

— Нет.

— Все очень просто: Лоренс был уверен, что убийца — мадемуазель Цинтия.

— Цинтия? Что вы говорите?!

— Да, да, Гастингс, именно Цинтия. Я тоже ее сначала подозревал и даже спрашивал Вэлса, не могла ли миссис Инглторп объявить наследником не члена своей семьи. А вспомните, кто приготовил порошки бромида? А ее появление в мужском костюме на маскараде! Тут было над чем призадуматься, Гастингс!

— Пуаро, мне решительно надоели ваши шутки!

— Я вовсе не шучу. Помните, как, стоя у кровати умирающей миссис Инглторп, Лоренс страшно побледнел?

— Да, он не мог оторвать взгляд от чего-то.

— Совершенно верно, Лоренс заметил, что дверь в комнату мадемуазель Цинтии не была закрыта на засов!

— Но ведь на дознании он утверждал обратное.

— Это и показалось мне подозрительным. Как выяснилось, мсье Лоренс просто выгораживал мисс Мердок.

— Но зачем?

— Потому что он в нее влюблен.

Я рассмеялся:

— Вот здесь вы ошибаетесь. Я знаю точно, что Лоренс не любит Цинтию, более того, он ее старательно избегает.

— Кто вам сказал, mon ami?

— Сама мисс Мердок.

— La pauvre petite[1], она была сильно расстроена?

---

[1] Бедняжка! *(фр.)*

— Напротив, Цинтия сказала, что это ее не волнует.

— Друг мой, вы плохо знаете женщин. Можете быть уверены, что и она влюблена в Лоренса.

— Неужели?

— Странно, что вы не заметили этого сами. Каждый раз, когда мисс Мердок разговаривала с его братом, на лице Лоренса появлялась кислая мина. Он сам себя убедил, что Цинтия влюблена в Джона. Увидев незапертую дверь, мсье Лоренс заподозрил худшее. Миссис Инглторп была явно отравлена, а ведь именно Цинтия накануне провожала ее наверх. Чтобы предотвратить анализ остатков кофе, он наступает на чашку каблуком и позже, на дознании, пытается убедить присяжных, что никакого отравления не было.

— А о какой кофейной чашке говорилось в вашем «послании»?

— Я не сомневался, что чашку спрятала миссис Кэвендиш. Но для Лоренса слова «все будет в порядке» означали: если он найдет пропавшую чашку, то тем самым избавит от подозрений свою возлюбленную. Кстати, так и произошло.

— Пуаро, еще один вопрос. Что означали предсмертные слова миссис Инглторп?

— Совершенно очевидно, что, собрав последние силы, она назвала имя убийцы.

— Господи, Пуаро, по-моему, вы можете объяснить решительно все! Ладно, надо поскорее забыть эту ужасную историю. Кажется, Мэри и Джон это уже сделали. Я рад, что они помирились.

— Не без моей помощи!

— Что вы хотите сказать?

— Только то, что, если бы не было суда над Джоном, они бы уже давно разошлись. Я не сомневался, что Джон Кэвендиш еще любит свою жену, а также что и она любит его. Но они слишком отдалились друг от друга, друг друга не поняв. Вспомните, Гастингс, когда Мэри выходила за Джона, она его не любила, и он это знал. Он весьма щепетильный человек и не хотел навязывать себя. По мере того как он отдалялся от нее, ее любовь росла. Но они оба — горды, и гордость стала преградой между ними. Он завязал интрижку с миссис Райкес, она решила ответить мужу тем же и сделала вид, что увлечена доктором Бауэрстайном. Помните, в день ареста Джона я сказал вам, что в моих руках счастье женщины?

— Да, теперь я понял.

— Ох, Гастингс, ничего вы не поняли! Мне ничего не стоило доказать невиновность мистера Кэвендиша. Но я решил, что только суд, то есть смертельная опасность, нависшая над Джоном, заставит их забыть о гордости, ревности и взаимных обидах. Так и произошло.

— Так вы могли избавить Джона от допроса?

Я взглянул на Пуаро. Воистину надо обладать самонадеянностью моего друга, чтобы позволить судить человека за убийство матери лишь для того, чтобы помирить его с женой!

Пуаро улыбнулся:

— Наверное, вы меня осуждаете, mon ami? Напрасно, я не сомневался, что все кончится хорошо. Друг мой, на свете нет ничего прекрасней семейного счастья, ради него стоит пойти на риск.

Я вспомнил, как несколько дней назад сидел рядом с Мэри, пытаясь хоть немного ее подбодрить. На миссис Кэвендиш не было лица, бледная, изможденная, она сидела откинувшись в кресле и вздрагивала при каждом звуке. Вдруг в комнату вошел Пуаро со словами:

— Не волнуйтесь, мадам, я вернул вам вашего мужа.

В дверях появился Джон.

Выходя, я оглянулся. Они обнимали друг друга, не в силах произнести ни звука, но их глаза были красноречивее любых слов.

Я вздохнул.

— Пуаро, наверное, вы правы — на свете нет ничего дороже счастья влюбленных.

В дверь постучали, и в комнату вошла Цинтия.

— Можно на минутку?

— Конечно, Цинтия, заходите.

— Я только хотела сказать... — Цинтия запнулась и покраснела, — что я вас очень люблю!

Она быстро поцеловала сначала меня, потом Пуаро и выбежала из комнаты.

— Что это означало? — проговорил я удивленно. (Конечно, приятно, когда тебя целует такая девушка, как Цинтия, но зачем же это делать в присутствии Пуаро?)

— Видимо, мисс Мердок поняла, — спокойно проговорил мой друг, — что мсье Лоренс относится к ней несколько лучше, чем она предполагала.

— Но ведь только что...

В этот момент мимо открытой двери прошел Лоренс.

— Мсье Лоренс! — закричал Пуаро. — Мсье Лоренс! Мне кажется, вас можно поздравить?

Лоренс покраснел и промямлил что-то невразумительное.

Воистину, влюбленный мужчина представляет собой жалкое зрелище! Зато Цинтия была очаровательна. Я тяжело вздохнул.

— Что с вами, mon ami?

— Да так, ничего... Просто в этом доме живут две прекрасные женщины...

— И обе влюблены, но не в вас! Ничего, Гастингс, уверен, что и на вашей улице будет праздник!

Смерть лорда Эдвера

Роман

Lord Edgware Dies

Глава 1

ВЕЧЕР В ТЕАТРЕ

У людей короткая память. Убийство Джорджа Альфреда Сент-Винцента Марша, четвертого барона Эдвера, вызвавшее невиданный всплеск эмоций, давно уже забыто. Новые сенсации завладели умами обывателей.

О том, что в расследовании этого дела принимал участие мой друг Эркюль Пуаро, никогда не упоминалось. Он так решил — и лавры достались другим. Более того, с точки зрения Пуаро, это было одно из самых неудачных его дел. Он не уставал повторять, что только реплика случайного прохожего натолкнула его на правильное решение.

Так или иначе, я считаю, что преступление было раскрыто именно благодаря гениальности Эркюля Пуаро. Если бы не он, убийцу вряд ли бы разоблачили.

Я думаю, что настало время рассказать обо всем по порядку. Никто не знает лучше меня всех деталей расследования. Стоит также заметить, что я выполняю волю одной очаровательной леди.

Я часто вспоминаю тот день, когда Пуаро, вышагивая взад-вперед по ковру своей аккуратной гостиной, мастерски излагал нам детали этого ошеломляющего дела. Я начну свой рассказ с того, с чего начал его Пуаро, — с посещения одного из лондонских театров в июне прошлого года. В то время среди театралов столицы только и разговоров было что об актрисе Карлотте Адамс, которая с огромным успехом выступила годом раньше в нескольких спектаклях. Ее нынешние выступления в Лондоне продолжались три недели; мы с Пуаро попали на предпоследний спектакль.

Карлотта Адамс была американкой с изумительным талантом сценического перевоплощения без какого-либо грима или декораций. Ее пародия на вечер в заграничном отеле буквально очаровала всех зрителей. Перед нашими глазами поочередно появлялись образы американских и немецких туристов, семей среднего класса, женщин сомнительной репутации, обедневших русских аристократов и утомленных, сдержанных официантов. Казалось, актриса с легкостью говорит на любом языке.

Ее скетчи были то безудержно смешными, то предельно трагическими. Зрители видели умирающую в больнице женщину-чешку и чуть не рыдали. Минуту спустя они изнемогали от смеха, глядя на зубного врача, дружески болтающего со своими будущими жертвами.

В конце программы Карлотта Адамс объявила, что покажет несколько пародий на знаменитых людей. И опять актриса продемонстрировала свои исключительные способности. Черты ее лица неожиданно менялись — и в следующий миг зрители без труда узнавали известного политического деятеля, популярную актрису или светскую красавицу. Причем каждый персонаж говорил присущим только ему языком. Между прочим, эти короткие речи были весьма остроумными. Они метко подчеркивали слабости выбранного для пародии субъекта.

Одной из последних Карлотта пародировала Джейн Уилкинсон, очень популярную в Англии американскую актрису. Номер был продуман до мелочей. Банальные фразы слетали с языка мисс Адамс с таким эмоциональным зарядом, что зрители вопреки своему желанию начинали чувствовать, как каждое слово обретает смысл и силу. Ее голос, непередаваемо изысканного оттенка, глубокий, хрипловатый, казалось, пьянил публику. Карлотта исключительно четко копировала сдержанные жесты Джейн Уилкинсон, ее слегка раскачивающуюся походку и даже ее необыкновенную красоту. И как это у нее получалось, ума не приложу!

Я всегда был горячим поклонником прекрасной Джейн Уилкинсон. Она будоражила мои чувства в своих лучших драматических ролях, и вопреки всем тем, кто считал, что она — женщина красивая, но вовсе не актриса, я был исключительно высокого мнения о ее сценических способностях. И вот сейчас не совсем приятное чувство овладело мной: казалось, появилась вторая Джейн Уилкинсон. Я слышал знакомый, с ноткой фаталистической обреченности, хрипловатый голос. Я видел трогательные жесты бессильно сжимающихся и разжимающихся рук. Я наблюдал за запрокинутой вдруг головой, когда каскад пышных волос отлетает назад, открывая лицо, — и узнавал Джейн Уилкинсон.

Она была одной из тех актрис, которых даже супружеская жизнь не может заставить покинуть сцену. Джейн Уилкинсон вышла замуж за богатого, но несколько эксцентричного лорда Эдвера. Если верить слухам, вскоре она бросила его. Так или иначе, через полтора года после свадьбы она уже снималась в американских фильмах, а затем играла в одном из лондонских театров в популярной пьесе.

Наблюдая за остроумными, но несколько обидными имитациями Карлотты Адамс, я подумал, что интересно было бы знать, как относятся к этому сами пародируемые. Рады ли они тому, что так популярны и что получают от этих скетчей дополнительную рекламу? Или негодуют, что секреты их ремесла как бы раскрываются подобными пародиями? Ведь Карлотта Адамс была в положении человека, который объясняет публике трюки фокусника: о, это старый фокус! Он очень прост. Сейчас я покажу вам, как он это делает!

Я решил, что если бы объектом пародии был я, то наверняка сильно обиделся бы. Конечно, я постарался бы ничем не выдать своих чувств, но скажу совершенно определенно: мне бы это не понравилось. Нужно обладать исключительным чувством юмора и великодушием, чтобы оценить такое безжалостное шаржирование.

Едва лишь я подумал об этом, как приятный хрипловатый смех со сцены эхом отозвался у меня за спиной. Я обернулся. За мной сидела та, которую так смешно передразнивали сейчас на эстраде: леди Эдвер, более известная как мисс Джейн Уилкинсон.

Я сразу понял, что об обиде здесь не может быть и речи. Взволнованная актриса, подавшись вперед и приоткрыв рот от удовольствия, восхищенно смотрела на сцену.

Когда номер закончился, она засмеялась, громко захлопала и наклонилась к своему спутнику — рослому, симпатичному мужчине, напоминавшему внешностью греческого бога. Это был Брайен Мартин, один из популярнейших актеров кино. Джейн Уилкинсон снималась с ним в нескольких фильмах.

— Замечательно, правда? — спросила леди Эдвер.

Он засмеялся:

— Ты так взволнована, Джейн.

— Эта актриса просто великолепна! Даже чересчур. Лучше, чем я ожидала.

Я не услышал, что ответил ей приятно удивленный Мартин. Карлотта Адамс начала следующую пародию.

После спектакля мы с Пуаро решили поужинать в отеле «Савой». По забавной, на мой взгляд, случайности, за соседним столиком оказались леди Эдвер, Брайен Мартин и еще двое, которых я не знал. В тот самый момент, когда я говорил об этом Пуаро, в зал вошли мужчина и женщина и сели за следующий столик. Лицо женщины было удивительно знакомым, но какой-то миг я, как ни странно, не мог узнать его.

Потом я вдруг понял, что это Карлотта Адамс. Ее спутника я не знал. Это был выхоленный джентльмен с веселым, но пустым выражением лица. Мне такие не нравятся.

Карлотта Адамс была в черном неприметном платье. Ее лицо, подвижное и чувственное, нельзя было назвать особо привлекательным, но оно прекрасно подходило для подражания. Такие лица легко приобретают черты чужого характера, но своего не имеют.

Я стал делиться своими размышлениями с Пуаро. Он внимательно слушал, слегка склонив набок свою яйцевидную голову, и в то же время бросал внимательные взгляды на оба столика.

— Так, значит, это леди Эдвер? Да, припоминаю, я видел ее в спектакле. Она красивая женщина.

— И к тому же отличная актриса.

192

— Возможно.

— Похоже, вы не совсем убеждены в этом.

— Думаю, что ее актерские способности зависят от обстановки, мой друг. Для того чтобы она играла хорошо, пьеса должна быть о ней и *для* нее. Если она играет главную роль и вся пьеса вращается вокруг нее — да, тогда я с вами согласен. Но я сомневаюсь, что она сможет сыграть должным образом маленькую роль или даже, что называется, характерную роль. Мне кажется, что она из тех женщин, которые интересуются только собой.

Пуаро помолчал и потом совершенно неожиданно добавил:

— Таких людей поджидает в жизни большая опасность.

— Опасность? — удивился я.

— Я вижу, мой друг, что вас удивило это слово. Да, именно опасность, потому что такие женщины заняты только собственной персоной и не замечают происходящее вокруг. А ведь жизнь — это миллион противоборствующих интересов и конфликтных отношений между людьми. Нет, такие женщины видят только свой собственный путь вперед, и поэтому рано или поздно их ждет катастрофа.

Я всерьез заинтересовался. Подобное не приходило мне в голову.

— А вторая женщина? — спросил я.

— Мисс Адамс?

Пуаро перевел взгляд на другой столик.

— Ну и что же вы хотите узнать от меня? — улыбнулся он.

— Какое она производит на вас впечатление?

— Дорогой друг, вы хотите, чтобы я, как гадалка, предсказывал судьбу по линиям ладони?

— У вас это получается лучше, чем у других, — заметил я.

— Вы слишком высокого мнения о моих способностях, Гастингс, это очень трогательно. Но разве вы не знаете, мой друг, что душа каждого из нас — это тайна за семью печатями, это лабиринт конфликтующих эмоций, страстей и склонностей. Да, это так. Можно делать сколько угодно предположений насчет того или другого человека, но в девяти случаях из десяти обязательно ошибешься.

— Эркюль Пуаро не ошибается, — улыбнулся я.

— Ошибается даже Эркюль Пуаро! О! Я знаю, что вы считаете меня тщеславным, но, уверяю вас, я очень скромный человек.

Я засмеялся:

— Вы — и скромный!

— Именно так. Правда, о своих усах я могу сказать без ложной скромности: ни у кого в Лондоне я таких не видел.

— И не увидите, — сказал я сдержанно. — В этом отношении вам нечего опасаться. Так вы ничего не скажете о Карлотте Адамс?

— Она артистка! — ответил Пуаро просто. — Этим все сказано, не правда ли?

— Но вы не считаете, что ее поджидает в жизни опасность?

— Это можно сказать о любом из нас, — серьезно заметил Пуаро. — Несчастья и испытания подкарауливают нас повсюду. Но вернемся к вашему вопросу. Я думаю, мисс Адамс преуспеет в жизни. Она умна — и не только. Ну а что касается опасности, да, ее опасность тоже не минует.

— Какого рода?

— Любовь к деньгам. Она может увести с прямой дороги здравомыслия и осмотрительности.

— Но это может случиться с каждым, — заметил я.

— Верно, но в любом случае и вы и я сможем вовремя заметить опасность, взвесить все за и против. А вот если человек слишком любит деньги и только их и видит, то они заслоняют от него все остальное.

Я рассмеялся над серьезностью моего друга и ехидно сказал:

— Королева гадалок цыганка Эсмеральда за работой.

— Психология вообще очень интересная вещь, — продолжал Пуаро, не обращая внимания на мою колкость. — Без нее нельзя браться за расследование преступления. Сыщика должно интересовать в первую очередь не само убийство, а что стоит *за* ним. Понимаете, о чем я говорю, Гастингс?

Я ответил, что прекрасно понимаю.

— Я заметил, что, когда мы работаем вместе, вы всегда стараетесь принудить меня к физическим действиям, — продолжал Пуаро. — Вы хотите, чтобы я измерял следы обуви, брал анализы сигаретного пепла или, ползая на коленях по полу, выискивал какие-то вещественные доказательства. Вам никогда не приходит в голову, что, когда сидишь с закрытыми глазами в кресле, удается быстрее подойти к решению проблемы, потому что ум видит больше, чем глаза.

— У меня так не получается, — пожаловался я. — Когда я сижу в кресле, со мной всегда происходит одно и то же.

— Я это заметил, — ответил Пуаро. — Очень странно. В такие моменты мозг должен лихорадочно работать, а не проваливаться в бездеятельный сон. Умственная деятельность так увлекательна, она так стимулирует. Работа маленьких серых клеточек доставляет субъекту моральное удовольствие. Только они могут провести сквозь туман к истине.

Боюсь, что у меня выработалась привычка переключать свое внимание на другие вещи, едва Пуаро упоминал маленькие серые клеточки. Я слишком часто слышал от него одно и то же.

В данном случае мое внимание было привлечено к соседнему столику. Когда мой друг закончил, я, посмеиваясь, сказал:

— А вы пользуетесь успехом, Пуаро. Прекрасная леди Эдвер не может глаз отвести от вас.

— Несомненно, ей сказали, кто я такой, — заметил Пуаро, стараясь ничем не выдать своего удовольствия. Это ему удалось.

— Думаю, что это из-за ваших знаменитых усов, — продолжал я. — Они ее очаровали.

Пуаро украдкой погладил предмет своей гордости.

— Они уникальны, это правда, — сказал он. — Ах, мой друг, эта «зубная щетка под носом», как вы изволите называть усы, на самом деле — величайший дар природы. И искусственно сдерживать их рост — это же преступление! Прекратите их подстригать, умоляю вас.

— Вот это да! — воскликнул я, не обращая внимания на слова Пуаро. — Кажется, леди Эдвер хочет подойти к нам. Брайен Мартин, похоже, против, но она его не слушает.

Действительно, Джейн Уилкинсон порывисто поднялась со своего места и направилась к нашему столику. Пуаро встал и поклонился. Я последовал его примеру.

— Мистер Пуаро, не так ли? — произнесла актриса тихим хрипловатым голосом.

— К вашим услугам.

— Мистер Пуаро, я хочу поговорить с вами. Я *должна* поговорить с вами.

— Разумеется, мадам. Садитесь, пожалуйста.

— Нет, нет, не здесь. Я хочу поговорить с глазу на глаз. Давайте поднимемся в мой номер.

В это время к нашему столику подошел Брайен Мартин. С просительной улыбкой он обратился к леди Эдвер:

— Джейн, не будь такой нетерпеливой. Мы же еще не кончили ужинать. Да и мистер Пуаро тоже.

Но переубедить Джейн Уилкинсон было не так легко.

— Брайен, ну какая разница? Закажем ужин в номер. Поговори, пожалуйста, с официантом. И еще, Брайен...

Она отвела его в сторону и стала в чем-то убеждать. По виду Мартина я понял, что он не соглашается: актер хмурился и качал головой. Но Джейн Уилкинсон заговорила еще более горячо, и в конце концов Мартин, пожав плечами, сдался.

Во время этого разговора Джейн Уилкинсон несколько раз взглянула в сторону столика, за которым сидела Карлотта Адамс, и я подумал, что их беседа, возможно, имеет к ней какое-то отношение.

Убедив Мартина, довольная Джейн вернулась к нам.

— Мы пойдем прямо сейчас, — заявила она, одарив ослепительной улыбкой не только Пуаро, но и меня.

Похоже, ей в голову не приходила мысль о том, что мы можем отказаться. Она повела нас к лифту, даже не извинившись.

— Какая удача, что я встретила вас сегодня, мистер Пуаро. Видно, мне везет. Я как раз думала, как же мне быть, а потом смотрю: за соседним столиком вы. И я сказала себе: мистер Пуаро посоветует, что делать.

Она прервала свою речь и бросила мальчику-лифтеру: «Третий этаж».

— Если я смогу вам помочь... — начал Пуаро.

— Я уверена, что сможете. Все вокруг исключительно высокого мнения о ваших способностях. Я оказалась в чрезвычайно затруднительном положении, и кто-то должен помочь мне. Мне кажется, что вы и есть тот самый человек.

Лифт остановился на третьем этаже, мы прошли по коридору и вошли в один из самых роскошных номеров отеля.

Мисс Уилкинсон небрежно бросила свою белую меховую пелерину и маленькую, украшенную бриллиантами сумочку. Потом села в глубокое кресло и воскликнула:

— Мистер Пуаро, я должна избавиться от своего мужа!

Глава 2

УЖИН

После секундного замешательства Пуаро пришел в себя.

— Но, мадам, — сказал он, смешно моргая глазами. — Вы не по адресу: я не избавляю от мужей. Это не моя профессия.

— Я это знаю.

— Вам нужен адвокат.

— Здесь вы не правы. Я по горло сыта этими адвокатами. Сколько у меня их было, и честных, и мошенников, но ни те, ни другие не принесли мне пользы, Законы-то они знают, но, похоже, не имеют ни капли здравого смысла.

— А я, по-вашему, имею?

Она засмеялась:

— Я слышала, что вы на этом собаку съели, мистер Пуаро.

— Как? Собаку? Какую собаку?

— Ну, в общем, вы то, что надо.

— Мадам, одни люди умны, другие не очень. К чему притворяться — я умен. Но ваша просьба — это не мой профиль.

— Почему нет? Это ведь задачка.

— О! Задачка!

— Да. И к тому же трудная, — продолжала Джейн Уилкинсон. — А вы, я знаю, трудностей не боитесь.

— Примите мои поздравления по поводу вашей проницательности, мадам. Но все равно я не занимаюсь разводами. Для меня не представляет интереса это ремесло.

— Мой дорогой, я не прошу вас шпионить. Здесь это все равно не поможет. Но мне просто необходимо избавиться от своего мужа, и я уверена, что вы можете подсказать, как это сделать.

Пуаро помолчал. Когда он заговорил, в его голосе послышалась новая нотка.

— Сначала скажите мне, почему вы горите таким желанием избавиться от лорда Эдвера?

Джейн Уилкинсон ни секунды не раздумывала. Ее ответ был коротким и предельно ясным:

— Все очень просто. Я хочу выйти замуж за другого человека. Какие еще могут быть причины?

Ее голубые глаза невинно смотрели на Пуаро.

— А почему вы не разведетесь? Ведь это нетрудно.

— Вы не знаете моего мужа, мистер Пуаро. Он... он... — Она передернула плечами. — Я не знаю, как сказать... Он странный... не такой, как все.

После небольшой паузы она продолжала:

— Ему вообще не надо было никогда жениться. Я знаю, что говорю. Я не могу объяснить все, как следует, но он... странный. А вы знаете, что первая жена просто сбежала от него? Даже трехмесячного ребенка бросила. Он так и не дал ей развода, и она умерла в нищете где-то за границей. Потом он женился на мне. Но у нас ничего не вышло. Мне было почему-то страшно жить с ним. Я уехала от него в Штаты. У меня не было оснований для развода, но, даже если бы я их и нашла, лорд Эдвер не обратил бы на них внимания. Он... он фанатик.

— В некоторых американских штатах можно получить развод и без согласия супруга.

— Мне это не подходит. Я собираюсь жить в Англии.

— Вы собираетесь жить в Англии?

— Да.

— За кого вы хотите выйти замуж?

— В том-то и дело. За герцога Мертона.

Я застыл от удивления. До сих пор герцог Мертон внушал лишь отчаяние тем мамочкам, которые пытались заинтересовать его своими дочерьми. Молодой человек с монашескими склонностями, истинный англичанец, он был, как говорится, целиком под каблуком своей матери, грозной вдовы-герцогини. Мертон вел жизнь аскетичную до предела. Он коллекционировал китайский фарфор и обладал, по общему мнению, тонким эстетическим вкусом. Женщинами, похоже, он не интересовался вовсе.

— Я просто с ума от него схожу, — сказала Джейн сентиментально. — Такого человека я еще не встречала. Он чудесный, он такой симпатичный, ну, как монах-мечтатель. Это так романтично. — Она помолчала. — Когда я выйду замуж, то брошу сцену. Меня это больше не интересует.

— А лорд Эдвер стоит на пути ваших романтических надежд, — сухо заметил Пуаро.

— Да... и это меня раздражает. — Она откинулась в кресле и задумалась. — Конечно, если бы мы были в Чикаго, я бы нашла кого надо, и моего супруга прикончили бы, а здесь, в Англии, вы, как видно, не держите наемных убийц.

— А здесь, в Англии, мы считаем, что каждый человек имеет право жить, — сказал Пуаро улыбаясь.

— Ну, не знаю. Я полагаю, что без кое-кого из ваших политиканов вполне можно обойтись. Если бы вы знали о лорде Эдвере то, что знаю о нем я, вы бы поняли, что общество ничего без него не потеряет. Скорее наоборот.

Раздался стук в дверь, и вошел официант с подносом. Джейн Уилкинсон продолжала, не обращая на него никакого внимания:

— Я не хочу, чтобы вы его убивали, мистер Пуаро.

— Мерси, мадам.

— Я просто думала, что вы можете серьезно поговорить с ним и убедить его дать мне развод. У вас получится.

— Мне кажется, вы переоцениваете мои возможности, мадам.

— О! Но вы можете что-нибудь придумать, мистер Пуаро. — Актриса подалась вперед и смотрела на моего друга широко открытыми глазами. — Вы ведь хотите, чтобы я была счастлива, правда?

Ее голос звучал мягко, приятно и соблазнительно.

— Я хочу, чтобы все были счастливы, — заметил Пуаро осторожно.

— Да, но до всех мне нет дела. Я только себя имела в виду.

— Похоже, что вы всегда думаете только о себе, мадам, — улыбнулся мой друг.

— Вы считаете, что я эгоистка?

— О! Я этого не говорил, мадам.

— Осмелюсь сказать, что я действительно эгоистка. Но, видите ли, я просто ненавижу быть несчастной. Это даже влияет на мою игру. А несчастной я буду до тех пор, пока лорд Эдвер не даст мне развод — или не умрет. В общем-то, — продолжала она задумчиво, — будет даже лучше, если он умрет. Тогда я избавлюсь от него окончательно. — Она посмотрела на Пуаро, очевидно ожидая найти поддержку. — Вы мне поможете, мистер Пуаро, правда? — Джейн встала, взяла свою пелерину и снова пристально посмотрела на него.

В коридоре послышались голоса.

— Если вы не... — начала она.

— Что же тогда, мадам?

— Тогда мне придется вызвать такси, поехать к лорду Эдверу домой и самой прикончить его.

Как раз в этот самый момент дверь открылась. Смеясь, Джейн ушла в соседнюю комнату. В номер вошли Брайен Мартин, Карлотта Адамс, ее спутник, а также мужчина и женщина, которые сидели за столиком с Джейн Уилкинсон. Их представили как супругов Уидберн.

— Привет! — сказал Брайен. — А где Джейн? Я хочу сообщить ей, что выполнил ее поручение.

Джейн появилась на пороге спальни. Она держала тюбик помады.

— Привел? Отлично. Мисс Адамс, своим представлением вы доставили мне истинное наслаждение. Я решила обязательно познакомиться с вами. Давайте пройдем в спальню. Поговорим там, пока я подкрашусь немного. Я выгляжу просто ужасно.

Карлотта Адамс последовала за ней. Брайен Мартин упал в кресло.

— Ну, мистер Пуаро, — начал он, — вас взяли в плен. Убедила ли вас наша Джейн вступить в бой на ее стороне? Рано или поздно вы все равно вынуждены были бы согласиться. Она не понимает слова «нет».

— Может, ей просто не приходилось его слышать.

— У Джейн весьма своеобразный характер, — заметил Брайен Мартин. Он откинулся в кресле и, затянувшись сигаретой, пустил в потолок клуб дыма. — Для нее нет запретов. Никаких моральных обязанностей. Я не хочу сказать, что она аморальна, нет. Скорее легкомысленна. Просто для нее в жизни существует только то, чего хочет она. — Он засмеялся. — Я думаю, что она и убила бы кого-нибудь вполне жизнерадостно и очень обиделась, если бы ее поймали и приговорили к повешению. Беда в том, что она наверняка попадется. У нее нет мозгов. Для убийства она закажет такси на свое имя, поедет и, нисколько не таясь, застрелит свою жертву.

— Интересно, зачем вы мне все это говорите, — пробормотал Пуаро.

— Что?

— Вы хорошо ее знаете, мсье?

— Полагаю, что да.

Мартин снова засмеялся, и я поразился тому, сколько горечи было в этом смехе.

— Вы согласны с моей точкой зрения? — обратился он к своим спутникам.

— Да. Джейн первосортная эгоистка, — согласилась миссис Уидберн. — Впрочем, актриса и должна быть такой, если она желает подчеркнуть свою индивидуальность.

Пуаро молчал. Он внимательно смотрел на Брайена Мартина, размышляя о чем-то. Я не мог понять выражение лица моего друга.

В этот момент в комнату вошли Джейн и Карлотта Адамс. Джейн, видимо, уже подкрасилась, хотя, на мой взгляд, она выглядела точно так же, как и прежде. Улучшить такую прекрасную внешность, по-моему, просто невозможно.

Ужин прошел довольно оживленно, хотя мне казалось, что между нашими новыми знакомыми возникает время от времени какая-то напряженность. Причины ее я не понимал.

Джейн Уилкинсон вела себя грубовато. Я прощал ей это: если таким женщинам приходит в голову какая-нибудь идея, они уже не могут думать ни о чем другом. Леди Эдвер надо было познакомиться с Пуаро — и она осуществила свое желание немедленно. Теперь она была, конечно, в приподнятом настроении. Ее желание пригласить Карлотту Адамс было, я полагаю, просто капризом. Она, как ребенок, восхищалась этой остроумной пародией на себя.

Нет, эта напряженность исходила не от Джейн Уилкинсон. Тогда от кого же?

Я стал по очереди изучать гостей. Брайен Мартин? Действительно, он вел себя не совсем естественно. Но это я объяснял себе просто характером кинозвезды. Преувеличенная застенчивость тщеславного человека, который слишком привык играть подобную роль на публике и не может расстаться с ней так просто.

Карлотта Адамс, напротив, вполне освоилась в незнакомой компании. Это была спокойная девушка с низким приятным голосом. Теперь, когда я получил возможность взглянуть на нее поближе, я изучал ее довольно внимательно. Эта девушка олицетворяла собой мягкую покорность. Никакой решительности, несогласия. У нее были темные волосы, светло-голубые, почти бесцветные глаза, бледное лицо, подвижные чувственные губы. В ней было определенное обаяние, но если обладателя такой внешности встретишь в другой одежде, то вряд ли узнаешь.

Карлотте, казалось, были приятны комплименты Джейн, ее великодушие. Я подумал, что любая девушка была бы польщена таким вниманием со стороны известной актрисы, но как раз в этот момент я вынужден был изменить свои скоропалительные выводы.

Карлотта Адамс посмотрела через стол на хозяйку вечера, которая в это время повернула голову, чтобы заговорить с Пуаро. Мисс Адамс смотрела на Джейн внимательным, оценивающим взглядом. Меня поразило, что в ее светло-голубых глазах сквозило вполне определенное

202

недружелюбие. Впрочем, мне это могло просто показаться. А может, в Карлотте заговорила профессиональная ревность. Джейн была популярной актрисой, которая добилась всего, а мисс Адамс только начинала свой путь к славе.

Я перевел взгляд на трех остальных участников ужина. Кто такие супруги Уидберн? Он — высокий, страшно худой мужчина, она — светлая пухлая болтушка. По виду — обеспеченные люди. Оба страстно интересовались всем, что связано с театром, и не желали говорить на другие темы. Я долго отсутствовал в Англии и не был в курсе последних театральных событий, так что в конце концов миссис Уидберн, передернув пухлым плечиком, отвернулась от меня и совершенно забыла о моем существовании.

Последним участником вечеринки был спутник Карлотты Адамс, смуглый молодой человек с круглым бодрым лицом. Уже с первого взгляда я понял, что он навеселе. Теперь, когда он выпил шампанского, это стало еще более очевидным.

Похоже, у него совершенно отсутствовало чувство собственного достоинства. Первую половину ужина он хранил угрюмое молчание, зато к концу вечеринки принялся изливать мне душу, полагая, очевидно, что я один из его закадычных приятелей.

— Я вот что хочу сказать, — начал он. — Нет, старина, не то... — Язык его слегка заплетался. — Я вот что хочу сказать, — продолжал он. — Ты послушай. Вот взять, к примеру, эту девушку, которая, ну, в общем, во все вмешивается. Все только портит. Нет, я, конечно, не говорил ей ничего такого. Она все равно бы не послушала. Знаешь, родители — пуритане, «Мейфлауэр»[1] и тому подобное. Да Бог с ним, девушка-то неплохая. Так вот что хочу сказать... э... на чем я остановился?

— Вы жаловались на трудности, — мягко подсказал я.

— Да, черт возьми, правильно. Деньги на эту вечеринку я был вынужден занять у своего портного. Очень любез-

---

[1] «М е й ф л а у э р» — название корабля, на котором в 1620 г. группа английских переселенцев-пуритан прибыла в Северную Америку.

ный парень этот портной. Я ему долги годами не отдаю. Так что нас теперь вроде как узы связывают. Нет ничего крепче уз, старина. Ты и я. Ты и я. А кстати, кто ты такой?

— Моя фамилия Гастингс.

— Да что ты говоришь! Я готов был поклясться, что ты Спенсер Джонс. Я встретил его недавно на «Итон энд Херроу» и одолжил пятерку. Вот я и говорю, что все так похожи. Если бы мы были китайцами, то вообще друг друга не различали бы.

Он горестно покачал головой, потом неожиданно повеселел и выпил шампанского.

— По крайней мере, я не негр, — заявил он.

Эта мысль вызвала у молодого человека такой подъем, что он произнес несколько реплик более оптимистического характера.

— С другой стороны, — начал он, — да, если взглянуть с другой стороны, очень скоро, ну, когда мне стукнет семьдесят пять или около этого, я стану богатым. Когда умрет мой дядя, я смогу отдать все долги портному.

Он радостно улыбнулся этой перспективе.

У молодого человека было круглое лицо и нелепые маленькие черные усики, которые выглядели на его лице чахлым оазисом в центре пустыни. Но все равно в нем было что-то чрезвычайно привлекательное.

Я заметил, что Карлотта Адамс время от времени смотрела в его сторону. Через какое-то время она встала и вечеринка закончилась.

— Очень любезно с вашей стороны, что приняли мое приглашение, — сказала ей Джейн. — Я так люблю делать все экспромтом, не раздумывая, а вы?

— А я нет, — ответила мисс Адамс с едва заметным вызовом. — Я всегда все тщательно планирую. Зато потом не беспокоюсь.

— Ну, так или иначе, в вашем случае результаты себя оправдывают, — засмеялась Джейн. — Не помню, когда в последний раз я получала такое наслаждение, как на вашем представлении.

Лицо мисс Адамс смягчилось.

— Большое спасибо, — тепло поблагодарила она. — Мне так приятно слышать это от вас. Мне нужна поддержка. Да и кому она не нужна?

— Карлотта, — вмешался молодой человек с черными усиками, — пожми всем руки, поблагодари тетю Джейн за ужин и пойдем.

Ему с большим трудом удавалось идти не качаясь. Карлотта быстро последовала за ним.

— Кто это назвал меня тетей Джейн? — спросила леди Эдвер. — Как он сюда попал? Я его прежде не встречала.

— Дорогая, не обращайте внимания, — сказала миссис Уидберн. — Этот джентльмен когда-то учился в Оксфорде, подавал большие надежды в Драматическом обществе. Не скажешь, правда? Жаль, что из него ничего не вышло. Но нам с Чарльзом пора идти.

И Уидберны ушли вместе с Брайеном Мартином.

— Ну, мистер Пуаро?

— Eh bien[1], леди Эдвер? — улыбнулся мой друг.

— Ради Бога, не называйте меня так. Дайте мне забыть эту фамилию, если только вы не самый бессердечный человек во всей Европе.

— Что вы, нет. Я не бессердечный.

Я подумал, что последний бокал шампанского был для Пуаро, видимо, лишним.

— Так вы поговорите с моим мужем? Заставите его сделать то, что я хочу?

— Я встречусь с ним, — осторожно пообещал Пуаро.

— Если он откажется, а он наверняка откажется, вы придумайте какой-нибудь план. Говорят, вы самый умный человек в Англии, мистер Пуаро!

— Мадам, когда вы говорили о бессердечности, то это была Европа, а когда вы заговорили про ум, то это только Англия.

— Если вам удастся выполнить мою просьбу, я готова назвать даже Вселенную!

Пуаро сделал нетерпеливый жест.

— Мадам, я ничего не обещаю. Но мне было бы интересно оценить вашего супруга с точки зрения психологии. Я приложу все усилия, чтобы встретиться с ним.

***

[1] Ну что *(фр.)*.

— Психоанализируйте его сколько хотите. Может, это пойдет ему на пользу. Только убедите его в необходимости развода. Я хочу спасти свой роман, мистер Пуаро. — И она добавила мечтательно: — Какая это будет сенсация.

Глава 3

ЧЕЛОВЕК С ЗОЛОТЫМ ЗУБОМ

Несколько дней спустя во время завтрака Пуаро передал мне письмо, которое только что получил:

— Взгляните, mon ami[1], и скажите, что вы об этом думаете.

Письмо было от лорда Эдвера. Сухим, официальным языком в нем сообщалось, что лорд Эдвер примет Пуаро на следующий день в одиннадцать часов утра. Должен сказать, что я очень удивился. Я не принял всерьез обещание моего друга, данное мисс Джейн во время той беззаботной вечеринки в отеле «Савой». Я и не знал, что он уже предпринял шаги, чтобы выполнить свое обещание.

Сообразительный Пуаро как будто читал мои мысли:

— Ну конечно, mon ami, вы думаете, что это шампанское развязало мне язык в тот вечер.

— Вовсе нет.

— Да, да. Вы подумали: вот, мол, Пуаро наобещал Бог знает чего на том развеселом ужине, а сам и не думает выполнять. Но знайте, мой друг, обещания Эркюля Пуаро святы!

Произнося последнюю фразу, он принял торжественный вид.

— Конечно, конечно. Знаю, — торопливо согласился я. — Просто я думал, что леди Эдвер, как бы сказать, на вас слегка повлияла.

— Никто и ничто не может на меня повлиять, Гастингс. Ни лучшее сухое шампанское, ни самые соблазнительные женщины с золотистыми волосами не могут воздействовать на Эркюля Пуаро. Нет, mon ami, я согласился, потому что мне самому интересно. Вот и все.

---

[1] Друг мой *(фр.)*.

— Вы заинтересовались любовными делами Джейн Уилкинсон?

— Не совсем так. Ее, как вы изволили выразиться, любовные дела — вполне заурядное явление. Это просто эпизод в жизни преуспевающей женщины. Если бы герцог Мертон не имел ни титула, ни денег, то его романтическая внешность мечтательного монаха вряд ли привлекла бы леди Эдвер. Нет, Гастингс, меня интересует психологический аспект этого дела. Столкновение двух характеров. Я весьма рад возможности взглянуть на лорда Эдвера поближе.

— Но вы надеетесь, что вам удастся выполнить просьбу его супруги?

— Pourquoi pas?[1] У каждого человека есть слабости. Не думайте, Гастингс, что если это дело интересует меня с психологической точки зрения, то я не пытаюсь выполнить возложенную на меня миссию. Мне всегда приятно применить свои способности на практике.

Я испугался, что сейчас Пуаро опять начнет разглагольствовать о маленьких серых клеточках, но, к счастью, он этого не сделал.

— Значит, завтра мы едем к лорду Эдверу? — спросил я.

— Мы? — поднял брови мой друг.

— Пуаро! — воскликнул я. — Вы не можете оставить меня в стороне! Я всегда с вами.

— Если бы это было преступление, ну, например, загадочное отравление, убийство — словом, все, что приводит вас в трепет, тогда бы я с вами согласился. Но в данном случае дело скорее относится к области светской хроники.

— Ни слова больше! — решительно заявил я. — Я еду с вами.

Пуаро тихо засмеялся, и в этот момент нам сообщили, что пришел какой-то джентльмен.

К нашему удивлению, это был Брайен Мартин. При дневном свете знаменитый актер выглядел старше. Мартин был в нервозном, возбужденном состоянии, и у меня промелькнула мысль, что он, возможно, принимает наркотики.

---

[1] Почему бы нет? (фр.)

207

— Доброе утро, мистер Пуаро, — начал он бодрым тоном. — Я вижу, вы завтракаете. Очень рад, что вы уже встали. Видимо, вы заняты сейчас?

— Нет, — дружески улыбнулся ему мой друг. — В настоящее время у меня нет ни одного мало-мальски важного дела.

— Рассказывайте, — засмеялся Мартин. — Неужели вас больше не беспокоит Скотленд-Ярд? И нет никаких деликатных просьб от королевской семьи? Не верю.

— Не выдавайте желаемое за действительное, — шутливо ответил Пуаро. — Уверяю вас, что сейчас я совершенно безработный, хотя и не получаю пока пособия, Dieu merci[1].

— Значит, мне повезло, — заявил актер. — Может быть, вы согласитесь взяться за мое дело.

Пуаро задумчиво посмотрел на гостя:

— У вас для меня есть дело?

— Ну... можно сказать, есть, а можно сказать, нет. На этот раз его смех прозвучал натянуто. Пуаро предложил актеру сесть, все так же задумчиво глядя на него. Я пересел поближе к моему другу.

— Теперь мы готовы выслушать вас, — объявил Пуаро.

Брайен Мартин все еще колебался.

— Беда в том, что я не могу рассказать вам всего. — Он задумался. — Трудно. Все это началось в Америке.

— В Америке, да?

— Я ехал в поезде и совершенно случайно обратил внимание на одного мужчину. Страшно некрасивый тип, чисто выбритый, в очках и с золотым зубом.

— Ага! С золотым зубом.

— Именно так. С этого все и началось.

— Я начинаю понимать, — кивнул Пуаро. — Продолжайте.

— Ну так вот. Я просто обратил на него внимание, и все. Кстати, тогда я ехал в Нью-Йорк. Полгода спустя я был в Лос-Анджелесе и опять увидел этого человека. Не знаю, как уж так получилось, но факт остается фактом. И все же я решил не беспокоиться.

---

[1] Слава Богу (фр.).

— Продолжайте.

— Месяц спустя я поехал по делам в Сиэтл и вскоре встретил там — кого бы вы думали? Того же самого мужчину, *только на этот раз у него была борода.*

— Действительно интересно.

— Вы находите? Конечно, и на этот раз я подумал, что ко мне это не имеет никакого отношения. Потом я опять встретил этого человека в Лос-Анджелесе без бороды, в Чикаго я видел его с усами и наклеенными бровями, в одной деревушке в горах я заметил его переодетым бродягой. Я начал беспокоиться.

— Естественно.

— И наконец он начал ходить за мной, что называется, по пятам. Как это ни странно, но в этом нет ни малейшего сомнения.

— Исключительно интересно.

— Правда? Вот тогда я и понял, что за мною следят. Где бы я ни находился, всегда поблизости был этот человек, все время менявший внешность. К счастью, золотой зуб всегда выдавал его.

— Ага! Этот золотой зуб помогал вам.

— Очень.

— Извините, что перебиваю вас, мистер Мартин. Вы пытались заговорить с этим человеком? Выяснить, почему он преследует вас?

— Нет, не пытался. — Актер заколебался. — Пару раз я хотел подойти к нему, но каждый раз передумывал. Я решил, что просто настрожу его и ничего не выясню. Возможно, после этого они заставили бы следить за мной кого-нибудь другого, без такого заметного признака.

— En effet[1], кого-нибудь без этого примелькавшегося золотого зуба.

— Именно так. Может быть, я ошибаюсь, но это мое мнение.

— Мистер Мартин, вы сказали «они». Кого вы имеете в виду?

— Я просто употребил это слово для удобства. Не знаю почему, но мне кажется, что за этим стоят какие-то люди.

---

[1] Действительно, на самом деле *(фр.)*.

— У вас есть основания так думать?

— Никаких.

— Вы хотите сказать, что у вас нет никаких предположений насчет того, кто и с какой целью?

— Ни малейшего понятия. По крайней мере...

— Продолжайте, — подбодрил Пуаро.

— У меня появилось одно предположение, — медленно сказал Брайен Мартин, — но имейте в виду, что это просто догадка.

— Иногда догадка может очень помочь, мсье.

— Года два назад в Лондоне со мной произошел один случай. В общем-то ничего особенного, но я не смог ни объяснить, ни забыть этот инцидент. С тех пор я часто ломал голову, но поскольку так и не смог найти ему объяснения, то склонен думать, что слежка за мной как-то с ним связана. Но как и почему — не имею ни малейшего понятия.

— Может быть, я смогу вам помочь.

— Да, но видите ли... — снова замялся Брайен Мартин. — Беда в том, что я не могу рассказать вам об этом сейчас. Через несколько дней я, наверное, смогу это сделать.

Пуаро вопросительно смотрел на актера, и тот вынужден был продолжать.

— Видите ли, здесь замешана женщина, — выпалил он в отчаянии.

— Прекрасно! Англичанка?

— Да. А как вы догадались?

— Очень просто. Вы не можете сказать мне сейчас, но надеетесь сделать это через несколько дней. Значит, вы хотите получить согласие этой леди. Следовательно, она в Англии. В то время, когда за вами следили, она также наверняка была в Англии, потому что, если бы она находилась в Америке, вы бы уже тогда попросили разрешения назвать ее имя при возможном расследовании. Логично?

— Вполне. А теперь скажите, мистер Пуаро, если я получу ее разрешение, вы займетесь этим делом?

Пуаро не ответил. Видно, он взвешивал все за и против. Наконец он сказал:

— Почему вы пришли сначала ко мне, а не к той леди?

— Ну, я считал... — Актер заколебался. — Я хотел убедить ее... э... прояснить... то есть я хотел сказать, чтобы она разрешила с вашей помощью... В общем, я хотел заручиться вашим согласием, потому что если за дело возьметесь вы, то это не сделается достоянием публики, правда?

— Это зависит от разных обстоятельств, — ответил мой друг.

— Что вы имеете в виду?

— Если это дело связано с преступлением...

— О! Оно не связано с преступлением.

— Вы не знаете. Может, и связано.

— Но вы приложите все усилия ради нее... ради нас?

— Разумеется. — Пуаро помолчал, потом спросил: — Скажите, этому человеку, который следил за вами, сколько ему было лет?

— Довольно молодой. Около тридцати.

— Ага! — произнес Пуаро. — Замечательно. Это делает задачу более интересной.

И я и Брайен Мартин с недоумением посмотрели на Пуаро. Я был уверен, что и актер не понял последней реплики моего друга. Мартин перевел на меня вопросительный взгляд. Я покачал головой.

— Да, — пробормотал Пуаро. — Дело становится более интересным.

— Может быть, он и старше, — с сомнением добавил Брайен, — но не думаю.

— Нет, нет, я уверен, что ваши наблюдения вполне точны, мистер Мартин. Очень интересно. Исключительно интересно.

Удивленный загадочными словами Пуаро, наш гость, похоже, не знал, что ему говорить или делать дальше. Он предпринимал отчаянные попытки продолжить беседу.

— А замечательно все-таки прошел у нас тот вечер, — сказал он. — Правда, Джейн Уилкинсон самая своенравная женщина, которая когда-либо жила на свете.

— У нее весьма своеобразные умственные способности, — улыбнулся Пуаро. — Если ей приходит в голову какая-то идея, то для других мыслей там просто нет места.

— Ей все сходит с рук! — воскликнул Мартин. — Не могу понять, как люди это терпят.

— Красивой женщине можно многое простить, мой друг, — заметил Пуаро с озорным огоньком в глазах. — Вот если бы у нее был приплюснутый нос, нездоровый цвет лица, неухоженные волосы, тогда ей ничего бы не «сходило с рук», как вы изволили выразиться.

— Видимо, да, — согласился актер. — Но иногда это так раздражает. И все равно я предан Джейн, хотя кое в чем, учтите, считаю, она чуть-чуть «того».

— Наоборот, я сказал бы, что она довольно неплохо ориентируется во многих вопросах.

— Я не совсем это имел в виду. Да, она может постоять за себя. У нее хорошая деловая хватка. Но я хотел сказать — с точки зрения морали.

— Ага! Морали!

— Для нее нет никаких нравственных запретов, нет понятий «хорошо» и «плохо».

— Да, я помню, вы говорили что-то в этом роде в тот вечер.

— Мы только что говорили о преступлении...

— И что же, мой друг?

— Так вот, меня совсем не удивило бы, если бы Джейн совершила преступление.

— Вам, конечно, виднее, — задумчиво пробормотал Пуаро. — Вы много снимались с ней в кино, не правда ли?

— Да. Можно сказать, я вижу ее насквозь. Она может убить — и сделает это без малейших угрызений совести.

— Ага! Ее легко вывести из себя?

— Вовсе нет. Она холодна, как огурец. Я имею в виду, что, если кто-то встанет на ее пути, она уберет его не задумываясь. И с моральной точки зрения ее нельзя винить: она просто считает, что тот, кто мешает Джейн Уилкинсон, должен умереть.

В его словах послышалась горечь. Я подумал, что у Мартина связаны с этой женщиной какие-то неприятные воспоминания.

— Так вы считаете, что она может пойти на убийство? — спросил Пуаро, пристально глядя на актера.

Брайен глубоко вздохнул:

— Клянусь, может. И может быть, очень скоро вы припомните мои слова... Видите ли, она убьет с такой же легкостью, с какой выпьет чашку чаю. Я знаю, что говорю.

— Вижу, что знаете, — спокойно произнес Пуаро.

Актер встал.

— Да, — произнес он. — Вижу ее насквозь. — Он постоял минуту, нахмурившись, потом другим тоном добавил: — Что касается дела, о котором мы говорили, то через несколько дней я дам вам знать, согласна ли та леди. Но вы возьметесь за него, да?

Пуаро некоторое время молча смотрел на собеседника.

— Да, — сказал он наконец, — возьмусь. Я нахожу его весьма интересным.

Последние слова он произнес каким-то особенным тоном. Я проводил Мартина. У двери он спросил:

— Вы поняли, почему мистер Пуаро поинтересовался возрастом человека, следившего за мной? И что здесь такого, если ему тридцать лет? Я совсем ничего не понял.

— Я тоже, — признался я.

— Похоже, что это его замечание не имеет никакого смысла. Или он просто пошутил?

— Нет, — возразил я, — Пуаро не такой. Уж поверьте, раз он сказал, что возраст имеет значение, значит, так оно и есть.

— Ничего не понимаю, черт побери. Рад, что и вы тоже, а то неприятно чувствовать себя круглым дураком.

И он ушел. Я вернулся к своему другу.

— Пуаро, объясните, почему возраст того человека имеет для вас значение? — попросил я.

— Разве вы не видите? Бедный Гастингс! — Он улыбнулся и покачал головой. — Какого вы мнения о нашей беседе?

— Я не могу пока ничего сказать. Трудно за что-либо зацепиться. Если бы мы знали больше...

— А разве на основании того, что он нам рассказал, вы не можете сделать кое-какие выводы, mon ami?

Мне было стыдно признаться, что я не могу сделать абсолютно никаких выводов. К счастью, меня спас телефонный звонок. Я взял трубку.

— Говорит секретарь лорда Эдвера, — услышал я сухой, официальный женский голос. — Лорд Эдвер сожалеет, но он вынужден отменить назначенную на завтра встречу с мистером Пуаро, так как срочно уезжает в Париж. Но лорд Эдвер может уделить мистеру Пуаро несколько минут сегодня в двенадцать пятнадцать, если это будет удобно.

Я спросил Пуаро.

— Конечно, мой друг, поедем сегодня.

Я повторил его ответ секретарше.

— Очень хорошо. Значит, сегодня в двенадцать пятнадцать, — сказала женщина тем же сухим, деловым тоном и повесила трубку.

Глава 4

БЕСЕДА С ЛОРДОМ ЭДВЕРОМ

Я ехал на Риджент-Гейт, где находился дом лорда Эдвера, предвкушая интересную встречу. Хотя я и не разделял увлечения Пуаро психологией, те слова, которыми леди Эдвер описала своего супруга, возбудили мое любопытство. Мне не терпелось самому составить мнение об этом человеке.

Дом выглядел весьма внушительно: прекрасно спланированный, без архитектурных излишеств, но несколько угрюмый. Мы ожидали, что нас встретит солидный седовласый слуга под стать внешнему виду особняка. Но нет, дверь быстро открылась, и на пороге показался один из самых красивых людей, которых мне когда-либо приходилось видеть. Высокий, белокурый, он вполне мог бы позировать скульптору, решившему создать фигуру Гермеса или Аполлона. Несмотря на мужественную красоту, в его голосе слышались какие-то женственно-нежные нотки, и мне это не понравилось. У меня появилось любопытное чувство: этот человек напомнил мне кого-то, кого я встречал совсем недавно, но как я ни напрягал память, не мог вспомнить где и когда.

Мы спросили о лорде Эдвере.

— Сюда, господа.

Слуга провел нас через просторную прихожую мимо лестницы на второй этаж, открыл дверь одной из комнат и тем же нежным голосом, которому я инстинктивно не доверял, объявил о нашем приходе.

Комната, в которую нас пригласили, служила библиотекой. Мебель была темной, мрачной, но красивой, стены заставлены книгами. Кресла казались мне не слишком удобными.

Навстречу нам поднялся лорд Эдвер, высокий человек лет пятидесяти, с темными волосами, кое-где тронутыми сединой. У него было худощавое лицо и насмешливый рот. Глаза его имели странное выражение, как будто скрывали какую-то тайну. Похоже, лорд Эдвер был не в настроении.

Он сдержанно, официально приветствовал нас.

— Я, конечно, слышал о вас, мистер Пуаро. Да и кто о вас не знает?

Пуаро кивком поблагодарил за комплимент.

— Но я не могу понять, — продолжал лорд Эдвер, — какую роль играете вы сейчас? Вы пишете, что хотели бы поговорить со мной по поручению... э... моей жены.

Он произнес два последних слова так, как будто они дались ему с трудом.

— Совершенно верно, — подтвердил Пуаро.

— Насколько я понимаю, вообще-то вы расследуете преступления, мистер Пуаро?

— Я расследую разные дела. Конечно, некоторые из них бывают связаны с преступлениями. А некоторые — нет.

— Разумеется. Ну а это, которым вы занялись сейчас, к какой отнести категории? — В словах лорда Эдвера отчетливо прозвучала насмешка, но мой друг не обратил на это внимания.

— Я имею честь обратиться к вам от имени леди Эдвер, — заявил он. — Она, как вы знаете, желает получить развод.

— Я в курсе, — холодно заметил лорд Эдвер.

— Она предложила мне обсудить эту проблему с вами.

— Нечего здесь обсуждать.

— Значит, вы отказываетесь дать развод?

— Отказываюсь? Конечно нет.

Пуаро ожидал чего угодно, но только не такого ответа. Я редко видел своего друга таким озадаченным. На него было смешно смотреть: от удивления он приоткрыл рот, а его брови поползли вверх. В тот миг он напоминал карикатуру на самого себя.

— Как? — воскликнул он. — Что вы сказали? Вы не отказываетесь?

— Не могу понять, чем вызвано ваше удивление, мистер Пуаро.

— Послушайте, вы готовы дать развод вашей жене?

— Конечно. И она об этом прекрасно знает. Я написал ей об этом в письме.

— Вы написали ей письмо?

— Да. Еще полгода назад.

— Но тогда я совершенно ничего не понимаю!

Лорд Эдвер молчал.

— Мне сказали, что вы из принципа не согласны на развод.

— Мои принципы не должны вас касаться, мистер Пуаро. Своей первой жене я не дал развода, это правда. Мои взгляды не позволили мне сделать это. А второй брак, честно скажу вам, был ошибкой. Когда моя вторая жена предложила развестись, я наотрез отказался. Полгода назад она снова затронула эту тему в письме. Как я понял, она хочет выйти замуж за какого-то артиста или кого-то в этом роде. К тому времени мои взгляды изменились. Я написал ей в Голливуд и выразил согласие. Не могу понять, почему она прислала вас. Наверное, дело в деньгах.

Губы лорда Эдвера исказила презрительная усмешка.

— Чрезвычайно интересно, — пробормотал Пуаро. — Чрезвычайно. Но я ничего не понимаю.

— Что касается денег, — продолжал лорд Эдвер, — то я и пальцем не шевельну, чтобы выплатить ей хоть что-нибудь. Моя жена бросает меня по собственной инициативе. Если она хочет выйти замуж за кого-то, я предоставляю ей полную свободу действий. Но она не получит от меня ни пенни.

— Этот вопрос она не затрагивала.

Брови лорда Эдвера удивленно приподнялись.

— Видно, Джейн выходит замуж за богатого человека, — пробормотал он с циничной усмешкой.

— И все-таки я здесь чего-то недопонимаю, — заявил Пуаро. Лицо моего друга по-прежнему выражало недоумение, на лбу собрались морщины. — Я считал, что леди Эдвер неоднократно обращалась к вам через своих адвокатов.

— Обращалась, — сухо подтвердил лорд Эдвер. — Через английских адвокатов, американских адвокатов, через любых адвокатов, вплоть до последнего замухрышки. В конце концов, как я уже сказал, она написала мне сама.

— По причине ваших неоднократных отказов?

— Да.

— Но, получив ее письмо, вы согласились на развод. Почему, лорд Эдвер?

— Во всяком случае, не из-за того, что в письме было что-то компрометирующее, — резко ответил он. — Просто мои взгляды изменились, вот и все.

— Что-то очень уж неожиданно они у вас изменились.

Лорд Эдвер не ответил.

— Так что же произошло? Что заставило вас изменить своим принципам?

— Это вас не касается, мистер Пуаро. Я не буду говорить на эту тему. Может быть, я увидел преимущества, которые принесет мне разрыв этого, простите, унизительного союза. Второй брак был ошибкой.

— Ваша жена тоже так считает, — мягко заметил Пуаро.

— Правда? — В глазах лорда Эдвера появился и сразу же пропал странный блеск.

Он поднялся, давая нам понять, что разговор окончен. Его официальная манера несколько смягчилась.

— Вы должны простить меня за то, что я изменил время нашей встречи. Завтра я должен ехать в Париж.

— Ничего, ничего.

— Там состоится продажа предметов искусства. Мне понравилась одна статуэтка. По-своему замечательная работа, хотя многие, наверное, найдут тему чересчур мрачной. Но мне такие всегда нравились. У меня вообще своеобразный вкус.

И опять у нашего собеседника появился в глазах тот же странный блеск. Я рассматривал книги на ближних полках. Здесь были «Мемуары Казановы», том сочинений маркиза де Сада, книга о средневековых пытках.

Я вспомнил, как Джейн Уилкинсон передернула плечами, когда говорила о своем муже. Да, то было вполне

217

искреннее отвращение. Кто же такой этот Джордж Альфред Сент-Винсент Марш — четвертый барон Эдвер?

Он вежливо попрощался с нами и нажал кнопку звонка. Мы вышли из библиотеки. Тот же слуга с внешностью греческого бога ждал в прихожей. Закрывая дверь библиотеки, я обернулся и чуть не вскрикнул от неожиданности.

Лорд Эдвер смотрел нам вслед. Его улыбка трансформировалась в чудовищную гримасу: зубы были оскалены, глаза горели яростью, почти безумным бешенством. Теперь я понял, почему лорда Эдвера покинули обе жены. Я восхитился его железной выдержкой: с какой холодной вежливостью он вел себя во время нашей беседы, не выдав своих чувств абсолютно ничем!

Мы подошли к выходу. Неожиданно справа от нас открылась дверь одной из комнат, и на пороге показалась девушка. Заметив нас, она отпрянула.

Это было высокое стройное создание с темными волосами и бледным лицом. На какой-то миг наши взгляды встретились. У нее были черные испуганные глаза. Потом, как привидение, девушка исчезла в комнате, прикрыв за собой дверь.

Секунду спустя мы были на улице. Пуаро подозвал такси. Мы сели, и мой друг приказал водителю отвезти нас в отель «Савой».

— Ну что ж, Гастингс, наша беседа прошла вовсе не так, как я предполагал, — констатировал Пуаро.

— Да, действительно. Какой-то все-таки странный человек этот лорд Эдвер.

Я рассказал Пуаро, какое жуткое выражение увидел на лице лорда Эдвера, когда обернулся, чтобы закрыть дверь библиотеки. Мой друг медленно, задумчиво покачал головой.

— Похоже, что этот человек находится на грани безумия. Я полагаю, что он предается втайне многим садистским порокам и что под его холодной, безукоризненной внешностью скрывается глубоко укоренившаяся жестокость.

— Неудивительно, что обе женщины бросили его.
— Согласен.

— Пуаро, а вы заметили девушку? Такую бледную, с темными волосами?

— Заметил, mon ami. Несчастная испуганная юная леди. — Голос моего друга был серьезен.

— Как вы думаете, кто она?

— Наверное, его дочь. У него ведь есть дочь.

— Она действительно выглядела испуганной, — согласился я. — В таком мрачном доме ей, видно, не по себе.

— Конечно. Ну вот мы и прибыли, mon ami. Давайте познакомим с хорошей новостью леди Эдвер.

Джейн была у себя. Служащий известил ее по телефону о нашем прибытии, и она ответила, что ждет нас. Мальчик-рассыльный проводил нас до двери ее номера.

Дверь открыла аккуратно одетая женщина средних лет в очках. Ее седые волосы были уложены в строгую прическу.

Из спальни раздался хрипловатый голос Джейн:

— Эллис, это мистер Пуаро? Пусть присядет. Я наброшу что-нибудь и выйду через минуту.

Это «что-нибудь» оказалось тончайшей накидкой, открывавшей взору гораздо больше, чем прятавшей. Войдя в комнату, Джейн воскликнула:

— Мистер Пуаро! Как хорошо!

Пуаро встал и поклонился:

— «Хорошо» — самое подходящее в данном случае слово, мадам.

— Э... что вы имеете в виду?

— То, что лорд Эдвер совершенно не возражает против развода.

— Что?!

Одно из двух: или изумление на лице Джейн было неподдельным, или мы имели дело с великолепной актрисой.

— Мистер Пуаро! Вам удалось! Сразу же! Так просто! Ну, вы гений! Ради Бога, скажите, как это у вас получилось?

— Мадам, я не могу принять комплименты, если я их не заслужил. Полгода назад ваш муж написал вам о своем согласии на развод.

— Что вы сказали? *Написал мне? Куда?*

— Я так понимаю, это было тогда, когда вы находились в Голливуде.

— Не получала я никакого письма. Наверное, затерялось где-нибудь. Подумать только: все это время я чуть с ума не сходила, переживала, думала, как быть.

— Лорд Эдвер считает, что вы хотите выйти замуж за актера.

— Правильно. Я сама сказала ему об этом. — Она по-детски улыбнулась. Неожиданно на лице Джейн появилось выражение тревоги. — Мистер Пуаро, вы не сказали ему о герцоге Мертоне?

— Нет, нет, будьте спокойны. Я благоразумно промолчал. Этого не надо было делать, да?

— Видите ли, у лорда Эдвера очень злобная натура. Он бы почувствовал, что если я выйду замуж за Мертона, то ничего не потеряю, и постарался бы расстроить мои планы. А какой-то актер — это совсем другое дело. Но я все равно удивлена. Да, да. А ты, Эллис?

Хотя во время нашего разговора служанка несколько раз уходила в спальню, чтобы унести одежду, разбросанную по спинкам кресел, у меня сложилось впечатление, что она слушает, о чем мы беседуем. Видимо, Джейн абсолютно ей доверяла.

— Да, действительно, миледи. Их светлость, видно, сильно изменились с тех пор, — язвительно заметила служанка.

— Наверное.

— Вы не можете понять столь резкой перемены в вашем супруге? Вас это удивляет? — спросил Пуаро.

— О да. Но в любом случае не стоит беспокоиться. Не все ли равно, почему он изменил свои взгляды. Главное, что он их изменил.

— Вам, может быть, и не интересно, а мне — очень, мадам.

Джейн не обратила на его слова никакого внимания.

— Главное, что я наконец свободна.

— Пока еще нет, мадам.

Она нетерпеливо взглянула на моего друга:

— Ну, буду свободна. Не все ли равно?

По виду Пуаро можно было заключить, что это не все равно.

— Герцог в Париже, — объявила Джейн. — Я должна дать ему телеграмму. О, его мамочка сойдет с ума!

— Я рад, что все выходит так, как вы хотите, мадам. — Пуаро встал.

— До свидания, мистер Пуаро, и огромное вам спасибо.

— Но я ничего такого не сделал.

— По крайней мере, принесли мне добрую весть. Я так благодарна вам. Честное слово.

— Ну вот и все, — сказал Пуаро, когда мы вышли из номера. — Только о себе! Ни одной мысли, ни даже простого любопытства, куда девалось письмо. Вы заметили, Гастингс, она чрезвычайно умна в житейских делах, но абсолютно лишена интеллекта. Что поделаешь, Бог не может одарить всем сразу.

— Это не относится к Эркюлю Пуаро, — заметил я лукаво.

— Опять вы смеетесь надо мной, — безмятежно сказал мой друг. — Давайте пойдем по набережной. Я хочу привести в порядок свои мысли.

Я хранил благоразумное молчание, пока оракул не заговорил.

— Это письмо не дает мне покоя, — начал Пуаро, когда мы неспешно шли над рекой. — Может быть четыре объяснения его исчезновения.

— Даже четыре?

— Да. Первое: письмо затерялось на почте. Такое, как вы знаете, случается, хотя и не часто. Если бы адрес был написан неправильно, оно давно бы вернулось к лорду Эдверу. Нет, я склонен исключить это предположение, хотя, конечно, оно может быть и верным.

Второе: наша прекрасная леди лжет, что не получала никакого письма. Это вполне возможно, поскольку леди Эдвер может сказать для своей пользы любую неправду, сохраняя при этом по-детски невинный вид. Но я не понимаю, Гастингс, какая ей от этого польза? Если она знает, что он даст ей развод, зачем просить помощи у меня? Это бессмысленно.

Третье предположение. Лжет лорд Эдвер. И скорее всего говорит неправду он, а не его жена. Но опять-таки я не вижу в этом смысла. Зачем изобретать фиктивное письмо, посланное якобы полгода назад? Нет, я склонен думать, что он действительно послал письмо, хотя я не могу понять, чем вызвана такая неожиданная перемена его взглядов.

И вот мы пришли к четвертому предположению. Кто-то мог перехватить письмо. Вот здесь, Гастингс, мы вступаем в очень интересную полосу размышлений, так как письмо могло быть перехвачено и в Америке, и в Англии.

Тот, кто это сделал, не заинтересован в расторжении брака Джейн Уилкинсон и лорда Эдвера. Гастингс, я много бы дал за то, чтобы узнать, что за этим скрывается. Клянусь вам, здесь что-то есть.

Он помолчал немного, потом медленно добавил:

— Это «что-то» я пока смог увидеть лишь краем глаза.

Глава 5

УБИЙСТВО

Утром следующего дня, в полдесятого, нам сообщили, что приехал инспектор Джепп, который срочно хочет поговорить с мистером Пуаро.

— Ah! Ce bon Japp[1], — сказал Пуаро. — Интересно, что ему понадобилось?

— Помощь! — воскликнул я. — У него что-то не ладится, вот он и пришел к вам.

Я относился к Джеппу не так снисходительно, как мой друг: инспектор Скотленд-Ярда постоянно присваивал себе его мысли. Пуаро это льстило, а меня, наоборот, раздражало, ведь Джепп делал вид, что ничего подобного не происходит. Не люблю, когда люди лицемерят. Я сказал об этом Пуаро, и он рассмеялся.

— Вы такой принципиальный, да, Гастингс? Но не следует забывать, что бедный Джепп вынужден спасать свою репутацию. Вот он и притворяется, что ничего такого нет. Это вполне естественно.

Я ответил Пуаро, что глупо быть таким великодушным, но мой друг не согласился.

---

[1] А, наш добрый Джепп *(фр.)*.

— Внешняя форма — это bagatelle[1], но люди обращают на нее внимание. Она позволяет им тешить свое amour propre[2].

Лично я считал, что самоуверенному инспектору было бы полезно чувствовать время от времени хотя бы маленький комплекс неполноценности. Но я решил не спорить. Кроме того, мне поскорей хотелось услышать, зачем пришел Джепп.

Он сердечно поздоровался с нами.

— Я вижу, вы завтракаете. Ну что, мистер Пуаро, вы не встречали еще кур, которые несли бы стандартные яйца? — пошутил инспектор.

(Однажды Пуаро пожаловался ему на то, что все куриные яйца имеют почему-то различные размеры. Любовь моего друга к симметрии и порядку была поистине невероятной.)

— Пока нет, — улыбнулся Пуаро. — Мой добрый Джепп, что привело вас сюда в столь ранний час?

— Для меня не столь ранний. Я уже два часа как на ногах. А привело меня сюда убийство.

— Убийство?

— Именно, — кивнул Джепп. — Лорд Эдвер убит у себя в доме на Риджент-Гейт. Жена ударила его ножом в шею.

— Жена? — воскликнул я.

В тот же миг я вспомнил слова Брайена Мартина, сказанные им накануне. Неужели он предвидел, что такое может случиться? Я припомнил, с какой легкостью Джейн говорила о том, что может «прикончить» своего супруга. Брайен Мартин сказал, что для нее нет моральных запретов. Да, именно так. Бездушная, самолюбивая, глупая — как точно он охарактеризовал ее.

Пока эти мысли проносились у меня в голове, Джепп продолжал:

— Вы ее знаете. Популярная актриса Джейн Уилкинсон. Вышла за него замуж три года назад. Но они не ужились, и она бросила лорда Эдвера.

Пуаро слушал с озабоченным видом. Лицо его выражало недоумение.

---

[1] Безделица *(фр.)*.
[2] Самолюбие *(фр.)*.

— А почему вы думаете, что убила она?

— Не думаю, а знаю. Ее опознали свидетели. Да она и не очень-то маскировалась. Подъехала в такси...

— В такси... — как эхо повторил я. Слова Джейн, сказанные в тот вечер в отеле, снова всплыли в моей памяти.

— ...позвонила и спросила, дома ли лорд Эдвер. Было десять часов вечера. Слуга ответил, что сейчас посмотрит. «Не стоит, — хладнокровно говорит она. — Я — леди Эдвер. Он наверняка в библиотеке». Потом она хладнокровно идет в библиотеку и закрывает за собой дверь.

Слуга подумал, что все это довольно странно, но не стал ничего предпринимать. Минут через десять он услышал, как хлопнула входная дверь. Так что леди Эдвер оставалась в доме недолго. Около одиннадцати часов вечера слуга закрыл входную дверь на замок. Потом заглянул в библиотеку, но там было темно, и он решил, что хозяин пошел спать. Утром служанка обнаружила тело. Удар был нанесен в шею, как раз в том месте, где начинают расти волосы.

— Лорд Эдвер не кричал? Никто ничего не слышал?

— Говорят, что нет. Знаете, дверь в этой библиотеке плохо пропускает звук. К тому же шум транспорта. Лезвие вошло в какую-то там цистертию, а потом проникло в костный мозг. Так сказал доктор. После этого удара смерть наступила чрезвычайно быстро. Если ударить ножом в строго определенное место, смерть наступает мгновенно.

— Значит, убийца должен был точно знать, куда ударить. Для этого, вероятно, надо обладать медицинскими знаниями.

— Верно. Это единственное очко в ее пользу. Но ставлю десять против одного, что это чистая случайность. Она нечаянно попала в нужное место. Просто везение.

— Вряд ли можно назвать везением смертную казнь через повешение, — заметил Пуаро.

— Согласен. Конечно, она сделала глупость. Убила его, нисколько не скрываясь, назвала свое имя и все такое.

— Действительно, очень любопытно.

— Возможно, сначала она не хотела его убивать. Но потом они поссорились, она выхватила перочинный нож и ударила его.

— Так это был перочинный нож?

— По крайней мере, что-то в этом роде. Так сказал доктор. Все равно леди Эдвер забрала нож с собой, потому что в ране его не было.

Пуаро недовольно покачал головой:

— Нет, нет, мой друг, все было не так. Я знаю эту женщину. Она не из тех, кто теряет голову в подобных ситуациях. К тому же откуда у нее мог оказаться под рукой нож? Вряд ли кто из женщин будет носить с собой перочинный нож, и, уж конечно, не Джейн Уилкинсон.

— Так вы говорите, что знаете ее, мистер Пуаро?

— Да, знаю, — коротко ответил мой друг.

Некоторое время Джепп вопросительно смотрел на него.

— Так, может быть, вам уже кое-что известно? — наконец осмелился спросить инспектор.

— Что привело вас ко мне? — осведомился Пуаро. — Желание поболтать со старым другом? Конечно нет. У вас на руках несомненное убийство. Вы знаете имя преступника. У вас есть мотив преступления. А каков, кстати, этот мотив?

— Она хотела выйти замуж за другого человека. Люди слышали, как она говорила об этом меньше недели назад. Слышали также, как она грозилась: приеду, мол, на такси к лорду Эдверу и прикончу его!

— Ага! Вы отлично информированы. Замечательные сведения, — констатировал Пуаро. — Кто-то очень любезно сообщил вам массу полезных фактов.

Мне показалось, что в словах моего друга прозвучал скрытый вопрос, но, даже если и так, инспектор не ответил.

— Все знать — наша профессия, — бесстрастно сказал он.

Пуаро кивнул. Он взял со стола газету, которую Джепп, несомненно, просматривал, пока ждал нас, и которую он нетерпеливо отбросил при нашем появлении. Пуаро машинально сложил ее и разгладил. Хотя взгляд его был устремлен на газетный лист, мозг напряженно работал над какой-то загадкой.

— Вы не ответили, — вновь обратился Пуаро к инспектору, — почему вы пришли, если это дело не представляет никакой сложности?

— Потому что я узнал о вашем вчерашнем визите на Риджент-Гейт.

— Ясно.

— Когда я услышал об этом, я сказал себе: здесь что-то не то. Лорд Эдвер обратился к Эркюлю Пуаро. С какой стати? Чего боялись их светлость? Кого подозревали? Вот я и решил поговорить с вами перед тем, как предпринимать конкретные шаги.

— Под «конкретными шагами», я полагаю, вы подразумеваете арест леди Эдвер?

— Именно так.

— Вы с ней уже разговаривали?

— О да, разговаривал. Первым делом я поехал в «Савой». Она ведь могла улизнуть, и я не стал рисковать.

— Ага! — воскликнул Пуаро. — Значит, вы...
Он прервал себя на полуслове. Взгляд его был по-прежнему устремлен на газету, но выражение лица изменилось. Потом он поднял голову и спросил другим тоном:

— И что же вам сказала леди Эдвер? А, мой друг? Что она сказала?

— Я ее информировал, конечно, о том, что любое ее заявление может быть использовано против нее. Нельзя упрекнуть английскую полицию в том, что она действует не по закону.

— Верно. Хотя иногда и доходит до глупости. Но продолжайте, прошу вас. Итак, что же сказала миледи?

— У нее началась истерика. Она стала носиться по комнате, заламывать руки и в конце концов хлопнулась на пол. О, это был замечательный спектакль. Чего-чего, а актерских способностей у нее не отнимешь.

— Значит, у вас сложилось впечатление, что истерика была ненастоящей? — мягко спросил Пуаро.

— А вы как думали? — подмигнул ему инспектор. — Только со мной этот номер не пройдет. У нее и обморок-то был фальшивый. Просто хотела меня провести. Клянусь, ей это даже понравилось.

— Да, — задумчиво произнес Пуаро. — Весьма возможно. Ну а что было дальше?

— Дальше она пришла в себя. То есть я хочу сказать, сделала вид, что пришла в себя. Застонала, заохала, и тут ее служанка, особа с таким кислым выражением лица, сунула ей под нос нюхательную соль. Наконец леди Эдвер оправилась настолько, что потребовала своего адвоката. Ничего не хотела говорить без него. То в обморок падает, то потом сразу адвоката требует. Вот я вас и спрашиваю, сэр: это естественное поведение?

— В данном случае вполне, — спокойно ответил Пуаро.

— Вы хотите сказать, что она прекрасно сознает свою вину?

— Вовсе нет. Я хочу сказать, что подобное поведение прекрасно отражает ее темперамент. Сначала она дает вам понять, как следует играть роль жены, которая внезапно узнает о смерти мужа. Когда же она удовлетворяет свои артистические инстинкты, ее природная практичность заставляет подумать и об адвокате. То, что она создала искусственную ситуацию ради собственного удовольствия, не есть доказательство ее вины. Это говорит лишь о том, что она прирожденная актриса.

— Она виновна. В этом нет никакого сомнения.

— Вы так уверены, — заметил Пуаро. — Что ж, может быть, вы и правы. Значит, она отказалась говорить? Так ничего и не сказала?

Джепп ухмыльнулся:

— Она заявила, что без адвоката не скажет ни слова. Служанка позвонила ему. Я оставил в номере двух полицейских и приехал сюда. Подумал, что неплохо бы обсудить это дело с вами, прежде чем продолжить расследование.

— Но тем не менее вы уверены, что она виновата?

— Конечно уверен. Но я хочу иметь в своем распоряжении как можно больше фактов. Видите ли, замять это дело не удастся. Оно получит большую огласку. Вы же знаете, какой шум поднимут газеты.

— Кстати, о газетах, — сказал Пуаро. — Как вы объясните вот это, мой друг? Видно, вы не совсем внимательно читаете утренние выпуски.

Он пальцем указал инспектору на заметку в колонке светских новостей. Джепп прочитал ее вслух:

— «Сэр Монтегю Корнер дал вчера вечером роскошный ужин в своем доме на набережной в Чизвике[1]. Среди гостей присутствовали сэр Джордж и леди дю Фисс, известный театральный критик мистер Джеймс Блант, сэр Оскар Хаммерфельдт с киностудии «Овертон-фильм», мисс Джейн Уилкинсон (леди Эдвер) и другие».

На какое-то мгновение Джепп растерялся. Потом, овладев собой, сказал:

— Ну что из того? Прессу информировали авансом. Вот увидите, окажется, что нашей леди там не было или что она пришла туда позднее, часов в одиннадцать. Боже сохрани, сэр, слепо верить всему, что пишут газеты. Уж кому, как не вам, знать это.

— О! Я знаю, знаю. Просто мне это сообщение показалось любопытным.

— Да, бывают же такие совпадения. А теперь, мистер Пуаро, хотя я и знаю, что иногда вы закрываетесь от всех, как устрица, расскажите мне, зачем лорд Эдвер приглашал вас к себе.

— Лорд Эдвер вовсе не приглашал меня, — покачал головой Пуаро. — Это я просил его принять меня.

— Правда? А зачем?

Какое-то время Пуаро колебался.

— Ладно. Я отвечу на ваш вопрос, — наконец медленно произнес он. — Но я отвечу на него по-своему.

Джепп тихо застонал. Я почувствовал к инспектору тайную симпатию: своими выкрутасами Пуаро вызывал иногда непреодолимое раздражение.

— Я прошу вашего разрешения, — продолжал мой друг, — позвонить одному человеку и пригласить его сюда.

— Какому человеку?

— Мистеру Брайену Мартину.

— Кинозвезде? А какое он имеет к этому отношение?

— Я думаю, что он может сообщить нам нечто весьма интересное и, вероятно, полезное. Гастингс, будьте любезны, посмотрите его телефон в справочнике.

---

[1] Ч и з в и к — пригород Лондона.

Мартин жил в небольшом районе недалеко от Сент-Джеймского парка.

— Виктория 49499, — назвал я номер телефонистке.

Через несколько минут Брайен Мартин отозвался довольно сонным голосом:

— Алло, кто говорит?

— Что сказать ему? — зашептал я, прикрывая трубку ладонью.

— Скажите, что убит лорд Эдвер и что я буду очень благодарен, если мистер Мартин немедленно приедет ко мне, — подсказал Пуаро.

Я повторил все слово в слово. На другом конце провода послышалось испуганное восклицание:

— Боже мой! *Так она все-таки убила его!* Я сейчас же еду к вам.

— Что он сказал? — поинтересовался Пуаро.

Я ответил.

— Ага! *«Так она все-таки убила его!»* Он так и сказал? Я так и думал, так и думал. — Пуаро вызвал своим довольным видом недоумевающий взгляд Джеппа.

— Не могу вас понять, мистер Пуаро. Сначала вы намекнули, что считаете эту женщину невиновной. Теперь, когда Брайен Мартин сказал, что она убила своего мужа, вы заявляете, что знали все с самого начала.

Пуаро улыбнулся и ничего не ответил.

Глава 6

ВДОВА

Брайен Мартин сдержал слово. Менее чем через десять минут он был у нас. Пока мы ждали его прибытия, Пуаро говорил на разные отвлеченные темы и упорно отказывался удовлетворить любопытство Джеппа даже в самой малой степени.

Новость, несомненно, огорчила актера. Его лицо побледнело и как-то осунулось.

— Боже мой, мистер Пуаро, — сказал он, пожав нам руки, — это ужасно. Я потрясен до основания и все же не могу сказать, что удивлен. В глубине души я всегда подозревал, что нечто подобное может случиться.

Вы, наверное, помните, что я говорил вам об этом вчера.

— Да, да, — подтвердил Пуаро. — Я прекрасно помню, что вы сказали мне вчера. Позвольте представить вам инспектора Джеппа, которому поручено расследование этого дела.

Брайен Мартин бросил на Пуаро укоризненный взгляд.

— Я не знал, — пробормотал он. — Вам следовало предупредить меня.

Он холодно кивнул инспектору и сел, обиженно поджав губы.

— Не понимаю, зачем вы просили меня приехать. Я не имею к этому делу никакого отношения.

— Думаю, что имеете, — мягко возразил Пуаро. — В случае убийства следует помогать в расследовании, даже если у вас не лежит к этому душа.

— Да, да. Я снимался с Джейн в кино. Я хорошо знаю ее. Черт возьми, я ведь дружу с ней.

— И однако, едва вы услышали, что лорд Эдвер убит, вы сразу решили, что убийца — она, — сухо заметил Пуаро.

Актер вздрогнул и посмотрел на Пуаро широко открытыми глазами.

— Вы хотите сказать, что... вы хотите сказать, что я не прав? Что она не убивала?

— Нет, нет, мистер Мартин, — вмешался Джепп. — Она действительно это сделала.

Мартин откинулся в кресле.

— А я уж подумал, что оговорил невинного человека, — пробормотал он.

— В таком деле ваша дружба с леди Эдвер не должна мешать расследованию, — решительно сказал Пуаро.

— Да, конечно, но...

— Мой друг, вы же не хотите выгораживать женщину, которая является убийцей? Убийство — самое отвратительное из преступлений.

Актер вздохнул.

— Вы не понимаете. Джейн — не обыкновенная преступница. Она... она не различает, что хорошо, а что плохо. Она не виновата, честное слово.

— Это решит жюри присяжных, — вставил инспектор.

— Не расстраивайтесь, — мягко сказал Пуаро. — Не думайте, что подставляете ее под удар. Обвинение ей предъявлено и без вас. Но вы должны рассказать нам все, что знаете. Это ваш долг перед обществом, мой друг.

Брайен Мартин вздохнул.

— Наверное, вы правы. Что вам рассказать?

Пуаро взглянул на Джеппа.

— Вы слышали, как леди Эдвер, или, может быть, лучше называть ее мисс Уилкинсон, произносила угрозы в адрес своего мужа? — задал инспектор первый вопрос.

— Да, неоднократно.

— Что именно она говорила?

— Она говорила, что если он не даст ей свободу, то она прикончит его.

— Это говорилось серьезно?

— Да, думаю, что она не шутила. Один раз она заявила, что закажет такси, приедет к нему домой и убьет его. Ведь и вы это слышали, мистер Пуаро? — нерешительно обратился актер к моему другу.

Пуаро кивнул.

Джепп продолжал задавать вопросы.

— Мистер Мартин, нам известно, что свобода нужна мисс Уилкинсон для того, чтобы выйти замуж за другого человека. Вы знаете, за кого?

— Знаю.

— За кого?

— За... за герцога Мертона.

— За герцога Мертона! — Инспектор присвистнул от удивления. — Высоко же летает наша леди, а? Говорят, он один из самых богатых людей в Англии.

Брайен кивнул с унылым видом.

Я не мог понять позицию Пуаро в этом вопросе. Мой друг сидел откинувшись в кресле и переплетя пальцы рук. Он ритмично покачивал головой, как человек, который наслаждается, слушая любимую пластинку.

— Разве муж не дал бы ей развода?

— Нет, он категорически отказывался.

— Вы это точно знаете?

— Да.

— А сейчас, — сказал Пуаро, неожиданно включаясь в разговор, — вы увидите, Джепп, какую роль играл в этом деле я. Леди Эдвер попросила меня встретиться с ее мужем и убедить его в необходимости развода.

Брайен Мартин покачал головой.

— Бесполезно, — уверенно заявил он. — Эдвер никогда на это не согласился бы.

— Думаете, что нет? — дружелюбно глядя на него, спросил Пуаро.

— Уверен. Джейн знала это в глубине души и не думала, что вы сможете выполнить ее поручение. Она давно уже перестала надеяться. Этот человек был помешан на идее целостности брака.

Пуаро улыбнулся, и его глаза вдруг стали очень зелеными.

— Вы не правы, мой друг, — мягко возразил он. — Я вчера разговаривал с лордом Эдвером. *Он был согласен на развод.*

Нет никакого сомнения, что это сообщение ошеломило Брайена Мартина. Его глаза округлились.

— Вы... вы разве виделись с ним вчера? — пролепетал он.

— В двенадцать часов пятнадцать минут, — сообщил пунктуальный Пуаро.

— И он согласился на развод?

— И он согласился на развод.

— Вам надо было сразу сообщить об этом Джейн, — укоризненно заметил актер.

— Я так и сделал, мистер Мартин.

— Сделали? — в один голос воскликнули Мартин и Джепп.

Пуаро улыбнулся.

— После этого мотив убийства почти что отпадает, не правда ли? — негромко сказал он. — А теперь, мистер Мартин, я хочу обратить ваше внимание вот на это.

И он показал актеру заметку в газете. Брайен без особого интереса пробежал ее глазами.

— Вы хотите сказать, что это алиби? — спросил он. — Надо полагать, лорда Эдвера застрелили вчера вечером?

— Его не застрелили, а зарезали, — поправил Пуаро.

— Боюсь, что это не алиби. — Мартин отложил газету. — Джейн не была на том ужине.

— Откуда вы знаете?

— Мне кто-то сказал, что она передумала. Не помню кто.

— Жаль, — задумчиво протянул Пуаро.

Джепп с любопытством посмотрел на него:

— Никак не могу понять вас, мсье. Теперь вы вроде бы хотите, чтобы эта женщина оказалась невиновной.

— Нет, нет, мой друг. Просто я ничего не принимаю слепо на веру. Но откровенно говоря, это дело в том виде, в котором излагаете его вы, не в ладах со здравым смыслом.

— Что значит — не в ладах со здравым смыслом? Лично с моим здравым смыслом в ладах.

Я видел, что с губ моего друга вот-вот сорвутся какие-то насмешливые слова. Но Пуаро сдержался.

— Молодая женщина желает избавиться от своего мужа. С этим я не спорю. Она и мне вполне откровенно говорила об этом. Eh bien, как она решает эту проблему? Она несколько раз ясно и громко повторяет в присутствии свидетелей, что хочет убить его. Потом однажды вечером она едет к нему домой, называет свое имя, убивает его ножом и преспокойно уезжает. Как это называется, мой друг? Есть ли в этом хоть капелька здравого смысла?

— Конечно, это не совсем разумно.

— Не совсем разумно? Да это настоящее слабоумие.

— Ну что ж, — сказал инспектор, вставая. — Когда преступник теряет голову, это на руку полиции. А сейчас я должен вернуться в «Савой».

— Можно я поеду с вами? — спросил Пуаро.

Джепп не возражал, и мы отправились в отель. Брайен Мартин расстался с нами с явной неохотой. Похоже, он сильно нервничал. Актер настоятельно просил нас информировать его о дальнейшем развитии событий.

— Нервный тип, — заметил Джепп, когда Мартин ушел.

Пуаро согласился.

В «Савое» нас встретил джентльмен, весь облик которого говорил о том, что он адвокат. Он приехал незадолго до нас. Мы вчетвером отправились в номер Джейн.

233

— Что-нибудь есть? — лаконично обратился инспектор к одному из полицейских.

— Она хотела позвонить по телефону.

— Куда? — нетерпеливо спросил Джепп.

— В похоронную контору Джейза.

Джепп тихо выругался. Мы вошли в номер.

Новоиспеченная вдова примеряла перед зеркалом шляпки. Сейчас на ней было нечто черно-белое, тонкое, как паутинка. Актриса приветствовала нас ослепительной улыбкой.

— Ой, мистер Пуаро, как хорошо, что вы пришли. И вы тоже, мистер.Моксон, — обратилась она к адвокату. — А теперь, мистер Моксон, садитесь рядом и подсказывайте мне, на какие вопросы отвечать. Кажется, этот человек считает, что это я убила сегодня утром лорда Эдвера.

— Вчера вечером, мадам, — поправил Джепп.

— Вы же сказали, что в десять часов.

— Я сказал — в десять часов вечера.

— Главное, что в десять часов. Мне какая разница, утра или вечера?

— Это сейчас у нас десять часов утра, — строго добавил инспектор.

— Боже мой, — глаза Джейн широко раскрылись, — я давно уже не вставала в такую рань. Значит, это вы приходили на рассвете?

— Минуточку, инспектор, — сказал Моксон своим нудным адвокатским голосом. — Когда случилось это э... ужасное... трагическое происшествие?

— Вчера вечером, примерно в десять часов, сэр.

— Ну, тогда все в порядке, — вмешалась Джейн. — В то время я была на ужине... ой! — Она прервала себя на полуслове. — Наверное, мне нельзя было это говорить.

И актриса робко взглянула на адвоката.

— Если в десять часов вечера вы э... были на ужине, леди Эдвер, то я э... не вижу никаких причин скрывать этот факт от инспектора.

— Правильно, — сказал Джепп. — Я же вас и спрашивал о том, что вы делали вчера вечером.

— Нет. Вы сказали — в десять часов и еще что-то. И вообще вы меня ужасно перепугали. Я сразу упала в обморок, мистер Моксон.

— Что вы можете сказать об этом ужине, леди Эдвер?

— Он был в доме сэра Монтегю Корнера в Чизвике.

— Когда вы поехали туда?

— Ужин был назначен на восемь тридцать.

— Во сколько вы выехали отсюда?

— Примерно в восемь часов. Я заехала на минутку в отель «Пикадилли» попрощаться со своей подругой мисс Ван Дюсен. Она уезжала в Штаты. В Чизвик я прибыла без пятнадцати девять.

— А оттуда вы во сколько уехали?

— Около половины двенадцатого.

— И приехали сюда?

— Да.

— На такси?

— Нет. В своем автомобиле. Я беру его напрокат в компании «Даймлер».

— Во время ужина вы никуда не отлучались?

— Э... я...

— Значит, отлучались? — Инспектор напоминал сейчас охотничью собаку, настигающую дичь.

— Не знаю, что вы имеете в виду. Меня вызывали к телефону.

— Кто?

— Я думаю, что это была шутка. Кто-то спросил меня: «Это леди Эдвер?» Я ответила: «Да, это я». На том конце провода засмеялись и повесили трубку.

— Вы воспользовались телефоном в доме?

Глаза актрисы широко раскрылись от удивления.

— Конечно.

— Сколько времени занял у вас разговор по телефону?

— Минуты полторы.

После этого Джепп пал духом. Я был абсолютно уверен, что он не поверил ни одному слову мисс Уилкинсон, но он не мог пока ничем опровергнуть ее рассказ.

Холодно поблагодарив Джейн, инспектор ушел. Мы тоже собрались уходить, но мисс Уилкинсон задержала Пуаро.

— Мистер Пуаро, вы можете оказать мне одну услугу?

— Конечно, мадам.

— Пошлите от моего имени телеграмму герцогу Мертону. Он сейчас в Париже, в отеле «Криллон». Ему следует знать о том, что произошло. Мне бы не хотелось телеграфировать самой. Я полагаю, неделю или две мне придется играть роль безутешной вдовы.

— Вовсе не обязательно посылать телеграмму, — вежливо заметил мой друг. — Ведь это происшествие попадет в газеты.

— Да, у вас голова что надо! Несомненно попадет. Тогда лучше не телеграфируйте. Я чувствую, что теперь, когда все так хорошо сложилось, мне следует поступать, как жене лорда. Знаете, такая благородная вдова. Я думаю послать венок орхидей. Это, пожалуй, самые дорогие цветы. Мне, наверное, придется пойти на похороны, как вы считаете?

— Я считаю, что сначала вам придется пойти на дознание.

— Да, видно, так оно и будет. — Какое-то время она раздумывала. — Мне этот инспектор из Скотленд-Ярда совсем не понравился. Напугал меня до смерти. Мистер Пуаро?

— Да?

— А все-таки хорошо, что я передумала и пошла на ужин к сэру Монтегю.

Пуаро уже подошел к двери. Услышав эти слова, он резко обернулся:

— Что вы сказали, мадам? Вы передумали?

— Да. Сначала я хотела никуда не ходить, потому что вчера после обеда у меня ужасно разболелась голова.

Пуаро сглотнул.

— Вы.. вы сказали об этом кому-нибудь? — спросил он медленно и раздельно, как будто эти простые слова дались ему с трудом.

— Конечно. Мы пили чай. Людей было довольно много. Все хотели, чтобы я пошла на коктейли, но я сказала «нет». Я объяснила, что у меня раскалывается голова, что после чая я вернусь домой и на ужин в Чизвик тоже не поеду.

— А почему вы потом передумали?

— Из-за Эллис. Она начала упрекать меня, сказала, что я не должна отказываться. Сэр Монтегю имеет, мол, большие связи, и к тому же он тонкая натура, легко обижается. Ну мне-то все равно. Как только я выйду замуж за Мертона, со всем этим будет покончено. Но Эллис, она такая перестраховщица. Она считает, что не стоит говорить «гоп», ну и так далее, и я думаю, она права. Так или иначе, я поехала на тот ужин.

— И теперь вы должны благодарить Эллис, — серьезно заметил Пуаро.

— Наверное, да. Этот инспектор был разочарован, правда?

Она засмеялась. Пуаро оставался серьезен.

— И все же, — тихо сказал он, — это наводит на размышления. Да, на серьезные размышления.

— Эллис, — позвала Джейн.

Из соседней комнаты пришла служанка.

— Мистер Пуаро говорит, это такая счастливая случайность, что ты заставила меня идти вчера на ужин.

Эллис едва удостоила моего друга взглядом.

— Нехорошо нарушать обещания, миледи, — хмуро и неодобрительно сказала она. — А вы слишком любите это делать. Люди этого часто не прощают и устраивают потом разные пакости.

Джейн взяла шляпку, которую мерила, когда мы вошли, и снова надела ее.

— Ненавижу черный цвет. Никогда не ношу черного. Но как примерная вдова, — уныло добавила она, — я вынуждена это делать. Все эти шляпы просто ужасны. Эллис, позвони в другой магазин. Мне надо выглядеть так, чтобы на меня было приятно смотреть.

Мы с Пуаро тихо вышли.

Глава 7

СЕКРЕТАРША

Выйдя на улицу, мы уже не увидели Джеппа. Но примерно через час он опять появился у нас дома. Бросив шляпу на стол, инспектор выругался.

— Навели справки? — с симпатией спросил Пуаро.

Джепп угрюмо кивнул.

— За ужином ее видели четырнадцать человек. Она совершила это преступление только при условии, что все они лгут, — мрачно изрек он. — Не буду скрывать от вас, мистер Пуаро, я ожидал, что алиби будет заранее подготовленным. Леди Эдвер — единственный человек, у которого был мотив для убийства. Больше никто не заинтересован в смерти лорда Эдвера.

— Я бы не сказал. Mais continuez[1].

— Итак, я с самого начала предполагал, что алиби будет сфабриковано. Вы же знаете этих актеров: все будут твердить одно и то же, чтобы покрыть дружка. Но на этом ужине гости были совсем другие: все большие «шишки», и никто из них близко с ней не знаком. Кое-кто даже друг друга-то не знал. Их показания независимы и заслуживают доверия. Я надеялся, что она уходила с той вечеринки хотя бы на полчаса или около того. Но нет, она выходила из-за стола только для того, чтобы подойти к телефону, причем в это время с ней был слуга. Ее рассказ полностью подтвердился. Слуга слышал, как она ответила по телефону: «Да, это я, леди Эдвер». Потом ее собеседник повесил трубку. Любопытный случай, хотя и не имеет к убийству никакого отношения.

— Возможно, и нет, но все равно интересно. А кто говорил с ней, мужчина или женщина?

— По-моему, она сказала, что женщина.

— Странный случай, — задумчиво протянул Пуаро.

— Не придавайте этому значения. Давайте перейдем к главной части, — нетерпеливо сказал Джепп. — Весь ужин прошел точно так, как нам рассказывала леди Эдвер. Она приехала туда без четверти девять, а в отель вернулась в одиннадцать сорок пять. Я разговаривал с ее шофером. Он работает в компании «Даймлер», где она взяла напрокат автомобиль. Персонал «Савоя» видел, как она возвратилась, и подтверждает, что это было без четверти двенадцать.

— Eh bien, это весьма убедительно.

— Как же тогда быть с показаниями людей в доме лорда Эдвера? Не только слуга, но и секретарша видели ее там. Оба клянутся всеми святыми, что в десять вечера приходила леди Эдвер.

— Сколько работает в доме лорда Эдвера этот слуга?

---

[1] Но продолжайте *(фр.)*.

— Шесть месяцев. Между прочим, очень красивый парень.

— Да, действительно. Eh bien, мой друг, если он работает там всего полгода, то он не мог узнать леди Эдвер, поскольку она давно уже не живет с мужем.

— Ну, он видел ее фотографии в газетах. И все равно, секретарша-то хорошо знает ее. Она работает у лорда Эдвера пять или шесть лет и абсолютно уверена, что это была леди Эдвер.

— Я хочу поговорить с этой секретаршей, — заявил Пуаро.

— Тогда поехали со мной.

— Спасибо, mon ami, с великим удовольствием. Надеюсь, на Гастингса ваше предложение тоже распространяется?

Джепп усмехнулся.

— А вы как думаете? Куда хозяин, туда и его собака, — пошутил он далеко не лучшим образом.

— Это преступление напоминает мне дело Элизабет Каннинг, — заметил инспектор. — Помните? По крайней мере, десятка два свидетелей заявляли, что видели эту цыганку, Мэри Сквайрз, в одном конце Англии, и столько же утверждали, что в другом. И все свидетели были к тому же весьма уважаемые люди. А у этой цыганки было такое уродливое лицо, что ошибиться было невозможно. Эта тайна так и осталась нераскрытой. В нашем случае все очень похоже: и та и другая группа свидетелей готовы поклясться, что видели леди Эдвер в двух разных местах одновременно. Кто же из них говорит правду?

— Мы скоро это выясним.

— А кто унаследует титул лорда Эдвера? — спросил я.

— Племянник, капитан Рональд Марш. Я бы сказал, никчемный человек.

— Что говорит доктор насчет времени смерти? — поинтересовался мой друг.

— Чтобы быть абсолютно точным, надо подождать вскрытия. Посмотреть, насколько переварился ужин в желудке лорда Эдвера. — К большому моему сожалению, Джепп выражался далеко не самым изящным образом. — Но смерть наступила приблизительно в десять часов вечера. В начале десятого он окончил ужин, и слуга отнес в библиотеку виски с содовой. В одиннадцать часов, когда слуга ложился спать, света в библиотеке не было. Видимо, тогда лорд Эдвер был уже мертв. Он не стал бы сидеть в темноте.

Пуаро задумчиво кивнул. Через несколько минут мы подъехали к дому. Шторы на окнах были задернуты.

Дверь открыл тот же самый красавец слуга. Инспектор вошел первым, за ним последовали мы с Пуаро. Входная дверь открывалась в левую сторону, поэтому слуга стоял у левой стены. Пуаро шел справа от меня, и поскольку мой друг был ниже ростом, то слуга заметил его только тогда, когда мы вошли в прихожую. Находясь к этому красавцу ближе всех, я услышал, как он шумно вздохнул. Повернувшись, я заметил, что слуга со страхом смотрит на моего друга. Я решил запомнить этот факт как заслуживающий внимания.

Джепп прошел в столовую, которая находилась по правую сторону от нас, и позвал слугу.

— Итак, Альтон, я хочу еще раз выслушать твой рассказ. Эта леди пришла в десять часов вечера?

— Да, сэр.

— Как ты ее узнал?

— Она назвала свое имя, сэр, и, кроме того, я видел ее фотографии в газетах. И в театре я ее тоже видел.

Пуаро кивнул.

— Как она была одета?

— На ней было черное платье, сэр, и маленькая черная шляпка. На шее перламутровые бусы. Серые перчатки.

Мой друг вопросительно посмотрел на инспектора.

— На ужине в Чизвике на Джейн Уилкинсон было белое вечернее платье и горностаевая пелерина, — отозвался тот.

Слуга продолжал. Его рассказ в точности совпадал с тем, что мы уже слышали от инспектора.

— Еще кто-нибудь приходил вчера вечером к вашему хозяину? — спросил Пуаро.

— Нет, сэр.

— Как закрывается входная дверь?

— На автоматический замок, сэр. Перед тем как я ложусь спать, я закрываю дверь на засовы. Но вчера мисс Джеральдина ходила в оперу и я не задвигал засовы.

— А как была закрыта дверь, когда вы встали утром?

— На засовы, сэр. Мисс Джеральдина закрыла их, когда пришла домой.

— Вы можете сказать, когда она вернулась?

— Думаю, примерно без четверти двенадцать, сэр.

— Значит, до этого времени входную дверь нельзя было открыть без ключа? А изнутри ее можно было открыть, просто потянув за рычажок замка?

— Да, сэр.

— Сколько ключей в доме?

— Один был у лорда Эдвера, сэр, а второй лежит в ящике стола в прихожей. Вчера вечером его взяла мисс Джеральдина. Не знаю, есть ли еще другие ключи.

— Ни у кого в доме больше нет ключей?

— Нет, сэр. Мисс Кэрролл, секретарша, всегда звонит, когда приходит откуда-нибудь.

Пуаро отпустил слугу, и мы отправились на поиски секретарши.

Мы обнаружили мисс Кэрролл за большим письменным столом. Она что-то писала с сосредоточенным видом. Это была симпатичная женщина лет сорока пяти. В ее волосах кое-где пробивалась седина, сквозь пенсне на нас смотрели умные голубые глаза. Уже по ее виду можно было заключить, что это весьма квалифицированный работник. Когда мисс Кэрролл заговорила, я сразу же узнал этот голос: это она договаривалась со мной о встрече лорда Эдвера с Пуаро.

— О! Мистер Пуаро, — сказала она, когда Джепп представил моего друга. — Значит, это вы приходили вчера утром к лорду Эдверу?

— Именно так, мадемуазель.

Мисс Кэрролл была, несомненно, олицетворением аккуратности и точности, и мне показалось, что она произвела на моего друга благоприятное впечатление.

— Итак, инспектор Джепп, — начала она, — чем еще я могу вам помочь?

— Я хочу спросить вас, абсолютно ли вы уверены в том, что сюда приходила вчера вечером леди Эдвер?

— Вы спрашиваете меня об этом в третий раз. Конечно, уверена. Я же видела ее собственными глазами.

— Где вы ее видели, мадемуазель?

241

— В прихожей. Она минуту поговорила со слугой, а потом пошла в сторону библиотеки.

— А вы где были?

— На площадке второго этажа. Я смотрела вниз.

— Вы не могли ошибиться?

— Исключено. Я отчетливо видела ее лицо.

— А может, это было другое лицо, просто похожее?

— Конечно нет. У Джейн Уилкинсон весьма своеобразные черты лица. Это была она.

Джепп взглянул на Пуаро, как бы говоря: вот видите.

— Были ли у лорда Эдвера враги? — неожиданно спросил мой друг.

— Вздор! — отрезала мисс Кэрролл.

— Как это понять — вздор, мадемуазель?

— Враги! В наше время у людей нет врагов. Тем более у англичан.

— И все же лорд Эдвер убит.

— Это сделала его жена, — заявила секретарша.

— А жена, значит, не враг?

— То, что случилось, — невероятнейшее происшествие. Я никогда о таком не слышала. По крайней мере, с людьми из высшего общества такого не случалось.

Мисс Кэрролл явно считала, что убийства совершаются только пьяницами низшего сословия.

— Сколько имеется ключей от входной двери?

— Два, — не задумываясь ответила секретарша. — Лорд Эдвер всегда носил один с собой. Другой лежал в ящике стола в прихожей, и любой член семьи мог взять его, если собирался прийти домой поздно. Был еще и третий ключ, но капитан Марш потерял его. Очень легкомысленно с его стороны.

— Он часто приходил сюда?

— Когда-то он постоянно жил здесь. Но три года назад уехал из этого дома.

— Почему? — спросил Джепп.

— Не знаю. Я полагаю, не мог ужиться со своим дядей.

— Мне кажется, что вы знаете немного больше, мадемуазель, — мягко заметил Пуаро.

Она бросила на него быстрый взгляд:

— Я не передаю сплетен.

— И не надо. Вы расскажете нам, как было на самом деле. Ходили слухи, что у лорда Эдвера и его племянника была серьезная размолвка.

— Не такая уж серьезная. С лордом Эдвером вообще было трудно ужиться.

— Даже вы такого мнения?

— Я не о себе говорю. У меня никогда не было разногласий с лордом Эдвером. Он знал, что на меня всегда можно положиться.

— Но что касается капитана Марша... — Пуаро вел свою линию, незаметно подталкивая собеседницу к нужной теме.

Мисс Кэрролл пожала плечами.

— Он сорил деньгами. Залез в долги. Потом была еще какая-то неприятность, не знаю точно какая. Они поссорились. Лорд Эдвер запретил ему жить в своем доме. Вот и все.

Секретарша поджала губы, очевидно не желая больше говорить.

Комната, где проходила наша беседа, была на втором этаже. Когда мы покинули ее, Пуаро взял меня за руку.

— Минуточку, Гастингс. Постойте, пожалуйста, здесь. Я спущусь с Джеппом вниз. Смотрите на нас, пока мы не войдем в библиотеку, а потом приходите к нам.

Я давно уже перестал задавать Пуаро вопросы, которые начинались с «почему?», и жил по солдатскому принципу «Вопросы не задавай, а воюй и, если надо, — умирай». К счастью, до умирания дело пока не дошло. Вероятно, мой друг подозревал, что слуга следит за ним, а поэтому решил проверить, так ли это.

Я занял свой наблюдательный пункт. Пуаро и Джепп спустились по лестнице — и исчезли из моего поля зрения. Потом они вновь появились. Я наблюдал за ними до тех пор, пока они, неторопливо шагая, не скрылись в библиотеке. Я подождал пару минут на случай, если слуга все-таки появится, но, поскольку никто так и не показался, я спустился по лестнице и присоединился к своим друзьям.

Тело лорда Эдвера, конечно, уже убрали. Шторы были задернуты, и в библиотеке горел свет. Пуаро и Джепп стояли в центре комнаты и оглядывали обстановку.

— Ничего особенного, — заявил инспектор.

— Увы! Ни сигаретного пепла, ни следов обуви, ни перчатки с женской руки, ни даже запаха духов! — с улыбкой отозвался Пуаро. — В детективных романах все как раз наоборот.

— И полицейские в этих книжонках всегда слепы, как летучие мыши, — ухмыляясь, добавил Джепп.

— Однажды я нашел улику, — сказал мечтательно Пуаро. — Но поскольку она была длиной четыре фута, а не четыре сантиметра, никто не желал принимать ее во внимание.

Я припомнил этот случай и рассмеялся. Потом информировал своего друга о выполнении его задания:

— Все в порядке, Пуаро. Я наблюдал очень внимательно: за вами никто не следил.

— Вот это глаза! — заметил Пуаро с легкой иронией. — А скажите, мой друг, вы не заметили у меня в зубах розу?

— Розу у вас в зубах? — спросил я в величайшем изумлении.

Джепп отвернулся.

— Вы сведете меня в могилу, мистер Пуаро, — с трудом произнес инспектор, давясь от смеха. — Роза. Что дальше?

— Я вообразил, что я — Кармен, — пояснил Пуаро с невозмутимым видом.

Я подумал, что кто-то из нас двоих сходит с ума.

— Так вы не видели розы, Гастингс? — с упреком спросил мой друг.

— Нет, — ответил я, удивленно глядя на него. — Ведь я не видел вашего лица.

— Ладно, не важно, — покачал он головой.

Они что, смеются надо мной?

— Ну что ж, больше, я полагаю, нам здесь делать нечего, — заявил Джепп. — Я хотел бы еще раз поговорить с дочерью лорда Эдвера. Утром она была слишком расстроена, и я не смог ничего добиться от нее.

Он позвонил. Появился слуга.

— Спроси у мисс Марш, могу ли я побеседовать с ней недолго.

Слуга вышел. Несколько минут спустя в библиотеку вошла мисс Кэрролл.

— Джеральдина спит, — объявила она. — Бедняжка в ужасном шоке. После того как вы ушли, я дала ей снотворное, и она заснула. Но я думаю, что через час-два вы сможете поговорить с ней.

Джепп согласился.

— В любом случае она не скажет вам ничего такого, чего вы не могли бы узнать от меня, — твердо сказала секретарша.

— Какого вы мнения о слуге? — спросил Пуаро.

— Мне он не очень нравится, хотя я и не знаю почему, — ответила мисс Кэрролл.

Мы подошли к входной двери.

— Вы вон там стояли вчера вечером, мадемуазель, не правда ли? — спросил Пуаро, указывая рукой на лестницу.

— Да. А что?

— И вы видели, как леди Эдвер прошла через прихожую в библиотеку?

— Да.

— И вы отчетливо видели ее лицо?

— Конечно.

— *Но вы не могли видеть ее лицо, мадемуазель.* С того места, где вы стояли, вы могли видеть только ее затылок.

Мисс Кэрролл покраснела. Слова Пуаро застали ее врасплох, и она раздраженно сказала:

— Но ведь это одно и то же! Ее затылок, ее голос, ее походка! Абсолютно никаких сомнений! Говорю вам, это была Джейн Уилкинсон. Я *знаю.* Таких скверных женщин еще поискать надо.

И, отвернувшись, она торопливо взбежала по ступенькам.

Глава 8

ВЕРСИИ

Джепп ушел. Мы с Пуаро завернули в Риджентс-парк и сели на свободную скамейку.

— Теперь я понял, почему вы спросили про розу в зубах, — засмеялся я. — А то ведь сначала я подумал, что вы сошли с ума.

Пуаро кивнул с серьезным видом.

— Вы заметили, Гастингс, какой опасный свидетель эта секретарша? Опасный потому, что неточный. Сначала она заявила, что видела *лицо* той женщины. Я уже тогда подумал, что это невозможно. Когда человек выходит *из* библиотеки — да, но не тогда, когда он идет *в* библиотеку. Поэтому я и проделал мой маленький эксперимент. Он окончился именно так, как я ожидал. Но когда я уличил мисс Кэрролл во лжи, она тут же стала говорить по-другому.

— Она так и осталась при своем мнении, — заметил я. — В конце концов, она права в том, что и голос и походку можно определить безошибочно.

— Вовсе нет.

— Пуаро, я думаю, что и голос и походка являются наиболее характерными особенностями человека.

— Согласен. Следовательно, их легче всего скопировать.

— Вы считаете...

— А ну-ка, вспомните, как несколько дней назад мы с вами сидели в партере театра и наслаждались пародиями...

— Карлотты Адамс? Да, но ведь она гений.

— Скопировать какую-нибудь известную личность не так уж трудно. Но я согласен, у этой девушки действительно необычайный дар. Я верю, что она может преображаться до неузнаваемости без помощи театральной подсветки. Даже на небольшом расстоянии ее трудно узнать.

Неожиданная мысль мелькнула у меня.

— Пуаро! — закричал я. — Может быть, вы считаете... нет, это исключено.

— Все зависит от того, как на это посмотреть, Гастингс. Нельзя ничего исключать.

— Но зачем Карлотте Адамс убивать лорда Эдвера? Она ведь даже не знала его.

— Откуда вам известно, что не знала? Не утверждайте того, в чем не уверены, Гастингс. Может быть, между ними была какая-то связь, о которой нам неизвестно. Впрочем, у меня несколько иная версия.

— Так у вас уже есть соображения на этот счет?

— Да. Я с самого начала подумал, что Карлотта Адамс могла иметь отношение к этому делу.

— Но, Пуаро...

— Подождите, Гастингс. Позвольте напомнить вам несколько фактов. Леди Эдвер без всякого стеснения обсуждает отношения со своим мужем и даже заявляет о том, что могла бы убить его. И это слышим не только мы с вами. Официант слышит это, ее служанка слышала это, вероятно, не один раз, Брайен Мартин слышит это, и, я полагаю, Карлотта Адамс тоже. К тому же есть люди, которым они могли рассказать об этих угрозах. Затем, в тот же вечер, все обсуждают прекрасную пародию мисс Адамс на Джейн Уилкинсон. У кого есть мотив для убийства лорда Эдвера? У его жены.

Теперь предположим, что убить лорда Эдвера хочет кто-то еще. Тогда Джейн станет для убийцы козлом отпущения, на которого можно бросить все подозрения. В тот день, когда она объявила о том, что у нее болит голова и она остается дома, *убийца реализует свой план.*

Надо, чтобы свидетели видели, как леди Эдвер входит в дом своего мужа на Риджент-Гейт. Что ж, «ее» видят. «Она» даже называет свое имя. Ah! C'est un peu trop, ca![1] Это вызвало бы подозрения даже у устрицы.

И еще одно замечание, хотя, допускаю, не столь существенное. Женщина, которая вошла в дом лорда Эдвера вчера вечером, была в черном платье. Джейн Уилкинсон никогда не носит черного. Мы слышали, как она сама сказала об этом. Теперь напрашивается вывод, что женщина, которая приходила в дом вчера вечером, была не Джейн Уилкинсон: она только имитировала Джейн Уилкинсон. Так, может, лорда Эдвера убила она?

А вдруг в дом пробралась еще какая-то женщина и убийство — дело ее рук? И если так, приходила ли она до визита загадочной «леди Эдвер» или после? А если после, то что сказала эта женщина лорду Эдверу? Как объяснила свое присутствие? Она могла бы обмануть слугу, который не знает ее как следует, или секретаршу, если бы та стояла на каком-то расстоянии от нее, но у нее не было ни малейшей надежды провести самого лор-

---

[1] Ну, это уж слишком! *(фр.)*

да Эдвера. Или к тому времени в комнате уже лежал труп? Может быть, лорд Эдвер был убит до прихода этой женщины, где-нибудь между девятью и десятью часами вечера?

— Остановитесь, Пуаро! — взмолился я. — У меня уже кружится голова.

— Что вы, мой друг. Мы только рассматриваем различные версии. Это как примерка одежды. «Вот это вам подойдет?» — «Нет, чуть жмет в плечах». — «А это?» — «Да, это лучше, но тоже чуть-чуть тесновато». — «А вот это?» — «А это слишком свободно». И так далее, пока мы не выберем то, что нам подходит, — истину.

— Кого же вы подозреваете в этом чудовищном преступлении? — спросил я.

— О, делать выводы еще слишком рано. Надо выяснить, кому выгодна смерть лорда Эдвера. Конечно, племянник унаследует его состояние, но это слишком очевидный мотив. А потом, несмотря на категорическое заявление мисс Кэрролл об отсутствии врагов у англичан, надо все-таки подумать и о возможных врагах лорда Эдвера. Он произвел на меня впечатление человека, который может нажить их весьма легко.

— Да, это верно, — согласился я.

— Кем бы ни был убийца, наверняка он считает себя в полной безопасности. Помните, Гастингс, что если бы Джейн Уилкинсон не передумала в последнюю минуту и не пошла бы на ту вечеринку, то алиби у нее не было бы. Она могла бы действительно остаться в своем номере в «Савое», но это было бы трудно доказать. Ее бы арестовали, судили — и, вероятно, повесили бы.

Я вздрогнул.

— Одно мне непонятно, — продолжал Пуаро. — Кто-то желает, чтобы ее обвинили в убийстве, это ясно. Но тогда к чему этот телефонный звонок? Зачем кто-то звонил ей в Чизвик и, убедившись, что она там, тут же повесил трубку? Похоже, кому-то надо было знать наверняка, что она на ужине у сэра Монтегю, перед тем, как... перед тем, как что? Позвонили в полдесятого, видимо, незадолго до убийства. Но сам убийца позвонить *не мог*, так как он заинтересован как раз в обратном: в том, чтобы Джейн Уилкинсон отсутствовала на этой вечеринке.

248

Выходит, позвонивший — ее *доброжелатель?* Тогда кто же это? Все выглядит так, как будто звонок не имеет отношения к убийству.

Голова у меня пошла кругом.

— А может, это и правда случайное совпадение? — предположил я.

— Нет, нет, слишком много совпадений. Полгода назад исчезло письмо. Почему? Да и многие другие факты тоже остаются без объяснения. И все же есть что-то такое, что объединяет их. — Он вздохнул, потом продолжал: — Эта история, которую рассказал нам Брайен Мартин...

— Но она наверняка к делу не относится, Пуаро.

— Вы слепой, Гастингс. Слепой, добровольно не желающий видеть. Поэтому до вас не доходит суть. Разве вы не замечаете, как из этих разрозненных фактов начинает вырисовываться определенная картина? Она пока еще очень смутная, но со временем все прояснится.

Я подумал, что Пуаро слишком оптимистичен на этот счет. Лично я считал, что никогда ничего не прояснится. Откровенно говоря, я был как в тумане.

— Ваши рассуждения не верны, — неожиданно заявил я. — Я не могу поверить, что здесь замешана Карлотта Адамс. Она кажется такой... э... исключительно порядочной девушкой.

И тут я вспомнил слова моего друга о любви мисс Адамс к деньгам. А вдруг эта любовь действительно толкнула ее на то, во что я не могу поверить? И я почувствовал, что в тот вечер в ресторане, когда Пуаро взялся анализировать характеры двух женщин, он был в ударе. Он предвидел, что Джейн попадет в беду из-за своего эгоистичного характера и что Карлотту собьет с пути истинного страсть к деньгам.

— Я не думаю, что это сделала мисс Адамс, Гастингс. Она слишком хладнокровна и уравновешенна для этого. Возможно, ей даже и не сказали про готовящееся убийство. Карлотту могли использовать и без ее ведома. Но тогда...

Он остановился на полуслове и нахмурился.

— Но даже если и так, она стала сообщницей, — заметил я. — Сегодня, когда она прочитает сообщение об убийстве, то поймет, что...

249

Хриплый крик вырвался из груди моего друга:

— Быстро, Гастингс! Быстро! Я был слеп и глуп. Такси! Немедленно!

Я уставился на него в изумлении. Пуаро замахал руками.

— Такси! Сию же минуту!

Мимо как раз проезжала свободная машина. Пуаро остановил ее, и мы вскочили внутрь.

— Вы знаете ее адрес?

— Кого? Карлотты Адамс?

— Ну да, ну да! Быстрее, Гастингс, быстрее. Дорога каждая минута. Вы что, ничего не поняли?

— Нет, — ответил я, — не понял.

Мой друг тихо выругался.

— Может быть, в телефонном справочнике есть ее адрес. Нет, вряд ли. Едем в театр!

В театре нам не хотели давать адрес мисс Адамс, но Пуаро настоял на своем. Ее квартира была недалеко от Слоун-сквер. Мы отправились туда. Пуаро дрожал от нетерпения.

— Только бы не опоздать, Гастингс. Только бы не опоздать.

— Не понимаю, к чему эта спешка? Что все это значит?

— Это значит, что я соображал слишком медленно. Ужасно медленно. А ведь все было так очевидно. Oh, mon Dieu[1], только бы успеть!

Глава 9

ВТОРАЯ СМЕРТЬ

Я не понимал, чем вызвано такое возбужденное состояние Пуаро, но я слишком хорошо знал своего друга, чтобы сомневаться, есть ли у него для этого основания.

Мы прибыли на место, Пуаро расплатился с водителем, выскочил из такси и поспешил в дом. Квартира мисс Адамс была на втором этаже, о чем говорила табличка с ее фамилией, прикрепленная на доске у входа.

---

[1] О, Боже мой *(фр.)*.

Пуаро взбежал по ступенькам, не ожидая лифта, который был на одном из верхних этажей. Он позвонил, потом постучал. С некоторой задержкой дверь открыла аккуратно одетая женщина средних лет. Волосы ее были собраны в тугой узел. Глаза женщины были красными, как будто она недавно плакала.

— Можно нам видеть мисс Адамс? — нетерпеливо спросил Пуаро.

Женщина посмотрела на него с удивлением:

— Разве вы не слышали?

— Что? Что мы должны были слышать?

Лицо Пуаро стало мертвенно-бледным, я понял: случилось то, чего он боялся.

Женщина горестно покачала головой:

— Она умерла. Скончалась во сне. Ужасно.

Пуаро прислонился к дверному косяку.

— Слишком поздно, — пробормотал он.

Его чувства читались так ясно, что женщина взглянула на моего друга более внимательно.

— Извините, сэр, вы ее друг? Я не припомню, чтобы вы приходили сюда когда-нибудь.

Пуаро не ответил. Вместо этого он спросил:

— Вы вызывали врача? Что он сказал?

— Что она приняла слишком большую дозу снотворного. Какое несчастье! Такая хорошая девушка. Все эти проклятые таблетки — они такие опасные. Доктор сказал, что это был веронал.

Пуаро неожиданно выпрямился. В его облике появилась решительность.

— Я должен войти, — заявил он.

Женщину, по-видимому, охватили сомнения.

— Я не думаю, что... — начала она.

Но мой друг не собирался отступать. Он принял единственно правильное в данной ситуации решение.

— Вы должны меня впустить, — сказал он. — Я сыщик и должен ознакомиться с обстоятельствами смерти вашей хозяйки.

Женщина ахнула, отступила, и мы прошли в комнату. С этого момента Пуаро взял инициативу в свои руки.

— То, что я сказал вам, — большая тайна, — важно заявил он служанке. — Никому ни слова. Все должны

251

думать, что смерть мисс Адамс — случайность. Пожалуйста, назовите мне фамилию и адрес доктора, которого вы вызывали.

— Доктор Хит, Карлайл-стрит, 17.

— А вас как зовут?

— Алиса. Алиса Беннетт.

— Я вижу, мисс Беннетт, вы были очень преданы мисс Адамс.

— О да, сэр! Она была такой хорошей девушкой. Я работала у нее с тех пор, как она приехала сюда год назад. Она была совсем не такая, как все актрисы. Элегантная, с утонченным вкусом, словом, настоящая леди.

Пуаро слушал внимательно, с сочувствием и ничем не выдавал своего нетерпения. Я понял, что лучший способ получить нужную информацию — это не подгонять собеседника.

— Для вас это, наверное, ужасное потрясение, — мягко вставил Пуаро.

— О да, сэр! В полдесятого утра, как обычно, я принесла чай в ее комнату. Мисс Адамс лежала в кровати. Я подумала, что она спит, поставила поднос и стала отодвигать шторы. Однако кольцо зацепилось. Я сильно дернула и очень удивилась, когда от такого шума она не проснулась. Я посмотрела на нее, и тут у меня появилось какое-то тревожное чувство. У мисс Адамс была такая неестественная поза. Я подошла к кровати, коснулась ее руки. Рука была холодна как лед, сэр, и я закричала.

Служанка замолчала, и в ее глазах показались слезы.

— Да, да, — сочувственно произнес Пуаро. — Не дай Бог пережить такое. Часто ли мисс Адамс принимала снотворное?

— Время от времени она пила таблетки от головной боли, сэр, такие маленькие, в бутылочке, но доктор сказал, что вчера она выпила не то, что принимала всегда.

— Кто-нибудь приходил к ней вчера вечером?

— Нет, сэр. Вчера вечером ее не было дома.

— Она не сказала, куда идет?

— Нет, сэр. Она ушла около семи вечера.

— Ага. Как она была одета?

— В черное платье, сэр. Черное платье и черная шляпка.

Мы переглянулись.

— А что-нибудь из украшений на мисс Адамс было?

— Да, сэр. Перламутровое ожерелье.

— И перчатки, да? Серые перчатки?

— Верно, сэр. У нее были серые перчатки.

— Ясно. А теперь опишите нам ее настроение вчера вечером. Она была веселой? Или волновалась? Нервничала? А может, была печальной?

— Мне показалось, что мисс Адамс была чем-то очень довольна. Все время улыбалась, как будто услышала хорошую новость.

— Когда она вернулась?

— Чуть позже двенадцати ночи, сэр.

— В каком настроении? Таком же веселом?

— Она выглядела ужасно уставшей, сэр.

— Но не разочарованной? Не огорченной?

— О нет, сэр. Мне кажется, что ее настроение не изменилось, просто она с ног валилась от усталости. Она начала звонить кому-то по телефону, но потом сказала, что у нее нет никаких сил и что она позвонит завтра.

— Ага! — Глаза Пуаро заблестели от волнения. Он наклонился к служанке и спросил ее с напускным равнодушием: — А вы не слышали имени того, кому она звонила?

— Нет, сэр. Мисс Адамс позвонила на телефонную станцию. Телефонистка на коммутаторе, наверное, сказала ей, как обычно: «Ждите, вызываю», и мисс Адамс ответила «Хорошо», а потом вдруг зевнула и проговорила: «Ох, как я устала. Просто никаких сил», положила трубку и стала раздеваться.

— А по какому номеру она звонила? Не помните? Подумайте, это может оказаться важным.

— К сожалению, не могу сказать, сэр. Помню только, что это был номер в районе Виктории. Видите ли, я не особенно прислушивалась.

— Мисс Адамс что-нибудь пила или ела перед тем, как лечь спать?

— Стакан теплого молока, как всегда.

— Кто приготовил его?

— Я, сэр.

— Вчера вечером никто сюда не приходил?

— Никто, сэр.

— А днем?

— Не припоминаю, сэр. Мисс Адамс уходила обедать, пить чай. Вернулась в шесть часов.

— А откуда молоко? То, которое она пила вчера перед сном.

— Его приносят в четыре часа пополудни, сэр, и оставляют у двери. Но я уверена, что с молоком все в порядке, сэр. Я сама пила его с чаем сегодня утром. Да и доктор сказал, что она умерла от того лекарства.

— Может быть, я ошибаюсь, — заявил Пуаро. — Да, возможно, я совсем не прав. Я поговорю с доктором. Но видите ли, у мисс Адамс были враги. Там у них, в Америке, все не так, как здесь.

Он замолчал, но бесхитростная Алиса уже попалась на крючок.

— О! Я знаю, сэр! Я читала про Чикаго и про бандитов и все такое. Это ужасная страна. Не знаю, куда там полиция смотрит. У нас в Англии полицейские совсем не такие.

Пуаро не стал перебивать простодушную служанку, понимая, что это избавляет его от обязанности объясняться самому.

Его взгляд упал на небольшой кожаный портфель, лежащий в кресле.

— Мисс Адамс брала этот портфель с собой вчера вечером? — спросил Пуаро.

— Она взяла его утром, сэр. В шесть часов вечера она пришла домой без портфеля, но ночью вернулась с ним.

— Ясно. Можно я открою его?

После того как Алиса преодолела свое первоначальное недоверие, управлять ею стало легко, как ребенком. Теперь она могла разрешить все, что угодно.

Портфель не был закрыт на замок. Пуаро открыл его, и я заглянул через плечо своего друга.

— Видите, Гастингс? Видите? — взволнованно пробормотал Пуаро.

Содержимое портфеля говорило о многом. Там была коробка с гримом, два предмета, в которых я узнал супинаторы — специальные стельки, вкладываемые в обувь для того, чтобы увеличить рост ее владельца, пара серых перчаток и завернутый в бумажную салфетку изящный парик золотистого цвета с точно таким же оттенком, как у Джейн Уилкинсон. Парик был расчесан на центральный пробор и завит сзади.

— Ну, теперь вы верите, Гастингс? — спросил Пуаро.

Если у меня и оставались до этого момента какие-то сомнения, то теперь они рассеялись.

Пуаро закрыл портфель и повернулся к служанке.

— Вы не знаете, с кем мисс Адамс ужинала вчера вечером?

— Нет, сэр.

— А с кем обедала или пила чай?

— Насчет чая не знаю. А обедала, я думаю, с мисс Драйвер.

— Мисс Драйвер?

— Да. Это ее близкая подруга. У нее шляпный магазин на Моффат-стрит. Называется «Женевьева».

Пуаро записал этот адрес в блокнот под адресом доктора Хита.

— Еще один вопрос, мадам. Вы можете припомнить хоть что-нибудь заслуживающее, на ваш взгляд, внимания, например, что мадемуазель Адамс говорила или делала после того, как вернулась в шесть вечера после чая.

Служанка задумалась.

— Не могу припомнить, сэр, — наконец сказала она. — Я спросила ее, не выпьет ли она чаю, но она сказала, что недавно пила.

— О! Сказала, что пила, — перебил ее Пуаро. — Извините! Продолжайте.

— А потом она писала письмо почти до тех пор, пока не ушла.

— Письмо, да? Вы не знаете кому?

— Знаю, сэр. Сестре в Вашингтон. Она писала своей сестре дважды в неделю и сама отправляла эти письма. Всегда старалась успеть до выемки почты из ящика. А это письмо мисс Адамс забыла отправить.

— Так оно сейчас здесь?

— Нет, сэр. Его отправила я. Мисс Адамс вспомнила о нем, когда ложилась спать. Я сказала, что сбегаю и опущу его. Есть такой специальный ящик для опоздавших писем, так если наклеить дополнительную марку и бросить письмо туда, оно уйдет вовремя.

— Ага! А далеко от вас этот ящик?

— Нет, сэр, прямо за углом.

— Вы закрыли квартиру на ключ, когда уходили?

Алиса растерянно посмотрела на Пуаро:

— Нет, сэр, просто притворила дверь. Я всегда так делаю, когда отлучаюсь ненадолго.

Пуаро хотел что-то сказать, но передумал.

— Хотите взглянуть на нее, сэр? — спросила служанка, и в глазах ее заблестели слезы. — Она и мертвая такая же красивая.

Мы прошли за Алисой в спальню.

Карлотта Адамс неподвижно лежала в кровати. Лицо ее было странно умиротворенным, как у спящего ребенка. Сейчас она выглядела даже моложе, чем в тот вечер в «Савое».

Странное выражение появилось на лице моего друга. Он перекрестился.

— J'ai fait un serment[1], — сказал он, когда мы спускались по ступенькам к выходу.

Я не стал спрашивать, какую клятву дал себе Пуаро: догадаться было нетрудно. Минуты через две он сказал:

— По крайней мере, одно меня утешает. Я не мог спасти ее. К тому времени, когда я услышал об убийстве лорда Эдвера, мисс Адамс была уже мертва. Да, это меня очень утешает.

Глава 10

ДЖЕННИ ДРАЙВЕР

Нашим следующим шагом был визит к доктору, адрес которого нам дала служанка. Он оказался суетливым пожилым человеком с не совсем разборчивой дикцией. Доктор много слышал о Пуаро и выразил неподдельную радость оттого, что может лицезреть знаменитого сыщика лично.

---

[1] Я дал себе клятву *(фр.)*.

— Чем могу служить, мистер Пуаро? — спросил он после приветственной речи.

— Господин доктор, сегодня утром вас вызывали к некоей мисс Карлотте Адамс.

— Да. Бедная девушка. Хорошая актриса. Я два раза был на ее спектаклях. Ужасно жаль, что она так кончила. И зачем девушки принимают эти наркотики, ума не приложу.

— Так вы думаете, что у нее было пристрастие к наркотическим средствам?

— Ну, как врач-профессионал я бы так не сказал. По крайней мере, шприцем она не кололась. На коже никаких следов иглы. Вероятно, всегда глотала. Служанка сказала, что мисс Адамс и без таблеток спала неплохо, но служанки могут точно и не знать. Не думаю, что она глотала веронал каждую ночь, но, возможно, какое-то время она его принимала.

— Почему вы так думаете?

— А вот почему.

Он начал искать что-то в своем саквояже.

— Черт, куда же я ее дел? Ага, вот она.

Он вытащил маленькую сафьяновую сумочку черного цвета.

— Конечно, еще будет дознание. Я забрал ее, чтобы служанка не совала нос.

Он открыл сумочку и вытащил золотую коробочку. На ней рубинами были выложены инициалы: «К.А.». Это была чрезвычайно дорогая безделушка. Доктор открыл ее. Коробочка почти до краев была наполнена белым порошком.

— Веронал, — пояснил он коротко. — А теперь посмотрите, что написано внутри.

С обратной стороны крышки было выгравировано:

«К.А. от Д. Париж, 10 ноября. Желаю сладких грез».

— Десятого ноября, — задумчиво сказал Пуаро.

— Верно. А сейчас июнь. Похоже на то, что она принимала это средство по крайней мере полгода, а поскольку год не указан, то это может быть и восемнадцать месяцев, и два с половиной года, и даже больше.

— Париж. Д., — нахмурился Пуаро.

— Да. Вам это о чем-нибудь говорит? Кстати, я не спрашиваю вас, каков ваш интерес в этом деле. Предполагаю, что у вас веские основания интересоваться этим происшествием. Наверное, вы хотите знать, не самоубийство ли это? Я не могу сказать. И никто не сможет. Служанка говорила, что вчера мисс Адамс была в отличном настроении. Похоже на несчастный случай, и, по-моему, так оно и есть. Веронал — это такое средство, в котором нельзя быть уверенным на сто процентов. Можно принять чертовски много, и вам ничего не будет, а можно глотнуть щепотку и отдать концы. Веронал опасен именно по этой причине. Я не сомневаюсь, что на дознании признают смерть от несчастного случая. Боюсь, больше ничем не смогу вам помочь.

— Можно мне взглянуть на сумочку мадемуазель?

— Конечно, конечно.

Пуаро вытряхнул на стол содержимое сумочки: платок из тонкого материала с вышитыми в уголке инициалами «К.М.А.», губную помаду, пудреницу, купюру достоинством в один фунт стерлингов, несколько мелких монет и пенсне.

Этот последний предмет Пуаро осмотрел чрезвычайно внимательно. Пенсне было в золотой оправе и имело довольно строгий вид.

— Интересно, — промолвил мой друг. — Я не знал, что мисс Адамс носит очки. А может, это для чтения?

Доктор осмотрел пенсне и заявил:

— Нет, это для прогулок. И к тому же оно с сильным увеличением. Тот, кто им пользуется, должен быть очень близоруким.

— А вы, случайно, не знаете, мисс Адамс...

— Я никогда не лечил ее. Однажды, правда, у ее служанки нарывал палец и меня вызвали, но больше я у них не был. В тот раз, когда я приходил, очков у мисс Адамс не было.

Пуаро поблагодарил доктора, и мы ушли. На лице моего друга было недоумение.

— Не может быть, чтобы я ошибся, — заявил он.

— В том, что она устроила этот маскарад?

— Нет, нет, это для меня очевидно. Я имею в виду ее смерть. Ясно, что у нее был с собой веронал. Видимо, она сильно устала и перенервничала прошлой ночью и решила обеспечить себе хороший сон.

Вдруг Пуаро остановился как вкопанный, к большому удивлению прохожих, и азартно хлопнул рукой об руку.

— Нет, нет и нет! — с чувством произнес он. — С чего это вдруг несчастный случай произошел в такое удобное для убийцы время? Это не несчастный случай и не самоубийство. Нет, Карлотта Адамс сыграла отведенную ей роль и этим подписала себе смертный приговор. Преступник использовал веронал просто потому, что знал о ее пристрастии к этому наркотику и о том, что у нее есть коробочка с этим средством. Значит, убийца тот, кто хорошо знал мисс Адамс. Кто такой Д., Гастингс? Я бы много дал, чтобы узнать, кто такой Д.

— Пуаро, — обратился я к своему глубоко задумавшемуся другу. — Давайте пойдем, а? На нас уже все смотрят.

— Что? Да, вы правы. Хотя мне и не мешает, когда на меня смотрят. На мой мыслительный процесс это не влияет.

— Так ведь смеяться будут, — пробормотал я.

— Не важно.

С такой точкой зрения я был не согласен. Лично мне чрезвычайно неприятно привлекать внимание посторонних. Что касается моего друга, то на него влияло лишь повышение температуры или влажности воздуха, поскольку это могло привести к изменению наклона его знаменитых усов.

— Возьмем такси, — заявил Пуаро и, взмахнув тростью, подозвал одну из машин.

Мы отправились в магазин «Женевьева» на Моффат-стрит.

Обычно в таких магазинах на первом этаже можно увидеть в качестве рекламы лишь одну невыразительную шляпку в паре с шарфом, помещенную для обозрения в стеклянную коробку. Но стоит подняться по пахнущим затхлостью ступенькам на второй этаж, как сразу становится ясно, где на самом деле сосредоточена бурная коммерческая активность заведения.

Поднявшись по лестнице, мы увидели дверь с надписью: «Женевьева. Пожалуйста, входите». Последовав этому указанию, мы оказались в маленькой комнате, полной различных шляп. Внушительных форм блондинка приблизилась к нам и подозрительно взглянула на Пуаро.

— Мисс Драйвер? — спросил он.

— Я не знаю, сможет ли мадам принять вас. Вы по какому делу?

— Пожалуйста, скажите мисс Драйвер, что с ней хочет поговорить друг мисс Адамс.

Но блондинке не пришлось никуда идти. Черная бархатная штора резко отодвинулась в сторону, и из-за нее выпорхнуло миниатюрное существо с огненно-рыжими волосами.

— Что такое? — строго спросила она.

— Вы мисс Драйвер?

— Да. Что вы там сказали насчет Карлотты?

— А вы разве не слышали эту печальную новость?

— Какую печальную новость?

— Мисс Адамс скончалась во сне от чрезмерной дозы веронала.

Глаза девушки широко открылись.

— Это ужасно! — воскликнула она. — Бедная Карлотта. Не могу поверить. Еще вчера она была такой жизнерадостной.

— И тем не менее это правда, — сказал Пуаро. — Сейчас уже почти час дня. Приглашаю вас на ленч со мной и моим другом. Окажите нам такую честь, прошу вас. Я хочу задать вам несколько вопросов.

Мисс Драйвер, это дерзкое маленькое создание, смерила Пуаро взглядом с головы до ног. Эта девушка чем-то напоминала мне фокстерьера.

— Вы кто? — в упор спросила она.

— Меня зовут Эркюль Пуаро. А это мой друг, капитан Гастингс.

Я поклонился. Девушка поочередно осмотрела нас, потом отрывисто сказала Пуаро:

— Я слышала о вас. Принимаю ваше приглашение. Дороти, — позвала она блондинку.

— Да, Дженни.

— Вот-вот должна прийти миссис Лестер. Мы делаем для нее фасон «роз-декарт». Попробуй с другими перьями. Я скоро вернусь. Пока.

Она надела маленькую черную шляпку, слегка сдвинула ее на ухо, старательно попудрила нос и, взглянув на Пуаро, коротко сказала:

— Я готова.

Пять минут спустя мы сидели в маленьком ресторане на Довер-стрит. Официант принес коктейли.

— А теперь я хочу знать, что все это значит, — заявила Дженни Драйвер. — В какую историю Карлотта попала на этот раз?

— А что, значит, она и прежде попадала в какие-то истории, мадемуазель?

— Послушайте, кто здесь задает вопросы, вы или я?

— Я думал, что я, — улыбнулся Пуаро. — Насколько я осведомлен, вы с мисс Адамс были хорошими друзьями?

— Верно.

— Eh bien, тогда прошу принять мои торжественные заверения в том, что я сделаю все, чтобы о вашей покойной подруге осталась добрая память.

Дженни Драйвер помолчала, обдумывая слова Пуаро, потом кивнула:

— Я верю вам. Продолжим. Что вы хотите знать?

— Я слышал, мадемуазель, что вы вчера обедали с вашей подругой.

— Да.

— Она рассказывала вам о своих планах на вечер?

— Ну, она не говорила, что это будет вечером.

— Значит, разговор был?

— Да, и, может быть, это как раз то, что вам нужно. Но учтите, Карлотта сказала все это по секрету.

— Я понимаю.

— Дайте подумать. Будет лучше, если я расскажу все своими словами.

— Пожалуйста, мадемуазель.

— Ну, слушайте. Карлотта была взволнована. А она не из тех, кто волнуется по пустякам. Ничего толком она мне не говорила, сказала, что обещала ни с кем не делиться. Но она намекнула, что у нее намечается нечто грандиозное. Я так поняла, что это будет какой-то колоссальный розыгрыш.

— Розыгрыш?

— Да, она так сказала. Только... — Девушка замолчала и нахмурилась. — Видите ли... ну, в общем, Карлотта была не из тех, кто получает удовольствие от всяких там грубых шуток и примитивных розыгрышей или чего-нибудь в этом роде. Она была серьезная, трудолюбивая девушка. Без глупостей в голове. Я хочу сказать, что кто-то, видимо, надоумил ее. И еще я считаю... она, конечно, не сказала, но...

— Понимаю. И что же вы подумали?

— Я подумала... я почти уверена, что... в общем, ничто так не волновало Карлотту, как деньги. Так уж она была воспитана. Во всем, что касается бизнеса, у нее была светлая голова. Она не была бы такой возбужденной, если бы не деньги, причем большие деньги. У меня сложилось впечатление, что она заключила какое-то пари и была абсолютно уверена, что выиграет круглую сумму. Раньше, насколько я знаю, она этим не занималась. Я уверена, что речь шла о больших деньгах.

— Она прямо так и сказала?

— Н-нет. Просто намекнула, что скоро заживет совсем по-другому. Она собиралась вызвать в Париж свою сестру из Штатов. Ее сестра, видно, тоже девушка с утонченным вкусом. Карлотта говорила, что у нее отличные музыкальные способности. Ну вот и все, что я знаю. Вам это было нужно?

Пуаро кивнул:

— Да. Это подтверждает мою теорию. Правда, я ожидал, что Карлотта рассказала вам больше. Я предполагал, что с нее возьмут слово хранить все в тайне, но я считал, что женщина не посчитает за разглашение тайны беседу со своей лучшей подругой.

— Я старалась узнать все поподробней, — сказала Дженни, — но она только смеялась и обещала объяснить все потом.

— Что вы знаете о лорде Эдвере? — спросил Пуаро после небольшой паузы.

— О ком? Это тот человек, которого убили? Я читала об этом в газете.

262

— Вы не знаете, была ли с ним знакома мисс Адамс?

— Не думаю. Наверное, нет. Хотя подождите...

— Да, мадемуазель? — нетерпеливо произнес мой друг.

— Однажды она упоминала это имя... — Мисс Драйвер нахмурила брови, стараясь вспомнить. — Что же она тогда сказала? Причем в очень резкой форме.

— В резкой форме?

— Да. Сказала... э... дайте вспомнить... что таким людям, как лорд Эдвер, нельзя позволять калечить жизнь другим своей жестокостью и отсутствием понимания. Еще она сказала... э... что смерть такого человека наверняка будет благом для всех окружающих.

— Когда она это сказала, мадемуазель?

— Я думаю, где-то месяц назад.

— А почему вы с ней вдруг заговорили о лорде Эдвере?

Дженни Драйвер в течение нескольких минут напрягала память, но в конце концов медленно покачала головой.

— Не помню, — призналась она. — Просто его имя как-то всплыло в нашей беседе. Может быть, незадолго до этого Карлотта прочитала о нем в газете. Я еще удивилась, что она так резко высказывается о человеке, которого даже не знает.

— Конечно, это странно, — задумчиво согласился Пуаро. — Вы не знаете, мисс Адамс не принимала веронал?

— Не знаю. Никогда не замечала и не припомню, чтобы она об этом говорила.

— Может быть, вам приходилось видеть у нее маленькую золотую коробочку с рубиновыми инициалами «К.А.»?

— Маленькую золотую коробочку? Нет, никогда не видела. Это точно.

— А вы, случайно, не знаете, где была мисс Адамс в ноябре прошлого года?

— Дайте подумать. Кажется, в ноябре она ездила в Штаты. Это было в конце месяца. А до этого ездила в Париж.

— Одна?

— Конечно одна! Извините, возможно, я вас не так поняла. Не знаю, почему упоминание о Париже всегда вызывает определенные мысли. На самом деле это такое симпатичное респектабельное место. Нет, Карлотта была не из тех, кто ездит туда развлекаться, если вы на это намекаете.

— А теперь, мадемуазель, я задам вам очень важный вопрос: может быть, мисс Адамс интересовалась кем-нибудь из молодых людей больше, чем остальными?

— Ответ будет «нет», — медленно произнесла девушка. — Все это время, что я знала Карлотту, она была занята только своей работой и своей деликатной сестрой. У нее был сильно развит инстинкт главы семьи. Карлотта считала, что без нее сестре не обойтись. Поэтому ответ на ваш вопрос, строго говоря, — НЕТ.

— А если не совсем строго?

— В последнее время я стала замечать... в общем, меня не удивило бы, если бы я узнала, что Карлотта питает симпатию к какому-то мужчине.

— Ага!

— Учтите, это только мои догадки. Я сужу просто по ее поведению. Она стала... какой-то не такой. Не то чтобы мечтательной. Погруженной в свои мысли — будет точнее. Даже выглядеть стала по-другому. Ну, я не могу объяснить. Просто женщина это чувствует, хотя, конечно, может и ошибаться.

Пуаро кивнул:

— Спасибо, мадемуазель. И последнее: не было ли у мисс Адамс друга или подруги, имя или фамилия которого начиналась с буквы «Д»? Кроме вас, конечно.

— Д., — задумчиво повторила Дженни Драйвер. — Д.? Нет, извините, никого не могу припомнить.

Глава 11

ЭГОИСТКА

Не думаю, что мой друг ожидал какого-то другого ответа на свой последний вопрос. Но он все равно разочарованно покачал головой. Пуаро погрузился в раздумья. Мисс Драйвер, опершись локтями о стол, наклонилась к нему.

— Ну а мне вы что-нибудь расскажете? — спросила она.

— Мадемуазель, — начал Пуаро, — прежде всего позвольте сделать вам комплимент. Ваши ответы на мои вопросы продемонстрировали ваш поистине исключительный интеллект. Вы спрашиваете, расскажу ли я вам что-нибудь. Отвечаю: расскажу, но не очень много. Изложу основные факты.

После небольшой паузы мой друг негромко начал:

— Вчера вечером лорд Эдвер был убит в библиотеке своего дома. В десять часов вечера какая-то женщина — я предполагаю, что это была ваша подруга мисс Адамс, — вошла в его дом и назвалась леди Эдвер. На ней был парик золотистого цвета, и она была загримирована так, что имела с леди Эдвер максимальное сходство. Как вы, вероятно, знаете, жена лорда Эдвера — актриса и известна также как Джейн Уилкинсон. Мисс Адамс, если это была она, оставалась в доме буквально несколько минут. В пять минут одиннадцатого она покинула дом лорда Эдвера, однако у себя на квартире появилась только после полуночи. Она легла спать, приняв чрезмерную дозу веронала.

Дженни глубоко вздохнула.

— Да, — сказала она, — теперь я понимаю. Я думаю, вы правы, мистер Пуаро, в том, что это была Карлотта. Между прочим, вчера она купила новую шляпку.

— Новую шляпку?

— Да. Причем сказала, что хочет шляпу такого фасона, которая закрывала бы левую часть лица.

Здесь я должен дать читателю кое-какие разъяснения, так как не знаю, когда он будет читать это повествование. За свою жизнь я повидал немало шляпных фасонов. Были шляпки типа «колокол», которые закрывали лицо настолько, что увидеть его при всем желании было невозможно. Были шляпки, надвинутые на лоб. Были сдвинутые на затылок. Были береты и многие другие фасоны. А в то время, когда происходили описываемые события, последним криком шляпной моды было изделие, напоминавшее перевернутую суповую тарелку. Эту шляпку сильно сдвигали на одну сторону — так что создавалось впечатление, что она присосалась к голове, — а оставшуюся часть лица и прическу оставляли открытыми для осмотра.

— Такие шляпки обычно сдвигают на правую сторону? — осведомился Пуаро.

Маленькая модистка кивнула.

— Но у нас есть и такие, которые носят на левой стороне, — заметила она, — потому что некоторые люди предпочитают из-за пробора открывать правую сторону лица. Интересно, зачем это Карлотте понадобилось скрывать часть лица?

Я вспомнил, что дверь в доме лорда Эдвера открывается налево, поэтому слуга хорошо видит левую сторону лица входящего. У Джейн Уилкинсон в углу левого глаза была маленькая родинка.

Я взволнованно сказал об этом Пуаро. Мой друг согласился, энергично кивнув.

— Совершенно верно. Совершенно верно. Вы абсолютно правы, Гастингс. Да, это объясняет покупку шляпы.

— Мистер Пуаро? — Неожиданно Дженни выпрямилась в кресле. — Но вы не считаете... вы не думаете, что... что это сделала Карлотта? Я хочу сказать, это ведь не она убила лорда Эдвера, несмотря на то что так резко о нем отзывалась? Вы не усомнились в ее порядочности, да?

— Нет, нет. Но все равно любопытно, почему она так говорила о нем? Что он такого сделал? Что она знала о нем, чтобы так говорить?

— Не знаю... но она его не убивала. Она... она была слишком... э... утонченной натурой.

Пуаро одобрительно кивнул:

— Да, да. Это вы хорошо сказали. Это психологический фактор. Согласен. А преступление было, если можно так выразиться, научное, отнюдь не утонченное.

— Научное?

— Убийца точно знал, куда ударить ножом, чтобы поразить жизненно важный центр у основания черепа.

— Похоже, что это сделал врач, — задумчиво произнесла мисс Драйвер.

— Была ли мисс Адамс знакома с каким-нибудь доктором? Дружила ли она с кем-нибудь из них?

Дженни покачала головой:

— Никогда не слышала. По крайней мере, не в Лондоне.

— Еще один вопрос. Носила ли мисс Адамс пенсне?

— Очки? Никогда.

— Ясно, — нахмурившись, сказал мой друг.

Я мысленно нарисовал портрет доктора, пахнущего карболкой, близорукого, в сильных очках. Абсурд!

— Кстати, знала ли мисс Адамс Брайена Мартина, киноактера?

— Да, конечно. Она говорила мне, что знает его с детства. Впрочем, я не думаю, что они часто виделись. Так, время от времени. Она считала, что он стал высокомерным. — Она взглянула на часы и воскликнула: — Боже, я должна бежать! Я хоть немного помогла вам, мистер Пуаро?

— Помогли. Попрошу вас и в будущем содействовать мне.

— Конечно. Ведь кто-то специально подстроил это злодейство. Мы должны выяснить кто.

Она подарила нам ослепительную улыбку, прощально взмахнула рукой и исчезла.

— Интересная личность, — заметил Пуаро, расплачиваясь.

— Мне она понравилась, — отозвался я.

— Всегда приятно иметь дело с сообразительными людьми, — добавил мой друг.

— Хотя, по-видимому, она несколько черствая по натуре, — сказал я. — Новость о смерти подруги расстроила ее не так сильно, как можно было ожидать.

— Конечно, она не из тех, кто заливается слезами, — сдержанно промолвил Пуаро.

— Вы получили от этой беседы, что хотели?

— Нет, — покачал головой мой друг. — Я надеялся, очень надеялся узнать, кто такой этот Д., подаривший мисс Адамс золотую коробочку. Я этого не узнал. К сожалению, Карлотта была девушкой сдержанной. Она не распространялась о своих друзьях и любовных приключениях, если таковые были. Хотя, с другой стороны, тот, кто предложил ей участие в «розыгрыше», мог и не входить в число ее друзей. Может, это был просто знакомый, который пригласил ее участвовать в «розыгрыше», якобы ради «спортивного интереса», и пообещал деньги. Этот же человек, наверное, увидел золотую коробочку и нашел возможность выяснить, что в ней.

— Но как, скажите на милость, мисс Адамс сумели подсыпать веронал? И когда?

— Ну, было время, когда дверь ее квартиры оставалась открытой. Служанка ведь ходила отправлять письмо. Правда, это объяснение меня не удовлетворяет. Слишком легко можно опровергнуть эту версию. Но сейчас — за работу. У нас есть еще две нити.

— Какие?

— Первая: телефонный звонок в район Виктории. Мне представляется вполне вероятным, что Карлотта Адамс хотела позвонить после возвращения домой, чтобы объявить об успехе своей миссии. С другой стороны: где она была между пятью минутами одиннадцатого и двенадцатью часами ночи? Может быть, она встречалась с организатором этого «розыгрыша»? В этом случае она могла звонить просто подруге.

— А вторая нить?

— Вот на нее-то все мои надежды, Гастингс. Письмо. Возможно, что в письме сестре — я говорю: только возможно — она описала все, что касается этого пари. Она не считала это разглашением тайны, потому что письмо прочитают лишь неделю спустя и к тому же в другой стране.

— Хорошо, если бы эта версия подтвердилась!

— Но мы не должны на нее слишком надеяться, Гастингс. Это лишь предположение. Нет, мы начнем с другого конца.

— Что вы называете другим концом?

— Тщательную проверку всех, кому в той или иной степени была выгодна смерть лорда Эдвера.

Я пожал плечами.

— Но за исключением его племянника и жены...

— И человека, за которого она хотела выйти замуж... — добавил Пуаро.

— Герцог? Он в Париже.

— Верно. Но не надо отрицать, что он тоже заинтересованное лицо. А еще люди, работающие в доме лорда Эдвера: слуга, горничная. Неизвестно, не затаил ли один из них обиду на хозяина? Но я считаю, что прежде всего нам надо вновь встретиться с мадемуазель Джейн Уилкинсон. Она в этих вопросах прекрасно ориентируется и может подсказать нам что-нибудь.

Мы опять отправились в «Савой». Леди Эдвер сидела в окружении картонных коробок и листов оберточной бумаги. По всем креслам были разбросаны тончайшие черные ткани. Джейн с серьезным, сосредоточенным видом примеряла перед зеркалом очередную черную шляпку.

— А, мистер Пуаро. Садитесь. Конечно, если вы найдете свободное кресло. Эллис, убери, пожалуйста, что-нибудь.

— Мадам, вы очаровательно выглядите.

— Я не хотела бы лицемерить, мистер Пуаро, но ради осторожности надо соблюдать внешний траур, правда? Ой, кстати, я получила от герцога такую милую телеграмму из Парижа.

— Из Парижа?

— Да, из Парижа. Она, конечно, очень осторожно составлена, и на первый взгляд там вроде бы соболезнования, но я могу читать и между строк.

— Поздравляю вас, мадам.

— Мистер Пуаро. — Джейн скрестила руки, и ее хрипловатый голос стал тише. Она была очень похожа на ангела, из уст которого сейчас польются исключительно благочестивые речи. — Я все думала и думала. Какое это счастье, что дело обернулось таким образом. Вы понимаете, что я имею в виду? Все трудности позади. Никаких проблем. Путь свободен, вперед на всех парусах! Знаете, я уже почти начала верить в Бога.

Я затаил дыхание. Пуаро смотрел на актрису, слегка склонив голову набок. Она говорила совершенно серьезно.

— Значит, вы расцениваете случившееся как чудо, мадам?

— Судьба благоволит ко мне, — восторженно прошептала Джейн. — В последнее время я мечтала только об одном: о, если бы лорд Эдвер умер! Раз — и он мертв! Как будто Бог услышал мою молитву.

Пуаро откашлялся.

— Не могу сказать, что это было именно так, мадам. Вашего мужа убили.

— Да, конечно, — кивнула она.

— А вы не задумывались над тем, кто?

Она удивленно посмотрела на моего друга:

— А какая разница? Это к делу не относится. Мы с герцогом поженимся через четыре-пять месяцев...

— Да, мадам, я знаю. — Пуаро с трудом сдерживал себя. — И все же неужели вам не приходило в голову спросить самое себя: «*Кто убил моего мужа?*»

— Нет. — Похоже, эта мысль очень удивила Джейн. — Я думаю, что полиция найдет убийцу. Полицейские ведь очень умные, правда?

— Говорят, что да. Я тоже приложу все усилия, чтобы разобраться в этом деле.

— И вы тоже? Как забавно.

— Почему забавно?

— Ну, не знаю. — Ее взгляд вернулся к разбросанным по комнате нарядам. Она выбрала атласную блузку и, приложив к груди, стала рассматривать себя в зеркале.

— Так вы не возражаете? — спросил Пуаро, и в его глазах зажегся огонек.

— Ну конечно нет, мистер Пуаро. Мне будет очень приятно, если вы проявите себя. Желаю вам всяческих успехов.

— Мадам, мне нужно нечто большее, чем ваши пожелания. Мне нужно ваше мнение.

— Мнение? — рассеянно спросила Джейн, поворачиваясь перед зеркалом. — Мнение о чем?

— Мадам! — обратился к ней Пуаро громко и с чувством. — Как вы думаете, КТО УБИЛ ВАШЕГО МУЖА?

На этот раз до нее дошло. Джейн бросила на моего друга испуганный взгляд:

— Наверное, Джеральдина.

— Кто такая Джеральдина?

Но внимание Джейн было для нас уже потеряно.

— Эллис, вот здесь, на правом плече, надо будет чуть-чуть поднять. Да. Что вы говорите, мистер Пуаро? Джеральдина — это его дочь. Нет, Эллис, не здесь. Вот так лучше. О, мистер Пуаро, вам уже, наверное, пора идти? Я ужасно благодарна вам за все. И за развод тоже, хотя он мне теперь не нужен. Я всегда буду с благодарностью вспоминать вас.

С тех пор я видел Джейн Уилкинсон только дважды. Один раз на сцене, а второй — когда и она и я были

270

приглашены на завтрак и сидели за одним столиком. Но я всегда буду вспоминать ее именно такой, какой видел в тот день в гостинице: поглощенной своими нарядами, беззаботно бросающей слова, которые серьезно повлияли на дальнейшие действия моего друга. Блаженное создание, целиком думающее только о себе.

— Потрясающе, — с благоговением сказал Пуаро, и мы вышли.

Глава 12

ДОЧЬ

Когда мы вернулись домой, слуга сообщил, что рассыльный принес для Пуаро письмо. Пуаро взял конверт со стола, разрезал край со своей обычной аккуратностью, прочитал письмо и рассмеялся.

— Как это говорится? Легок на помине? Взгляните, Гастингс.

Я взял у него листок. В углу письма стоял адрес: Риджент-Гейт, 17. Послание было написано аккуратным почерком, который на первый взгляд прочитать нетрудно и который на самом деле я разобрал с некоторым усилием:

«Дорогой сэр, я слышала, что утром Вы были у нас дома с инспектором полиции. К сожалению, я тогда не смогла поговорить с Вами. Я была бы Вам очень признательна, если бы Вы смогли уделить мне несколько минут в любое удобное для Вас время после обеда.
С уважением,

Джеральдина Марш».

— Интересно, зачем это ей нужно видеть вас? — спросил я.

— Вы удивляетесь естественному желанию леди видеть меня, Эркюля Пуаро? Очень невежливо, мой друг.

Меня часто раздражала привычка Пуаро шутить не вовремя.

— Мы отправимся немедленно, — заявил он и надел шляпу, смахнув с нее невидимую пылинку.

Беспечное заявление Джейн Уилкинсон о том, что Джеральдина могла убить своего отца, показалось мне особенно нелепым. Только безмозглый дурак мог ляпнуть такое. Я сказал об этом Пуаро.

— Мозги. Безмозглый. А что мы вообще подразумеваем под словом «мозги»? Вот у вас, англичан, есть такое пренебрежительное сравнение: «Мозги как у кролика». Но давайте подумаем хорошенько об этом животном. Кролики живут и размножаются, не так ли? А в природе это признак превосходства над неживой материей. Прекрасная леди Эдвер не знает ни истории, ни географии, ни классической литературы, несомненно. Имя Лао-цзы наведет ее на мысль о собаке дорогой породы китайский мопс, а имя Мольера вызовет ассоциации с ателье мод. Но когда дело доходит до вопросов фасонов одежды, богатом и престижном замужестве, до того, чтобы добиться личной выгоды, — ее успех феноменален. Меня не интересует мнение философа о том, кто убил лорда Эдвера, ибо мотив убийства с философской точки зрения — это создание наивысшего блага в интересах наибольшего количества людей. Поскольку решить, что есть наивысшее благо для наибольшего количества людей, трудно, то почти никто из философов не является убийцей. А вот предположение, небрежно брошенное леди Эдвер, может оказаться для меня чрезвычайно ценным, так как ее точка зрения материалистична и основана на знании худших черт человеческой натуры.

— Вероятно, в этом что-то есть, — согласился я.

— Приехали, — сказал Пуаро. — Интересно, зачем это я так срочно понадобился юной леди?

— Это вполне естественное желание. Вы сами сказали так четверть часа назад. — И, желая поквитаться, я добавил: — Естественное желание увидеть нечто уникальное.

— А может, это вы вчера покорили сердце юной леди, — ответил Пуаро, нажимая кнопку звонка.

Я вспомнил испуганное лицо девушки, стоявшей в дверях комнаты: блестящие темные глаза на бледном лице. Та быстро мелькнувшая перед глазами картина произвела на меня большое впечатление.

Слуга провел нас наверх в большую гостиную, и через пару минут появилась Джеральдина Марш. Это была высокая худенькая девушка с большими недоверчивыми черными глазами. Если в первый раз у меня создалось впечатление, что эта девушка обладает большой внутренней силой, то теперь оно усилилось.

Джеральдина выглядела спокойной и собранной, что в силу ее юного возраста являлось весьма примечательным фактом.

— Как хорошо, что вы пришли так быстро, мистер Пуаро, — сказала она. — Мне очень жаль, что я не смогла поговорить с вами утром.

— Вам нездоровилось?

— Да. Мисс Кэрролл, секретарша моего отца, настояла на том, чтобы я осталась в постели. Она такая добрая.

В голосе девушки послышалась странная неприветливая нотка, и это удивило меня.

— Чем я могу помочь вам, мадемуазель? — спросил Пуаро.

Поколебавшись самую малость, Джеральдина сказала:

— За день до того, как был убит мой отец, вы приходили к нему?

— Да, мадемуазель.

— Зачем? Зачем он просил прийти вас?

Пуаро молчал. Казалось, он обдумывает ответ. Потом я понял, что это был ход с его стороны: он хотел заставить девушку выговориться. Она, по его мнению, была слишком нетерпелива и хотела знать все чересчур быстро.

— Он чего-то боялся? Скажите мне. Скажите. Я должна знать. Кого он боялся? Почему? Что он сказал вам? Ну почему вы молчите?

Я подумал, что ее спокойствие было напускным. Она не смогла долго притворяться. Джеральдина подалась вперед, ее пальцы нервно сжимались и разжимались.

— Мой разговор с лордом Эдвером — это тайна, — медленно произнес мой друг, неотрывно глядя девушке в глаза.

— Значит, вы беседовали с ним... это наверняка был разговор о наших семейных делах. О! Зачем вы мучаете меня? Почему не отвечаете? Я должна знать. Говорю вам, мне необходимо это знать.

Опять, очень медленно, Пуаро покачал головой, очевидно решая какую-то проблему.

— Мистер Пуаро. — Джеральдина выпрямилась. — Я его дочь. Я имею право знать, чего он так боялся в предпоследний день своей жизни. Нечестно оставлять меня в неведении. И по отношению к нему это нехорошо.

— Значит, вы были преданы своему отцу, мадемуазель? — мягко спросил Пуаро.

Девушка отпрянула как ужаленная.

— Предана ему, — прошептала она. — Предана ему? Да я... я...

И вдруг все остатки самообладания покинули ее. Джеральдина откинулась в кресле и начала истерически смеяться. Смеялась она долго.

— Как забавно, — с трудом переводя дыхание, наконец выдавила она из себя, — услышать такой вопрос.

Этот нервный смех не остался без внимания. Дверь открылась, и в комнату вошла мисс Кэрролл. Она сразу оценила ситуацию.

— Ну, ну, Джеральдина, дорогая, так не пойдет, — строго сказала секретарша. — Нет, нет. Успокойся. Все. Прекрати немедленно, нельзя же так.

Ее решительные манеры возымели действие. Смех девушки стал стихать. Она вытерла глаза и выпрямилась.

— Извините, — тихо сказала девушка. — Со мной такого раньше не случалось.

Мисс Кэрролл все еще тревожно смотрела на нее.

— Все в порядке, мисс Кэрролл. Это было очень глупо с моей стороны.

Неожиданно кривая, горькая улыбка появилась на ее лице. Она сидела в кресле очень прямо и ни на кого не смотрела.

— Мистер Пуаро спросил меня, любила ли я своего отца, — пояснила девушка секретарше ясным, холодным голосом.

Мисс Кэрролл издала неопределенный звук, что должно было означать нерешительность с ее стороны. Джеральдина продолжала высоким презрительным голосом:

— Не знаю, что лучше — лгать или сказать правду? Я думаю, сказать правду. Так вот: я не любила своего отца. Я ненавидела его!

— Джеральдина, дорогая.

— Зачем притворяться? Вы, мисс Кэрролл, не питали к нему ненависти, потому что вам он не мог ничего сделать. Вы были одной из немногих, кто не боялся моего отца. Для вас он был только работодателем, который платил вам столько-то фунтов в год. Его жуткие выходки, его приступы ярости не влияли на вас, и вы старались не замечать их. Я знаю, что вы ответите мне: «Бывает, приходится и терпеть». Вы были от этого далеки и всегда оставались жизнерадостной. Вы сильная женщина, но в вас нет жалости к своему ближнему. Да и вообще, вы могли покинуть этот дом в любое время. А я нет. Мое место здесь.

— Право, Джеральдина, я не думаю, что следует вдаваться во все это. Отцы и дочери часто не уживаются. Но я поняла, что жизнь устроена так: чем меньше споришь, тем лучше тебе живется.

Джеральдина повернулась к секретарше спиной и обратилась к Пуаро:

— Мистер Пуаро, я *ненавидела* своего отца и рада, что он умер! Его смерть означает для меня свободу и независимость. Мне абсолютно все равно, кто его убил. Раз убили, значит, могли быть мотивы, и к тому же весьма веские.

Пуаро задумчиво смотрел на девушку.

— Оправдывать убийство — крайне опасная вещь, мадемуазель.

— А что, если убийцу найдут и повесят, мой отец оживет?

— Нет, — сухо ответил Пуаро, — но это может спасти от смерти других людей.

— Не понимаю.

— Человек, который убил один раз, почти всегда может решиться и на второе убийство.

— Не верю. Если он нормальный человек, он больше не будет никого убивать.

— Вы хотите сказать, если он не маньяк-убийца? Увы, то, что я говорю, правда. Допускаю, первое убийство он совершает после отчаянной борьбы с собственной совестью. Потом, если ему грозит разоблачение, следует другое убийство. С моральной точки зрения оно оправданно.

При малейшем подозрении следует и третье. И мало-помалу в убийце зарождается этакая артистическая гордость, убийство для него становится ремеслом, чуть ли не доставляющим удовольствие.

Джеральдина закрыла лицо руками.

— Ужасно. Ужасно. Это правда.

— Ну а если я скажу вам, что такое *уже случилось?* Что преступник, чтобы спасти себя, *убил уже во второй раз?*

— Что такое, мистер Пуаро? — вскричала мисс Кэрролл. — Второе убийство? Где? Кого?

— Это был просто пример, — покачал головой мой друг. — Прошу прощения.

— О, понимаю. А я-то подумала... А теперь, Джеральдина, прекрати молоть всякий вздор.

— Вы, я вижу, на моей стороне, — заметил Пуаро и поклонился.

— Я не верю в высшую меру наказания, — отрывисто сказала мисс Кэрролл, — а в остальном я действительно на вашей стороне. Общество должно быть защищено.

Джеральдина встала и поправила волосы.

— Извините меня. Боюсь, я выглядела довольно глупо. Но вы по-прежнему отказываетесь сказать мне, зачем отец позвал вас?

— Позвал мистера Пуаро? — удивленно спросила секретарша.

Мой друг вынужден был открыть карты.

— Я просто раздумывал о том, сколько вам можно рассказать из нашей беседы с лордом Эдвером. Ваш отец не приглашал меня. Это я искал встречи с ним по поручению моего клиента. Этим клиентом была леди Эдвер.

— О, понимаю.

Странное выражение появилось на лице девушки. Сначала я подумал, что она разочарована, но потом понял, что это облегчение.

— Я вела себя очень глупо, — медленно произнесла она. — Я думала, что отец чувствует какую-то опасность. Как глупо.

— Знаете, мистер Пуаро, вы меня сейчас так напугали, — заявила мисс Кэрролл. — Когда намекнули, что эта женщина совершила и второе убийство.

Пуаро не ответил. Он обратился к девушке:

— Мадемуазель, вы верите, что это убийство совершила леди Эдвер?

— Нет, не верю. Не могу представить ее в роли убийцы. Она слишком... неестественна, чтобы обладать настоящими человеческими чувствами.

— А я не вижу, кто бы это мог сделать, кроме нее, — вмешалась мисс Кэрролл. — У подобных женщин нет никакой морали.

— Это не обязательно она, — возразила Джеральдина. — Она могла прийти сюда, побеседовать с ним и уйти, а настоящий убийца, какой-нибудь лунатик, вошел в дом позднее.

— Я уверена, что убийцы — умственно неполноценные люди, — заявила секретарша. — Все зависит от секреции внутренних желез.

В этот момент дверь открылась и вошел какой-то человек. Увидев собравшихся, он в замешательстве остановился.

— Это мой двоюродный брат, новый лорд Эдвер, — пояснила Джеральдина. — Это мистер Пуаро. Входи, Рональд. Ты нам не помешал.

— Ты уверена, Дина? Как поживаете, мистер Пуаро? Сейчас ваши серые клеточки трудятся над нашей семейной тайной, да?

Я старался вспомнить, где я видел этого человека. Круглое, симпатичное, но ничего не выражающее лицо, небольшие мешки под глазами, маленькие усики, похожие на островок в океанских просторах.

Ну конечно! Он сопровождал Карлотту Адамс в тот вечер, когда мы ужинали в номере Джейн Уилкинсон.

Капитан Рональд Марш, унаследовавший титул лорда. Новый лорд Эдвер.

Глава 13

ПЛЕМЯННИК

Новый лорд Эдвер был человеком наблюдательным. Он заметил, что я слегка вздрогнул.

— А, удивлены? — добродушно произнес он. — Маленькая вечеринка у тети Джейн, помните? Я тогда выпил чуть больше, чем надо, правда? Но я думал, что этого никто не заметит.

Пуаро прощался с Джеральдиной и мисс Кэрролл.

— Я провожу вас, — великодушно сказал Рональд.

Он первым стал спускаться по лестнице, разглагольствуя на ходу:

— Странная это штука — жизнь. Вчера тебя выбрасывают из дома, как котенка, а сегодня ты сам становишься владельцем этого особняка. Мой покойный дядя, да не будет ему земля пухом, вышвырнул меня отсюда три года назад. Но я думаю, вы слышали об этом, мистер Пуаро?

— Да, мне известен этот факт, — спокойно подтвердил мой друг.

— Естественно. Чтобы такого факта — да и не выкопать. Настоящий сыщик не откажет себе в этом удовольствии.

Он ухмыльнулся и распахнул дверь в гостиную.

— Опрокинем по рюмочке перед тем, как вы пойдете?

Мы отказались. Молодой человек налил себе виски с содовой.

— За убийство, — весело провозгласил он. — За одну короткую ночь я превратился из должника, вызывающего отчаяние всех кредиторов, в потенциального покупателя — надежду всех торговцев. Еще вчера нищета, образно выражаясь, жарко дышала у меня над ухом, а сегодня я купаюсь в изобилии.

Он осушил бокал. Потом уже другим тоном заговорил с Пуаро:

— Впрочем, шутки в сторону. Мистер Пуаро, что вы здесь делаете? Помните, как четыре дня назад тетя Джейн мелодраматически воскликнула: «Ну кто избавит меня от этого ужасного тирана?» — и — о чудо! — кто-то взял да и избавил ее от этого тирана! Я надеюсь, не ваше агентство? «Идеальное преступление Эркюля Пуаро, бывшей ищейки!»

Пуаро улыбнулся:

— Я пришел сюда по приглашению мисс Джеральдины Марш.

— Очень осторожный ответ, правда? Нет, в самом деле, мистер Пуаро, что вы здесь делаете? По каким-то причинам вас заинтересовали обстоятельства смерти моего дяди?

— Я всегда интересовался убийствами, лорд Эдвер.

— Но сами их никогда не совершали. Весьма разумно. Научите благоразумию тетю Джейн. Благоразумию и маскировке. Извините, что я называю ее тетя Джейн, но меня это так забавляет. Вы помните, какое озадаченное у нее было лицо, когда я обозвал ее «тетей» на том ужине? Она не имела ни малейшего понятия, кто я такой.

— Правда?

— Да. Меня ведь выгнали отсюда за три месяца до того, как приехала Джейн. — Простоватое, добродушное выражение на его лице на миг пропало. Потом он продолжал небрежным тоном: — Красивая женщина. Но грубовата. Нет утонченности, да?

— Может быть, — пожал плечами Пуаро.

Рональд с любопытством посмотрел на него:

— Вы, наверное, тоже думаете, что это сделала не она? Джейн и вас очаровала, не так ли?

— Я действительно преклоняюсь перед красотой, — бесстрастно заметил мой друг, — но перед фактами — тоже.

Слово «факты» прозвучало едва слышно.

— Перед фактами? — резко переспросил Рональд.

— Вы, видимо, не знаете, лорд Эдвер, что леди Эдвер вчера вечером была на ужине в Чизвике. Как раз в то время, когда ее якобы видели здесь.

Рональд выругался.

— Так, значит, она все-таки поехала! Женщина — что с нее возьмешь? В шесть часов вечера она заявила, что нет такой силы, которая бы заставила ее ехать в Чизвик, а минут десять спустя, я полагаю, она уже передумала! Если будете планировать убийство, никогда не полагайтесь на женщину: она пообещает и не сделает. Так наверняка провалилось немало преступлений. Нет, мистер Пуаро, я это не про себя. И будьте уверены, я прекрасно знаю, о чем вы сейчас думаете. На кого в первую очередь падает подозрение? Ну конечно, на пресловутого озлобленного бездельника-племянника!

Он откинулся в кресле и захихикал.

— Я берегу ваши серые клеточки, мистер Пуаро. И можете не рыскать в поисках свидетеля, который подтвердит, что, когда тетя Джейн объявляла о своем намерении никуда не ехать вчера вечером, я был поблизости. Я действительно стоял рядом. Теперь вы задаете себе вопрос: а может, это злодей-племянник, напялив на себя парик и женскую шляпку, приезжал сюда ночью?

Он смотрел поочередно то на меня, то на Пуаро. По-видимому, ситуация доставляла ему немало удовольствия. Мой друг, слегка склонив голову набок, внимательно смотрел на молодого человека. Мне стало как-то неловко.

— Да, я признаю, у меня был мотив. И я преподнесу вам подарок в виде очень ценной информации. Вчера утром я приходил к дяде. Зачем? Попросить денег. ПОПРОСИТЬ ДЕНЕГ. Предвкушаете дальнейший ход событий? Я ушел, не получив ни гроша. А вечером того же дня лорд Эдвер умирает. Смерть лорда Эдвера. Хороший заголовок для детективного романа. Отлично будет смотреться в книжных киосках.

Он сделал паузу, но Пуаро не проронил ни слова.

— Мне льстит ваше внимание, мистер Пуаро. А вы, капитан Гастингс, похожи сейчас на человека, который увидел привидение. Или вот-вот увидит. Расслабьтесь, мой друг. Подождите развязки. Итак, на чем мы остановились? Ага, слушается дело злодея-племянника, который хочет обставить все так, чтобы подозрение пало на жену лорда Эдвера. Племянник, который в студенческие годы превосходно играл в любительских спектаклях женские роли, решил тряхнуть стариной. Тонким женским голоском он сообщает слуге, что он — жена лорда Эдвера, бочком протискивается мимо слуги и семенит мелкими шажками в библиотеку. Никто ни о чем не подозревает. «Джейн!» — восклицает мой любезный дядюшка. «Джордж!» — писклявым голосом вторю я ему, обнимаю за шею и аккуратно втыкаю перочинный ножик. Чисто медицинские детали я опускаю. Затем фальшивая леди покидает дом и отправляется спать. Хорошо поработал — можно и отдохнуть.

Засмеявшись, Рональд встал и налил себе виски с содовой. Потом медленно вернулся к креслу.

— Пока вроде бы все складывается для следствия прекрасно. Но видите ли, сейчас мы подходим к самой сути. Ах, какое разочарование! Откуда-то появляется неприятное предчувствие, что вас все время водили за нос. Потому что мы подошли к алиби, мистер Пуаро!

Молодой человек осушил стакан.

— Я всегда находил алиби чертовски приятной штукой, — заметил он. — Когда я читаю детективные романы, то всегда обращаю на алиби особое внимание. А мое алиби просто замечательное — трехголовое. Выражаясь проще, я имею трех свидетелей: мистера Дортаймера, миссис Дортаймер и мисс Дортаймер. Исключительно богатые и исключительно музыкальные люди. У них ложа в «Ковент-Гарден».

В эту ложу они приглашают самых перспективных молодых людей. А я, мистер Пуаро, являюсь одним из самых перспективных молодых людей, которых только можно найти. Люблю ли я оперу? Откровенно говоря, нет. Но сначала я насладился великолепным обедом на Гросвенор-сквер, а потом не менее великолепным ужином. Правда, мне пришлось за это платить: от танцев с Рэчел Дортаймер у меня до сих пор рука ноет. Что и требовалось доказать, мистер Пуаро. В то время как кровь хлещет из моего дядюшки, я шепчу всякие глупости в украшенные бриллиантами ушки прекрасной белокурой, простите, темноволосой Рэчел в ложе оперы, и ее длинный носик трясется от смеха. Теперь вы видите, мистер Пуаро, почему я могу быть с вами откровенен. — Он откинулся в кресле. — Надеюсь, я не очень утомил вас своим рассказом? Есть вопросы?

— Уверяю вас, вы нас ничуть не утомили, — ответил Пуаро. — Но раз вы любезно разрешаете задавать вопросы, то у меня есть один маленький вопросик.

— Рад буду ответить.

— Лорд Эдвер, сколько времени вы знакомы с Карлоттой Адамс?

Рональд ожидал все, что угодно, но только не это. Он резко выпрямился, и на его лице появилось совершенно новое выражение.

— Ради Бога, зачем вам это? Какое это имеет отношение к моему рассказу?

— Просто любопытно, и все. А кроме того, вы так подробно все изложили, что к вашему рассказу у меня нет никаких вопросов.

Молодой человек бросил на моего друга быстрый взгляд. Ему как будто не понравилась похвала Пуаро. Рональду, вероятно, хотелось, чтобы мой друг отнесся к его рассказу более подозрительно.

— С Карлоттой Адамс? Дайте подумать. Около года. Нет, чуть больше. Я познакомился с ней в прошлом году, во время ее первых гастролей.

— Вы ее хорошо знали?

— Довольно неплохо. Она не из тех людей, которых можно узнать очень хорошо. Она девушка не болтливая и все такое.

— Но она вам нравилась?

— Хотел бы я знать, почему вас так интересует эта леди? — Рональд удивленно посмотрел на Пуаро. — Может быть, потому, что я был с ней на том ужине? Да, она мне очень нравится. Карлотта симпатичная, внимательно слушает собеседника и дает ему почувствовать, что и он, в конце концов, что-то собой представляет.

Пуаро понимающе кивнул.

— Значит, вам будет очень жаль.

— Жаль? Чего жаль?

— Она мертва.

— Что?! — подпрыгнул от удивления молодой человек. — Карлотта мертва?

Новость абсолютно ошеломила его.

— Вы меня разыгрываете, мистер Пуаро. Карлотта была в полном здравии, когда я видел ее в последний раз.

— А когда это было? — быстро спросил Пуаро.

— Кажется, позавчера. Точно не помню.

— Tout de même[1], она умерла.

— Это совершенно неожиданная смерть. А что с ней случилось? Попала под машину?

— Нет. — Пуаро посмотрел в потолок. — Приняла чрезмерную дозу веронала.

— Ну и ну! Какая ужасная трагедия.

---

[1] И все же *(фр.)*.

282

— Не правда ли?

— Мне действительно очень жаль. У нее все складывалось так неплохо. Собиралась вызвать из Штатов младшую сестру, строила всякие планы. Черт возьми, словами не выразить, как мне жаль ее.

— Да, — согласился Пуаро. — Так печально умереть молодым, когда умирать совсем не хочется, когда перед тобой открыта вся жизнь и у тебя есть все, ради чего следует жить.

Рональд с удивлением взглянул на моего друга:

— Я не совсем понимаю вас, мистер Пуаро.

— Нет? — Пуаро встал и протянул для прощания руку. — Наверное, я выразился... чересчур сильно. Потому что мне не нравится, когда молодых людей лишают права жить, лорд Эдвер. Я против этого. Очень против. До свидания.

— Э... до свидания, — несколько растерянно произнес Рональд.

Открыв дверь, я чуть не столкнулся с мисс Кэрролл.

— О! Мистер Пуаро, мне сказали, что вы еще не ушли. Я хотела бы поговорить с вами, если это возможно. Вы не будете против, если мы зайдем в мою комнату?

— Речь об этом ребенке, Джеральдине, — начала она, когда мы зашли в ее рабочий кабинет и она прикрыла дверь.

— Слушаю вас, мадемуазель.

— Сегодня она наговорила массу глупостей. Да, да, глупостей! У меня нет другого слова. Ее просто прорвало.

— Да, я заметил, что она страдает от перенапряжения, — мягко согласился мой друг.

— Э... сказать по правде, у нее не очень счастливо сложилась жизнь. Да, не стоит лицемерить. Откровенно говоря, мистер Пуаро, лорд Эдвер был весьма своеобразным человеком. Таким людям нельзя доверять воспитание детей. Если честно, то он просто терроризировал Джеральдину.

— Я предполагал что-то в этом роде, — кивнул Пуаро.

— Он был начитанным, образованным человеком. Но кое в чем... ну, я, конечно, с этим не сталкивалась, но было в нем что-то такое... Я не удивилась, когда леди

Эдвер бросила его. Учтите, она мне никогда не нравилась и я о ней совсем невысокого мнения. Выйдя замуж за этого человека, она получила все сполна. Потом она ушла. Как говорится, разошлись как в море корабли. Но Джеральдина уйти не могла. Иногда лорд Эдвер вел себя так, будто девочки вовсе и не существовало, потом вдруг вспоминал о ней. Временами мне казалось... хотя, может, и не стоит говорить об этом...

— Нет, нет, мадемуазель, говорите.

— Ну, временами мне казалось, что лорд Эдвер хочет отыграться на девочке за ее мать... за свою первую жену. Джеральдина — нежное создание с очень мягким характером. Мне всегда было жаль ее. Я бы никогда не вспоминала об этом, мистер Пуаро, если бы не эта глупая вспышка девочки. То, что она говорила о своей ненависти к отцу, может показаться подозрительным тому, кто не знает всех обстоятельств ее жизни.

— Большое спасибо, мадемуазель. Я думаю, что лорду Эдверу жилось бы намного лучше, если бы он не женился вообще.

— Намного лучше.

— А он не думал жениться в третий раз?

— Каким образом? Ведь он был женат.

— Но дав развод леди Эдвер, он бы и сам стал свободным.

— Я считаю, что и с двумя женами у него было немало неприятностей, — мрачно заметила мисс Кэрролл.

— Значит, вы думаете, что вопроса о третьем браке не стояло? И у него никого не было на примете? Подумайте, мадемуазель? Никого?

Секретарша слегка покраснела.

— Ну что вы все об этом? Конечно же у него никого не было.

Глава 14

ПЯТЬ ВОПРОСОВ

— А почему вы спросили, не хотел ли лорд Эдвер жениться в третий раз? — полюбопытствовал я, когда мы ехали домой.

— Просто я подумал, что не исключена и такая возможность, мой друг.

— Почему?

— Я все думаю, чем объяснить столь резкую перемену во взглядах лорда Эдвера на развод. Что-то в этом есть, мой друг.

— Да, — задумчиво согласился я. — Довольно странно.

— Видите ли, Гастингс, лорд Эдвер подтвердил то, что говорила нам его жена. Она обращалась за помощью к многим адвокатам, но он упорно отказывался уступить. И вдруг совершенно неожиданно он соглашается!

— Если только не лжет, — заметил я.

— Очень верное замечание, Гастингс. Весьма справедливо. *Если только не лжет.* У нас нет никаких доказательств, что он действительно написал письмо. Eh bien, предположим, что этот мсье говорит неправду. Почему он подсовывает нам фальшивку, выдумку? С другой стороны, если он и *правда* написал письмо, то *чем* объяснить его неожиданное согласие на развод? Самое первое предположение, которое приходит на ум, — лорд Эдвер встретил какую-то женщину, на которой захотел жениться. И это прекрасно объясняет, почему он так внезапно изменил своим принципам. Естественно, я задаю вопросы на эту тему.

— Но мисс Кэрролл решительно отвергла это предположение, — сказал я.

— Да, мисс Кэрролл... — задумчиво протянул мой друг.

— На что вы намекаете? — спросил я с некоторой досадой. Пуаро прекрасно удается заронить сомнения даже интонацией своего голоса. — Ну какой смысл ей лгать?

— Aucune, aucune[1]. Но видите ли, Гастингс, поверить ее словам все равно трудно.

— Значит, вы думаете, что она говорит неправду? Но зачем? Она производит впечатление вполне искреннего человека.

— В том-то и дело. Иногда не так просто распознать, где намеренное искажение фактов, а где неумышленная неточность.

---

[1] Никакого, никакого *(фр.)*.

— Что вы имеете в виду?

— Обманывать намеренно — это одно. Но быть уверенным в собственной правоте до такой степени, что мелкие детали кажутся несущественными, — это, мой друг, характеризует исключительно честного человека. Мисс Кэрролл уже солгала нам непроизвольно один раз. Она сказала, что видела лицо Джейн Уилкинсон, хотя это невозможно. Как это случилось? Давайте рассуждать. Она стоит на втором этаже, смотрит вниз и вроде бы видит Джейн Уилкинсон. Никаких сомнений не зарождается у мисс Кэрролл: она считает, что это должна быть Джейн Уилкинсон. И секретарша заявляет нам, что отчетливо видела ее лицо. Будучи так уверена в истине, она не обращает внимания на детали, которые должны составлять эту истину! Мы сказали ей, что она не могла видеть лицо вошедшей женщины. Ведь так? Но мисс Кэрролл абсолютно все равно, видела она это лицо или нет: она «знает», что это была Джейн Уилкинсон. И так по любому вопросу. Она отвечает на них в соответствии со своими убеждениями, а не в соответствии с имевшими место фактами. К честному свидетелю всегда надо относиться с подозрением, мой друг. Свидетель, который колеблется, сомневается, задумывается над своими ответами — «э-э...», «вроде бы было так и так...», — заслуживает намного больше доверия!

— Боже мой, Пуаро! — воскликнул я. — Да вы опрокидываете все привычные представления о свидетелях!

— Когда я спросил мисс Кэрролл, не хотел ли лорд Эдвер жениться в третий раз, она меня чуть на смех не подняла. И только потому, что лично ей такая мысль никогда не приходила в голову. Она даже не потрудилась вспомнить, не было ли каких-нибудь, пусть даже самых незначительных, признаков того, что это может произойти. Следовательно, после беседы с этим свидетелем мы не продвинулись ни на шаг.

— Действительно, когда вы сказали ей, что она не могла видеть лицо вошедшей женщины, она ничуть не смутилась, — задумчиво произнес я.

— Верно. Вот потому я и решил, что она не лгунья, а один из этих честных, но ненадежных свидетелей. Вряд ли у нее есть причины лгать, если только она... Идея!

Вот это мысль! Мне пришло в голову одно предположение. Впрочем, — Пуаро покачал головой, — это невозможно, просто невозможно.

Больше он ничего не сказал.

— По-видимому, мисс Кэрролл очень любит дочь лорда Эдвера, — заметил я.

— Да. Несомненно, ей хотелось помочь девушке отвечать на мои вопросы. А какого вы мнения о Джеральдине Марш?

— Мне жаль ее, очень жаль.

— У вас доброе сердце, Гастингс. Нежное создание, попавшее в беду, всегда вызывает вашу симпатию.

— А вашу нет?

— Да, живется ей несладко, — серьезно сказал Пуаро. — Это видно по ее лицу.

— В любом случае вы понимаете, как нелепо предположение Джейн Уилкинсон о том, что эта девушка могла убить своего отца, — тихо заметил я.

— Ее алиби, несомненно, будет удовлетворительным, но пока Джепп ничего не говорил мне на этот счет.

— Мой дорогой Пуаро, вы хотите сказать, что даже после того, как вы увидели эту девушку и поговорили с ней, вам все же необходимо знать ее алиби?

— Eh bien, мой друг, что с того, что я увидел ее и поговорил с ней? Да, она глубоко несчастна, она призналась, что ненавидела своего отца и рада его смерти и ей не по себе от мысли о том, что она могла наговорить нам вчера утром. И после этого вы говорите, что ей не нужно алиби?

— Но эта откровенность и говорит о ее невиновности, — с симпатией произнес я.

— Откровенность вообще является отличительной чертой этой семейки. Вспомните нового лорда Эдвера... С каким апломбом он открыл нам свои карты!

— Да, действительно, — улыбнулся я, вспомнив речь Рональда. — Довольно оригинальный метод.

Пуаро кивнул.

— Он... как это говорится? Выбивает почву возле наших ног.

— Из-под наших ног, — поправил я. — Да, мы выглядели довольно глупо.

— Что за нелепая мысль! Вы, может быть, и выглядели глупо, а я нет. Я не чувствовал себя глупо и не думаю, что выглядел глупо. Напротив, мой друг, мне удалось привести нашего собеседника в замешательство.

— Неужели? — усомнился я, поскольку не мог вспомнить ни малейших признаков замешательства у нового лорда Эдвера.

— Si, si[1]. Я слушал, слушал, а потом взял да и задал ему совершенно неожиданный вопрос, и это, как вы могли заметить, выбило нашего бравого мсье из колеи. Вы недостаточно наблюдательны, Гастингс.

— Но я думаю, что, когда он услышал о смерти Карлотты Адамс, его изумление, ужас были искренними, — ответил я. — А вы, наверное, считаете, что он всего лишь талантливо разыграл скорбь.

— Трудно сказать. Мне его чувства тоже показались вполне правдивыми.

— Как вы думаете, зачем он забросал нас всеми этими фактами? Да еще говорил так цинично? Чтобы развлечься?

— Это тоже возможно. У вас, англичан, весьма своеобразное чувство юмора. Но может быть, он преследовал и другую цель. Если человек скрывает какие-то факты, это вызывает подозрения. Если же он излагает их откровенно, то слушающий начинает придавать им меньше значения, чем они того заслуживают.

— Например, рассказ о ссоре с дядей?

— Точно. Рональд знает, что рано или поздно этот факт будет обнаружен. Eh bien, он рассказывает об этом сам.

— Он не так глуп, как кажется.

— О, он совсем не глуп. Мозги у него в порядке, и он не ленится их эксплуатировать. Лорд Эдвер прекрасно сознает свои возможности и, как я уже сказал, смело открывает карты. Вот вы играете в бридж, Гастингс. Скажите, когда игрок поступает так?

— Да вы и сами играете, — засмеялся я, — и прекрасно знаете, что игрок открывает свои карты тогда, когда абсолютно уверен, что выиграет, и хочет просто сэкономить время.

---

[1] Да, да (исп.).

— Да, mon ami, это совершенно справедливо. Но иногда случается и по-другому. Я сам замечал это пару раз, когда в игре участвуют дамы. Партия близится к концу, но кто выиграет — неизвестно. Eh bien, и вот дама бросает карты на стол и заявляет: «Все остальные взятки — мои!» И остальные игроки соглашаются, особенно если они не слишком опытные. Учтите, в бридже блеф почти не бросается в глаза, для этого требуется анализировать партию. И вот когда открыта новая колода и карты уже наполовину раздали для следующего роббера, кого-нибудь из игроков начинают одолевать сомнения: «Да, но чем бы она побила мою бубновую масть?» или «У нее не было крупных треф, и я легко перехватил бы ход...» — ну и далее в том же духе.

— Значит, вы думаете...

— Значит, я думаю, Гастингс, что слишком много напускной бравады тоже заслуживает внимания. А также я считаю, что самое время поужинать. Немного омлета, не правда ли? А потом, часов в десять, мне нужно нанести один визит.

— Кому?

— Сначала поужинаем. И пока не выпьем кофе, давайте больше не будем обсуждать это дело. Когда человек кушает, его мозг должен быть слугой желудка.

Мой друг сдержал слово. В течение всего ужина в маленьком ресторане в Сохо, где Пуаро хорошо знали, он ни разу не обмолвился о деле лорда Эдвера. Мы съели прекрасный омлет, рыбу, цыпленка, а на десерт — ромовую бабу, которую мой друг очень любил.

Когда мы пили кофе, Пуаро дружески улыбнулся мне и сказал:

— Мой добрый друг. Я завишу от вас больше, чем вы думаете.

Я был смущен и тронут этим неожиданным заявлением. Пуаро никогда не говорил мне ничего подобного. Иногда втайне я даже обижался на него за это. Казалось, Пуаро из кожи лез вон, чтобы принизить мои умственные способности.

Хотя я и не думал, что его собственный ум ослабевает, мне неожиданно пришло в голову, что, вероятно, мой друг стал зависеть от меня больше, чем раньше.

— Да, — продолжал он задумчиво, — может быть, вы не всегда понимаете, как это происходит, но вы очень часто указываете мне правильный путь.

Я не верил своим ушам.

— Честное слово, Пуаро, — запинаясь произнес я, — я ужасно рад. Ведь я многому у вас научился.

— Нет, это не так, — покачал он головой. — Ничему вы не научились.

— О! — воскликнул я в изумлении.

— Послушайте, как должно быть. Ни один человек не должен учиться у другого. Каждый должен развивать свои собственные способности до предела, а не стараться подражать кому-то. Я не хочу, чтобы появился второй Пуаро, который по качеству будет уступать оригиналу. Я хочу, чтобы вы оставались Гастингсом, лучше которого не бывает. И вы действительно лучший в своем роде. В ваших мыслях, Гастингс, я нахожу пример деятельности нормального человеческого ума.

— Надеюсь, что нормального, — буркнул я.

— Да, да. Вы прекрасно уравновешенный человек. Вы воплощение здравомыслия. Знаете, что это для меня значит? Когда преступник совершает преступление, он старается замести следы. Кого он хочет обмануть? Раз он имеет дело с нормальными людьми, то и обман его направлен на нормального среднестатистического человека. Конечно, «нормальный человек» — это математическая абстракция. Но вы подходите под это определение почти идеально. У вас бывают вспышки гениальности, когда вы поднимаетесь выше среднего уровня, и бывают моменты, когда вы, простите меня, опускаетесь до поразительных глубин бестолковости. Eh bien, какая от этого польза для меня? А вот какая: в ваших мыслях я, как в зеркале, читаю то, во что меня хочет заставить поверить преступник. Это чрезвычайно полезно, потому что подсказывает мне правильные ходы.

Я не совсем понял Пуаро, но мне показалось, что его объяснения едва ли можно назвать комплиментом. Однако скоро он избавил меня от этого впечатления.

— Я плохо выразился, — быстро поправился мой друг. — У вас есть интуиция, понимание криминального ума, чего мне не всегда достает. Вы подсказываете мне мысли преступника. Это большой дар.

— Интуиция, — задумчиво сказал я. — Да, возможно, у меня есть интуиция.

Я взглянул на Пуаро. Мой друг курил свои миниатюрные сигареты и смотрел на меня с большой симпатией.

— Дорогой Гастингс, — пробормотал он. — Я и правда очень вас люблю.

Хотя мне было и приятно слушать эти слова, но я смутился и быстро перевел разговор на другую тему.

— Давайте лучше поговорим об этом преступлении, — деловито сказал я.

— Eh bien.

Пуаро отклонился назад, глаза его сузились. Он выпустил клуб дыма и произнес:

— Я задаю себе вопросы.

— Да? — спросил я с надеждой.

— Вас тоже мучают сомнения?

— Конечно, — ответил я. Отклонившись и сузив глаза, как Пуаро, я выпалил: — Так кто же убил лорда Эдвера?

Пуаро немедленно распрямил плечи и энергично затряс головой:

— Нет, нет. Совсем не так. Это вопрос, да? Вы напоминаете человека, который читает детективный роман и начинает перебирать по очереди всех действующих лиц. Один раз и мне пришлось применить подобный метод. Как-нибудь я расскажу вам об этом чрезвычайно успешном для меня расследовании. Так на чем мы остановились?

— На вопросах, которые вы задаете себе, — сухо ответил я. Я хотел съязвить, что на самом деле я нужен Пуаро только для того, чтобы ему было перед кем хвастаться своими успехами, но сдержался: раз ему так нравится поучать других — пусть поучает. — Любопытно послушать, что же это за вопросы.

Пуаро только этого и надо было. Он снова откинулся на спинку кресла и начал:

— Первый мы уже обсудили. *Почему лорд Эдвер изменил свое отношение к разводу?* По этому поводу мне пришла в голову пара идей. С одной из них я вас познакомил.

Вопрос номер два: *что случилось с письмом лорда Эдвера?* Кому выгодно, чтобы развод не состоялся?

Третий вопрос: *что могло означать это странное выражение лица лорда Эдвера, которое вы случайно заметили вчера, выходя из библиотеки?* Может, у вас есть ответ, Гастингс?

Я покачал головой.

— Вы уверены, что это не плод вашего воображения? Иногда, мой друг, оно у вас чересчур живое.

— Нет, нет. — Я энергично затряс головой. — Я абсолютно уверен, что мне это не показалось.

— Bien[1]. Значит, этот факт тоже требует объяснения. Четвертый вопрос касается пенсне. Ни Джейн Уилкинсон, ни Карлотта Адамс не носили очков. Откуда же тогда в сумочке мисс Адамс оказалось пенсне?

И последний вопрос: *зачем кто-то позвонил в Чизвик, чтобы удостовериться, что леди Эдвер там, и кто был этот человек?*

Вот это, мой друг, и есть вопросы, которые не дают мне покоя. Если я смогу ответить на них, я буду счастлив. Мое самолюбие не будет страдать так сильно, если я смогу разработать теорию, которая удовлетворительно объяснит все эти несуразности.

— Но есть и другие вопросы, — заметил я.

— Например?

— Кто подбил Карлотту Адамс на участие в розыгрыше? Где была она в тот вечер до и после десяти часов? Кто такой Д., подаривший ей золотую коробочку?

— Ну, эти вопросы слишком прямолинейны, — возразил мой друг. — Они подразумеваются сами собой. Это *фактические* вопросы, ответы на которые мы можем получить в любой момент. Я бы сказал, что это просто детали, которых мы пока не знаем. Мои же вопросы, mon ami, психологические. Маленькие серые клеточки...

— Пуаро! — в отчаянии воскликнул я, понимая, что должен остановить его любой ценой, так как не смогу еще раз выдержать рассказ о серых клеточках. — Вы говорили о каком-то визите сегодня вечером.

---

[1] Ладно *(фр.)*.

— Верно, — согласился Пуаро, взглянув на часы. — Я сейчас позвоню и выясню, примут ли нас.

Через несколько минут он вернулся.

— Поехали. Все в порядке.

— Куда? — осведомился я.

— К сэру Монтегю Корнеру в Чизвик. Я хотел бы подробнее узнать о том загадочном телефонном звонке.

Глава 15

СЭР МОНТЕГЮ КОРНЕР

Около десяти вечера мы прибыли в Чизвик. Дом сэра Монтегю, большой особняк, окруженный парком, находился неподалеку от реки. Нас провели в красивый зал, стены которого были отделаны панелями. Через открытую дверь по правой стороне мы увидели столовую с длинным полированным столом, освещенным свечами.

— Пожалуйста, проходите сюда. — Слуга провел нас по широкой лестнице на второй этаж.

Мы оказались в комнате, из окон которой открывался вид на реку. Здесь царил дух старого времени. В углу, возле открытого окна, стоял столик для игры в бридж. Вокруг него сидело четверо мужчин. Когда мы вошли, один из них поднялся навстречу нам.

— Рад с вами познакомиться, мистер Пуаро.

Я с интересом посмотрел на сэра Монтегю. Это был невысокий человек с очень маленькими черными умными глазами и тщательно уложенным париком. Его поведение было жеманным до предела.

— Позвольте представить вам мистера и миссис Уидберн.

— Мы уже знакомы, — весело сказала миссис Уидберн.

— А это мистер Росс.

Росс был молодым белокурым человеком лет двадцати двух, с приятным лицом.

— Я помешал вашей игре. Тысяча извинений, — сказал Пуаро.

— Вовсе нет. Мы еще не начинали, собирались только сдавать карты. Выпьете кофе, мистер Пуаро?

От кофе мой друг отказался, зато принял предложение выпить старого бренди. Нам принесли его в огромных бокалах.

Пока мы пили небольшими глотками, сэр Монтегю разглагольствовал о японских гравюрах, китайской глазури, персидских коврах, французском импрессионизме, современной музыке и теории Эйнштейна. Затем он откинулся на спинку кресла и добродушно взглянул на нас. Очевидно, ему понравилось собственное выступление. В тусклом свете сэр Монтегю был похож на средневекового джинна. По всей комнате были развешаны и расставлены изящные произведения искусства.

— А теперь, сэр Монтегю, — начал Пуаро, — я не буду больше злоупотреблять вашим терпением и перейду к цели моего визита.

Сэр Монтегю махнул рукой, удивительно напоминающей когтистую лапу птицы.

— Некуда спешить. Время бесконечно.

— Это всегда чувствуешь в вашем доме, — вздохнула миссис Уидберн. — Здесь так чудесно.

— Я бы не стал жить в Лондоне и за миллион, — заявил сэр Монтегю, — если бы не старомодная атмосфера этого дома, в которой чувствуешь себя так спокойно. В наши тревожные дни покой, увы, большая редкость.

Неожиданно мне пришла в голову крамольная мысль о том, что, если бы кто-то действительно предложил сэру Монтегю миллион фунтов стерлингов, старомодная атмосфера спокойствия могла бы катиться ко всем чертям. Но я отогнал эту еретическую мысль.

— Да и что есть деньги, в конце концов? — пробормотала миссис Уидберн.

— Да, — задумчиво произнес ее супруг и рассеянно побренчал мелочью в кармане.

— Арчи, — с упреком обратилась к нему миссис Уидберн.

— Извини, дорогая, — отозвался мистер Уидберн и перестал звенеть монетами.

— Говорить в таком обществе о преступлении просто непростительно, — начал Пуаро извиняющимся тоном.

— Вовсе нет. — Сэр Монтегю милостиво махнул рукой. — Преступление ведь тоже может быть произведением искусства, а детектив — настоящим виртуозом. Я говорю, конечно, не о полиции. Сегодня в моем доме побывал один инспектор из Скотленд-Ярда. Интересный человек. Например, он никогда не слышал о Бенвенуто Челлини.

— Наверное, он приходил по делу Джейн Уилкинсон, — заявила миссис Уидберн с внезапно проснувшимся любопытством.

— Какая удача, что эта леди была вчера вечером у вас в гостях, — заметил Пуаро.

— Похоже, что так, — согласился сэр Монтегю. — Я пригласил ее сюда, зная, что она красива и талантлива. Она хочет заняться поисками новых талантов, и я надеюсь быть ей полезен. Но пока судьба распорядилась иначе: я оказался полезен ей в совершенно другом вопросе.

— Джейн повезло, — сказала миссис Уидберн. — Она изо всех сил старалась избавиться от лорда Эдвера, и кто-то оказал ей такую услугу. Все говорят, что теперь она выйдет замуж за герцога Мертона. А старая герцогиня чуть с ума от этого не сходит.

— На меня леди Эдвер произвела благоприятное впечатление, — снисходительно сказал сэр Монтегю. — Мы побеседовали с ней вчера об искусстве Древней Греции.

Я улыбнулся, представив, как Джейн своим волшебным хрипловатым голосом вставляет «да» и «нет» и «как чудесно!» в любую беседу. Сэр Монтегю был человеком, для которого интеллигентность собеседника состояла в умении слушать с должным вниманием.

— Все говорили, что Эдвер был странным человеком, — вступил в разговор мистер Уидберн. — Осмелюсь сказать, что врагов у него было не так уж мало.

— Мистер Пуаро, это правда, что кто-то всадил ему нож в затылок? — спросила миссис Уидберн.

— Абсолютная правда. Очень точный и надежный удар, я бы даже сказал — научно обоснованный.

— Я чувствую, что это убийство восхитило вас, как произведение искусства, — заметил сэр Монтегю.

— А теперь я перехожу к цели моего визита, — объявил Пуаро. — Вчера, когда леди Эдвер ужинала здесь, ее позвали к телефону. Меня интересуют подробности этого телефонного звонка. Вы разрешите мне побеседовать с вашим лакеем?

— Конечно, конечно. Росс, будьте любезны, позвоните.

На звонок пришел слуга, высокий человек средних лет с лицом священника. Сэр Монтегю объяснил ему, что хочет Пуаро. Лакей с вежливым вниманием повернулся к моему другу.

— Кто взял трубку, когда зазвонил телефон? — начал Пуаро.

— Я, сэр. Телефон стоит в нише по пути из зала.

— Это был женский или мужской голос?

— Женский, сэр.

Лакей немного подумал.

— Насколько я помню, сэр, сначала телефонистка спросила, действительно ли это номер Чизвик 43434. Я ответил, что да. А потом уже та, другая, женщина осведомилась, ужинает ли у нас леди Эдвер. Я подтвердил, что госпожа Эдвер действительно ужинает у нас. Тогда эта женщина сказала: «Я хотела бы поговорить с ней». Я пошел в столовую, сообщил об этом леди Эдвер и проводил ее к телефону.

— А потом?

— Леди Эдвер взяла трубку и сказала: «Алло, кто это говорит?» Потом ответила: «Да, это леди Эдвер». Я уже хотел идти, когда она подозвала меня и сказала, что их разъединили. Что кто-то засмеялся и, видимо, повесил трубку. Потом леди Эдвер спросила меня, не называла ли говорившая свое имя. Я ответил, что нет. Вот и все, сэр.

Пуаро нахмурился каким-то своим мыслям.

— Вы действительно думаете, что этот телефонный звонок имеет какое-то отношение к убийству, мистер Пуаро? — спросила миссис Уидберн.

— Пока невозможно сказать, мадам. Просто это любопытное обстоятельство.

— Иногда люди звонят в шутку. Со мной тоже так шутили.

— Вполне возможно, мадам, — подтвердил Пуаро и вновь обратился к лакею: — Голос этой женщины был высокий или низкий?

— Низкий, сэр. Такой осторожный и довольно отчетливый. — Слуга сделал паузу. — Может, мне показалось, сэр, но в нем чувствовался *иностранный акцент*. Эта женщина слишком старательно выговаривала звук «р».

— Ну, если так, то это мог быть и шотландский акцент, Дональд, — улыбнулся Россу мистер Уидберн.

— Не виновен, — засмеялся тот. — В это время я сидел за столом.

Пуаро опять заговорил со слугой.

— Как вы думаете, могли бы вы узнать этот голос, если бы услышали его еще раз?

— Не знаю, сэр, — заколебался лакей. — Может быть. Наверное, мог бы.

— Благодарю вас, мой друг.

Лакей поклонился и удалился важной походкой.

Сэр Монтегю продолжал играть роль дружелюбного старомодного хозяина. Он стал уговаривать нас остаться на партию бриджа. Я извинился: ставки были выше, чем мне хотелось бы. Молодой Росс тоже с облегчением вздохнул, когда Пуаро сменил его за столиком. Так мы и сидели с Россом, наблюдая за игрой. Вечер закончился убедительной победой моего друга и сэра Монтегю: оба выиграли довольно крупные суммы.

Мы поблагодарили хозяина и покинули дом. Росс отправился с нами.

— Странный человек этот сэр Монтегю, — заметил Пуаро, когда мы вышли на ночную улицу.

Погода была чудесная. Мы решили пройтись пешком, пока нам не попадется такси.

— Да, странный человек, — снова сказал мой друг.

— Очень богатый человек, — с чувством добавил Росс.

— Еще бы.

— Мне кажется, что я ему понравился, — заявил молодой человек. — Надеюсь, это надолго. Поддержка сэра Монтегю много значит.

— Вы актер, мистер Росс?

Дональд ответил утвердительно. Кажется, он слегка расстроился, что его фамилия не вызвала у нас никаких ассоциаций. Оказывается, недавно он с успехом выступил в какой-то мрачной пьесе русского автора.

Когда мы с Пуаро утешили его, мой друг как бы между прочим спросил:

— Вы знали Карлотту Адамс?

— Нет. Я видел сообщение о ее смерти в вечерней газете. Чрезмерная доза какого-то наркотика. Как глупо эти девушки травят себя.

— Да, это печально. К тому же это была очень умная девушка.

— Может быть, — равнодушно сказал Росс. Его явно не интересовали способности других.

— А вы были на ее спектаклях? — спросил я.

— Нет. Мне такие вещи не нравятся. Сейчас все с ума сходят от пародий, но я считаю, что эта мода долго не продержится.

— Вот и такси, — сказал Пуаро и помахал тростью.

— А я пройдусь пешком до Хаммерсмита, — заявил молодой человек. — Оттуда поеду домой на метро.

Вдруг он как-то неестественно засмеялся.

— Странно. Этот вчерашний ужин...

— Да?

— Кто-то из гостей не пришел, и нас сидело за столом тринадцать. Но мы так и не заметили этого до конца ужина.

— А кто первым встал из-за стола? — спросил я.

— Я, — ответил Росс и нервно хихикнул.

Глава 16

РАЗГОВОР С ИНСПЕКТОРОМ ДЖЕППОМ

Вернувшись домой, мы обнаружили, что нас ожидает инспектор Джепп.

— Решил зайти поболтать перед сном, мистер Пуаро, — жизнерадостно сообщил он.

— Eh bien, мой друг, как идут дела?

— Да не особенно хорошо. — Инспектор слегка помрачнел. — Может, у вас есть что-нибудь для меня?

— Могу поделиться с вами парочкой идей, — ответил мой друг.

— Ох уж эти ваши идеи! Знаете, Пуаро, вы в некотором смысле человек со странностями. Но мне хотелось бы услышать ваши соображения, честное слово. Хотя ваша голова и имеет весьма причудливую форму, в нее часто приходят отличные мысли.

Пуаро выслушал комплимент без особого энтузиазма.

— Меня больше всего интересуют эти загадочные леди-близнецы, — продолжал Джепп. — Что вы думаете по этому поводу? А, мистер Пуаро? Кто же приходил в дом лорда Эдвера?

— Именно об этом я и хочу поговорить.

Пуаро спросил инспектора, слышал ли тот о Карлотте Адамс.

— Я слышал это имя. Но сейчас не могу припомнить в связи с чем.

Мой друг объяснил.

— А, актриса! Пародистка, да? А почему вы о ней спросили? Она-то какое имеет отношение к этому делу?

Пуаро рассказал, что привело его к подобному заключению.

— Боже мой, а ведь вы правы. Платье, шляпа, перчатки и прочее. И еще этот светлый парик. Ну, Пуаро, вы неотразимы. Отличная работа! Хотя я и не думаю, что Карлотту убрали как свидетеля. Здесь вы явно выдаете желаемое за действительное, и я не могу с вами согласиться.

Ваша теория на этот счет слишком неправдоподобна. У меня в этих вопросах больше опыта, чем у вас. Я не верю, что за всем этим скрывается человек, направлявший Карлотту Адамс. Она и сама была женщина предприимчивая. Я думаю, все произошло так: она пошла к лорду Эдверу с какими-то своими целями, наверное, шантажировать его, ведь она намекала, что скоро получит большие деньги. Они поспорили. Он вышел из себя, она вышла из себя. Карлотта его прикончила. Когда она вернулась домой и до нее дошло, что она натворила, с ней случилась истерика. Она же не хотела убивать. Я считаю, что Карлотта сознательно приняла чрезмерную дозу наркотика. Это было для нее легчайшим выходом.

— И вы думаете, что этим можно объяснить все факты?

— Ну конечно, мы еще многого не знаем, но это неплохая рабочая гипотеза. А может быть, убийство лорда

Эдвера и розыгрыш не имеют друг к другу отношения? Может, это чертовски неудачное совпадение?

Я знал, что мой друг не согласен с этим. Но он только сказал уклончиво:

— Да, это возможно.

— Или вот послушайте еще. Сам розыгрыш достаточно безобиден, но кто-то из посторонних слышит о нем и понимает, что это можно отлично приспособить для своих планов. Неплохо? — Инспектор сделал паузу, потом продолжал: — Но лично я предпочитаю версию номер один. А что связывало лорда Эдвера и эту девушку, мы еще выясним.

Пуаро рассказал ему о письме Карлотты Адамс в Америку, отправленном служанкой, и Джепп согласился, что оно может значительно помочь следствию.

— Я займусь этим письмом немедленно, — заявил инспектор, делая пометку в своей записной книжке и пряча ее в карман. — Я склонен думать, что убийца — женщина, потому что не могу найти никого другого. Правда, есть еще капитан Марш, новый лорд Эдвер. У него для убийства своего дяди был не мотив, а целый мотивище. Да и репутация у него отвратительная: постоянно нуждался в деньгах и был не очень-то разборчив насчет того, где их достать. Более того, вчера утром он сильно поругался с лордом Эдвером. Он мне сам об этом рассказал, хотя было бы, конечно, приятней, если бы я докопался до этого факта самостоятельно. Он был бы перспективным подозреваемым, но у него алиби на вчерашний день: он провел вечер в опере с Дортаймерами. Пообедал с ними на Гросвенор-сквер, посетил оперу, потом поужинал в «Собранис». Я проверял. Вот такие дела.

— А мадемуазель?

— Вы имеете в виду его дочь? Ее тоже не было дома. Она обедала с какими-то Картью-Уэстами, потом пошла с ними в оперу. Вечером они проводили ее домой. Она вернулась без четверти двенадцать. Так что и ее кандидатура отпадает. Секретарша, похоже, тоже в порядке: очень деловая, приличная женщина. Потом еще слуга. Не могу сказать, что я проникся к нему особой симпатией. Разве мужчина может быть таким красивым? Ну а если серьезно, в нем есть что-то подозрительное. Да и на службу к лорду Эдверу он поступил как-то странно. Сейчас я навожу о нем справки. Впрочем, я не вижу у него никакого мотива для убийства.

— Есть ли какие-нибудь новые факты по этому делу?

— Да, есть кое-что. Трудно сказать, имеют ли они какое-то значение или нет. Во-первых, исчез ключ лорда Эдвера.

— Ключ от входной двери?

— Да.

— Это, конечно, интересно.

— Как я уже сказал, этот факт может говорить о многом, а может и ничего не значить. Мне кажется, что более важным является то, что лорд Эдвер получил вчера по чеку деньги. Правда, немного, всего сто фунтов. Он взял французской валютой, так как должен был ехать сегодня в Париж. Так вот: эти деньги исчезли.

— Кто вам об этом сказал?

— Мисс Кэрролл. Она получала деньги в банке. Она упомянула об этом в разговоре со мной, и я сразу же обыскал все вещи лорда Эдвера, но этих денег не нашел.

— А где они были вчера?

— Секретарша не знает. Она отдала их лорду Эдверу около половины четвертого в библиотеке. Деньги были в банковском конверте. Лорд Эдвер взял конверт и положил его на стол.

— Надо подумать. Это усложняет дело.

— Или облегчает. Кстати, что касается раны...

— Да?

— По мнению доктора, она сделана не простым перочинным ножом. Чем-то вроде этого, но с лезвием другой формы. Очень острым лезвием.

— Не бритвой?

— Нет, нет. Меньше.

Пуаро, нахмурив брови, задумался.

— Новому лорду Эдверу, видно, очень понравилась его собственная шутка, — заметил Джепп. — Ему кажется забавным быть подозреваемым в убийстве. Он постарался сделать все, чтобы мы действительно насторожились по отношению к нему. Довольно странная позиция.

— Может быть, он хочет выяснить нашу точку зрения?

— Нет, скорее всего он пытался скрыть неловкость. Смерть дяди была ему очень выгодна. Между прочим, он уже переехал в его дом.

— А где он жил до этого?

— На Сент-Джордж-роуд. Не очень шикарное место.

— Запишите адрес, Гастингс.

Я выполнил просьбу Пуаро, хотя и удивился немного: если Рональд переехал на Риджент-Гейт, вряд ли нам понадобится его старый адрес.

— Я думаю, что убила все-таки эта Адамс, — заявил инспектор, вставая. — Отличная работа, Пуаро. Конечно, вы ходите по театрам, развлекаетесь, поэтому вам и приходят в голову мысли, которые у меня никогда и не возникнут. Жаль только, что мы пока не нашли у этой девушки никакого мотива, но я уверен, что, если мы покопаемся немного, обязательно его обнаружим.

— Вы не обратили внимания на одного человека, у которого есть серьезный повод для убийства лорда Эдвера.

— Кто это, сэр?

— Джентльмен, который, как полагают, хочет жениться на леди Эдвер. Я имею в виду герцога Мертона.

— Да, действительно, здесь есть мотив, — засмеялся Джепп. — Но люди такого ранга не убивают. А кроме того, он в Париже.

— Значит, вы не считаете его серьезным подозреваемым?

— А разве вы считаете, мистер Пуаро?

И, смеясь над нелепостью этого предположения, инспектор покинул нас.

Глава 17

СЛУГА

Следующий день мы бездействовали, зато Джепп работал не покладая рук. Мы пили чай, когда он забежал к нам весь красный и рассерженный.

— Я совершил грубейшую ошибку.

— Что вы, мой друг, это невозможно, — попытался успокоить инспектора Пуаро.

— Нет, совершил. Я позволил этому (тут инспектор вставил крепкое слово) слуге ускользнуть от меня.

— Так он исчез?

— Да. Смылся. Я не просто идиот, я круглый идиот, потому что мне и в голову не пришло включить его в число подозреваемых.

— Успокойтесь, ну право же, инспектор, успокойтесь.

— Вам хорошо утешать. Посмотрел бы я на ваше спокойствие, если бы начальство намылило вам шею так, как мне! О, этот слуга скользкий тип. Опытный, не первый раз убегает.

Джепп вытер пот со лба. Сейчас он представлял собой довольно жалкое зрелище. Пуаро издал неопределенный сочувственный звук, чем-то напоминающий кудахтанье курицы, откладывающей яйцо. Зная английскую натуру лучше, чем мой друг, я налил виски, самую малость разбавил его содовой и поставил перед инспектором. Тот немного оживился.

— Не откажусь, — произнес он..

Опрокинув стакан, Джепп продолжал свой рассказ уже не столь похоронным тоном:

— Даже сейчас я не уверен, что убийца — слуга. Конечно, его исчезновение выглядит подозрительным, но для этого могут быть и другие причины. Видите ли, я начал наводить о нем справки. Похоже, что этот слуга связан с парочкой ночных клубов. Не тех, что обычно конфликтуют с законом, а более непристойных, гадких. Этот парень — мерзкий тип.

— Все равно, это еще не значит, что он убийца.

— Верно. Он может быть замешан в каком-нибудь нечистом деле, но не обязательно убийстве. Нет, теперь я, как никогда прежде, уверен, что это сделала мисс Адамс, хотя доказательств у меня пока нет. Мои люди перерыли всю ее квартиру, но не нашли ничего полезного. Она была девушка себе на уме. Никаких личных записей, только деловые бумаги, копии заключенных контрактов. Все аккуратно сложено и помечено. Пара писем от сестры из Вашингтона, так, ничего особенного. Один-два предмета старой бижутерии, не эти дорогие новомодные штучки. Дневник она не вела. Паспорт и чековая книжка в порядке. Черт возьми, как будто эта девушка не имела никакой личной жизни!

— Просто она была замкнутой, — задумчиво заметил Пуаро. — Жалко, конечно, с одной стороны.

— Я беседовал с ее служанкой. Тоже безрезультатно. Еще я ходил в шляпный магазин. Его содержит девушка, которая, кажется, была подругой Карлотты Адамс.

— Да? Ну и какого вы мнения о мисс Драйвер?

— Смышленая, наблюдательная девица. Впрочем, она тоже не смогла мне помочь. Меня это не удивило. Сколько раз мне приходилось искать пропавших девушек, и всегда их родные и близкие твердят одно и то же: «Она была таким добрым, любящим созданием. С парнями не общалась». И это всегда оказывалось неправдой. Это неестественно. Девушки должны дружить с парнями. Бестолковые друзья и родственники всегда затрудняют следствие.

Он передохнул, и я наполнил его стакан.

— Спасибо, капитан Гастингс, я не против. Так на чем мы остановились? Бегаешь, бегаешь, как ищейка... Нашлась дюжина молодых людей, с которыми она ужинала и танцевала, но нет ни малейшего намека на то, что к кому-нибудь из них она питала нежные чувства. Среди них и новый лорд Эдвер, и кинозвезда Брайен Мартин, и еще с десяток. Увы, никого заслуживающего внимания. Вы не правы, если считаете, что за этим убийством стоит еще кто-то. Скоро вы убедитесь, что она действовала в одиночку, мистер Пуаро. Теперь я стараюсь выяснить, чем она была связана с убитым. Такая связь должна быть. На той маленькой коробочке было написано «Париж». Покойный лорд Эдвер побывал в Париже несколько раз прошлой осенью. Мисс Кэрролл сказала мне, что он покупал на распродажах антикварные вещи. Так что и мне стоит туда прокатиться. Завтра дознание, но оно, конечно, будет отложено. Поеду в Париж завтра после обеда.

— Меня поражает ваша неиссякаемая энергия, Джепп.

— Зато вы что-то ленитесь. Вы просто сидите, размышляете и называете это работой маленьких серых клеточек! Бесполезно. К фактам надо идти, они к вам сами не придут.

Дверь открылась, и служанка обратилась к Пуаро:

— Мистер Брайен Мартин, сэр. Вы заняты или примете его?

— Я ухожу. — Джепп встал. — Похоже, у вас консультируются все звезды театрального мира.

Пуаро скромно пожал плечами, и инспектор засмеялся:

— Вы, наверное, уже миллионер, мистер Пуаро. Что вы делаете с деньгами? Копите?

— Безусловно, я сторонник экономии. Кстати, о деньгах: как распорядился ими лорд Эдвер?

— Та собственность, которая автоматически не переходит к новому лорду Эдверу, отойдет к его дочери. Пятьсот фунтов стерлингов он завещал мисс Кэрролл. Других наследников нет. Очень простое завещание.

— А когда лорд Эдвер сделал его?

— Чуть более двух лет назад, после того, как его бросила вторая жена. В связи с этим он лишил ее наследства.

— Мстительный тип, — пробормотал Пуаро.

Бросив нам «пока», повеселевший инспектор ушел.

В комнату вошел Брайен Мартин. Он был безукоризненно одет и элегантен, но выглядел не очень счастливым. Лицо его осунулось.

— Я обещал прийти раньше, — начал он. — Извините, мистер Пуаро. В конце концов оказалось, что я понапрасну тратил ваше время.

— В самом деле?

— Да. Я говорил с той женщиной. Убеждал ее, просил, но бесполезно. Она и слышать не захотела о том, чтобы этим делом занимались вы. Поэтому нам придется его бросить. Простите, что зря потревожил вас.

— Пожалуйста, пожалуйста, — великодушно ответил мой друг. — Я и предполагал, что этим закончится.

— Да? — Слова Пуаро сильно удивили актера. — Вы предполагали?

— Конечно! Когда вы сказали, что вам надо проконсультироваться с той леди, я уже знал, что она откажется.

— Так у вас есть какая-то теория на этот счет?

— У сыщика, мистер Мартин, всегда есть какая-нибудь теория. От него это и требуется. Правда, я сам не называю это теорией. Так, небольшая идейка. Первая стадия.

— А вторая?

— Если эта идейка подтвердится, тогда я знаю правильное решение. Видите, все очень просто.

— Я бы хотел, чтобы вы поделились со мной вашей теорией, или, как вы ее называете, идейкой.

— У сыщика есть еще одно правило: молчать до поры до времени, — покачав головой, мягко сказал Пуаро.

— И намекнуть даже не можете?

— Нет. Скажу только, что я начал кое о чем догадываться, когда вы упомянули золотой зуб.

Брайен Мартин ошеломленно уставился на Пуаро.

— Вы меня окончательно запутали, — заявил он. — Не могу понять, к чему вы клоните. Если бы вы хоть намекнули...

Пуаро улыбнулся и вновь покачал головой:

— Давайте поговорим о чем-нибудь другом.

— Да, но сначала... ваш гонорар... не отказывайтесь.

— Ни гроша! — повелительно взмахнул рукой мой друг. — Я вам ничем не помог.

— Но я отнял у вас время...

— Когда мне самому интересно, я не беру денег. А ваше дело меня очень заинтересовало.

— Я рад, — с тревогой произнес актер. Вид у него был просто несчастный.

— Ладно, — мягко сказал мой друг. — Переменим тему.

— Я встретил на лестнице человека. Он, кажется, из Скотленд-Ярда?

— Да, это инспектор Джепп.

— Там темно, и я плохо разглядел его. Кстати, он приходил ко мне и расспрашивал о той несчастной девушке, которая умерла от веронала.

— Вы хорошо знали мисс Адамс?

— Не очень. В детстве, там в Америке, мы дружили. Но с тех пор я видел ее нечасто, так, пару раз. Очень жаль, что она умерла.

— Вам она нравилась?

— Да. С ней было исключительно легко общаться.

— Я с вами согласен. Она как-то располагала к себе.

— Наверное, полиция считает, что это самоубийство? Я ничем не мог помочь инспектору. Карлотта всегда была скрытной девушкой.

— Не думаю, что это было самоубийство, — заметил Пуаро.

— Да, это больше похоже на несчастный случай.

Наступило молчание.

— Смерть лорда Эдвера становится все более загадочной, не правда ли? — улыбнулся Пуаро.

— Да. Чрезвычайно загадочной. А вы не знаете... нет ли у полиции каких-либо предположений... э... насчет того, кто это сделал? Ведь теперь Джейн вне всяких подозрений.

— Mais oui[1], у полиции есть сильные подозрения насчет другого человека.

— Правда? А насчет кого?

— Куда-то пропал слуга лорда Эдвера. А побег — это почти что признание вины.

— Слуга? Да, удивительный факт.

— Очень симпатичный молодой человек. Он немного похож на вас, — сделал комплимент Пуаро, слегка поклонившись.

Ну конечно! Теперь я понял, почему лицо слуги показалось мне таким знакомым, когда я впервые увидел его.

— Вы мне льстите, — засмеялся актер.

— Нет, нет и нет. Разве молодые девушки, начиная от служанок и машинисток и кончая светскими леди, разве все они не влюблены без памяти в мистера Брайена Мартина? И вообще, найдется ли кто-нибудь, кто может устоять перед вами?

— Найдется. И я думаю, не так уж мало, — сказал Мартин и порывисто встал. — Большое вам спасибо, мистер Пуаро. Еще раз извините за то, что зря вас потревожил.

Актер пожал нам руки, и я опять поймал себя на мысли, что он выглядит старше своих лет. Усталость на его лице стала еще более заметной.

---

[1] Ну конечно (фр.).

Любопытство буквально пожирало меня, и едва лишь за актером закрылась дверь, как я подступил к своему другу с расспросами.

— Пуаро, а вы действительно знали, что он вернется и объявит о том, что его делом не стоит заниматься?

— Вы же слышали, что я ему ответил, Гастингс.

— Но это значит, что... — начал я, желая поразить Пуаро строгой логикой своих суждений.

— Это значит, что у вас на языке вертится вопрос: что же это за таинственная леди, у которой мистер Мартин хотел спросить разрешение?

Мой друг улыбнулся и продолжал:

— У меня появилось одно предположение, мой друг. Как я сказал, толчком к этому стало упоминание о золотом зубе. Если моя догадка правильная, тогда я знаю, кто эта женщина и почему она не разрешила Мартину воспользоваться моей помощью, и вообще знаю правду обо всем, что касается этого дела. Вы бы и сами могли догадаться, если бы только должным образом использовали ваш мозг, этот величайший Божий дар. А то мне иногда кажется, что, когда Бог раздавал людям разум, он нечаянно обошел вас.

Глава 18

ЧЕЛОВЕК НА ЗАДНЕМ ПЛАНЕ

Я не стану описывать процедуру дознания по делу о смерти лорда Эдвера и Карлотты Адамс. В отношении Карлотты полиция признала смерть в результате несчастного случая. Что касается лорда Эдвера, то здесь ограничились лишь формальным опознанием тела и медицинским освидетельствованием. Окончательные выводы об обстоятельствах его смерти так и не были сделаны. Согласно результатам вскрытия, смерть лорда Эдвера наступила не менее чем через час, максимум два часа, после ужина, то есть между десятью и одиннадцатью часами вечера, но скорее всего ближе к десяти.

Тот факт, что Карлотта сыграла роль двойника Джейн Уилкинсон, тщательно скрыли. В газетах появились приметы исчезнувшего слуги, и у людей создалось впечатление, что это и есть преступник. Его рассказ о визите на Риджент-Гейт Джейн Уилкинсон посчитали наглой ложью. О показаниях секретарши, подтверждавших рассказ слуги, вообще не упоминалось. Хотя об убийстве писали все газеты, в этой информации содержалось мало реальных фактов.

Джепп тем временем продолжал активно работать. Меня несколько беспокоило, что Пуаро занял такую бездеятельную позицию. Уже в который раз я подумал, что это признак приближающейся старости моего друга. Он оправдывался, но его объяснения выглядели крайне неудовлетворительно.

— В моем возрасте избегают лишних хлопот, — заявил как-то Пуаро.

— Но, Пуаро, мой друг, вы вовсе не старый, — запротестовал я.

Я чувствовал, что ему нужна поддержка. В то время как раз входило в моду лечение внушением.

— Вы так же полны энергии, как и прежде, — говорил я убежденно. — Вы в самом расцвете сил, Пуаро. Вы достигли своего апогея. Если бы только захотели, вы бы могли великолепно покончить с этим делом.

Пуаро ответил, что предпочитает решать эту задачу сидя дома.

— Но, Пуаро, когда вы сидите дома, у вас ничего не получается.

— Верно, у меня не все получается.

— Мы бездействуем, а Джепп работает!

— Мне это вполне подходит.

— А мне нет. Я хочу, чтобы вы тоже действовали.

— А я действую.

— Каким образом?

— Жду.

— Чего ждете?

— Когда моя охотничья собака принесет мне дичь, — ответил мой друг, и в его глазах зажегся огонек.

— Что вы имеете в виду?

— Не что, а кого. Я имею в виду нашего доброго Джеппа. Как говорится, зачем держать собаку и лаять самому? Инспектор приносит мне всю необходимую информацию. Он — воплощение физической активности, которая вас так восхищает. У него в распоряжении есть такие средства, которых у меня нет. Я не сомневаюсь, что скоро мы услышим от него новости.

Тем временем инспектор медленно, но верно продвигался вперед. Он накопил немало материала по делу лорда Эдвера, правда, в Париже ему не удалось узнать ничего стоящего. Через пару дней после поездки в Париж Джепп заглянул к нам. Он был очень доволен собой.

— Дело продвигается медленно, — признался инспектор, — но мы все же идем вперед.

— Поздравляю вас, мой друг. Что нового?

— Мне удалось выяснить, что какая-то белокурая девушка оставляла портфель в камере хранения вокзала Юстон в девять часов утра в день убийства. Работникам камеры показали портфель мисс Адамс, и они узнали его. Этот портфель американского производства, поэтому он несколько отличается от наших, английских.

— Ага! Вокзал Юстон. Это совсем недалеко от Риджент-Гейт. Перед убийством она, несомненно, поехала на вокзал, загримировалась в туалетной комнате и оставила портфель в камере хранения. А когда его забрали?

— В пол-одиннадцатого. Служащий говорит, что его взяла та же самая женщина.

Пуаро удовлетворенно кивнул.

— Я разузнал еще кое-что, — продолжал инспектор. — У меня есть все основания предполагать, что Карлотта Адамс была в ресторане «Корнер-Хаус» на Стренде в одиннадцать часов вечера.

— О, это очень хорошо! Откуда вы это узнали?

— Ну, я наткнулся на этот факт более-менее случайно. Видите ли, в газетах упоминалось, что у Карлотты Адамс была маленькая золотая коробочка с рубиновыми инициалами. Один репортер написал недавно статью о пагубном увлечении наркотиками молодых актеров. Ну, такую сентиментальную чепуху в духе воскресных колонок. Так вот, этот репортер подробно описал в своей статье эту коробочку. Знаете, как у этих писак: роковая золотая коробочка со смертельным содержимым и трогательная фигура молодой девушки, у которой было все впереди. Ну и дальше в таком же духе. В этой статье он

310

мимоходом поинтересовался, где Карлотта могла провести свой последний вечер, о чем она думала тогда и т. д. и т. п.

Одна официантка из «Корнер-Хаус» прочитала статью и припомнила, что она обслуживала женщину, у которой была точно такая коробочка. Официантка разволновалась и рассказала об этом друзьям: мол, вдруг этим заинтересуется какой-нибудь журнал? Репортер из «Ивнинг шрайк» заинтересовался ее рассказом, и сегодня в вечернем выпуске будет напечатана душещипательная история о последних часах талантливой актрисы. О том, как она ждала кого-то, но тот человек так и не пришел, о том, как официантка интуитивно почувствовала, что у этой женщины что-то не в порядке, ну и прочая ерунда.

— А как вам удалось узнать об этом так быстро?

— О! Мы в очень хороших отношениях с «Ивнинг шрайк». Я услышал об этом от одного их репортера. Тот все старался выведать у меня что-нибудь о деле лорда Эдвера. И я сразу же помчался в «Корнер-Хаус».

Да, именно так и надо было вести это дело. Мне стало жаль Пуаро. Джепп получал все свои новости из первоисточников, и весьма возможно, что при этом он упускал из виду какие-то важные детали, а с Пуаро этого бы не случилось. Увы, мой друг безмятежно переваривал далеко не свежие факты.

— Я беседовал с этой официанткой и почти не сомневаюсь, что все было именно так, как она рассказала. Она, конечно, не смогла выбрать фото Карлотты Адамс из нескольких снимков, но ведь она и призналась, что не обратила особого внимания на лицо той женщины. Официантка запомнила, что это была молодая, стройная, смуглая, хорошо одетая женщина. На голове у нее была модная шляпка. Жаль, что женщины обращают больше внимания на одежду, чем на лицо ее обладателя.

— Лицо мисс Адамс не так-то легко запомнить, — вставил Пуаро. — Оно очень подвижное, чувствительное — в общем, быстро меняющее свое выражение.

— Да, вы правы. Правда, я не занимаюсь классификацией физиономий. Официантка сказала, что на этой женщине было черное платье и что она принесла с собой портфель. Официантка особенно удивилась, зачем такой хорошо одетой леди носить портфель. Женщина заказала яичницу и кофе, но официантка считает, что она просто убивала время в ожидании кого-то, потому что постоянно смотрела на часы. Официантка заметила эту золотую коробочку, когда подошла, чтобы получить деньги. Та женщина достала коробочку из сумки, положила на стол и все время смотрела на нее, улыбаясь своим мыслям. Эта вещь поразила официантку. Она так и сказала: «Как бы я хотела, чтобы у меня была такая же красивая коробочка и мои инициалы тоже были бы выложены рубинами!»

Расплатившись, мисс Адамс сидела в ресторане еще какое-то время. В конце концов она, вероятно, решила, что дальше ждать бесполезно, и ушла.

Пуаро нахмурился.

— Это было рандеву, — пробормотал он. — Рандеву с кем-то, кто не пришел. Встретила ли она потом этого человека? Или нет? Не потому ли она хотела дозвониться до него из дома? О, как мне нужно это знать!

— Опять эти ваши домыслы, мистер Пуаро. Таинственный Человек-на-заднем-плане. Мифический Человек-на-заднем-плане. Нет, я не утверждаю, что она никого не ждала. Может, и ждала. Договорилась встретиться с кем-то после визита к лорду Эдверу. Ну а результат этого визита мы знаем: она вышла из себя и прикончила его ножом. Но она не из тех, кто долго пребывает в состоянии аффекта. Вскоре после убийства Карлотта опомнилась, пошла на вокзал, изменила внешность, взяла в камере хранения свой портфель и отправилась на встречу в ресторан. И вот тут наступило, как говорится, прозрение. Осознание своего ужасного поступка. Когда ее дружок не явился на встречу, это окончательно добило ее. Может, он знал, что она ходила на Риджент-Гейт. Карлотта поняла, что игра окончена. И вот она достает свою коробочку с наркотиком. Взять чуть больше, чем надо, — и все кончено. По крайней мере, виселица ей больше грозить не будет. Все так же очевидно, как то, что у вас на лице есть нос.

Пуаро с сомнением коснулся пальцами своего носа, потом дотронулся до усов. Он нежно погладил их, причем лицо его приняло горделивое выражение.

— Нет совсем никаких свидетельств того, что в этом деле замешан еще кто-то, — заявил инспектор, закрепляя успех. — Пока у меня нет доказательств того, что между мисс Адамс и лордом Эдвером существовала какая-то связь, но это лишь дело времени. Откровенно говоря, Париж разочаровал меня, но ведь с ноября прошлого года прошло почти девять месяцев. Мои люди по-прежнему наводят там справки. Может, что-нибудь и раскопают. Я знаю, что вы со мной не согласны, упрямая вы голова!

— Сначала вам не понравился мой нос, а теперь — голова!

— Не принимайте близко к сердцу. Это я фигурально, — успокоил моего друга Джепп.

— Англичане говорят: «А я и не принимаю», — подсказал я Пуаро, который не знал всех тонкостей английского языка.

Пуаро посмотрел на нас в большом недоумении.

— Будут ли какие-нибудь указания? — шутливо спросил у двери Джепп.

Пуаро, улыбнувшись на прощанье инспектору, сказал:

— Указаний не будет. Будет совет.

— Да? Ну и какой же? Выкладывайте.

— Проверьте такси. Постарайтесь найти машину, которая брала пассажира или, может быть, двух пассажиров в районе «Ковент-Гарден» и отвозила их на Риджент-Гейт в ночь убийства. Это было примерно без двадцати одиннадцать.

Джепп скосил на Пуаро бдительный глаз. Инспектор напоминал смышленую охотничью собаку.

— Вы считаете, что это необходимо? Ну что ж, сделаю. Вреда от этого не будет. Иногда вы говорите дельные вещи.

Едва лишь за инспектором закрылась дверь, как мой друг встал и с усердием принялся чистить свою шляпу.

— Не задавайте мне вопросов, мой друг. Лучше принесите немного бензина. Сегодня утром мне на жилет попал кусочек омлета.

Я выполнил его просьбу.

— Впервые за все это время я считаю, что мои вопросы излишни, — заявил я. — Все предельно ясно. Но неужели вы действительно так думаете?

— Mon ami, в настоящий момент я думаю исключительно о своем туалете. Извините меня, но ваш галстук мне решительно не нравится.

— Очень неплохой галстук, — возразил я.

— Вы как-то намекали на мой преклонный возраст. То же самое можно сказать и про возраст вашего галстука. Смените его, прошу вас, и почистите правый рукав.

— Мы что, собираемся на прием к королю Джорджу? — съязвил я.

— Нет, но я прочитал в утренней газете, что герцог Мертон вернулся в Лондон. Его же считают первым английским аристократом. Вот я и хочу продемонстрировать ему должное почтение.

«В Пуаро нет ничего от социалиста», — подумал я.

— А зачем вам надо видеть герцога Мертона?

— Мне необходимо поговорить с ним.

Больше мне не удалось добиться от Пуаро ничего. Когда мой костюм стал, с точки зрения Пуаро, выглядеть удовлетворительно, мы отправились в путь.

Лакей осведомился, договаривались ли мы о встрече с герцогом. Получив отрицательный ответ, он взял визитную карточку Пуаро и понес ее хозяину. Вскоре лакей вернулся и сказал, что их светлость очень сожалеют, но в данный момент они исключительно заняты. Пуаро сел в кресло.

— Очень хорошо, — заявил он. — Я подожду. Если понадобится, то и несколько часов.

Этого, однако, не потребовалось. Вероятно, для того, чтобы поскорее избавиться от назойливого гостя, герцог решил принять его немедленно. Нас пригласили в покои Мертона.

Герцог оказался мужчиной лет двадцати семи, худым и болезненным на вид. Его внешность не производила особо благоприятного впечатления: у Мертона были редкие волосы неопределенного цвета, залысины, маленький рот с поджатыми губами и мечтательный, отсутствующий взгляд. По-моему, он более походил на не очень преуспевающего торговца галантереей. На стенах комнаты висело несколько распятий, а также другие произведения религиозной тематики. На широкой полке не было, похоже, ничего, кроме книг по богословию. Я знал, что, будучи болезненным ребенком, Мертон обучался исключительно дома. И этот человек пал жертвой Джейн Уилкинсон! Герцог принял нас сухо и недружелюбно.

— Может быть, вам приходилось слышать обо мне, — начал Пуаро.

— Не приходилось.

— Я изучаю психологию преступников.

Герцог не ответил. Он сидел за письменным столиком лицом к окну. Перед ним лежало неоконченное письмо. Мертон нетерпеливо стучал по столу кончиком ручки.

— По какому поводу вы хотели меня видеть? — осведомился он.

Пуаро сидел напротив герцога, спиной к окну.

— В настоящее время я расследую обстоятельства гибели лорда Эдвера.

— Правда? Я не имел чести знать его. — На слабовольном, но упрямом лице герцога не дрогнул ни один мускул.

— Но мне кажется, что вы знакомы с его женой, с мисс Джейн Уилкинсон.

— Да, это так.

— Знаете ли вы, что у нее были веские основания желать смерти своего мужа?

— Ничего подобного мне не известно.

— Ваша светлость, позвольте мне спросить вас напрямик: вы собираетесь жениться на мисс Уилкинсон?

— Когда я буду собираться жениться, газеты сообщат об этом. Я считаю ваш вопрос неуместным. — Герцог встал. — Всего хорошего.

Пуаро тоже поднялся. С неловким видом, понурив голову, мой друг, запинаясь, пробормотал:

— Я не хотел... я... Я прошу прощения...

— Всего хорошего, — проговорил герцог чуть громче.

На этот раз Пуаро сдался. Он безнадежно махнул рукой, и мы покинули комнату. Это было позорное поражение.

Мне стало жаль Пуаро. Его обычная напыщенность не произвела на герцога никакого впечатления. Великий сыщик оказался для него чем-то вроде таракана.

— Нехорошо получилось, — сказал я сочувственно. — Каким все-таки надменным типом оказался этот человек. Но зачем вы хотели его видеть?

— Хотел узнать, действительно ли он и Джейн Уилкинсон намерены пожениться.

— Но она же нам сама об этом сказала.

— О! *Она* сказала. Мисс Уилкинсон может сказать что угодно, лишь бы это служило ее целям. А вдруг она хочет женить герцога на себе, а он, бедняга, и знать об этом не знает?

— Да, герцог отбрил вас по всем правилам.

— Он ответил мне так, как ответил бы какому-нибудь репортеришке. — Пуаро хихикнул. — Но зато теперь я знаю, как обстоят дела с их браком.

— Откуда? Вы поняли по его поведению?

— Вовсе нет. Вы видели, что он писал письмо?

— Видел.

— Eh bien, в молодости я служил в бельгийской полиции и научился читать почерк вверх ногами. Это бывает очень полезно. Так знаете, что герцог писал в этом письме? «Моя дорогая, я с трудом переношу эти долгие месяцы ожидания. Джейн, обожаемая моя, мой прелестный ангел, как мне рассказать, что ты значишь для меня? Ты так много страдала! Только я знаю...»

— Пуаро! — возмущенно закричал я.

— Он остановился как раз на этой фразе. «Только я знаю о том, как ты прекрасна...»

Я ужасно огорчился: мой друг, как ребенок, был рад своему поступку.

— Пуаро! — воскликнул я. — Вы не можете читать чужие письма...

— Вы говорите глупости, Гастингс. Как это не могу, когда я только что смог!

— Но это... это игра не по правилам.

— А я и не играю, и вы это знаете[1]. Убийство — это не игра. Это серьезно. А кроме того, Гастингс, вы не должны больше использовать это выражение — «играть

___

[1] В английском языке выражение «играть по правилам» в переносном смысле означает «поступать благородно». Пуаро, очевидно, не знает переносного смысла.

по правилам». Так больше не говорят. Я обнаружил, что это выражение устарело. Молодые люди смеются, когда слышат его. Молодые красивые девушки будут смеяться над вами, если вы скажете «играть по правилам». Лучше сказать «играть в крикет».

Я не ответил. Меня глубоко огорчил легкомысленный поступок моего друга.

— Ну зачем было подглядывать? — начал я. — Если бы вы только сказали герцогу, что по просьбе Джейн Уилкинсон ходили к лорду Эдверу, он бы обошелся с вами по-другому.

— О, я не мог этого сделать. Джейн Уилкинсон — мой клиент, а я не могу обсуждать дела своих клиентов с посторонними: они строго конфиденциальны. Разглашать секреты нечестно.

— Нечестно?!

— Именно так.

— Но ведь она собиралась за него замуж.

— Это еще не значит, что у нее не может быть от него секретов. Ваши взгляды на брак весьма старомодны. Нет, я решительно не мог сделать так, как вы говорите. Подумайте о чести сыщика. Честь — это очень серьезно.

— А читать чужие письма честно? Видно, мы с вами по-разному понимаем слово «честь».

Глава 19

ГРОЗНАЯ ЛЕДИ

Одна из самых больших неожиданностей случилась на следующее утро. Я находился у себя в комнате, когда ко мне вошел Пуаро. Его глаза блестели.

— Mon ami, у нас гость.

— Кто?

— Вдовствующая герцогиня Мертон.

— Невероятно. Чего же она хочет?

— Если вы спуститесь со мной в гостиную, то узнаете.

Я поспешил за своим другом.

Герцогиня была миниатюрной женщиной с властным взглядом. На ее лице выделялась высокая переносица. Хотя герцогиня была небольшого роста, назвать ее коренастой я не осмелюсь. Несмотря на то что она была одета в черное платье немодного покроя, все говорило о том, что мы имеем дело со светской дамой. Меня поразило решительное, почти безжалостное выражение ее лица. Она была полной противоположностью своего сына. Я почти чувствовал, как от нее исходили какие-то волны. Неудивительно, что эта женщина подавляла своей силой воли всех, кто был рядом!

Она поднесла к глазам лорнет и посмотрела сначала на меня, потом на моего друга. Герцогиня обратилась к Пуаро отчетливым твердым голосом человека, который привык к тому, чтобы его слушались и подчинялись.

— Вы мистер Пуаро?

— К вашим услугам, герцогиня, — поклонился мой друг.

Она перевела взгляд на меня.

— А это мой друг, капитан Гастингс. Он помогает мне в делах.

Лицо женщины мгновенно приняло недоверчивое выражение. Однако затем она согласно кивнула и села в предложенное кресло.

— Я пришла посоветоваться с вами по очень деликатному вопросу, мистер Пуаро, и хочу попросить вас, чтобы все это осталось строго конфиденциально.

— Само собой разумеется, мадам.

— Мне рассказала о вас госпожа Ярдли. По тому, как она о вас отзывалась, как была вам благодарна, я поняла, что помочь мне можете только вы.

— Будьте уверены, я сделаю все возможное, мадам.

Герцогиня все еще колебалась. Затем, преодолев свое нежелание, она перешла к сути дела. Она сказала о цели своего визита с такой легкостью, которая, как это ни странно, сразу напомнила мне беззаботное щебетание Джейн Уилкинсон в тот памятный вечер в «Савое».

— Мистер Пуаро, я хочу, чтобы мой сын не женился на этой актрисе Уилкинсон.

Если Пуаро и удивился, то он ничем этого не выдал. Он задумчиво смотрел на герцогиню и не спешил с ответом.

— Вы не могли бы сказать поточнее, каких действий вы ждете от меня?

— Это не так-то легко сказать. Я чувствую, что этот брак будет катастрофой. С этой женщиной мой сын не будет счастлив никогда.

— Вы так думаете, мадам?

— Я уверена в этом. У моего сына высокие идеалы. Он так плохо разбирается в житейских вопросах. Он никогда не обращал внимания даже на девушек своего класса, так как считает их легкомысленными, никчемными особами. Но что касается этой женщины... ну, она, конечно, очень красива. Она может покорить мужское сердце. Она очаровала моего сына. Я надеялась, что эта влюбленность скоро пройдет. Слава Богу, она была замужем. Но теперь, когда ее муж умер... — Она запнулась. — Они хотят пожениться через несколько месяцев. На карту поставлено счастье моего сына. — И тоном, не терпящим возражений, герцогиня добавила: — Этому надо положить конец.

— Может быть, вы правы, мадам. — Пуаро пожал плечами. — Я согласен, этот брак не совсем подходит вашему сыну. Но что делать?

— Это уж вы думайте.

Пуаро покачал головой.

— Да, да, вы должны помочь мне.

— Сомневаюсь, что я смог бы добиться успеха, мадам. Ваш сын откажется слушать все, что направлено против этой леди! И к тому же мне кажется, что сказать против нее почти нечего. Я сомневаюсь, что в ее прошлом можно откопать что-нибудь компрометирующее. Она была... ну, скажем, осторожной.

— Знаю, — мрачно отозвалась герцогиня.

— А, значит, вы уже наводили о ней справки?

Пуаро понимающе взглянул на гостью, и та слегка покраснела.

— Мистер Пуаро, я готова на все, чтобы уберечь моего сына от этого брака. *На все!* — повторила она с чувством. — Назовите любую сумму. Деньги в этом случае ничего для меня не значат. Но дело не должно дойти до брака. И все зависит от вас.

Пуаро снова покачал головой:

— Дело не в деньгах. Я ничего не смогу сделать, и я объясню вам почему чуть позже. К тому же я не думаю, что здесь можно что-то предпринять. Я не могу помочь вам, герцогиня. Вы не сочтете дерзостью с моей стороны, если я дам вам один совет?

— Какой совет?

— *Не настраивайте против себя своего сына!* В таком возрасте он сам может решать, что ему делать. Если ваши вкусы не совпадают, не думайте, что не прав именно он. Даже если его выбор неудачен, вы должны с этим смириться. Если ему понадобится ваша помощь, не отказывайте. Но не настраивайте сына против себя.

— Ничего вы не поняли. — Герцогиня встала. Губы ее дрожали.

— Да нет же, мадам, я все прекрасно понял. Я знаю материнское сердце. И я заявляю вам авторитетно: будьте терпеливы. Терпеливы и спокойны. Ничем не выдавайте своих чувств. Может быть, брак расстроится сам по себе. Ваше противодействие только усилит упрямство сына.

— Прощайте, мистер Пуаро, — холодно сказала герцогиня. — Я разочарована.

— Мне бесконечно жаль, что я не смог вам помочь, мадам. Видите ли, я нахожусь в чрезвычайно затруднительном положении. Леди Эдвер оказала мне честь, проконсультировавшись со мной раньше, чем вы.

— А! Тогда все ясно. Вы в лагере противника. Теперь я понимаю, почему леди Эдвер до сих пор не арестована за убийство своего мужа. — Голос герцогини резал, как лезвие ножа.

— Comment[1], герцогиня?

— Вы прекрасно слышали, что я сказала. Почему эта женщина на свободе? В тот вечер она была в доме лорда Эдвера. Видели, как она входила туда, видели, как она входила в его комнату. А потом его нашли мертвым. И она до сих пор не арестована! Видно, наша полиция состоит из одних взяточников.

Дрожащими руками она обмотала вокруг шеи шарф и, едва поклонившись, вылетела из комнаты.

— Фью! — присвистнул я. — Вот это женщина! Меня она восхищает, а вас?

— Восхищает, потому что хочет, чтобы вся вселенная вращалась по ее заказу?

---

[1] Что вы сказали? *(фр.)*

— Но она же думает только о благополучии собственного сына.

— Верно, — кивнул Пуаро. — И все же, Гастингс, так ли уж будет плохо, если мсье герцог женится на Джейн Уилкинсон?

— Вы думаете, что она его любит?

— Видимо, нет. Почти наверняка нет. Но она любит его титул и будет играть свою роль весьма осторожно. Она исключительно красивая женщина и очень честолюбива. Это не так уж плохо. Герцог мог бы жениться на девушке своего класса, которая преследовала бы те же корыстные цели, что и мисс Уилкинсон, и никто бы не делал из этого трагедии.

— Это верно, и все-таки...

— Предположим, что он женится на девушке, которая страстно любит его. Ну и какие в этом преимущества? Я часто замечал, что мужья, которых любят жены, страдают. Такие жены устраивают сцены ревности, настаивают на том, чтобы супруг отдавал им все свое время, уделял все свое внимание. Они делают из мужчин настоящее посмешище, нет, такая жизнь тоже не мед.

— Пуаро, — сказал я. — Вы неисправимый циник.

— Нет, я только делюсь своими наблюдениями. Видите ли, на самом деле я на стороне доброй мамочки герцога.

Я не мог удержаться от смеха, услышав такое определение надменной герцогини. Пуаро же оставался совершенно серьезным.

— Не стоит смеяться. Это все очень важно. Я должен основательно пораскинуть мозгами.

— Вряд ли вы можете предпринять что-нибудь в этом случае, — заметил я.

— Вы обратили внимание на то, как хорошо информирована герцогиня? — спросил Пуаро, не обращая внимания на мои слова. — И как она мстительна. Наверняка она раскопала все компрометирующие факты из жизни Джейн Уилкинсон, какие только можно было.

— Собрала замечательный материал для прокурора, но отнюдь не для защиты, — улыбнулся я.

— И откуда она все узнала?

— Джейн рассказывала герцогу. Тот передал матери, — предположил я.

— Да, вполне возможно. И все же я не...

Резко зазвонил телефон. Я взял трубку.

Моя часть диалога состояла лишь в том, что я с различными интервалами говорил «да». Затем я положил трубку и взволнованно повернулся к Пуаро:

— Это Джепп. Он, как всегда, начал с того, что вы, Пуаро, «то, что надо». Во-вторых, пришла телеграмма из Америки. В-третьих, он нашел того водителя такси. В-четвертых, инспектор приглашает вас прийти послушать, что скажет этот водитель. В-пятых, вы опять-таки «то, что надо». А кроме того, он с самого начала был уверен, что вы попали в самую точку, когда предположили, что за этим убийством скрывается еще какой-то человек! Я, к сожалению, не сказал ему, что, по мнению одной нашей сегодняшней гостьи, английская полиция состоит исключительно из взяточников.

— Итак, Джепп в конце концов убедился, — пробормотал Пуаро. — Самое забавное, что версия о Человеке-на-заднем-плане начала подтверждаться как раз тогда, когда я стал склоняться к другой теории.

— Какой же?

— Теории о том, что мотив убийства мог не иметь никакого отношения к личности лорда Эдвера. Представьте себе, что кто-то ненавидит Джейн Уилкинсон до такой степени, что даже готов отправить ее на виселицу. Такова идея.

Он вздохнул и добавил своим обычным тоном:

— Пойдемте послушаем, что скажет нам Джепп.

Глава 20

ТАКСИСТ

Когда мы вошли, Джепп беседовал с пожилым человеком в очках и небрежно подрезанными усами. У шофера такси был хриплый голос. Он говорил таким тоном, будто жалел самого себя.

— А, это вы, — сказал инспектор. — Я думаю, здесь дело ясней ясного. Этот таксист, его фамилия Джоб-

322

сон, вечером 29 июня подвозил с Лонг-Эйкр двух пассажиров.

— Верно, — хрипло подтвердил Джобсон. — Отличный был вечер, лунный. Девушка и джентльмен сели в мою машину возле станции метро.

— Они были в вечернем платье?

— Да. Мужчина в белом жилете, а девушка в белом платье с изображениями птиц. Мне кажется, что они вышли из оперы.

— Сколько было времени?

— Около одиннадцати.

— И что дальше?

— Джентльмен сказал мне ехать на Риджент-Гейт. Сказал, что номер дома назовет потом, и попросил поторапливаться. Вечно эти пассажиры торопят, как будто таксисты нарочно теряют время. А нам-то, наоборот, выгодно побыстрей выполнить заказ и взять нового пассажира. Люди почему-то никогда об этом не думают. И учтите, если случится авария, тебя же потом и обвинят, что ехал слишком быстро!

— Оставим это, — нетерпеливо перебил Джепп. — Ведь аварии-то не было?

— Нет, — согласился шофер таким недовольным тоном, как будто жалел, что этого не произошло. — Нет, конечно не было. Минут за семь, не больше, я доехал до Риджент-Гейт. Потом этот джентльмен постучал по стеклу и я остановился. Вроде бы возле дома номер 8. Девушка перешла на противоположную сторону и пошла в обратном направлении. Мужчина сказал мне ждать и остался возле машины. Он стоял ко мне спиной, держал руки в карманах и наблюдал за девушкой. Минут через пять он негромко воскликнул что-то и тоже перешел на другую сторону улицы. Я глаз с него не спускал, потому что есть и такие пассажиры, которые убегают не расплатившись. Со мной такое уже бывало. Мужчина поднялся по ступенькам одного из домов и вошел.

— Дверь была не заперта?

— Нет, он открыл ее ключом.

— А какой это был номер дома?

— Ну, я думаю, номер 17 или 19. Мне показалось странным поведение этой парочки, и я стал наблюдать за тем домом. Минут через пять они оба вышли. Сели в машину и сказали ехать назад в оперу «Ковент-Гарден». Они остановили меня недалеко от здания оперы и расплатились. Между прочим, неплохо заплатили. Хотя теперь, кажется, я попал из-за них в какую-то историю.

— У нас нет к тебе никаких претензий, — успокоил его Джепп. — Ну-ка, взгляни на эти снимки. Может, среди них есть фотография той пассажирки?

Он протянул таксисту с полдюжины фотографий молодых женщин похожей внешности и примерно одинакового возраста. Я с интересом заглянул через плечо шофера.

— Вот эта, — решительно заявил тот, показывая на снимок Джеральдины Марш в вечернем платье.

— Ты уверен?

— Вполне. Такая же темноволосая и бледная.

— А теперь попробуй найти мужчину. — Инспектор дал шоферу еще один комплект фотографий, среди которых был снимок Рональда Марша.

Джобсон внимательно разглядел каждую фотографию и покачал головой:

— Э... не могу сказать наверняка. Вот эти двое похожи.

Хотя таксист и не выбрал фото племянника, но мужчины на этих двух снимках были довольно сильно похожи на Рональда.

Джобсон ушел.

— Неплохо, — заявил Джепп, бросая фотографии на стол. — Жаль, что он не опознал нового лорда Эдвера. Это, конечно, старая фотография, семи или восьмилетней давности, но никакой другой мне достать не удалось. Разумеется, было бы лучше, если бы он опознал Марша поточнее, хотя и так все ясно. Двух алиби как не бывало. Вы молодчина, Пуаро, что додумались до этого.

Пуаро скромно объяснил:

— Когда я узнал, что Джеральдина и ее двоюродный брат были в опере, я подумал, что там они могли встретиться. Их знакомым и в голову не пришло, что они могли покинуть «Ковент-Гарден» во время одного из перерывов. За полчаса можно вполне доехать до Риджент-Гейт и вернуться. Поскольку новый лорд Эдвер слишком налегал на свое алиби, я заподозрил неладное.

— Все-то вы подвергаете сомнению, — сказал Джепп, с любовью глядя на моего друга. — Что ж, вы правы. В нашем мире лишняя осторожность не мешает. Теперь их светлость в наших руках. А сейчас взгляните вот на это.

Он протянул Пуаро лист бумаги.

— Это телеграмма из Нью-Йорка. Они разыскали Люси Адамс. Письмо от сестры пришло ей сегодня утром. Здесь изложен его текст, и, черт возьми, лучшей улики не сыщешь.

Пуаро стал читать. Я заглядывал через плечо.

«Ниже следует текст письма, полученного Люси Адамс. Датировано 29 июня. Адрес отправителя: Роуздью-Меншенз, 8, Лондон, СУ 3. Начинается словами: «Дорогая сестренка, извини меня за то, что на прошлой неделе я написала тебе такое бестолковое письмо, но я была сильно занята. Ну, дорогая, вот это успех! Отзывы прессы восторженные, выручка внушительная, публика доброжелательная. Я подружилась здесь с хорошими людьми и на следующий год думаю арендовать театр на два месяца. У публики пользуется большим успехом мой русский танец и сценка «Американка в Париже», но, по-моему, зрителям больше всего нравятся «Сцены в заграничном отеле». Я так взволнована, что почти не соображаю, что пишу в этом письме, и ты сейчас поймешь почему. Но сначала я напишу тебе, как обо мне отзываются мои знакомые. Мистер Гергшаймер так любезен, что собирается пригласить меня на ленч и познакомить с сэром Монтегю Корнером, который может оказать мне поддержку. А недавно я познакомилась с Джейн Уилкинсон. Ей очень понравились мое выступление и моя пародия на нее. Как раз об этом я и хочу рассказать тебе. Если честно, то я не питаю к этой женщине особой симпатии, да и люди отзываются о ней не совсем хорошо. Я думаю, что она скрытная и жестокая, ну да ладно, я об этом не буду. А ты знаешь, что она замужем за лордом Эдвером? Я о нем немало слышала в последнее время и скажу тебе, что это ужасный человек. А как он относится к своему племяннику, капитану Маршу, о котором я тебе уже писала! Лорд Эдвер буквально выбросил его из своего дома, перестал поддерживать материально. Мистер Марш сам рассказывал мне об этом, и мне стало очень жаль его. Мистеру Маршу тоже очень нравятся мои пародии и то, как я изображаю леди Эдвер. Он даже считает, что лорд Эдвер и тот не заметил бы разницы, а на днях он говорит мне: «Помогите выиграть одно пари». Я засмеялась и спросила: «А сколько заплатите?» Люси, дорогая, у меня аж дыхание перехватило, когда я услышала ответ: «10 тысяч долларов». Только подумай — 10 тысяч, чтобы помочь кому-то выиграть глупое пари! «Ну что же, — ответила я, — если заплатят, я готова подшутить даже над королем в Букингемском дворце». А потом мы стали разрабатывать план.

Как все это прошло, раскусили наш розыгрыш или нет, я напишу тебе на следующей неделе. Но в любом случае мне все равно заплатят 10 тысяч. О, сестричка, ты даже не представляешь, что значат для нас с тобой эти деньги. Ну все, кончаю. Иду делать «розыгрыш». Милая моя сестричка, я тебя так люблю.

Твоя *Карлотта*».

Пуаро положил письмо. Я видел, что оно тронуло моего друга.

Джепп, однако, реагировал по-другому.

— Он попался! — с энтузиазмом заявил инспектор.

— Да, — согласился Пуаро, но в его голосе прозвучало странное равнодушие.

— Что-нибудь не так, мистер Пуаро? — с любопытством взглянул на него Джепп.

— Все так. Только я представлял это несколько иначе. — Не было никакого сомнения, что мой друг чем-то неудовлетворен. — Что ж, пусть будет так.

— А как же иначе? Вы же с самого начала как раз это и предполагали.

— Да, да, разумеется.

— Разве не вы утверждали, что за этой наивной девушкой кто-то стоит?

— Я.

— Так что же вы еще хотите?

Пуаро вздохнул и не ответил.

— Интересный вы человек. Никогда вам не угодишь. Нам крупно повезло, что Карлотта написала это письмо.

Пуаро согласился с несколько большим энтузиазмом, чем он проявлял до сих пор.

— Mais oui, этого убийца не ожидал. Когда мисс Адамс согласилась участвовать в этом «розыгрыше», она подписала себе смертный приговор. Преступник считал, что он предпринял все меры безопасности, и все же наивность девушки оказалась сильнее его ума. Мертвые тоже говорят. Да, иногда даже мертвые говорят.

— Я с самого начала знал, что инициатива этого убийства исходит не от мисс Адамс, — не моргнув глазом заявил инспектор.

— Да, да, конечно, — рассеянно отозвался Пуаро.

— Ну что ж, надо приниматься за работу.

— Вы собираетесь арестовать капитана Марша? Я имею в виду нового лорда Эдвера.

— А почему нет? Его вина доказана на все сто процентов.

— Верно.

— Похоже, вы совсем не рады, мистер Пуаро. Если честно, очень уж вы любите все усложнять. Вот и сейчас: ваша теория оказалась верной, а вы опять чем-то недовольны. Неужели вы видите в ней какие-то слабые места?

Пуаро покачал головой.

— Не знаю, является ли дочь лорда Эдвера соучастницей преступления, — продолжал инспектор, — но похоже, что так. Ведь она уезжала вместе с Маршем во время перерыва в опере. Если она в этом не участвовала, то зачем он брал ее с собой? Посмотрим, что они скажут.

— Можно и мне послушать? — почти с робостью спросил Пуаро.

— Конечно можно. Ведь этой теорией я обязан вам! — сказал Джепп и взял со стола телеграмму.

— В чем дело, Пуаро? — спросил я, отводя своего друга в сторону.

— Я совсем неудовлетворен, Гастингс. Все кажется ясней ясного, ни к чему не придерешься. Но *здесь что-то не то*. Какой-то очень важный факт ускользнул от нас. Вроде бы все в порядке, все произошло так, как я предполагал, но здесь что-то не так, мой друг.

И Пуаро с расстроенным видом посмотрел на меня. Я не знал, что ответить.

Глава 21

РАССКАЗ РОНАЛЬДА МАРША

Я не понимал моего друга: разве все вышло не так, как он предполагал? Всю дорогу на Риджент-Гейт он сидел расстроенный, хмурился и не обращал внимания на Джеппа, который поздравлял сам себя по поводу удачно завершающегося расследования. Наконец, вздохнув, Пуаро вышел из состояния задумчивости.

— Во всяком случае, — пробормотал он, — послушаем, что скажет Марш.

— Если он человек умный, то почти ничего, — сказал Джепп. — Сколько преступников отправились на виселицу из-за того, что они слишком хотели говорить. Никто не может упрекнуть нас, что мы не предупреждаем их. Все честно, все по закону. Но чем больше их вина, тем больше они хотят давать «показания», которые, по их мнению, подойдут к случаю. А потом их адвокаты путаются в суде, потому что плохо зазубрили эти «факты».

Он вздохнул и продолжал:

— Адвокаты и судебные медики — это худшие враги полиции. Сколько раз на руках у меня было абсолютно ясное дело, но коронер путал мне все карты, и преступник уходил от правосудия. Конечно, против адвокатов особо не попрешь. Им как раз и платят за их ловкость, за умение все перевернуть с ног на голову.

Мы застали нашу «жертву» дома. Было время ленча, и семья сидела за столом. Джепп попросил разрешения поговорить с лордом конфиденциально, и нас пригласили в библиотеку.

Через пару минут пришел молодой хозяин. Его легкомысленная улыбка сползла, едва он увидел выражение на наших лицах. Лорд Эдвер поджал губы.

— Привет, инспектор. В чем, собственно говоря, дело?

Джепп, не жалея красок, описал ситуацию.

— Ах вот в чем дело, — протянул Рональд.

Он пододвинул кресло и вытащил портсигар.

— Я думаю, инспектор, что мне следует сделать заявление.

— Как вам угодно, милорд.

— Конечно, это чертовски глупо с моей стороны, и все же я сделаю заявление. Как говорят герои в книгах, «у меня нет причин бояться правды».

Джепп не ответил. Лицо инспектора было непроницаемым.

— Вот удобный столик, — продолжал Марш. — Господин полицейский может за него сесть и зафиксировать мой рассказ стенографически.

Вряд ли когда-либо прежде подозреваемый предлагал инспектору так тщательно фиксировать свои показания. Предложение лорда Эдвера было принято.

— Начну с того, — сказал молодой человек, — что котелок у меня худо-бедно, но все-таки варит. Поэтому я знал почти наверняка, что мое прекрасное алиби лопнет как мыльный пузырь. Дортаймеры мне больше не нужны. Вы, наверное, нашли таксиста?

— Нам известно все, чем вы занимались в тот вечер, — холодно заметил Джепп.

— Скотленд-Ярд вызывает у меня чувство искреннего восхищения. И все равно, если бы я был преступником, я бы не брал такси, не ехал бы прямо к нужному месту и не просил бы таксиста подождать, пока я не закончу. Вам это не приходило в голову? А, вижу, мистеру Пуаро приходило.

— Совершенно верно, — подтвердил Пуаро.

— Преднамеренное убийство так не делается, — продолжал Рональд. — Преступник приклеил бы себе рыжие усы, нацепил бы очки в роговой оправе и остановил бы такси за квартал до места убийства. Или поехал бы на метро и... ну, я не буду вдаваться в детали. Мой адвокат за несколько тысяч гиней сделает это лучше меня. Предвижу ваши возражения: убийство, мол, могло быть совершено и под влиянием внезапного порыва. Еду себе в такси, ни о чем таком и не помышляю, и вдруг — идея: «А не прикончить ли мне лорда Эдвера?»

Ладно. Теперь я расскажу вам всю правду. Я оказался на мели: ни гроша в кармане. По-моему, это понятно. Дело почти безнадежное — в течение суток я должен был раздобыть кругленькую сумму или — пиши пропало. Я пошел к дяде. Он не любил меня, но я считал, что ему дорога честь семьи. С пожилыми людьми такое случается. Увы, как это ни печально, мой дядя оказался вполне современным безразличным циником.

Ну что ж, оставалось только сделать хорошую мину при плохой игре. Я мог бы попробовать занять деньги у Дортаймеров, но знал, что это бесполезно. А жениться на его дочери я не мог. Впрочем, она и сама достаточно умна, чтобы не совершать такой глупости. Случайно я встретил в опере свою кузину. Она хорошая девушка, но я мало с ней виделся после того, как меня выгнали из дома лорда Эдвера. Я рассказал ей о своем положении. Она уже что-то слышала об этом от отца. Здесь она и показала свое благородство: предложила, чтобы я взял ее жемчужное ожерелье. Прежде оно принадлежало ее покойной матери.

Рональд сделал паузу. Мне показалось, что он говорит искренне. А может, он был прекрасным актером, более искусным, чем все думали?

— Ну... я принял предложение этого наивного ребенка. Я мог взять за это ожерелье деньги под залог, и, клянусь вам, я бы выкупил его назад, даже если бы мне пришлось для этого работать. Но ожерелье лежало в доме на Риджент-Гейт. Мы решили взять его немедленно. Сели в такси и поехали туда.

Мы сказали таксисту остановиться на противоположной стороне улицы, чтобы никто в доме не услышал шум мотора. У Джеральдины был ключ. Мы решили, что она войдет, возьмет ожерелье и принесет мне. Мы надеялись, что она никого не встретит в доме, разве что слугу. Мисс Кэрролл, секретарша, ложится спать в полдесятого, а дядя скорее всего будет находиться в библиотеке. Итак, Джеральдина пошла в дом. Я курил на тротуаре и посматривал на входную дверь. И вот тут я подхожу к самому интересному месту в моем рассказе. Не знаю, поверите вы мне или нет. Мимо меня прошел какой-то мужчина, и я посмотрел ему вслед. К моему удивлению, он поднялся по ступенькам дома номер 17 и вошел внутрь. Правда, сначала я не был уверен, что это дом номер 17, так как стоял на некотором расстоянии от него. Меня, конечно, это удивило. Во-первых, этот человек открыл дверь ключом, а во-вторых, мне показалось, что я узнал в нем известного актера.

Я решил проверить, в чем здесь дело. У меня был свой ключ от этого дома. Я думал, что потерял его три года назад, но буквально за несколько дней до этих событий случайно обнаружил его у себя и хотел вернуть в то утро дяде. Но когда мы с ним разругались, я совсем забыл отдать ключ. Когда я собирался в оперу, я машинально переложил ключ в вечерний костюм вместе с другими вещами.

Я сказал таксисту ждать, быстро перешел на противоположную сторону улицы и своим ключом открыл дверь дома. В прихожей никого не было, и вообще ничего не говорило о том, что кто-то только что вошел сюда. Я постоял минуту, потом подошел к библиотеке. «Может быть, этот человек разговаривает с моим дядей?» — подумал я. Я стоял у двери в библиотеку и слушал, но так ничего и не услышал.

Я вдруг почувствовал себя круглым дураком. Видно, тот человек вошел в соседний дом. Дом моего дяди плохо освещен по вечерам, и я подумал, что, наверное, ошибся. Да, ситуация была глупейшая. И зачем только я пошел за этим человеком? А вдруг дядя выйдет из библиотеки и увидит меня? Тогда и Джеральдине не поздоровится, и вообще шуму будет немало. А все из-за того, что мне показалось, будто тот человек шел как-то крадучись. «Хорошо, что никто не видел меня здесь, — подумал я. — Надо сматываться».

Я на цыпочках вернулся к входной двери, но как раз в это время на лестнице показалась Джеральдина. Она, конечно, испугалась, когда увидела меня. Мы вышли на улицу, и я ей все объяснил.

Рональд помолчал немного.

— Мы поспешили назад в оперу. Когда входили в зал, как раз поднимали занавес. Никто и не подумал, что мы куда-то ездили. Вечер был душный, и кое-кто из зрителей выходил во время антракта на улицу подышать свежим воздухом.

Я знаю, вы спросите, почему я этого сразу не рассказал? Тогда спрошу и я: а вы бы, имея такой основательный мотив для убийства, как я, признались бы с легкой душой, что были на месте преступления в тот вечер, когда оно было совершено?

Честно признаюсь: я перепугался! Даже если бы нам и поверили, такое признание принесло бы и мне и Джеральдине немало неприятностей. Мы не имеем никакого отношения к этому убийству, ничего не видели и не слышали. Я подумал, что скорее всего это сделала тетя Джейн, так зачем мне создавать себе лишние проблемы ненужными признаниями? Я рассказал вам о ссоре с дядей, о том, что нуждался в деньгах, потому что вы и так разузнали бы это. Если бы я скрыл эти факты, то это вызвало бы у вас куда больше подозрений. Чего доброго, вы взялись бы проверять мое алиби более тщательно. А так я считал, что, рассказав кое-что, я внушу вам, что мне нечего бояться. Я знал, что Дортаймеры абсолютно убеждены в том, что я был в «Ковент-Гарден» все время, и то, что я провел один из перерывов с кузиной, не должно вызвать у них подозрения. Она могла бы подтвердить, что мы никуда не ездили.

— И мисс Марш согласилась на эту... неточность?

— Да. Едва я узнал об убийстве, я сразу же предупредил ее, чтобы она ни в коем случае не говорила никому о нашей вечерней поездке на Риджент-Гейт. Для всех мы просто прогулялись немного по улице во время последнего перерыва. Она все поняла и не возражала.

Я знаю, как выглядит в ваших глазах это запоздалое признание, — продолжал Рональд после небольшой паузы, — но все, что я рассказал, — правда. Я могу дать вам адрес и фамилию человека, который дал мне сегодня утром деньги за ожерелье Джеральдины. Если вы спросите ее, она подтвердит каждое мое слово.

Он откинулся в кресле и посмотрел на Джеппа. Лицо инспектора оставалось непроницаемым.

— Значит, лорд Эдвер, вы посчитали убийцей Джейн Уилкинсон? — спросил Джепп.

— Ну а вы бы не посчитали? После того, что рассказал слуга?

— А ваше пари с мисс Адамс?

— Мое пари с мисс Адамс? Вы имеете в виду Карлотту Адамс? А она-то здесь при чем?

— Стало быть, вы отрицаете, что предложили ей десять тысяч долларов за то, чтобы она выдала себя за мисс Джейн Уилкинсон в доме лорда Эдвера в тот вечер?

Рональд в величайшем изумлении уставился на полицейского:

— Предложил ей десять тысяч долларов? Абсурд. Кто-то вас разыграл, инспектор. У меня никогда не было такой суммы. Это же бессмыслица. Это она вам сказала? Ой, черт, я и забыл, что она мертва.

— Да, — тихо подтвердил Пуаро, — она мертва.

Рональд поочередно посмотрел на каждого из нас. Его лицо, жизнерадостное прежде, теперь побледнело, в глазах появился страх.

— Ничего не понимаю, — сказал он. — Я рассказал вам всю правду, но, видно, никто из вас мне не верит.

И тут, к моему великому удивлению, Пуаро сделал шаг вперед и сказал:

— Я вам верю.

Глава 22
СТРАННОЕ ПОВЕДЕНИЕ ЭРКЮЛЯ ПУАРО

Мы были у себя дома.

— Скажите, ради Бога... — начал было я.

Пуаро остановил меня, вскинув обе руки и умоляюще потрясая ими. Более странного жеста у моего друга мне пока видеть не приходилось.

— Очень прошу вас, Гастингс: не сейчас! Не сейчас!

После этого он схватил шляпу, водрузил ее на голову и вылетел из комнаты, как будто сам никогда не проповедовал неторопливость и хладнокровие. Когда час спустя появился Джепп, мой друг все еще не вернулся.

— Наш сыщик куда-то ушел? — спросил инспектор.

Я кивнул. Джепп плюхнулся в кресло и стал вытирать лоб платком: день стоял жаркий.

— И куда его понесло? — начал инспектор. — Я вам вот что скажу, капитан Гастингс. Когда Пуаро подошел к Маршу и заявил: «Я вам верю», я чуть на пол не сел от удивления. Уж очень мне это напоминало дешевую мелодраму. Я такого еще не слышал.

Я сказал, что тоже был удивлен словами Пуаро.

— А теперь он вообще куда-то исчез, — продолжал Джепп. — Он не сказал, куда идет?

— Нет, — ответил я.

— Совсем ничего не сказал?

— Абсолютно ничего. Я попытался заговорить с ним, но он только отмахнулся, и я решил оставить его в покое. После разговора с Маршем я хотел спросить его кое о чем, но он замахал руками, схватил шляпу и убежал.

Мы переглянулись.

— А может быть... — Инспектор постучал пальцем по лбу.

Впервые я готов был согласиться с этим. Джепп и раньше неоднократно высказывал мысль о том, что Пуаро немного «того». Это случалось, когда инспектор не мог понять мудреных теорий моего друга. Но я должен сознаться, что на этот раз и я не понимал поведения Пуаро. Если он и не «тронулся», то все равно как-то подозрительно изменился. Его теория с блеском подтвердилась, а он сразу же отказался от нее.

Поскольку я был самым преданным его другом, то встревожился не на шутку.

— Он всегда был человеком со странностями, — продолжал Джепп. — Смотрел на все под своим углом, да уж больно угол этот косой. Все делал по-своему, все не так, как у людей. Я признаю, конечно, что он вроде гения, но говорят, что гении часто ходят по самому краю, что им нужно совсем немного, чтобы свихнуться. Пуаро всегда нравилось усложнять. Простые, понятные вещи ему не по душе. Ему надо себя помучить. Он отошел от реальной жизни и создал свой собственный мирок. Чем-то он напоминает мне старую леди, раскладывающую пасьянс. У той если не выходит, то она начинает подкладывать нужные карты. А у Пуаро наоборот: если выходит слишком легко, то он нужные карты прячет, чтобы потом поломать себе голову!

Мне было трудно возразить инспектору. Я был слишком обеспокоен и расстроен, чтобы мыслить ясно. Я тоже не мог найти объяснения поведению Пуаро. Не могу описать вам, как я беспокоился за своего друга.

И вот когда в комнате воцарилась тоскливая тишина, вошел Пуаро. Слава Богу, он был совершенно спокоен. Он аккуратно снял шляпу, положил ее вместе с тростью на стол и сел на свое обычное место.

— Вы пришли, Джепп? Очень рад. Я как раз думал о том, что нам надо как можно скорее поговорить.

Инспектор молча смотрел на моего друга. Джепп понимал, что это только вступление, и ждал разъяснений.

Пуаро медленно, подбирая слова, начал:

— Ecoutez[1], Джепп. Мы все не правы. Абсолютно не правы. Печально, но факт: мы совершили ошибку.

— Да ладно вам, — самоуверенно сказал инспектор.

— Вовсе не ладно. Я скорблю.

— Не надо жалеть этого молодого человека. Он получит по заслугам.

— Да не его я жалею, а вас.

— Меня? Ну, обо мне не надо беспокоиться.

— А я все равно жалею. Кто намекнул, что вы должны двигаться в этом направлении? Эркюль Пуаро. Mais oui, я подал вам эту мысль. Я привлек ваше внимание к Карлотте Адамс, я упомянул вам о ее письме в Америку. Каждый шаг направлял именно я!

— Я бы и сам пришел к разгадке, — холодно заметил Джепп. — Вы меня просто немного опередили.

— Может быть. Но это меня не утешает. Если ваш авторитет пошатнется из-за того, что вы слушали меня, я буду жестоко упрекать себя.

Было похоже, что этот разговор только забавлял инспектора. Он, видимо, думал, что Пуаро движут честолюбивые мотивы и что мой друг сердится за то, что Джепп присвоил себе лавры успешно раскрытого преступления.

— Да вы не волнуйтесь, Пуаро, — стал успокаивать инспектор. — Я не забуду упомянуть где надо, что и вы подали кое-какие неплохие идеи в ходе расследования.

И Джепп подмигнул мне.

— Дело вовсе не в этом. — Мой друг досадливо щелкнул языком. — Не нужно нигде упоминать о моих

---

[1] Послушайте *(фр.)*.

заслугах. Более того, заслуг здесь нет никаких. Вас, инспектор, ожидает фиаско, и я, Эркюль Пуаро, этому виной.

Лицо моего друга выражало крайнюю степень меланхолии, и Джепп неожиданно громко захохотал. Пуаро обиделся.

— Извините, мистер Пуаро. — Инспектор вытер слезы. — Но сейчас вы похожи на умирающего лебедя. Послушайте, давайте забудем этот разговор. Слава и позор — в этом деле я готов взять все на себя. Оно, конечно, получит большую огласку, здесь вы правы. Ну что ж, я приложу все силы, чтобы добыть веские улики. Может случиться и так, что смышленый адвокат все же вытащит их светлость. На жюри присяжных никогда нельзя положиться. Но даже если и так, мне-то что? Все равно моя совесть будет чиста: убийцу-то мы поймали. И если вдруг какая-нибудь служанка-замухрышка из дома лорда Эдвера в истерике признается, что убийство — дело ее рук, то и в этом случае я не буду плакаться, что меня вели по ложному следу. Так что все честно.

Пуаро посмотрел на инспектора печально и с сожалением:

— Вы, Джепп, всегда и во всем уверены. Всегда и во всем! Вы никогда не задумываетесь: а возможно ли это? А может ли так быть? Вы никогда не сомневаетесь, не удивляетесь, никогда не скажете себе: что-то все слишком просто!

— Вы абсолютно правы, меня не терзают сомнения. Вот именно здесь вы, простите за выражение, и даете осечку, Пуаро. А почему не может быть просто? А что плохого, если получилось просто?

Пуаро вздохнул, развел руками и покачал головой:

— Кончено. Я не скажу больше ни слова на эту тему.

— Вот и отлично, — с чувством произнес инспектор. — А теперь поговорим о вещах более важных. Хотите послушать, чем я сейчас занимаюсь?

— Ну конечно.

— Я поговорил с нашей уважаемой Джеральдиной, и ее рассказ точь-в-точь совпадает с тем, что нам поведал их светлость. Может быть, она тоже замешана в убийстве, но не думаю. Она по уши влюблена в Марша, и я считаю, что он просто обманул ее. Она ужасно расстроилась, когда узнала, что он арестован.

— Правда? А секретарша, мисс Кэрролл?

— Думаю, она не особенно удивилась. Впрочем, это мое личное мнение.

— Ну а жемчужное ожерелье? — спросил я. — Оно действительно существует?

— На все сто процентов. Марш действительно взял за него деньги под залог на следующее утро. Но не думаю, что это как-то влияет на нашу версию. А произошло, как мне кажется, вот что: когда Марш встретил в опере свою кузину, ему неожиданно пришла в голову идея. Он был в отчаянии, а тут в лице Джеральдины он увидел спасение. Наверное, он и раньше планировал нечто в этом роде, поэтому и ключ носил с собой. Не верю, что он наткнулся на него случайно. И вот когда Марш заговорил с девушкой, он смекнул, что если впутает ее в эту историю, то получит дополнительные гарантии своей безопасности. Он играет на ее чувствах к нему, намекает на ожерелье. Она уступает. Потом Марш с Джеральдиной отправляются к ней домой. Он входит в дом вслед за девушкой и проникает в библиотеку. Может быть, лорд Эдвер дремал в это время в кресле. Так или иначе, Маршу достаточно всего двух секунд, чтобы сделать свое дело. Потом он покидает дом. Вряд ли он хотел, чтобы девушка застала его там. Марш рассчитывал, что, когда Джеральдина выйдет, он будет опять прохаживаться возле такси. Марш также надеялся, что таксист не увидит, как он входит в дом, а будет думать, что он в ожидании девушки ходит возле машины и курит. Не забывайте, что такси было развернуто в противоположную сторону.

Конечно, на следующий день Марш вынужден был заложить ожерелье, чтобы произвести впечатление человека, нуждающегося в деньгах. Потом все узнают об убийстве, и Марш, пугая Джеральдину последствиями, заставляет ее молчать об этой поездке. В случае чего они всегда могут сказать, что в перерыве прогуливались возле театра.

— Почему же они сразу нам об этом не сказали? — отрывисто спросил Пуаро.

— Наверное, Марш не решился, — пожал плечами инспектор. — Считал, что Джеральдина не сможет хладнокровно солгать. Она девушка нервная.

— Да, — задумчиво протянул Пуаро. — Нервная.

Через пару минут он задал новый вопрос:

— А вам не кажется странным, что капитан Марш взял с собой девушку, хотя ему было куда проще съездить одному? Спокойно открыть дверь своим ключом, убить дядю и вернуться в оперу? Для чего же он берет свою нервную кузину, которая, увидев его в доме, может в любую минуту закричать и выдать его? И зачем он оставил поблизости такси?

Джепп ухмыльнулся:

— Вы или я, конечно, провернули бы это дело без свидетелей. Но мы-то с вами умнее Рональда Марша.

— Не разделяю вашей уверенности. Он произвел на меня впечатление весьма умного человека.

— Но не такого умного, как мистер Эркюль Пуаро! — засмеялся инспектор. — И перестаньте возражать! Я знаю, что говорю.

Пуаро неодобрительно посмотрел на Джеппа.

— И если он не виноват, зачем ему надо было просить мисс Адамс выдавать себя за леди Эдвер? — продолжал тот. — Этому «розыгрышу» может быть только одно объяснение: преступник хотел отвести от себя подозрения.

— Здесь я с вами абсолютно согласен.

— Рад, что вы хоть в чем-то согласны.

— Может быть, Марш действительно говорил с мисс Адамс, — начал размышлять вслух Пуаро, — хотя на самом деле... нет, это глупо. — И взглянув на Джеппа, мой друг неожиданно выпалил: — Что вы думаете о смерти Карлотты Адамс?

Инспектор откашлялся.

— Я склонен думать, что это несчастный случай. Согласен, что он пришелся Маршу очень кстати, но подозревать его в убийстве мисс Адамс я не могу. После оперы его алиби выглядит вполне убедительным. Он был в «Собранис» с Дортаймерами до начала второго ночи. А Адамс легла спать задолго до этого. Нет, по-моему, это пример того, как чертовски удачливы бывают иной раз преступники. Впрочем, если бы этот несчастный случай не произошел, он все равно бы знал, как поступить с Карлоттой. Сначала запугал бы ее, сказав, что ее арестуют по подозрению в убийстве, если она признается, а потом утихомирил бы новой суммой денег.

— А вас не удивляет... — начал Пуаро, глядя прямо перед собой. — Вас не удивляет, что в этом случае мисс Адамс обрекала бы на смерть невинного человека? Ведь ее показания могли бы спасти Джейн Уилкинсон?

— Джейн Уилкинсон и так не повесили бы. Показания всех гостей на вечеринке сэра Монтегю делают ее алиби исключительно сильным.

— *Но убийца не знал об этом.* Он должен был бы рассчитывать на то, что Джейн Уилкинсон приговорят к смертной казни, а Карлотта Адамс будет молчать.

— Любите вы поговорить, Пуаро, правда? И вы целиком убеждены теперь в том, что Рональд Марш — эдакий белокурый мальчишка, который и мухи не обидит. Вы верите, что он видел человека, тайком вошедшего в этот же дом?

Пуаро пожал плечами.

— Как вы думаете, кого этот человек напомнил ему? — спросил Джепп.

— Могу только догадываться.

— Знаменитого киноактера Брайена Мартина! Человека, который даже и в глаза не видел лорда Эдвера! Ну, что скажете?

— Что же, если мистер Мартин действительно открыл дверь ключом и вошел в дом лорда Эдвера, это весьма странно.

— Ха! — презрительно отозвался Джепп. — А теперь слушайте внимательно: в тот вечер мистера Мартина вообще не было в Лондоне. Он пригласил одну юную леди за город, в Молеси. И вернулись они лишь около полуночи.

— Я не удивлен, — мягко произнес Пуаро. — Эта леди тоже актриса?

— Нет. У нее шляпный магазин. Ее фамилия Драйвер. Она дружила с мисс Адамс. Я думаю, вы согласитесь, что ее показания не вызывают сомнений.

— Я не оспариваю их, мой друг.

— По правде сказать, старина, вы оказались не на высоте, и вы знаете это. Вас увели в сторону эти небылицы Рональда Марша. Не было никакого мужчины, который якобы входил в дом номер 17. Да и в соседние дома тоже никто не входил. И к какому выводу мы приходим? Мы приходим к выводу, что новый лорд Эдвер — лгун.

Пуаро печально покачал головой. Джепп встал. К инспектору вернулось благодушное настроение.

— Сейчас мы на правильном пути, не возражайте.

— А кто этот Д.? «Париж, ноябрь»?

— Наверное, какая-то старая история. — Инспектор пожал плечами. — Что подозрительного в том, что девушка получила от кого-то подарок полгода назад? И почему это обязательно должно быть связано с преступлением? Мы должны здраво смотреть на вещи.

— Полгода назад, — пробормотал Пуаро, и неожиданно в его глазах загорелся огонек. — Боже, как я глуп!

— Что он сказал? — спросил меня Джепп.

— Послушайте. — Пуаро встал и постучал пальцем по груди инспектора. — Почему служанка мисс Адамс не узнала эту коробочку? Почему ее не узнала мисс Драйвер?

— Ну и почему?

— А потому, что эта коробочка была совершенно *новой!* Ее подарили мисс Адамс совсем недавно! «Париж, ноябрь» — все это замечательно, но, несомненно, эта дата говорит о том, что этот сувенир должны были вручить в ноябре *нынешнего* года! Но его подарили *раньше*. Да, коробку купили совсем недавно! Очень недавно! Проверьте эту версию, мой добрый Джепп, умоляю вас. Это, конечно, всего лишь предположение, но шанс есть. Этот сувенир купили где-то за границей, вероятно в Париже. Если бы коробочку купили в Лондоне, какой-нибудь ювелир уже наверняка отозвался бы, ведь ее фотография и описание были во всех газетах. Да, да, именно в Париже. Может, и в каком-нибудь другом городе, но скорее всего в Париже. Выясните, очень прошу вас. Наведите справки. Мне просто необходимо знать, кто этот загадочный Д.

— Вреда от этого не будет, — добродушно заметил Джепп. — Не могу сказать, что я разделяю вашу уверенность в том, что эта коробочка имеет для следствия какое-то значение. Но я сделаю все, что в моих силах. Чем больше мы знаем, тем лучше.

И, бодро попрощавшись, инспектор покинул нас.

Глава 23

ПИСЬМО

— А теперь, — сказал Пуаро, — мы примем наш ленч. Он взял меня под руку и улыбнулся.

— У меня появилась надежда, — пояснил он.

Я был рад, что мой друг возвращается в свое обычное состояние. Лично я по-прежнему верил, что убийство совершил Рональд. Теперь я решил, что мой друг, убежденный аргументами Джеппа, тоже пришел к этому заключению. Поиски покупателя коробочки, подаренной мисс Адамс, были, вероятно, последней попыткой Пуаро спасти свой авторитет.

Дружески беседуя, мы отправились в ресторан. Я был несколько удивлен, когда заметил за одним из столиков в противоположном конце зала Брайена Мартина и Дженни Драйвер. Вспомнив рассказ Джеппа, я стал подозревать между молодыми людьми возможный роман. Они тоже заметили нас, и Дженни помахала рукой. Когда мы пили кофе, она покинула своего спутника и подошла к нашему столику, подвижная и энергичная, как и в прошлый раз.

— Можно мне присесть и поговорить с вами минутку, мистер Пуаро?

— Разумеется, мадемуазель. Мне доставляет истинное удовольствие видеть вас. Может, и мистер Мартин к нам присоединится?

— Я сказала ему, что не надо. Видите ли, я хочу поговорить с вами о Карлотте.

— Слушаю, мадемуазель.

— Вы хотели узнать что-нибудь о ее отношениях с мужчинами?

— Да, да.

— Знаете, бывает так, что нужные факты не сразу приходят в голову. А потом начинаешь припоминать случайные слова и фразы, которым раньше не придал значения, и вырисовывается определенная картина. После нашей с вами встречи я все думала и думала, и, когда я стала вспоминать все как следует, о чем мы разговаривали с Карлоттой, я пришла к некоторым выводам.

— Я вас слушаю, мадемуазель.

— Я думаю, что человеком, к которому Карлотта питала симпатию или начинала чувствовать что-то в этом роде, был Рональд Марш. Знаете, тот, который унаследовал титул лорда Эдвера.

— Почему вы так думаете, мадемуазель?

— Ну, например, Карлотта заговорила однажды об одном молодом человеке, которому очень трудно живется, и о том, как это сильно влияет на его характер. Вот, мол, хороший человек под влиянием обстоятельств катится вниз, и хотя он не безгрешен, но против него грешат больше. Это первое, что начинает говорить женщина о мужчине, к которому питает симпатию. Я очень часто слышу подобные речи! Карлотте всегда хватало здравого смысла, но вот здесь она показала себя абсолютной идиоткой, ничего не смыслящей в жизни. Конечно, она делала вид, что никого конкретно не имеет в виду и что речь якобы идет о людях вообще. Но почти сразу же после этого она заговорила о Рональде Марше, о том, как отвратительно, по ее мнению, с ним обходятся. Она взяла его будто бы в качестве примера. Тогда я не придала этому значения, но теперь... кто знает? Теперь мне кажется, что она симпатизировала именно ему. Что скажете, мистер Пуаро?

И она серьезно посмотрела на моего друга.

— Думаю, что вы дали мне весьма ценную информацию.

— Замечательно! — Джейн захлопала в ладоши.

Пуаро добродушно взглянул на девушку:

— Вероятно, вы еще не знаете, что джентльмен, о котором мы только что говорили, Рональд Марш, или новый лорд Эдвер, недавно арестован.

— О! — Мисс Драйвер даже рот приоткрыла от удивления. — Тогда мой рассказ запоздал.

— Для меня никогда ничего не поздно, — заявил Пуаро. — Спасибо, мадемуазель.

Девушка вернулась к Брайену Мартину.

— Ну вот, Пуаро, — начал я. — Теперь ваша уверенность в невиновности Рональда Марша несомненно пошатнулась.

— Нет, Гастингс. Наоборот, укрепилась.

Несмотря на это героическое заявление, мой друг втайне наверняка разделял мои убеждения.

Прошло несколько дней, в течение которых Пуаро ни разу не упомянул о деле лорда Эдвера. Если о нем начинал говорить я, мой друг отвечал односложно и без энтузиазма. Иными словами, он умыл руки. Какой бы гениальной ни была его новая версия относительно убийства на Риджент-Гейт, теперь он вынужден был признать, что она не подтвердилась и что его первое предположение оказалось верным и Рональд Марш обвинен в преступлении справедливо. Только натура Пуаро не позволяла ему открыто признать свое поражение, и он делал вид, что это дело его больше не интересует. Именно таким образом я истолковывал поведение моего друга, и было похоже, что факты подтверждают мое предположение. Пуаро не проявил ни малейшего интереса к судебному процессу, который, впрочем, был чистой формальностью. Он занялся другими делами. И как будто забыл об убийстве лорда Эдвера. Лишь почти две недели спустя я понял, как я ошибался.

Мы завтракали. Рядом с тарелкой Пуаро, как всегда, лежала пачка писем. Неожиданно, когда он начал ловко сортировать их, у него вырвался удивленно-радостный крик: мой друг заметил конверт с американской маркой. Я удивился тому, что подобный пустяк мог доставить Пуаро такую радость, и стал с интересом наблюдать за ним. Ножом для открывания писем Пуаро вскрыл конверт. Там оказалось несколько листков.

Бегло просмотрев их, мой друг прочитал один лист дважды и обратился ко мне:

— Хотите взглянуть, Гастингс?

Я взял письмо.

«Дорогой мистер Пуаро! Я была очень тронута Вашим добрым письмом. Мне сейчас просто не по себе от того, что происходит вокруг. Огромное горе обрушилось на

343

меня, а тут еще приходится выслушивать всякие оскорбительные намеки о Карлотте, моей дорогой и нежной сестре, лучше которой вряд ли можно найти на белом свете. Нет, мистер Пуаро, она не принимала наркотиков. Я в этом уверена. Такие вещи внушали Карлотте ужас. Она сама об этом часто говорила. Если случилось так, что она сыграла какую-то роль в смерти человека, то это совершенно без злого умысла, и ее письмо подтверждает это. Посылаю его Вам, как Вы и просили. Мне очень не хочется расставаться с последним в ее жизни письмом, но я знаю, что Вы будете обращаться с ним аккуратно и потом вернете мне. Если оно поможет раскрыть тайну смерти моей сестры, как Вы обещаете, что ж, пусть побудет у Вас.

Вы спрашиваете, упоминала ли Карлотта кого-нибудь из своих друзей отдельно. Она, конечно, писала о многих своих знакомых, но никого в отдельности не упоминала. Я думаю, что чаще всего она встречалась с Брайеном Мартином, которого мы знаем уже давно, с девушкой по имени Дженни Драйвер и капитаном Рональдом Маршем.

Очень хотелось бы помочь Вам, но я не знаю как. Вы написали мне такое доброе письмо, с таким пониманием отнеслись к моей беде, что я думаю, Вы хорошо представляете, кем мы были с Карлоттой друг для друга.

С благодарностью,

Ваша *Люси Адамс.*

P.S. Только что приходил полицейский и просил у меня письмо Карлотты. Я сказала ему, что уже отправила его Вам. Это, конечно, неправда, но мне почему-то кажется, что Вы должны увидеть письмо первым. Наверное, Скотленд-Ярду нужна улика против убийцы. Когда попользуетесь письмом, пожалуйста, отдайте его полицейским, но напомните им, чтобы они потом вернули его Вам. Вы понимаете, что значат для меня последние слова Карлотты».

— Значит, это вы попросили ее? — спросил я, откладывая письмо в сторону. — Но зачем? К чему вам оригинал письма?

— Честное слово, не знаю, Гастингс. Просто надеюсь, что в нем окажется что-то такое, что поможет мне объяснить необъяснимое.

Пуаро внимательно изучал листки, написанные рукой Карлотты Адамс.

— Не пойму, что можно извлечь из письма Карлотты. Она сама дала его служанке для отправки. Никакого мошенничества. Да и в самом тексте нет ничего примечательного.

— Знаю, знаю, — вздохнул Пуаро. — Именно поэтому мне так трудно. Дело в том, Гастингс, что письма в таком виде, в каком имеем его мы, *просто быть не может.*

— Что за ерунда?

— Si, si, это так. Видите ли, я представлял себе это дело следующим образом: в нем обязательно *должны* иметь место некоторые факты. Они сменяют друг друга в определенной четкой последовательности. Это понятно. И вдруг письмо, которому в этой цепочке просто нет места. Так кто не прав: Эркюль Пуаро или письмо?

— Вы не думаете, что не прав может быть Эркюль Пуаро? — как можно деликатней спросил я.

Мой друг бросил на меня укоризненный взгляд:

— Бывало, что и я ошибался, но это — не тот случай. Итак, если это письмо невозможно, стало быть, так оно и есть. В нем скрыто что-то такое, чего мы не замечаем. Вот я и ищу это «что-то».

И после этих слов Пуаро отправился изучать письмо с помощью миниатюрного микроскопа. Внимательно просмотрев каждую страницу, он передавал листы мне. Я, конечно, не увидел в них ничего особенного: письмо было написано четким, разборчивым почерком, и его текст точь-в-точь совпадал с текстом, переданным по телеграфу.

— Никакой подделки. Все написано одной рукой, — вздохнул Пуаро. — Но этого, как я сказал, не может быть...

Он прервал себя на полуслове и нетерпеливым жестом указал на листки, лежавшие рядом со мной. Я передал их Пуаро, и он снова углубился в изучение письма.

Я вышел из-за стола и подошел к окну. Неожиданно Пуаро вскрикнул. Я вздрогнул и повернулся.

— Идите скорее сюда, Гастингс! Смотрите!

Мой друг буквально дрожал от нетерпения. Его глаза стали зелеными, как у кота. Указательный палец, которым он тыкал в один из листков, тоже дрожал.

Я подбежал к нему и конечно же не увидел ничего особенного.

— Разве вы не видите? У всех листов, кроме одного, края абсолютно ровные. Это одинарные листы. А вот этого, смотрите, какой у него неровный левый край. Потому что от этого листка что-то оторвали. Поняли теперь, что я имею в виду? *Это был двойной лист, и, как видите, его вторая половина отсутствует.*

Вид у меня, несомненно, был довольно глупый.

— Да, в этом что-то есть, — отозвался я.

— Конечно есть! В этом-то вся соль. Прочитайте, и вы все поймете.

Я взял листок и начал читать.

— Ну, видите? — спросил Пуаро. — Предыдущий лист обрывается там, где Карлотта пишет о капитане Марше. Ей жаль его, и потом идет следующий текст: «Мистеру Маршу очень нравятся мои пародии и то, как я изображаю леди Эдвер. Он даже считает, что лорд Эдвер и тот не заметил бы разницы, а на днях...» На этих словах обрывается предыдущий лист. Но, mon ami, *следующий лист отсутствует.* Новая страница начинается с «...он говорит». *Это «он» вовсе не обязательно относится к капитану Маршу.* Так оно и есть на самом деле: розыгрыш предложил Карлотте кто-то другой. Заметьте, что имя Марша после этого нигде не упоминается. Это великолепно! Убийца каким-то образом завладел этим письмом и сразу понял, что оно может выдать его. Несомненно, сначала он хотел вообще уничтожить эту улику. Но, прочитав письмо, преступник находит другой способ. Он вырывает один лист, и, таким образом, под подозрением оказывается другой человек, к тому же тот, у которого есть веский мотив для убийства лорда Эдвера. Да, это письмо оказалось великолепным подарком для убийцы! Как говорится, лучшего и не придумаешь!

Я взглянул на Пуаро почти с восхищением. Я говорю «почти», поскольку не был до конца уверен в правильности его предположения. Мне представлялось вполне возможным, что Карлотта сама использовала для письма одинарный лист. Но лицо моего друга сияло такой радостью, что у меня не хватило духу намекнуть ему на такую прозаическую вероятность. В конце концов, может быть, он и прав.

И все же я осмелился указать Пуаро на слабое место в его версии.

— А как письмо попало в руки преступника? Служанка сказала, что мисс Адамс сама достала его из своей сумки и передала ей.

— Отсюда следует, что либо служанка лжет, либо в тот вечер Карлотта Адамс встречалась с убийцей.

Я кивнул.

— Мне кажется, что второе более вероятно, — продолжал Пуаро. — Мы все еще не знаем, где находилась мисс Адамс с того времени, как она вышла из дому, и до того момента, когда она сдала свой портфель в камеру хранения вокзала Юстон. Мне кажется, что в этот промежуток времени она встретилась с убийцей в условленном месте. Может быть, они поужинали вместе, и он дал ей последние указания. Мы можем только догадываться, как преступник завладел ее письмом. Возможно, она держала его в руке, чтобы опустить в почтовый ящик, и в ресторане положила письмо на стол. Преступник увидел адрес и почувствовал опасность. Каким-то образом он незаметно взял письмо, нашел предлог, чтобы выйти из-за стола, открыл конверт, прочитал содержание и вырвал лист. Потом опять положил письмо на стол или отдал мисс Адамс перед тем, как она уходила. А может, сказал ей, что она его уронила. В общем, не важно, как все это было, главное, что мы знаем почти наверняка следующее: Карлотта Адамс встретилась в тот вечер с преступником или до, или после убийства лорда Эдвера. Я полагаю, хотя, конечно, могу и ошибиться, что именно убийца дал ей золотую коробочку. Возможно, это был сентиментальный сувенир в память об их первой встрече. *Если так, то инициал «Д.» — это инициал преступника.*

— Не понимаю, какое отношение имеет к этому делу золотая коробочка.

— Послушайте, Гастингс, Карлотта Адамс не употребляла веронала. Я верю тому, что написала ее сестра. У Карлотты было прекрасное здоровье, трезвый взгляд на вещи и никаких склонностей к наркотикам. Ни ее друзья, ни служанка не узнали этой коробочки. Почему же ее нашли у мисс Адамс после смерти? А потому, что преступнику было выгодно создать впечатление, что она регулярно принимала веронал и делала это в течение значительного промежутка времени, то есть минимум шесть месяцев. Предположим, что она встретилась с преступником после убийства, пусть даже всего на несколько минут. Они выпили за успех своего предприятия. В бокал девушки убийца всыпал дозу веронала, достаточную для того, чтобы она не проснулась на следующее утро.

— Ужасно, — произнес я, содрогнувшись.

— Да, приятного мало, — сухо заметил Пуаро.

— Вы все это расскажете Джеппу? — спросил я после небольшой паузы.

— Не сейчас. Что я могу ему сказать? Наш замечательный Джепп ответит мне: «Еще одна нелепость! Девушка наверняка сама использовала для письма одинарный лист бумаги». И все.

Я виновато потупился.

— И что я могу ответить на это инспектору? — продолжал мой друг. — Ничего. Ведь и такое вполне могло произойти. Да только я знаю, что все было не так. *Мне нужно, чтобы все было не так.*

Пуаро замолчал, и его лицо приняло мечтательное выражение.

— А ведь мы бы так ничего и не узнали, если бы только преступник не оторвал этот лист, а аккуратно обрезал бы его. Ничего!

— Зато теперь методом дедукции мы установили, что убийца — человек безалаберный, — пошутил я.

— Нет, нет. Может быть, он спешил. Посмотрите, как неаккуратно оторвано. О, наверняка времени у него было в обрез.

Помолчав немного, Пуаро продолжал:

— Вы, Гастингс, наверное, обратили внимание на одно важное обстоятельство: у этого человека, этого Д., должно быть на тот вечер очень крепкое алиби.

— Не вижу, как ему вообще можно обзавестись даже плохоньким алиби, если сначала он был на Риджент-

Гейт, где совершил убийство, а затем встречался с Карлоттой Адамс.

— Как раз это я и имел в виду, — сказал мой друг. — Преступнику позарез нужно алиби, значит, он его наверняка приготовил. Второй вопрос: действительно ли его имя или фамилия начинается с буквы «Д» или это прозвище, под которым его знала Карлотта Адамс?

Он помолчал и тихо добавил:

— Мы должны найти его, Гастингс. Мы обязательно должны найти человека, имя, фамилия или прозвище которого начинается с буквы «Д».

Глава 24

НОВОСТЬ ИЗ ПАРИЖА

На следующий день к нам пришел неожиданный посетитель — Джеральдина Марш.

Пуаро поздоровался и пододвинул гостье кресло. Я взглянул на девушку, и прежнее чувство жалости овладело мной. Ее большие черные глаза, кажется, стали еще больше и темнее. Под ними были круги, как будто девушка провела бессонную ночь. Почти детское лицо выглядело изможденным.

— Я пришла к вам, мистер Пуаро, потому что не знаю, как жить дальше. Я ужасно расстроена и обеспокоена.

— Я вас слушаю, мадемуазель, — серьезно и с симпатией сказал Пуаро.

— Рональд рассказал мне, о чем вы говорили с ним в тот день. В тот ужасный день, когда его арестовали. — Девушка зябко повела плечами. — У него не было надежды, что ему кто-то поверит, но вы неожиданно подошли к Рональду и сказали: «Я вам верю». Это правда, мистер Пуаро?

— Правда, мадемуазель, я так сказал.

— Вы действительно *поверили* его рассказу или это были просто слова?

Джеральдина с тревогой ждала ответа, подавшись вперед и крепко сцепив руки.

— Я поверил его рассказу, мадемуазель, — тихо ответил Пуаро. — Я считаю, что ваш двоюродный брат не убивал лорда Эдвера.

— О! — Лицо девушки порозовело, глаза широко раскрылись. — Но тогда вы считаете, что... что убил кто-то другой!

— Очевидно, мадемуазель, — улыбнулся мой друг.

— Какая я глупая. Я плохо выражаю свои мысли. Я хотела сказать, вы знаете, кто убийца? — нетерпеливо произнесла Джеральдина.

— Естественно, у меня есть кое-какие предположения. Лучше сказать, подозрения.

— А со мной вы не поделитесь? Ну пожалуйста!

— Нет, — покачал головой Пуаро. — Это было бы, пожалуй, неправильно.

— Значит, вы кого-то вполне определенно подозреваете?

Пуаро опять уклончиво покачал головой.

— Если бы я знала чуть больше, — умоляюще произнесла девушка, — мне было бы легче. И наверное, я могла бы помочь вам.

Ее вопросительный тон обезоружил бы любого, но Пуаро был неумолим.

— Герцогиня Мертон по-прежнему считает, что это сделала моя мачеха, — задумчиво произнесла Джеральдина и вопросительно посмотрела на моего друга.

Он никак не отреагировал на это заявление.

— Но я не понимаю, как это может быть, — продолжала девушка.

— Какого вы мнения о вашей мачехе?

— Ну... я ее совсем плохо знаю. Когда отец женился на ней, я училась в пансионе в Париже. Когда я вернулась домой, она относилась ко мне неплохо. Я хочу сказать, она просто не обращала на меня внимания. Я всегда считала эту женщину легкомысленной и... э... корыстной.

Пуаро кивнул.

— Вы упомянули герцогиню Мертон. Вы часто видитесь с ней?

— Да. Она очень добра ко мне. За последние две недели я провела с ней немало времени. Все это так ужасно: разговоры, репортеры, арест Рональда и все такое. — Джеральдина поежилась. — У меня нет настоящих друзей. Но герцогиня так по-доброму ко мне относится, и ее сын тоже.

— Вам он нравится?

— Мне кажется, что он человек застенчивый. Но его мать много о нем рассказывала, и теперь я знаю герцога намного лучше.

— Ясно. Скажите, мадемуазель, вы любите своего двоюродного брата?

— Рональда? Конечно. Последние два года мы с ним редко встречались, но до этого он жил в нашем доме. Я... я всегда считала, что он чудесный парень: постоянно шутил, придумывал всякие забавные вещи. О! В нашем мрачном доме он был единственным лучиком.

Пуаро понимающе кивнул, но вслед за этим произнес фразу, поразившую меня своей жестокостью:

— Значит, вы не хотите, чтобы его повесили?

— Нет, нет. — Девушка задрожала всем телом. — Ни за что! О, если бы убийцей оказалась моя мачеха! Герцогиня говорит, что это наверняка она.

— Ага! Если бы только капитан Марш не выходил из такси в тот вечер, да? — добавил Пуаро.

— Да. Тогда бы... что вы этим хотите сказать? — Джеральдина нахмурилась. — Я не понимаю.

— Если бы он не пошел за тем человеком в дом... Кстати, а вы слышали, как кто-то входил в дом?

— Нет, я ничего не слышала.

— А что вы делали после того, как вошли?

— Я сразу побежала наверх, чтобы взять ожерелье.

— Понимаю. Конечно, на это потребовалось время?

— Да. Я не сразу нашла ключ от шкатулки.

— Бывает. Чем больше спешишь, тем медленнее получается. Значит, в течение какого-то времени вы оставались наверху, а потом, когда спустились вниз, вы увидели в прихожей вашего двоюродного брата?

— Да, возле библиотеки. — Девушка судорожно сглотнула.

— Понимаю. И вас это напугало.

— Да. — Джеральдина с благодарностью принимала сочувственный тон Пуаро. — Очень напугало.

— Еще бы.

— Рональд сказал у меня за спиной: «Ну что, Дина, принесла?» — и я чуть не подпрыгнула от неожиданности.

— Жаль, что он не остался на улице, — тихо заметил Пуаро. — Тогда и показания таксиста очень помогли бы мистеру Маршу.

Девушка кивнула, и слезы закапали из ее глаз прямо на колени. Она встала. Пуаро взял Джеральдину за руку.

— Вы хотите, чтобы я спас его, правда?

— О да, да! Пожалуйста. — Она пыталась овладеть собой, кулачки ее судорожно сжимались и разжимались. — Вы не знаете...

— Вашу жизнь не назовешь счастливой, мадемуазель, — с симпатией сказал Пуаро. — Я понимаю, как вам трудно. Гастингс, вызовите, пожалуйста, такси для мадемуазель.

Я проводил девушку. Она уже взяла себя в руки и сердечно поблагодарила меня. Когда я вернулся, мой друг ходил по комнате взад-вперед, нахмурив брови и размышляя о чем-то. Вид у Пуаро был недовольный. Я обрадовался, когда зазвонил телефон и отвлек его от неприятных мыслей.

— Кто говорит? О, это вы, Джепп! Bonjour, mon ami.

— Что там у него? — спросил я, подходя ближе.

После приветственных излияний Пуаро перешел к делу.

— Да, а кто приходил за ней? Они помнят?

Я, конечно, не слышал ответа инспектора, но, судя по лицу моего друга, он такого ответа не ожидал. Его лицо смешно вытянулось.

— Вы уверены?

— ...

— Нет, но все равно я несколько огорчен.

— ...

— Да, мне придется пересмотреть кое-какие свои идеи. Comment?

— ...

— В этом я оказался прав. Мелочь, конечно.

— ...

— Нет, я по-прежнему того же мнения. Очень прошу вас еще раз проверить рестораны поблизости от Риджент-Гейт, Юстона, Тоттенхэм-Корт-роуд и, пожалуй, Оксфорд-стрит.

— ...

— Да, мужчина и женщина. И еще поблизости от Стренда около полуночи. Comment?

— ...

— Да, я знаю, что капитан Марш был с Дортаймерами, но в мире есть люди и кроме капитана Марша.

— ...

— Говорить, что у меня поросячья голова, нехорошо. Тем не менее окажите мне услугу, умоляю вас.

— ...

Пуаро положил трубку.

— Ну? — нетерпеливо спросил я.

— Хорошо?[1] Сомневаюсь. Гастингс, золотая коробочка была действительно куплена в парижском магазине, который специализируется на таких вещах. Письмо с заказом пришло туда от некоей леди Акерли за два дня до убийства. Оно было подписано *Констанция Акерли*. Несомненно, это вымышленное имя. В письме просили, чтобы на крышке коробочки были инициалы «К.А.», предположительно автора письма, инкрустированные рубинами, а под крышкой — уже известная нам надпись. Заказ был срочный, его забрали на следующий день, то есть за сутки до убийства лорда Эдвера. Расплатились наличными.

— А кто его забрал? — взволнованно спросил я.

— Женщина, Гастингс.

— Женщина? — удивился я.

— Mais oui. Женщина. Низкорослая, средних лет и *в пенсне*.

Мы озадаченно переглянулись.

Глава 25

ЗАВТРАК

На следующий, если не ошибаюсь, день мы пошли по приглашению супругов Уидберн на завтрак в отель «Клариджез».

---

[1] Междометие «ну» имеет в английском языке и значение «хорошо».

Ни мой друг, ни я не горели особым желанием идти, но это было, кажется, шестое приглашение: миссис Уидберн любила знаменитостей. Нисколько не обескураженная отказами Пуаро, она предложила нам на выбор столько чисел, что наша капитуляция была неизбежна. Мы решили, что чем быстрее покончим с этой обязанностью, тем лучше.

После звонка из Парижа Пуаро почти не разговаривал о деле лорда Эдвера. На все мои вопросы он неизменно отвечал:

— Я здесь чего-то не понимаю.

Пару раз я слышал, как он пробормотал:

— Пенсне. Пенсне в Париже. Пенсне в сумке Карлотты Адамс.

Я с радостью подумал, что приглашение Уидбернов поможет моему другу отвлечься от навязчивых мыслей.

Молодой Дональд Росс тоже был на завтраке. Он оживленно приветствовал меня. Поскольку мужчин было больше, чем женщин, его посадили рядом со мной. Джейн Уилкинсон сидела почти напротив нас, а между ней и миссис Уидберн был герцог Мертон.

Я заметил — впрочем, это могло мне только показаться, — что герцог чувствует себя несколько неловко. Мне подумалось, что компания, в которой он оказался, вряд ли отвечает его консервативным, до некоторой степени даже реакционным взглядам. Казалось, этот человек по какой-то досадной ошибке перенесся сюда из средневековья. Его увлечение сверхсовременной Джейн было одной из тех анахронических шуток, которые так любит Природа.

Я не удивился капитуляции герцога Мертона, когда снова увидел прекрасную Джейн и услышал ее бесподобный хрипловатый голос, который даже самые банальные фразы делал привлекательными. Но мне пришло в голову, что со временем мужчина может привыкнуть и к несравненной красоте, и к пьянящему голосу и что даже сейчас, образно выражаясь, луч здравого смысла вполне может рассеять туман безрассудной любви. Поводом для вышеупомянутой мысли послужила случайная реплика, причем довольно глупая, оброненная Джейн во время беседы.

Уже не помню, кто из гостей заговорил о греческой мифологии, упомянув среди прочего «суд Париса»[1].

Тут же прозвучал восхитительный голосок мисс Уилкинсон:

— Париж? Ну, не скажите. Париж уже не тот, что был когда-то. Вот Лондон и Нью-Йорк — это да!

Как это довольно часто случается, ее слова прозвучали как раз в тот момент, когда беседа несколько затихла. За столом на секунду воцарилось неловкое молчание. Справа от меня шумно вздохнул Дональд Росс, миссис Уидберн с подчеркнутым воодушевлением начала рассказывать о русской опере, и все гости, как по команде, торопливо заговорили друг с другом. Лишь одна Джейн безмятежно оглядела собравшихся: ей и в голову не пришло, что она только что сморозила великую глупость.

Я взглянул на герцога. Губы его были крепко сжаты, он покраснел и, как мне показалось, чуть отодвинулся от мисс Уилкинсон. Может быть, он начал понимать, что, если человек его титула женится на какой-то актрисе, последствия могут быть весьма неприятными?

Я наклонился к своей соседке слева, дородной леди, в обязанности которой входила организация детских благотворительных концертов, и спросил первое, что пришло в голову: «Кто эта экстравагантная дама в пурпурном платье на противоположном конце стола?» Конечно же это оказалась сестра моей соседки! Пробормотав извинения, я повернулся и заговорил с Россом, который, однако, отвечал односложно.

И тогда, получив отпор с обеих сторон, я обратил внимание на Брайена Мартина. Он, видимо, опоздал, так как я заметил его только сейчас. Актер, сидевший с той же стороны стола, что и я, с большим оживлением разговаривал с хорошенькой блондинкой напротив. С тех пор как я последний раз видел Мартина, его внешний вид значительно улучшился. Усталость на лице исчезла, и он стал выглядеть моложе и энергичнее.

---

[1] Согласно греческой мифологии, Парис, сын троянского царя Приама, должен был выбрать из трех богинь, Геры, Афины и Афродиты, самую красивую. В английском языке имя Парис произносится так же, как и название города Парижа.

Брайен смеялся, шутил со своей собеседницей и был, по всем признакам, в прекрасном настроении.

Я не смог наблюдать за ним дальше, потому что как раз в этот момент моя дородная соседка милостиво простила мне мою бестактность и заставила меня выслушать длинный монолог о пользе благотворительных мероприятий.

Пуаро ушел раньше, так как у него намечалась важная встреча: он расследовал дело о загадочном исчезновении ботинок одного посла. Мой друг просил поблагодарить от его имени миссис Уидберн.

После завтрака гости окружили хозяйку. Прощаясь, каждый непременно начинал с «О, дорогая!..». Я терпеливо ждал своей очереди. В это время кто-то тронул меня за плечо.

Это был Росс.

— А разве мистер Пуаро уже ушел? — спросил он растерянно. — Я хотел поговорить с ним.

Присмотревшись к молодому человеку, я понял, что он, видимо, чем-то расстроен. Его лицо было бледным и напряженным, а взгляд — каким-то неуверенным.

— Зачем вы хотели видеть моего друга? — осведомился я.

— Я... не знаю, — ответил он медленно.

Услышав столь странный ответ, я в недоумении уставился на молодого человека. Росс покраснел.

— Я понимаю, что это звучит нелепо. Дело в том, что со мной произошла одна непонятная вещь, и я не могу разобраться в этом самостоятельно. Я... хотел бы посоветоваться с мистером Пуаро, потому что, видите ли... я не знаю, что делать... мне не хотелось бы его тревожить, но...

Росс был в таком замешательстве и выглядел таким несчастным, что я поспешил заверить его:

— У Пуаро важная встреча, но я знаю, что он хотел вернуться к пяти часам. Позвоните ему или заходите.

— Спасибо. Пожалуй, я так и сделаю. В пять часов?

— Лучше сначала позвоните, — посоветовал я, — чтобы знать наверняка, вернулся ли он.

— Хорошо, позвоню. Спасибо, Гастингс. Видите ли, я думаю, что это... может быть... очень важно.

Я кивнул и обернулся к миссис Уидберн, которая расточала медовые комплименты и некрепкие рукопожатия.

Исполнив свой долг, я уже собирался уходить, когда кто-то взял меня под руку.

— Не бросайте меня, — послышался чей-то веселый голос.

Это была Дженни Драйвер. Выглядела она, между прочим, шикарно.

— Хэлло, — приветствовал ее я. — Вы откуда здесь взялись?

— Я тоже была на завтраке. Сидела за соседним столиком.

— Я вас не заметил. Как дела?

— Спасибо, великолепно.

— Суповые тарелки по-прежнему пользуются спросом?

— Суповые тарелки, как вы нелестно называете наши шляпки, идут очень хорошо. Посмотрим, что вы запоете, когда мода на них пройдет и леди начнут носить какую-нибудь жуть с перышком на макушке.

— Вам, женщинам, видно, все равно, что носить, — заметил я.

— Вовсе нет. Хотя, я думаю, страусов надо спасать. При нынешней моде они обречены, — засмеялась девушка. — Ну, до свидания. Сегодня после обеда я решила устроить себе небольшой отдых. Съезжу в деревню.

— Хорошо придумали, — одобрил я. — Сегодня в Лондоне дышать нечем.

Я вернулся домой около четырех часов. Пуаро еще не было. В двадцать минут пятого мой друг появился. Он был в отличном настроении, глаза его блестели.

— Я вижу, Холмс, что вы нашли ботинки посла, — заметил я.

— Преступники приспособили их для провоза через границу кокаина. Оригинальный способ. Целый час я просидел в салоне красоты. Там была одна девушка с каштановыми волосами. Вы бы сразу влюбились.

Пуаро почему-то считал, что я питаю слабость к женщинам именно с таким цветом волос, и я никогда не разубеждал его.

Зазвонил телефон.

— Это, наверное, Дональд Росс, — сказал я, подходя к аппарату.

— Дональд Росс? — переспросил Пуаро.

— Да. Молодой человек, с которым мы познакомились в доме сэра Монтегю. Он хотел видеть вас по какому-то делу.

Я снял трубку.

— Капитан Гастингс слушает.

— Это вы, Гастингс? — послышался голос Росса. — А мистер Пуаро уже вернулся?

— Да, он здесь. Хотите поговорить с ним или приедете?

— Нет, пожалуй, не приеду. Это же мелочь. Скажу ему по телефону.

— Хорошо, подождите минуту.

Пуаро подошел и взял у меня трубку. Я стоял так близко, что слышал, хотя и не совсем отчетливо, голос Росса.

— Мистер Пуаро? — нетерпеливо спросил молодой человек.

— Да, я.

— Мне очень не хотелось бы тревожить вас, но мне кажется странным одно обстоятельство, связанное со смертью лорда Эдвера.

Я заметил, как напрягся Пуаро.

— Продолжайте, продолжайте.

— Это может показаться вам бессмысленным...

— Нет, нет, все равно говорите.

— Сегодня на завтраке у Уидбернов заговорили о Парисе. И я сразу же...

Тут я услышал в трубке очень далекий звонок у входной двери.

— Одну минутку, — извинился Росс.

Послышался щелчок: он положил трубку на стол. Мы ждали. Мой друг с трубкой в руке, я — рядом. Прошло две минуты, три, четыре, пять...

Пуаро беспокойно переступил с ноги на ногу, посмотрел на часы.

Потом, подергав вверх-вниз рычаг аппарата, он вызвал телефонную станцию. Потом взглянул на меня:

— Телефонистка тоже не может дозвониться до квартиры Росса. Говорит, что трубка по-прежнему снята, но ее никто не берет. Гастингс, скорее посмотрите адрес Росса в телефонном справочнике. Надо немедленно ехать туда.

Глава 26

ПАРИЖ ИЛИ ПАРИС?

Через несколько минут мы вскочили в такси. Лицо Пуаро было мрачным.

— Я боюсь, Гастингс, — сказал он. — Очень боюсь.

— Но вы не думаете... — начал я и замолчал.

— Преступник уже нанес два удара и не будет колебаться, чтобы ударить в третий раз. Он вертится, извивается, как крыса, пытаясь спасти свою жизнь. Росс представляет для него опасность — Росс должен быть уничтожен.

— А что такого может знать Росс? — спросил я недоверчиво. — Он же сам сказал, что это какая-то мелочь.

— Значит, он ошибался. Очевидно, он знает что-то весьма значительное.

— Но как об этом догадался преступник?

— Вы говорили, что Росс беседовал с вами в «Кларидджез». Вокруг было много людей. Глупо, как глупо. Ну почему вы не взяли его с собой, не присмотрели за ним? Надо было не подпускать к нему никого, пока я не услышал бы, что он хочет сказать мне.

— Но я не думал... совсем не думал... — запинаясь, начал оправдываться я.

Пуаро жестом остановил меня.

— Не переживайте. Действительно, откуда вы могли знать? Это я, я должен был предвидеть. Видите ли, Гастингс, убийца хитер и беспощаден, как тигр... Ну когда же мы, в конце концов, приедем?

Наконец мы подъехали к большой площади в Кенсингтоне, где находился нужный нам дом. Узкая карточка рядом с кнопкой звонка подсказала нам, что Росс живет на втором этаже. Дверь в дом была открыта. Широкая лестница вела наверх.

— Так легко войти. Ни души, — пробормотал Пуаро, взбегая по ступенькам.

Перегородка делила второй этаж пополам. Мы увидели дверь, в центре которой была карточка с фамилией Росса, и остановились. Стояла мертвая тишина.

Я толкнул дверь. К моему удивлению, она открылась. Мы вошли в небольшую прихожую. Дверь прямо вела, очевидно, в гостиную. Мы направились туда. Гостиная представляла собой половину большой комнаты, разделенной перегородкой. Она была дешево, но уютно обставлена. На маленьком столике стоял телефон, трубка лежала рядом. В комнате никого не было. Пуаро быстро шагнул вперед, огляделся и покачал головой.

— Не здесь. Пойдемте, Гастингс.

Мы вернулись в прихожую и оттуда прошли в маленькую кухню. Росс лежал, навалившись на стол и раскинув руки. Пуаро склонился над ним, потом выпрямился с побледневшим лицом:

— *Он мертв. Убит ударом ножа в затылок.*

Все остальные события того дня слились для меня в один жуткий, кошмарный сон. Я не мог побороть чувство, что в смерти молодого человека повинен я.

Вечером, когда мы вернулись домой и я начал бормотать упреки в собственный адрес, Пуаро быстро остановил меня:

— Нет, нет, это не ваша вина. Вы не могли этого предвидеть. Бог не наделил вас характером, который все ставит под сомнение.

— А вы бы заподозрили неладное?

— Я — другое дело. Видите ли, я всю жизнь ловлю убийц и знаю, что с каждым новым убийством тяга к следующему убийству становится у преступника все сильнее, пока наконец из-за какого-нибудь пустяка... — Пуаро не закончил.

С того момента, как мы обнаружили труп Росса, мой друг был очень немногословен. Во время всей этой ужасной рутины, сопровождающей подобные происшествия, — прибытия полиции, опроса жильцов дома и еще сотни подобных вещей — Пуаро хранил непонятное молчание. Он как бы отгородился от остального мира. Взгляд моего друга принял то отсутствующее выражение, которое всегда сопутствовало его напряженной мыслительной деятельности. И вот сейчас, когда он прервал на полуслове фразу, я снова увидел в его глазах это выражение.

— У нас нет времени упрекать себя да рассуждать, что было бы, если бы, — тихо начал Пуаро. — Молодой человек хотел сообщить нам что-то. И это «что-то» было чрезвычайно важным, иначе его не убили бы. Поскольку он уже никогда ничего не скажет, нам остается только гадать. Причем у нас всего лишь один маленький ключик.

— Париж, — сказал я.

— Да, Париж. — Он встал и начал ходить по комнате. — Слово «Париж» фигурирует в этом деле несколько раз, но, к сожалению, в разных контекстах. «Париж» написано на золотой коробочке. Париж, ноябрь прошлого года. Тогда там находилась мисс Адамс, а может, и Росс тоже. Был ли там еще кто-нибудь, кого знал Росс? Кого он увидел с мисс Адамс и при каких особых обстоятельствах?

— Мы этого никогда не узнаем, — вставил я.

— Нет, нет, узнаем. *Обязательно!* Способности человеческого мозга почти безграничны. В связи с чем еще упоминался Париж? Невысокая женщина в пенсне приходила в магазин забрать коробочку. Знал ли ее Росс? Герцог Мертон был в Париже, когда убили лорда Эдвера. Париж, Париж, Париж. Сам лорд Эдвер тоже собирался в Париж... О! В этом, по-видимому, что-то есть. Может быть, его убили, чтобы он туда не ездил?

Пуаро сел и задумался. Брови его сошлись на переносице. Я почти чувствовал, как от моего друга исходили волны огромного умственного напряжения.

— Так что случилось за завтраком у Уидбернов? — пробормотал Пуаро. — Какое-то случайное слово или фраза подсказали Дональду Россу, что он знает нечто чрезвычайно важное, о чем он до этого и не догадывался. Кто-то заговорил о Франции, да? Или о Париже? Я имею в виду на вашей стороне стола?

— Заговорили не о Париже, а о Парисе. — И я рассказал Пуаро о том, какой ляпсус допустила Джейн Уилкинсон, перепутав греческое имя с названием французской столицы.

— Где-то здесь и скрыта разгадка, — задумчиво произнес мой друг. — Одного этого слова вполне достаточно, но мы должны знать, при каких обстоятельствах оно прозвучало. Может быть, за столом была какая-то особая атмосфера? На кого смотрел Росс в этот момент? Или о чем он говорил, когда прозвучало слово «Парис»?

— Он говорил о религиозных предрассудках в Шотландии.

— А куда он смотрел?

— Точно не скажу. Кажется, на тот конец стола, где сидела хозяйка, миссис Уидберн.

— А кто сидел рядом с ней?

— Герцог Мертон, затем Джейн Уилкинсон и еще какой-то джентльмен.

— Итак, герцог. Возможно, что Росс смотрел именно на него, когда упомянули Париса. Ведь это имя произносится точно так, как и название города. Помните, что герцог был в Париже или якобы был в Париже в момент преступления. Предположим, что Росс неожиданно вспомнил о какой-то улике, доказывающей, что Мертон не *находился* в Париже в это время.

— Мой дорогой Пуаро!

— Да, вы считаете это предположение нонсенсом. И все будут так считать. Но были ли у мсье герцога мотивы для убийства? Да, и к тому же весьма основательные. Но предположить, что он мог убить человека, — о, все посчитают это абсурдом! Он богат, занимает высокое положение в обществе, и вообще он такая утонченная натура. Никто не будет особо тщательно проверять его показания. А обеспечить себе фальшивое алиби, находясь в огромном отеле, не так уж трудно. Уехать после обеда, возвратиться на следующее утро — все можно сделать. Вспомните, Гастингс, не сказал ли чего-нибудь Росс, когда упомянули о Парисе — или о Париже? Или, может быть, он повел себя как-то необычно?

— По-моему, он как-то шумно вздохнул.

— Ну а потом, когда он разговаривал с вами, как он выглядел? Озадаченным?

— Вот-вот, именно озадаченным.

— Точно! Ему в голову пришла какая-то мысль. Он счел ее нелепой! Абсурдной! И однако, он не решался поделиться своими подозрениями с кем-нибудь. Сначала он хочет поговорить со мной. Но увы! Когда он решился, меня в ресторане уже не было.

— Если бы он сказал мне чуть больше... — с сожалением произнес я.

— Да, если бы... Когда вы разговаривали с Россом, был ли кто-нибудь поблизости от вас?

— Ну, вообще-то все гости находились неподалеку. Все прощались с миссис Уидберн. Никто особенно близко к нам не стоял.

Пуаро снова встал.

— Где же я ошибался? — пробормотал он и опять начал ходить по комнате. — Неужели я все время шел по ложному следу?

Я посмотрел на своего друга с симпатией, хотя и не знал, какие мысли теснятся сейчас в его голове. «Он может закрыться от всех, как устрица», — бывало, метко замечал инспектор Джепп. Единственное, что я знал наверняка, — так это то, что Пуаро вел сейчас с собой настоящую битву.

— Так или иначе, Рональда Марша можно теперь исключить из числа подозреваемых, — заметил я.

— Очко в его пользу, — рассеянно отозвался Пуаро. — Но сейчас надо думать не об этом.

Неожиданно он сел.

— Не может быть, Гастингс, чтобы я ошибался на все сто процентов. Помните, я задавал себе пять вопросов?

— Да, вроде что-то припоминаю.

— Так вот. Вопросы были такие: почему лорд Эдвер изменил свои взгляды на развод? Существует ли на самом деле письмо, которое он якобы написал и которое его жена якобы не получала? Что означало выражение ярости на его лице, которое вы увидели после нашей беседы с ним? Откуда в сумочке Карлотты Адамс оказалось пенсне? Зачем кто-то позвонил леди Эдвер во время ужина в Чизвик, а потом сразу повесил трубку?

— Я все вспомнил, — заявил я. — Именно эти вопросы вы себе и задавали.

— Гастингс, все это время у меня была одна маленькая идея насчет этого человека, Человека-на-заднем-плане. На три вопроса я ответил, и эти ответы полностью согласуются с моей теорией. Но еще на два вопроса я ответить не могу. Либо я ошибочно подозреваю не того человека, а значит, эти оставшиеся вопросы ответов иметь не могут, либо я все-таки прав и ответы есть. Так что же, Гастингс, прав я или нет?

Он встал, подошел к столу и вынул из ящика письмо Карлотты Адамс. Пуаро попросил Джеппа разрешить ему оставить оригинал письма еще на пару дней, и тот не возражал. Пуаро разложил листы на столе и опять принялся сосредоточенно изучать их.

Время шло. Я зевнул и взял какую-то книгу. Я сомневался, что моему другу удастся извлечь из письма какую-либо новую информацию: мы уже столько раз просматривали его. И даже если в нем упоминался не Рональд Марш, то все равно не было ни малейшей возможности установить личность этого человека.

Я рассеянно переворачивал страницы книги, потом, по-видимому, задремал. Крик Пуаро заставил меня подпрыгнуть от неожиданности.

Мой друг смотрел на меня. Выражение его лица трудно передать. В глазах Пуаро сверкал зеленый огонек.

— Гастингс, Гастингс!

— Что такое?

— Вы помните, я сказал вам, что если бы убийца был аккуратным человеком, то он бы отрезал лист письма, а не оторвал бы его?

— Ну и что?

— А то, что я ошибался. В этом преступлении убийце как раз и не откажешь в смекалке. *Этот лист и надо было оторвать, а не отрезать.* Посмотрите сами. Я посмотрел.

— Eh bien, вы видите?

Я покачал головой:

— Вы хотите сказать, что преступник спешил?

— Не важно, спешил он или нет. Разве вы не видите, мой друг? *Лист как раз и должен быть оторван...*

Я снова покачал головой.

— Какой же я глупец, — тихо произнес Пуаро. — Как слепой, я ничего не видел. Но *теперь... теперь* все пойдет как надо!

Глава 27

ПЕНСНЕ

Через минуту его настроение изменилось. Он вскочил с кресла. Я охотно последовал его примеру, хотя и не понимал, что мы будем делать.

— Возьмем такси. Сейчас еще только девять часов. Не слишком поздно для того, чтобы нанести визит. .

— А кому мы нанесем этот визит? — спросил я, спускаясь вслед за Пуаро по лестнице.

— Мы едем на Риджент-Гейт.

Я счел благоразумным промолчать. Я видел, что мой друг не в настроении отвечать на мои вопросы: он был слишком взволнован. Пока мы ехали в такси, его пальцы нетерпеливо барабанили по колену. Обычное спокойствие изменило Пуаро. Я старательно вспоминал каждую фразу из письма Карлотты Адамс сестре. За это время я заучил его почти наизусть. Мысленно я повторял слова Пуаро об оторванном листе, но все было бесполезно: я решительно ничего не понимал. Почему лист должен быть оторван?

Дверь в доме лорда Эдвера открыл нам новый слуга. Пуаро осведомился, дома ли мисс Кэрролл. Мы проследовали за слугой на второй этаж, и я в который раз подумал: куда же исчез прежний красавец с греческим профилем? Полиция так и не смогла найти его. Я решил, что тот слуга, видимо, тоже убит, и мне стало не по себе.

Однако я сразу же забыл о своих неприятных мыслях, едва увидел мисс Кэрролл, опрятную, энергичную и рассудительную, как всегда. Секретарша очень удивилась визиту Пуаро.

— Очень рад, что вы по-прежнему здесь, мадемуазель, — сказал мой друг с поклоном. — Я боялся, что вы здесь больше не работаете.

— Джеральдина и слушать не хочет о моем уходе, — ответила мисс Кэрролл. — Она умоляла меня остаться. Действительно, в такое трудное время рядом с ребенком должен кто-то быть. Материально, конечно, она обеспечена всем, но ей нужен человек, который поможет ей побыстрее забыть свои прежние горести. И уверяю вас, мистер Пуаро, что таким человеком с успехом могу быть я.

Ее лицо приняло непреклонное выражение. Я подумал, что с репортерами и охотниками за пикантными подробностями у мисс Кэрролл разговор короток.

— Мадемуазель, вы всегда представлялись мне образцом рассудительности. Я это очень высоко ценю, так как таких людей редко встретишь. Мадемуазель Марш, напротив, девушка не очень практичного склада ума.

— Джеральдина — мечтательница, — сказала мисс Кэрролл. — Она абсолютно не приспособлена к жизни и всегда была такой. Хорошо, что ей хоть не надо заботиться о хлебе насущном.

— Да, действительно.

— Но я думаю, вы не затем пришли, чтобы порассуждать о практичных и непрактичных людях. Итак, чем могу служить, мистер Пуаро?

Моему другу, конечно, не очень понравилось, что ему так бесцеремонно намекнули на то, чтобы он поскорее переходил к делу. Ему, видимо, был по душе завуалированный подход. Однако секретарше было не до дипломатических тонкостей. Она подозрительно смотрела на нас сквозь стекла своих сильных очков.

— Я хотел бы получить от вас кое-какую информацию по некоторым вопросам. Я знаю, мисс Кэрролл, что вашей памяти я вполне могу довериться.

— Плохой был бы из меня секретарь, если бы меня подводила память, — сухо заметила мисс Кэрролл.

— Ездил ли лорд Эдвер в Париж в ноябре прошлого года?

— Да.

— Вы можете сказать, какого это было числа?

— Надо посмотреть в записях.

Она встала, открыла ключом ящик стола, достала небольшую тетрадь в переплете и, полистав ее, объявила:

— Лорд Эдвер отбыл в Париж 3 ноября и вернулся 7 ноября. Вторично он посетил Париж с 29 ноября по 4 декабря. Что вас еще интересует?

— С какой целью он ездил туда?

— Первый раз он поехал, чтобы посмотреть кое-какие статуэтки, которые планировал приобрести впоследствии на аукционе. А второй раз, насколько я знаю, лорд Эдвер ездил в Париж без определенных целей.

— Сопровождала ли своего отца мадемуазель Марш?

— Нет, она никогда не ездила с отцом, мистер Пуаро. Лорду Эдверу и в голову не приходило брать ее с собой. В то время Джеральдина находилась в женском пансионе в Париже, но я не думаю, что лорд Эдвер ездил, чтобы повидать ее. По крайней мере, меня бы это очень удивило.

— Вы никогда не ездили с ним?

— Нет. — Секретарша как-то странно посмотрела на Пуаро и неожиданно спросила: — Почему вы задаете мне все эти вопросы? Каков их смысл, мистер Пуаро? Какую цель вы преследуете?

Мой друг не ответил, а задал вместо этого новый вопрос:

— Мисс Марш очень любит своего двоюродного брата, да?

— Честное слово, мистер Пуаро, я не понимаю, какое вам до всего этого дело?

— Вам известно, что мадемуазель Марш приходила ко мне на днях?

— Нет, неизвестно. — По-видимому, это сообщение сильно удивило секретаршу. — И что же она вам сказала?

— Она сказала, точнее, дала понять, что очень любит своего кузена.

— Ну а зачем тогда вы спрашиваете об этом меня?

— Потому что хочу знать ваше мнение.

На этот раз мисс Кэрролл соблаговолила ответить:

— По-моему, она всегда любила его. Даже слишком.

— Вам не нравится новый лорд Эдвер?

— Я этого не говорила. Для него я совершенно бесполезная особа, вот и все. Он несерьезный человек. Не отрицаю, манеры у него приятные, он может красиво говорить. Но мне все-таки хотелось бы, чтобы Джеральдина увлеклась кем-то с более твердым характером.

— Как, например, у герцога Мертона?

— Я не знаю герцога. По крайней мере, он серьезно относится к своему положению в обществе. Но ведь он влюбился в эту драгоценную Джейн Уилкинсон.

— Но мать герцога...

— О! Осмелюсь сказать, что его мать предпочла бы его брак с Джеральдиной. Но что могут сделать матери? Сыновья никогда не женятся по желанию своих матерей.

— Как вы считаете, питает ли Рональд Марш нежные чувства к своей кузине?

— Теперь-то что об этом говорить? Он арестован.

— Значит, вы считаете, что его будут судить?

— Не думаю. Мне кажется, что он не виновен.

— Но бывает, что судят и невиновных.

Мисс Кэрролл не ответила.

— Не смею вас больше задерживать. — Пуаро встал. — Вы, случайно, не знали Карлотту Адамс?

— Я была на ее спектакле. Очень умные пародии.

— Да, она была девушка умная. — Казалось, Пуаро о чем-то задумался. — О, я чуть не забыл перчатки.

Он протянул руку к столу, его манжета зацепилась за цепочку от пенсне мисс Кэрролл, и оно упало на ковер. Пуаро смущенно пробормотал извинения. Он нагнулся, поднял пенсне, вернул секретарше и взял перчатки.

— Еще раз прошу прощения за то, что побеспокоил вас, — сказал он на прощанье. — В прошлом году у лорда Эдвера возникли с одним человеком какие-то разногласия, и я подумал, что, может быть, здесь кроется ключ к разгадке. Вот почему я спросил о Париже. Это, конечно, очень слабая надежда, но мадемуазель Марш абсолютно уверена, что ее кузен не преступник. Да, очень уверена. До свидания, мисс Кэрролл. Тысяча извинений за наш визит.

Не успели мы выйти из комнаты, как вслед нам раздался голос секретарши:

— Мистер Пуаро, это не мое пенсне. Я в нем ничего не вижу.

— Comment? — Пуаро удивленно посмотрел на мисс Кэрролл. Потом его лицо расплылось в улыбке. — Какой же я недотепа! Мое пенсне тоже выпало из кармана, когда я наклонился за вашим пенсне. Я их перепутал. Видите, они похожи как две капли воды.

Вежливо улыбнувшись друг другу, они совершили обмен.

— Пуаро, — обратился я к своему другу, когда мы вышли на улицу, — вы же не носите очков!

— Верно подметили, — просиял он. — Вы, я вижу, уже поняли, в чем дело.

— Вы подсунули ей пенсне из сумочки Карлотты Адамс?

— Именно так.

— А почему вы считаете, что оно может принадлежать мисс Кэрролл?

368

Пуаро пожал плечами:

— Из всех людей, которые имеют какое-то отношение к убийству, она единственная носит очки.

— Так или иначе, это пенсне не ее, — задумчиво сказал я.

— Если верить ее утверждению.

— Ну и подозрительный же вы тип.

— Вовсе нет, вовсе нет. Может быть, секретарша говорит правду. Я уверен, что она говорит правду, иначе она вряд ли заметила бы разницу. Я подменил пенсне очень ловко, мой друг.

Мы брели по улицам почти наугад. Я предложил взять такси, но Пуаро покачал головой:

— Мне надо подумать. Прогулки помогают мне в этом.

Я не возражал. Ночь была душная, и я не спешил возвращаться домой.

— Так вы задавали вопросы о Париже просто так, для маскировки? — спросил я с любопытством.

— Не совсем.

— Мы еще не знаем, кто скрывается под инициалом «Д.», — задумчиво произнес я. — Может быть, Дональд Росс? Но он мертв.

— Да, мертв, — мрачно подтвердил мой друг.

Я вспомнил, как таким же душным вечером мы шли по улице вместе с Россом. Почему-то в моей памяти всплыли слова, сказанные им при расставании, и у меня перехватило дыхание от волнения.

— Боже мой, Пуаро! — воскликнул я. — Вы помните?

— Что я должен помнить, мой друг?

— Росс сказал, что за столом на ужине в Чизвике сидело тринадцать человек. *И он встал из-за стола первым.*

Пуаро не ответил. Мне стало не по себе: так бывает, когда сбывается какая-нибудь плохая примета.

— Странно, — глухо сказал я. — Согласитесь, что странно.

— Что вы говорите?

— Я говорю, очень странно. Дональд и это число тринадцать. Пуаро, да о чем вы думаете?

И тут, к великому моему удивлению и, признаюсь, к возмущению, мой друг затрясся от смеха. Он смеялся довольно долго. Видно, какая-то забавная мысль вызвала у него приступ такого неудержимого веселья.

— Черт возьми, да над чем вы смеетесь? — резко спросил я.

— О-хо-хо! — прямо-таки задыхался Пуаро. — На днях, Гастингс, я услышал одну загадку. Что такое: две ноги, перья и лает, как собака?

— Конечно, цыпленок, — нехотя ответил я. — Я эту загадку еще в детстве знал.

— Вы слишком много знаете, Гастингс. Ну почему вы не ответили: «Я не знаю»? Я бы тогда сказал: «Это цыпленок», а вы бы возразили мне: «Но цыпленок не может лаять». Тогда бы я ответил: «Я это и сам знаю, просто мне хотелось сделать загадку потруднее». А если с инициалом «Д.» все обстоит так же, как с этой загадкой?

— Какой вздор!

— Да. Для большинства. Но не для тех людей, которые имеют особый склад ума. Эх, если бы только я мог спросить у кого-нибудь...

Мы проходили мимо здания кинотеатра. Как раз окончился сеанс, и зрители толпой повалили из зала. Люди обсуждали свои дела, свою прислугу, своих друзей и подруг. Кое-кто обменивался впечатлениями от просмотренного фильма.

С группой зрителей мы пересекли Юстон-роуд.

— Мне так понравился фильм, — вздохнув, сказала какая-то девушка. — Брайен Мартин был просто великолепен. А как он скакал со скалы, чтобы вовремя передать документы! Я не пропускаю ни одной картины с его участием.

Сопровождающий девушку парень, напротив, не проявлял особого энтузиазма по поводу фильма.

— Идиотский сюжет. Если бы у них была хоть капелька здравого смысла, то они бы сразу спросили у Эллис...

Конец его фразы мы не услышали. Перейдя проезжую часть и ступив на тротуар, я обернулся. Пуаро стоял посреди дороги. Машины и автобусы мчались на него и спереди и сзади. Я непроизвольно закрыл глаза рукой, потом услышал скрип тормозов и сочную брань шофера. Пуаро величественно прошествовал к обочине. Сейчас мой друг был похож на лунатика.

— Пуаро! — закричал я. — Вы что, с ума сошли?

— Нет, mon ami. Просто ко мне пришла разгадка этой тайны. Там, на середине дороги.

— Чертовски неудачное место для разгадок, — заметил я. — Она могла оказаться для вас последней.

— Не важно. О, mon ami, как же я был слеп, глух и бесчувствен. Но теперь я знаю ответы на все пять вопросов. Да, теперь я понял. Все так просто, по-детски просто...

Глава 28

ПУАРО ЗАДАЕТ ВОПРОСЫ

Удивительная у нас получилась прогулка домой.

Пуаро напряженно о чем-то думал и иногда бормотал под нос что-то неразборчивое. Один раз я услышал слово «свечи», другой — нечто похожее на «douzaine»[1]. Будь я поумнее, я бы, наверное, смог уловить ход его мыслей. А так эти отдельные слова звучали для меня сущей тарабарщиной.

Едва мы пришли домой, как Пуаро поспешил к телефону. Он позвонил в «Савой» и попросил леди Эдвер. Я не раз говорил моему другу, что он является одним из самых плохо информированных людей в мире. Сейчас мои слова подтвердились еще раз.

— И не надейтесь, старина, — сказал я не без ехидства. — Разве вы не знаете, что мисс Уилкинсон занята в новой пьесе? Так что в данный момент она в театре. Еще только пол-одиннадцатого.

Пуаро не обратил внимания на мои слова. Он разговаривал со служащим отеля. Тот, вероятно, подтвердил все, что сказал я.

— Правда? Тогда соедините меня со служанкой леди Эдвер.

Через несколько минут его соединили с нужным номером.

— Это служанка леди Эдвер? Говорит мистер Эркюль Пуаро. Вы помните меня?

---

[1] Дюжина *(фр.)*.

— ...

— Очень хорошо. Мне нужно поговорить с вами по важному делу. Я хочу, чтобы вы приехали немедленно.

— ...

— Ну конечно, очень важно. Я дам вам свой адрес. Слушайте внимательно.

Он дважды повторил адрес и повесил трубку. Лицо Пуаро было задумчиво.

— Зачем вам служанка? — с любопытством спросил я. — У вас действительно есть для нее что-то важное?

— Нет, Гастингс, это она сообщит мне что-то важное.

— Что именно?

— Сведения об одном человеке.

— О Джейн Уилкинсон?

— Нет, о ней мне известно все. Я изучил ее, как говорится, от и до.

— Так о чем же вы хотите поговорить со служанкой?

Пуаро улыбнулся той самой улыбкой, которая всегда вызывала у меня раздражение, и заявил, что я сам скоро все увижу. После этого он начал суетливо убирать в комнате.

Десять минут спустя появилась служанка. На ней было аккуратное черное платье. Она вела себя не совсем уверенно и немного нервничала. Пуаро поспешил навстречу женщине, подозрительно оглядывающей обстановку комнаты.

— О! Вы уже пришли. Очень мило с вашей стороны. Садитесь, пожалуйста, мадемуазель... Эллис, да?

— Да, сэр. Эллис.

Она села в кресло, которое пододвинул ей Пуаро, и, положив руки на колени, поочередно посмотрела на нас. Ее маленькое бледное лицо было уже почти спокойно, губы поджаты.

— Для начала скажите мне, мисс Эллис, сколько вы служите у леди Эдвер?

— Три года, сэр.

— Я так и думал. Тогда вы должны знать о ней все.

Эллис неодобрительно взглянула на Пуаро и ничего не ответила.

— Я хочу сказать, что вы наверняка должны знать, кто мог питать к вашей госпоже враждебные чувства?

Служанка еще сильнее сжала губы, но потом все-таки ответила:

— Большинство женщин были настроены по отношению к ней недоброжелательно, сэр. Да, они все были против нее. Это все гадкая ревность.

— Значит, слабый пол ее не любил?

— Нет, сэр. Она слишком красива и всегда добивалась того, чего хотела. В театральном мире вообще много черной зависти.

— Ну а как мужчины к ней относятся?

На увядшем лице служанки появилась кислая улыбка.

— Она вертела джентльменами как хотела, и это факт.

— Я согласен с вами, — улыбнулся Пуаро. — Но даже и в этом случае... — Он не закончил и уже другим тоном спросил: — Вы знаете мистера Брайена Мартина, кинозвезду?

— О да, сэр.

— Хорошо знаете?

— Очень хорошо.

— Я думаю, что не ошибусь, если скажу, что менее года назад мистер Мартин был сильно влюблен в вашу госпожу.

— По уши влюблен, сэр. И если хотите знать мое мнение, то я считаю, что он и сейчас влюблен.

— Сначала он надеялся, что она выйдет за него замуж, да?

— Да, сэр.

— А она когда-нибудь думала серьезно о браке с ним?

— Думала, сэр. Если бы только лорд Эдвер дал ей развод, она бы, по-моему, вышла замуж за этого актера.

— Но потом, я полагаю, на сцене появился герцог Мертон?

— Да, сэр. Он путешествовал в то время по Штатам и влюбился в мою госпожу с первого взгляда.

— И шансы Брайена Мартина стали равны нулю?

Эллис кивнула.

— Конечно, мистер Мартин зарабатывает очень много, но у герцога еще и положение в обществе, — пояснила она. — А для моей госпожи это очень важно. Если бы она вышла замуж за герцога, то стала бы одной из первых леди в Англии, — закончила служанка таким самодовольным тоном, что мне стало смешно.

— Значит, мистер Мартин был, как бы это сказать, отвергнут? Он очень расстроился?

— Да, сэр, он ужасно огорчился.

— Что вы говорите!

— Устраивал сцены ревности. Один раз даже угрожал ей револьвером. Я так боялась. Потом начал пить. В общем, стал опускаться.

— Но в конце концов мистер Мартин смирился.

— Это только так кажется, сэр. Он все еще не теряет надежды. И взгляд у него какой-то нехороший. Я несколько раз предупреждала госпожу, но она только смеется. Понимаете, она упивается своей властью над мужчинами.

— Понимаю, — задумчиво ответил Пуаро.

— Правда, в последнее время мы не часто видим мистера Мартина. По-моему, это хороший признак. Хочется верить, что он отказался от своих притязаний.

— Может быть.

Что-то в интонации Пуаро насторожило Эллис, и она с тревогой спросила:

— Вы считаете, что моей госпоже грозит опасность, сэр?

— Да, я считаю, что она в большой опасности, — сурово сказал мой друг. — Но она сама в этом виновата.

Пуаро бесцельно провел рукой по каминной полке и нечаянно опрокинул вазу с розами. Вода полилась на голову и лицо служанки. Мой друг редко бывал таким неловким, из чего я заключил, что события последнего времени вывели его из состояния душевного равновесия. Он ужасно огорчился, побежал за полотенцем, заботливо помог Эллис вытереть лицо и шею и рассыпался в извинениях.

В конце концов он сунул ей хрустящую купюру и проводил до двери, поблагодарив за то, что она любезно согласилась приехать.

— Еще совсем рано, — заметил Пуаро, взглянув на часы. — Вы будете дома еще до того, как вернется ваша госпожа.

— Ну, об этом я не беспокоюсь. По-моему, леди Эдвер собиралась еще поужинать, а кроме того, ей вовсе не нужно, чтобы я постоянно сидела в номере. Разве что когда она специально попросит об этом.

Совершенно неожиданно Пуаро отклонился от темы разговора:

— Я вижу, мадемуазель, что вы хромаете.

— Ничего страшного, сэр. Ноги немного болят.

— Мозоли? — понизив голос, спросил мой друг. Таким доверительным тоном обращается один пациент к другому, зная, что тот страдает от аналогичного недуга.

Да, служанку мучили мозоли. Пуаро порассуждал немного о каком-то лечебном средстве, творящем, по его мнению, чудеса, и в конце концов Эллис ушла.

Меня распирало любопытство.

— Ну что, Пуаро? Что?

Он улыбнулся моему нетерпению.

— На сегодня все, мой друг. Завтра рано утром мы позвоним Джеппу и попросим его приехать. Еще мы позвоним мистеру Брайену Мартину. Думаю, у него есть что рассказать нам. Мне бы хотелось отдать ему долг.

— Правда?

Я искоса взглянул на Пуаро. Он странно улыбался каким-то своим мыслям.

— Как бы то ни было, вы не можете подозревать Мартина в убийстве лорда Эдвера, — сказал я. — Особенно после того, что мы услышали сейчас от служанки. Джейн это, конечно, было бы на руку. Но убить мужа, чтобы позволить вдове выйти замуж за своего соперника, — это не в интересах Мартина.

— Какая глубокая мысль!

— Не издевайтесь, — произнес я с некоторой досадой. — И скажите, ради Бога, что это вы все время вертите в руках?

Пуаро поднял выше заинтересовавший меня предмет.

— Я верчу в руках пенсне нашей доброй Эллис, мой друг. Она его забыла.

— Не говорите ерунды. Когда она выходила от нас, оно было у служанки на носу.

Пуаро покачал головой:

— Неверно! Абсолютно неверно! Когда она уходила, мой дорогой Гастингс, на носу у нее было пенсне, которое мы нашли в сумке Карлотты Адамс.

Я открыл рот от удивления.

Глава 29

ПУАРО РАССКАЗЫВАЕТ

Звонить инспектору Джеппу на следующее утро выпало мне.

— А, это вы, Гастингс, — довольно расстроенно отозвался тот. — Ну, что на этот раз?

Я передал ему просьбу Пуаро.

— Приехать в одиннадцать утра? Что ж, можно. У него есть какие-то соображения по поводу смерти Росса? Откровенно говоря, мы бы не отказались от помощи. Никаких улик. Очень загадочная история.

— Думаю, что у Пуаро есть для вас кое-что, — ответил я уклончиво. — Во всяком случае, он очень доволен собой:

— Чего не скажешь про меня, — заметил инспектор. — Хорошо, капитан Гастингс, я приеду.

Затем я позвонил Брайену Мартину. Пуаро проинструктировал меня, что сказать актеру: мол, мистер Пуаро обнаружил нечто весьма интересное и считает, что мистеру Мартину это будет полезно услышать. Мартин спросил, что именно нашел Пуаро, и я ответил, что не имею ни малейшего понятия. Воцарилось молчание.

— Хорошо, — наконец сказал Брайен, — приеду.

Он повесил трубку.

Потом, к некоторому моему удивлению, Пуаро позвонил Дженни Драйвер и тоже попросил ее прийти. Мой друг был молчалив и даже несколько угрюм. Я не докучал ему вопросами.

Первым приехал Брайен Мартин. Он прекрасно выглядел, был в настроении, хотя — или это мне показалось? — чуть-чуть нервничал. Почти сразу же вслед за ним приехала мисс Драйвер. Она удивилась, увидев Брайена, он тоже поразился ее приезду. Пуаро пододвинул два кресла, предложил молодым людям сесть и взглянул на часы.

— Я думаю, инспектор Джепп будет с минуты на минуту.

— И Джепп тоже? — встревоженно, как мне показалось, спросил актер.

— Да, я попросил его прийти. Неофициально, как друга.

— Ясно.

Мартин не проронил больше ни слова. Дженни взглянула на него и быстро отвела взгляд. В то утро девушка показалась мне чем-то озабоченной.

Минуту спустя в комнату вошел инспектор. По-моему, он слегка удивился, увидев Брайена Мартина и Дженни Драйвер, но ничем не выдал своих чувств. Он приветствовал Пуаро в своей обычной шутливой манере.

— Ну, мистер Пуаро, зачем звали? Я полагаю, у вас появилась какая-то новая потрясающая теория?

Мой друг лучезарно улыбнулся Джеппу:

— Нет, нет, ничего потрясающего. Просто одна маленькая, простенькая история. Стыдно признаться, но я не сразу разобрался в ней. Если вы позволите, я расскажу все с самого начала.

Инспектор вздохнул и посмотрел на часы.

— Если это займет не больше часа...

— Будьте уверены, это не займет даже часа, — успокоил Пуаро. — Вы ведь хотите знать, кто убил лорда Эдвера, мисс Адамс и Дональда Росса?

— Для начала я хочу знать, кто убил Росса, — осторожно произнес Джепп.

— Тогда слушайте. Я не буду хвастаться. («Да неужели?» — недоверчиво подумал я.) Я расскажу вам обо всех своих шагах, покажу, где я дал маху, где проявил чудовищную несообразительность, как мне помогла беседа с моим другом Гастингсом и как реплика случайного прохожего натолкнула меня на правильное решение.

Пуаро сделал паузу и, прочистив горло, начал говорить поучительным — «лекторским», как я его называю, — тоном.

— Я начну с ужина в отеле «Савой». Ко мне подошла леди Эдвер и попросила уделить ей немного времени. Она хотела, чтобы я помог ей избавиться от мужа. В конце нашего разговора она не совсем осмотрительно, как я подумал, заявила, что может приехать на такси к лорду Эдверу и убить его сама. Эти слова услышал Брайен Мартин, который вошел в номер леди Эдвер как раз в этот момент. — Пуаро повернулся к актеру: — Я все верно излагаю?

— Все слышали эту угрозу, — ответил тот. — Уидберны, и Марш, и Карлотта.

— Я абсолютно согласен с вами. Eh bien, мне так и не удалось забыть эти слова леди Эдвер: на следующее утро Брайен Мартин пришел ко мне с целью покрепче вбить угрозы мисс Уилкинсон в мою голову.

— И вовсе нет! — сердито закричал Мартин. — Я пришел для того, чтобы...

— Вы пришли для того, чтобы рассказать мне небылицу о том, что вас кто-то преследует. Возможно, вы позаимствовали эту историю из какого-нибудь старого фильма. Девушка, согласие которой вы должны якобы получить, какой-то человек, которого вы всегда узнавали по золотому зубу. Ребенок и тот бы понял, что его водят за нос. Mon ami, да ни один молодой человек не поставит себе сейчас золотую коронку, а особенно в Америке. Золотые зубы — это вчерашний день зубоврачебного искусства. Да, вся эта история оказалась абсурдной выдумкой. Рассказав мне эту нелепицу, вы перешли к истинной цели вашего визита: вы хотели настроить меня против леди Эдвер. Если выражаться проще, вы приучали меня к мысли, что убийцей может быть только она.

— Я не понимаю, о чем вы говорите, — пробормотал актер. Лицо его было смертельно бледным.

— Вы не устаете повторять, что лорд Эдвер против развода! Вы предполагаете, что я пойду к нему только на следующий день, но обстоятельства изменились, и я беседовал с ним в то же утро. Лорд Эдвер сообщил мне, что он *согласен* на развод, и таким образом мотив убийства для леди Эдвер исчез. Более того, лорд Эдвер сказал, что послал ей письмо, в котором информировал о своем согласии.

Однако леди Эдвер заявила, что не получала никакого письма. Кто-то из них лгал: она или ее муж? Или кто-то перехватил письмо? И тогда я задал себе вопрос: зачем мистеру Брайену Мартину надо было утруждать себя всеми этими небылицами? Что движет им? Постепенно я начал приходить к выводу, что вы, мсье, безумно влюблены в леди Эдвер. Лорд Эдвер, кстати, сказал мне, что она хочет выйти за какого-то актера. Предположим, что сначала так оно и было, но потом леди Эдвер передумала, и к тому времени, как лорд Эдвер написал ей это письмо, Джейн хочет выйти замуж за кого-то другого, а не за вас! Теперь у вас есть все основания перехватить письмо.

— Я никогда...

— Вы будете говорить потом. А сейчас выслушайте меня. Что же вы замышляли, вы, испорченный успехом кумир публики, который никогда ни в чем не знал отказа? Я думаю, вами овладела бешеная ярость, желание причинить леди Эдвер как можно больше вреда. А что может быть более страшной местью, чем привести ее на скамью подсудимых, а может, даже и на виселицу?

— Боже мой! — воскликнул Джепп.

Пуаро повернулся к инспектору:

— Да, да, вот это и была та маленькая идея, которая родилась у меня. Среди мужчин у Карлотты было двое друзей: капитан Марш и Брайен Мартин. Отсюда следует, что десять тысяч долларов за участие в «розыгрыше» мог предложить ей Брайен Мартин, весьма богатый человек. Мне сразу показалось, что Рональд Марш вряд ли мог участвовать в этом: мисс Адамс просто не поверила бы, что у него найдется такая сумма, ведь она знала, что Марш постоянно нуждается в деньгах. Так что более подходящим кандидатом является мистер Мартин.

— Я не... говорю вам, что я не... — хрипло начал актер.

— Когда из Вашингтона передали по телеграфу содержание письма мисс Адамс, о-ля-ля, я был очень огорчен. Мне показалось, что я все время шел по ложному следу. Но потом я сделал открытие. Когда мне прислали оригинал письма, я обнаружил, что одного листа в нем не хватает. Предыдущий лист, в конце которого рассказывалось о капитане Марше, заканчивался словами: «Мистеру Маршу тоже очень нравятся мои пародии... а на днях...» Следующий лист начинается так: «...он говорит мне: «Помогите выиграть одно пари». Но поскольку одна половинка этого двойного листа была оторвана, то я предположил, что *слово «он» со следующего листа не относится к «мистеру Маршу» с предыдущего листа*. Значит, «розыгрыш» мог предложить Карлотте кто-то другой.

Это предположение подтверждается еще вот чем. Когда арестовали капитана Марша, он совершенно определенно заявил, что видел, как в дом лорда Эдвера входил человек, очень похожий на Брайена Мартина. В устах обвиняемого это заявление не имело никакого веса. К тому же у мистера Брайена было алиби. Этого следовало ожидать: если убил он, то ему обязательно надо было запастись алиби. Его алиби подтвердил только один человек — мисс Драйвер.

— Что такое? — резко спросила девушка.

— Ничего, мадемуазель, — улыбнулся Пуаро, — за исключением того, что в тот же самый день я видел вас в ресторане с мистером Мартином. Вы не поленились подойти ко мне и постарались убедить в том, что ваша подруга мисс Адамс питала симпатию к Рональду Маршу, а не к Брайену Мартину.

— Конечно к Маршу, — решительно заявил актер.

— Вы могли и не замечать чувств мисс Адамс к вам, мсье, — спокойно продолжал мой друг, — но я уверен, что она питала симпатию к вам. Это и объясняет как нельзя лучше ее неприязнь к леди Эдвер. Это все из-за вас. Вы ведь рассказали Карлотте о том, что Джейн отказалась выйти за вас замуж?

— Э... да... мне надо было с кем-то поделиться, а она...

— Посочувствовала вам. Да и по моим наблюдениям, она была к вам неравнодушна. Eh bien, что же дальше? Арестовали Рональда Марша. Это немедленно поднимает ваше настроение. Хотя ваш план и не сработал из-за того, что в последнюю минуту леди Эдвер передумала и все-таки поехала на ужин в Чизвик, но оказалось, что вину можно свалить и на Марша. Теперь вы могли спать спокойно. Но некоторое время спустя на завтраке у Уидбернов вы услышали, как Дональд Росс, этот симпатичный, но глуповатый молодой человек, сказал что-то Гастингсу, и вам показалось, что вам снова угрожает опасность.

— Неправда! — застонал Мартин. Пот градом катил по его лицу, в глазах стоял дикий ужас. — Говорю вам, я ничего не слышал... ничего... я ничего не сделал...

И тут произошла самая, по-моему, удивительная за все утро вещь. Пуаро спокойно сказал:

380

— Вы и правда абсолютно ни в чем не виновны. Надеюсь, что я достаточно наказал вас за то, что вы пришли ко *мне*, самому Эркюлю Пуаро, со своей небылицей.

Все присутствующие разинули от удивления рты, а Пуаро задумчиво продолжал:

— Видите ли, я просто показал вам все свои просчеты. Я задал себе пять вопросов. Гастингс их знает. Ответы на три вопроса прекрасно согласовались с моей теорией. Что случилось с письмом? Мистер Мартин прекрасно ответил на этот вопрос. Другой вопрос: что заставило лорда Эдвера неожиданно передумать и согласиться на развод? Насчет этого у меня появилось следующее предположение. Либо он хотел снова жениться — но эту версию ничто не подтверждало, — либо здесь имел место шантаж. Лорд Эдвер был человеком с отклонениями от нормы. Возможно, кое-какие неприглядные факты из его жизни стали известны его жене. Хотя это и не давало леди Эдвер право на развод, но могло быть использовано ею в качестве рычага для достижения своих целей. Она стала угрожать, что его извращения станут достоянием окружающих. Лорд Эдвер желал избежать такого скандала — и он сдался. Совершенно случайно Гастингс заметил выражение жуткой ярости на его лице, когда лорд Эдвер совсем не ожидал, что на него будут смотреть. Это говорит о его подлинных чувствах к жене-шантажистке. Версию о шантаже подтверждает и та поспешность, с которой он ответил на мой вопрос о том, почему он все-таки передумал и решил дать развод. Лорд Эдвер сказал так: «Во всяком случае, не из-за того, что в письме было что-то компрометирующее», а ведь я даже и не упоминал об этом.

Осталось еще два вопроса: откуда в сумке мисс Адамс оказалось пенсне, которое ей не принадлежало, и почему леди Эдвер позвонили в Чизвик во время ужина. Никоим образом я не мог связать эти два факта с личностью мистера Мартина.

Я вынужден был признать, что либо я ошибаюсь в отношении мистера Мартина, либо эти два вопроса неправильны по своей сути. В отчаянии я еще раз тщательно прочитал письмо мисс Адамс и кое-что обнаружил!

Вот это письмо. Взгляните сами. Двойной лист, от которого оторвана половина, начинается со слов «он говорит». Но верхняя часть этого листа оборвана неровно, поэтому я догадался, что в начале слова «НЕ»[1] стояла буква «S», которую и оторвал преступник. Видите, что у вас получилось: «SHE»[2]. «*Она* говорит»! Розыгрыш предложила Карлотте Адамс *женщина*.

Я сделал список всех лиц женского пола, которые, пусть даже и косвенно, имели отношение к этому делу. Кроме Джейн Уилкинсон, их было еще четыре — Джеральдина Марш, мисс Кэрролл, мисс Драйвер и герцогиня Мертон. Из этих четырех меня больше всего интересовала мисс Кэрролл. Она носит пенсне, она в тот вечер оставалась в доме лорда Эдвера, и в своем желании обвинить Джейн Уилкинсон она дала неточные показания. Это умная, хладнокровная женщина, которая вполне могла осуществить такое преступление. Ее мотив был неизвестен, но, в конце концов, она работала у лорда Эдвера несколько лет, а за это время какая-нибудь причина для убийства могла найтись.

Я также понимал, что из числа подозреваемых нельзя исключать и Джеральдину Марш. Она сама сказала, что ненавидит отца. Девушка она нервная, взвинченная. Предположим, что, когда она пришла домой в тот вечер, она сначала убила отца, а потом поднялась наверх, чтобы взять жемчужное ожерелье. И тут, спускаясь вниз, она обнаружила, что ее кузен, которого она так преданно любила, не остался в такси, а тоже вошел в дом!

Тогда волнение мисс Марш можно объяснить двумя причинами: или она боялась собственного разоблачения, или, если убила не она, девушка боялась, что убийцей является Рональд. К тому же на золотой коробочке, найденной в сумочке мисс Адамс, был инициал «Д.», и в ноябре прошлого года она была в пансионате в Париже, где и *могла* познакомиться с Карлоттой.

Вам может показаться совершенно невероятным, что я включил в список подозреваемых герцогиню Мертон. Но когда она приходила ко мне, я понял, что она — фанатичка. Весь смысл ее жизни заключался для нее только в собственном сыне, и она вполне могла разра-

---

[1] Он *(англ.)*.
[2] Она *(англ.)*.

ботать план, чтобы уничтожить женщину, грозившую разрушить ее материнское счастье. Я подозревал также и мисс Дженни Драйвер... — Пуаро замолчал и посмотрел на девушку.

Она, слегка склонив голову набок, ответила ему дерзким взглядом.

— Ну и что такое вы обо мне разузнали?

— Ничего, кроме того, что вы дружите с Брайеном Мартином и что ваши инициалы тоже начинаются с буквы «Д».

— Не очень-то много.

— К тому же вы девушка умная и хладнокровная и могли бы отважиться на такое преступление.

— Продолжайте, — весело сказала мисс Драйвер, закуривая сигарету.

— Мне следовало еще выяснить, можно ли верить алиби мистера Мартина. Если да, то кто был человек, который, как заявил Рональд Марш, входил в дом лорда Эдвера. И тут я кое-что вспомнил. Тот красавец слуга был очень похож на мистера Мартина. Вот этого-то слугу и видел капитан Марш. У меня на этот счет следующее предположение: слуга обнаружил, что его хозяин мертв. На столе библиотеки лежал конверт с французскими банкнотами на сумму, равную ста фунтам. Слуга взял деньги, незаметно покинул дом и отдал деньги кому-то из своих дружков-мошенников. Потом он вернулся, открыв дверь ключом лорда Эдвера. На следующее утро труп хозяина обнаружила служанка. Слуга чувствовал себя в полной безопасности, так как был абсолютно уверен, что лорда Эдвера убила леди Эдвер. Что же касается денег, то, я думаю, их обменяли на английские фунты еще до того, как обнаружилась их пропажа. Однако потом оказалось, что у леди Эдвер алиби, и полиция стала проверять обитателей дома. Слуга пронюхал, что Скотленд-Ярд заинтересовался его прошлым, и поспешил скрыться.

Джепп одобрительно кивнул.

— Мне оставалось еще решить вопрос о пенсне. Если оно принадлежало мисс Кэрролл, то тогда все вставало на свои места. Тогда это она перехватила письмо, а ее пенсне могло случайно попасть в сумочку Карлотты

Адамс, когда они обсуждали детали «розыгрыша» или когда они встретились в день убийства.

Но оказалось, что пенсне не принадлежало секретарше. И вот вчера вечером я шел с Гастингсом домой в расстроенных чувствах, стараясь привести в систему все имеющиеся у меня факты. И тут случилось чудо.

Гастингс упомянул, что Дональд Росс был одним из тринадцати гостей на ужине у сэра Монтегю и что он встал из-за стола первым. Я думал о своем и почти не обратил внимания на слова моего друга. Правда, у меня мелькнула мысль, что, строго говоря, Дональд не первым встал из-за стола. В конце ужина — да, но поскольку до этого леди Эдвер вызывали к телефону, то первой из-за стола поднималась все-таки она. Мои мысли переключились на леди Эдвер. Я стал размышлять о ее несколько инфантильном складе ума, и мне пришла в голову одна детская загадка-шутка. Я задал ее Гастингсу, но его эта загадка не рассмешила. Потом я стал думать о том, кто мог бы рассказать мне об отношениях между леди Эдвер и мистером Мартином. Я знал, что сама она мне ничего не расскажет. И вот когда мы переходили улицу, я услышал, как какой-то прохожий, только что вышедший из кинотеатра со своей спутницей и обсуждавший с ней фильм, сказал одну простую фразу: «Они бы сразу спросили у Эллис...» Тут меня озарило!

Пуаро оглядел собравшихся.

— Да, да, и пенсне, и телефонный звонок, и низкорослая женщина, которая забирала заказ из ювелирного магазина в Париже, — все встало на свои места. Конечно, Эллис, служанка Джейн Уилкинсон! Теперь я знал все до мельчайших подробностей: свечи, полумрак, мисс Ван Дюсен — все! Теперь я понял!

Глава 30

ПУАРО ПРОДОЛЖАЕТ РАССКАЗ

— Итак, мои друзья, — продолжал Пуаро, — сейчас я расскажу вам о том, как все происходило в тот вечер на самом деле. Карлотта Адамс уходит из дому в семь часов вечера. Она едет на такси в отель «Пикадилли».

— Что? — воскликнул я.

— Да, в «Пикадилли». Утром того же дня она сняла там номер под именем мисс Ван Дюсен. Она надела пенсне с сильными стеклами, которое, как мы все знаем, сильно изменяет выражение лица. Итак, она сняла номер, сказала, что отплывает вечерним пароходом в Ливерпуль и что ее багаж уже отправлен. В восемь тридцать вечера в отель приезжает леди Эдвер. Карлотта одевает светлый парик, белое шелковое платье и горностаевую пелерину. *Она, а не Джейн Уилкинсон отправляется на ужин в Чизвик.* Да, да, этот трюк вполне возможен. Я был в доме сэра Монтегю в вечернее время. Стол освещен только свечами, лампы горят неярко. Никто из гостей не был близко знаком с мисс Уилкинсон. Золотистые волосы, такой знакомый хрипловатый голос, манеры — все это можно подделать. На случай неудачи женщины тоже придумали какое-то объяснение. Тем временем леди Эдвер в темном парике, одежде Карлотты Адамс и пенсне расплачивается за пребывание в гостинице, берет ее портфель и едет в такси на вокзал Юстон. В туалете она снимает темный парик и оставляет портфель в камере хранения. Перед тем как ехать на Риджент-Гейт, она звонит в Чизвик и просит позвать к телефону леди Эдвер. Они условились, что если все пойдет хорошо и подмену не обнаружат, то Карлотта должна будет ответить «Да, это я». Конечно, мисс Адамс не подозревала об истинной цели этого звонка. Услышав ответ своего двойника, леди Эдвер приступает к реализации намеченного плана. Она едет на Риджент-Гейт, затем объявляет свое имя и идет в библиотеку. *Здесь она совершает первое убийство.* Конечно, она не заметила, что сверху за ней наблюдает секретарша, мисс Кэрролл. Расчет мисс Уилкинсон таков: с одной стороны — показания слуги, который никогда и не видел ее (а кроме того, на ней шляпка, хорошо скрывающая лицо), а с другой — двенадцать уважаемых свидетелей, которые подтвердят, что она ужинала с ними в доме сэра Монтегю.

Затем леди Эдвер возвращается на вокзал, снова надевает темный парик и забирает портфель. Теперь ей надо ждать до тех пор, пока Карлотта Адамс не вернется с ужина. Они условились насчет примерного времени встречи. Мисс Уилкинсон идет в ресторан «Корнер-Хаус», поглядывая на часы. Время тянется для нее невыносимо медленно. Она начинает готовиться ко второму убийству. Сумочка Карлотты Адамс, конечно, при ней. Она кладет туда золотую коробочку, которую заказала в Париже. Возможно, именно тогда она и обнаружила письмо. А может, это было и раньше. Так или иначе, увидев адрес на конверте, леди Эдвер чувствует опасность. Она вскрывает конверт, читает — ее опасения подтверждаются.

Возможно, ее первой мыслью было уничтожить письмо, но, подумав, она находит лучший вариант. Она отрывает одну половинку двойного листа, и письмо становится уликой против Рональда Марша, человека, у которого есть веские основания желать смерти лорда Эдвера. Даже если у Рональда и будет алиби, то все равно преступника будут искать среди мужчин, так как с помощью оторванной буквы леди Эдвер превращает слово «она» в «он». Затем она кладет письмо обратно в сумку.

Когда подходит назначенное время, она идет в направлении отеля «Савой». Увидев автомобиль, в котором сидит вторая «леди Эдвер», преступница ускоряет шаг, входит в отель в то же самое время, что и ее двойник, и поднимается по лестнице. На ней невыразительное черное платье, и вряд ли кто из служащих обращает на нее особое внимание.

Итак, леди Эдвер направляется в свой номер. Карлотта Адамс уже ждет ее у дверей. Служанку отправили спать пораньше, вполне обычное дело. Женщины опять меняются одеждой, и затем, как я предполагаю, Джейн предлагает выпить за успешное осуществление «розыгрыша». В вино она незаметно подсыпает веронал. Леди Эдвер поздравляет свою жертву и обещает прислать ей чек на следующий день. Карлотта Адамс отправляется домой. Она пытается позвонить кому-то из своих друзей, я думаю, мистеру Мартину или капитану Маршу, потому что оба живут в районе Виктории, а служанка мисс Адамс припомнила, что Карлотта называла телефонистке именно этот район. Не дозвонившись, девушка ложится спать: она слишком устала и к тому же начинает действовать наркотик. *Карлотта Адамс умирает во сне*. Так успешно осуществилось второе убийство.

Теперь поговорим о третьем. На завтраке супругов Уидберн сэр Монтегю Корнер упоминает о своей беседе с леди Эдвер на предмет греческой мифологии, которая состоялась в Чизвике в тот вечер, когда произошло убийство. Избежать разоблачения чрезвычайно легко: преступнице достаточно пробормотать в ответ что-нибудь насчет глубоких познаний сэра Монтегю в этой области. Но Немезида настигает ее — едва леди Эдвер слышит упоминание о Парисе, как сразу же начинает говорить о Париже, ведь она знает только столицу мод и развлечений!

Напротив нее сидит Дональд Росс, молодой человек, который тоже присутствовал на ужине в Чизвике. Он слышал, как леди Эдвер обсуждала в тот вечер греческую культуру, поэзию Гомера. Карлотта Адамс была образованной, начитанной девушкой. Дональд Росс с удивлением смотрит на леди Эдвер и начинает вдруг понимать, *что на ужине в Чизвике была другая женщина*. Молодой человек ужасно сконфужен, он не уверен в правильности своего предположения. Ему надо с кем-то посоветоваться. Он хочет видеть меня и спрашивает обо мне у Гастингса.

Но леди Эдвер слышит разговор с моим другом и понимает, что каким-то образом выдала себя. Гастингс говорит, что я вернусь к пяти часам. Без двадцати пять преступница приезжает на квартиру Дональда Росса. Он очень удивлен, но ему и в голову не приходит опасаться чего-то. Молодой сильный человек — с какой стати ему бояться женщины? Они идут в кухню. Леди Эдвер рассказывает ему какую-то небылицу. Может быть, бросается к нему на шею или что-нибудь в этом роде. Затем быстрым и точным ударом, как и своего мужа, она убивает Росса. Возможно, он издает приглушенный крик — и все. Замолчал еще один свидетель.

В комнате воцарилась тишина. Потом Джепп хрипло спросил:

— Так вы хотите сказать... что она убила всех троих?
Пуаро кивнул.

— Но почему? Ведь муж давал ей развод?

— А потому, что герцог Мертон — ярый приверженец англиканской церкви, который фанатично следует религиозным догмам. Он бы и слушать не стал о браке с женщиной, муж которой, пусть и бывший, жив. А вот если бы она была вдовой, то почти наверняка вышла бы за него. Несомненно, леди Эдвер пыталась устроить брак с герцогом и при живом муже, но он на это не пошел.

— Зачем она послала вас к лорду Эдверу?

— Ah! Parbleu[1]. — И Пуаро, говоривший до сих пор сухим, официальным тоном, перешел к своей обычной манере. — Зачем? Попудрить мне мозги! Сделать меня свидетелем того факта, что с ее стороны для убийства нет никакого мотива! Она хотела сделать меня, самого Эркюля Пуаро, орудием в своих руках! Ma foi[2], поначалу ей это удалось! О, этот странный ум, с одной стороны, по-детски наивный, с другой — зловещий. А какая актриса! Как великолепно разыграла удивление, когда я сказал ей о письме лорда Эдвера! Как убедительно она клялась, что не получала его. Мучила ли ее совесть за три невинные жертвы? Готов поклясться, что вряд ли.

— Я говорил вам, что это за человек! — вскричал Брайен Мартин. — Я предупреждал. Я знал, что она хочет убить его, чувствовал. И я боялся, что это сойдет ей с рук. Джейн дьявольски умна, как бывают умны сумасшедшие. А еще я хотел, чтобы она страдала, мучилась. Я хотел, чтобы ее повесили.

Лицо актера стало пунцовым, голос дрожал.

— Ну, ну, успокойся, — сказала Дженни Драйвер таким тоном, каким няни разговаривают с маленькими детьми.

— А золотая коробочка с инициалом «Д.» и надписью «Париж, ноябрь»? — спросил Джепп.

— Она заказала ее в письме, оплатила авансом и послала свою служанку Эллис забрать пакет. Конечно, Эллис не имела ни малейшего понятия, что внутри. Леди Эдвер также позаимствовала у служанки пенсне, чтобы использовать его в создании образа мифической мисс Ван Дюсен. Но потом она забыла о нем, и пенсне осталось в сумочке Карлотты Адамс. Это была еще одна ее ошибка.

---

[1] А, черт возьми *(фр.)*.
[2] Честное слово *(фр.)*.

Все это пришло мне в голову, когда я стоял на середине проезжей части. Конечно, водитель автобуса обозвал меня нехорошими словами, но ради конечного результата стоило потерпеть. Эллис! Пенсне Эллис. Визит Эллис в Париж за коробочкой. Эллис, а отсюда и Джейн Уилкинсон. Весьма возможно, что, кроме пенсне, леди Эдвер позаимствовала у служанки и еще кое-что.

— Что именно?

— Нож для хлеба.

Я вздрогнул.

— Это *правда*, мистер Пуаро? — спросил Джепп, и впервые в голосе инспектора не было привычного скепсиса.

— Да, это правда.

Затем подал голос Брайен Мартин, и мне подумалось, что эти его слова прекрасно характеризуют его натуру в целом.

— Послушайте, — начал он раздраженно, — а при чем здесь я? Зачем вы *меня* сюда притащили? Вы же напугали меня до смерти.

Пуаро смерил его холодным взглядом.

— Я хотел вас проучить, мсье, за вашу наглость. Как вы осмелились водить за нос меня, самого Эркюля Пуаро?

И тут Дженни Драйвер рассмеялась. Смеялась она долго.

— Так тебе и надо, Брайен, — наконец сказала она. Потом девушка повернулась к Пуаро: — Я так рада, что это не Рональд Марш. Мне всегда нравился этот молодой человек. И как хорошо, что убийство лорда Эдвера не останется безнаказанным! Ну а что касается Брайена, то я сообщу вам одну новость, мистер Пуаро. Я выхожу за него замуж. И если он думает, что будет жениться и разводиться каждые два-три года, как принято у них там в Голливуде, то он глубоко заблуждается. От меня ему так просто не отделаться.

Пуаро посмотрел на девушку, на ее огненно-рыжие волосы и решительный подбородок.

— Очень возможно, что так и будет, мадемуазель, — произнес он. — Как я уже сказал, вы девушка отважная. Смелости у вас хватит даже на то, чтобы выйти замуж за кинозвезду.

Глава 31

ПРИЗНАНИЕ

Буквально через несколько дней я был командирован по делам службы в Аргентину. Случилось так, что я больше никогда не увидел Джейн Уилкинсон и читал о суде над ней только в газетах. Совершенно неожиданно — по крайней мере, для меня — она под давлением улик сломалась. До тех пор пока леди Эдвер считала, что не сделала ни одной ошибки и находится в полной безопасности, она упивалась собственным умом. Но кто-то оказался умнее ее, и самоуверенность Джейн была разрушена до основания. Как ребенок, уличенный во лжи, не в состоянии лгать дальше, так и леди Эдвер перестала запираться. На перекрестном допросе с ней случилась истерика.

Итак, как я уже сказал, последний раз я видел мисс Уилкинсон на завтраке, устроенном супругами Уидберн. Но когда я вспоминаю о ней, перед моими глазами всегда встает та Джейн, которую мы видели в номере отеля «Савой», — Джейн, с серьезным, сосредоточенным видом примеряющая черное траурное платье. И я убежден, что это была не поза, а ее естественное состояние: она считала, что ее план удался, и сомнения больше не терзали ее. Я также думаю, что ее ни разу не мучили угрызения совести по поводу содеянного.

Ниже я привожу текст письма леди Эдвер, которое по ее просьбе переслали Пуаро после ее казни. Оно, по-моему, как нельзя лучше иллюстрирует натуру этой прекрасной, но совершенно бессовестной леди.

«Дорогой мистер Пуаро, я долго думала и решила написать Вам. Я знаю, что время от времени Вы публикуете отчеты о расследовании того или иного преступления. Но я не думаю, что Вы хоть раз опубликовали признания самих преступников. А я хочу, чтобы все узнали точно, как я все это сделала. Я по-прежнему считаю, что мой план был великолепно продуман. Если бы не Вы, все получилось бы просто замечательно. И хотя мне обидно, я понимаю, что Вы, видимо, не могли поступить иначе. Я надеюсь, что Вы опубликуете это письмо. Я хочу, чтобы люди помнили меня. А кроме того, я думаю, что я — личность уникальная. Здесь, в тюрьме, все так считают.

Все началось в Америке, когда я познакомилась с герцогом Мертоном. Я сразу же поняла, что, если бы была вдовой, он бы на мне женился. К сожалению, у него были какие-то странные предрассудки против разводов. Я хотела перебороть эти предрассудки, но у меня ничего не получалось. Потом я прекратила попытки: герцог был фанатичным человеком, и я могла все испортить.

Скоро я пришла к выводу, что в таких обстоятельствах мой муж просто должен умереть, но я не знала, с чего начать. Такие вопросы легче решить в Штатах. Сколько я ни ломала себе голову, я ничего не могла придумать. Однажды я попала на концерт Карлотты Адамс. Когда я увидела ее пародию на меня, то сразу поняла, что делать. С ее помощью я могла сделать себе алиби. В тот же вечер я поговорила с Вами, и мне неожиданно пришло в голову, что стоит послать Вас к моему мужу, чтобы Вы поговорили с ним о разводе. И я стала постоянно говорить о том, что хотела бы убить лорда Эдвера. Я часто замечала, что если говоришь правду, да еще делаешь при этом глуповатое лицо, то тебе никто не верит. Я всегда пользовалась этим приемом при подписании контрактов. А еще полезно притворяться, что ты глупее, чем на самом деле. Во время второй встречи с Карлоттой Адамс я подала ей мысль о розыгрыше. Я сказала, что это пари, и она сразу же клюнула. Я обещала заплатить ей 10 тысяч долларов, если она выдаст себя за Джейн Уилкинсон на какой-нибудь вечеринке. Она приняла предложение с энтузиазмом и даже подала несколько ценных мыслей: об обмене одеждой и еще что-то в этом роде. Мы не могли переодеться у меня в отеле из-за служанки и у нее на квартире по той же причине. Карлотта, конечно, не поняла, чем они могут нам помешать. Когда я наотрез отказалась переодеваться у нее на квартире и у меня в отеле, возникла весьма неловкая ситуация. Она сказала, что глупо так упираться из-за каких-то мелочей, но потом согласилась со мной, и мы решили использовать для этой цели отель «Пикадилли». Для большей убедительности я захватила пенсне Эллис.

Конечно, скоро я пришла к выводу, что Карлотту тоже придется убрать. Жаль, но иного выхода не было. Между прочим, ее пародия на меня была ужасно обидной. Если бы не мой план, я бы ужасно разозлилась на Карлотту. У меня был веронал, хотя я сама почти никогда не принимала его. Подсыпать порошок в вино было совсем нетрудно. А потом меня осенило: надо создать впечатление, что Карлотта принимала веронал регулярно! В ювелирном магазине при отеле «Риц» в Париже, где я останавливалась однажды, я заказала коробочку, точную копию такой, какую когда-то подарили мне. Я велела написать инициалы Карлотты Адамс на крышке, а под крышкой, чтобы запутать все еще больше, — букву «Д» и «Париж, 10 ноября». Потом я послала Эллис в Париж, чтобы она забрала заказ. Служанка, конечно, не знала, что в пакете.

В тот вечер все шло как по маслу. Я взяла один из ножей Эллис, которыми она пользовалась для нарезания хлеба. Он был очень острый и красивый. Как-то в Сан-Франциско один доктор рассказывал мне о всяких там люмбальных и цистертных пункциях и предупреждал, что при их выполнении надо быть исключительно осторожным, иначе игла может проникнуть через какую-то «цистертия магна» в «медулла облонгата», где сосредоточены жизненно важные нервные центры, и наступит мгновенная смерть. Я заинтересовалась, сказала, что, возможно, использую эту идею в новом фильме, и попросила точно показать мне это место на затылке. Я почему-то подумала, что это мне может когда-нибудь пригодиться.

Карлотта Адамс поступила очень нечестно, когда написала своей сестре. Она ведь обещала, что никому ничего не скажет. Но я все-таки додумалась оторвать один лист письма, из-за чего слово «она» изменилось на «он». Как это было умно с моей стороны! Я это сама придумала! Этой идеей я горжусь больше всего. Люди всегда говорили, что я глуповатая особа, но для того, чтобы придумать такое, надо иметь гениальную голову.

Я тщательно продумала, как вести себя после убийства лорда Эдвера и Карлотты Адамс, и, когда пришел инспектор из Скотленд-Ярда, я разыграла все как по нотам. Этот спектакль доставил мне истинное наслаждение. Я даже думала, что меня арестуют, но чувствовала себя в полной безопасности, потому что моими свидетелями были все уважаемые гости, которые ужинали в Чизвике. О том, что мы с Карлоттой менялись одеждой, никто никогда не узнал бы.

После убийства лорда Эдвера я почувствовала себя удовлетворенной, счастливой. Фортуна улыбнулась мне, и я считала, что теперь все пойдет как надо. Старая герцогиня относилась ко мне ужасно, зато сам Мертон был очень добр. Он хотел жениться на мне как можно скорее и ни о чем не подозревал.

Никогда я не была такой счастливой, как эти несколько недель. Потом арестовали племянника лорда Эдвера, и это еще больше укрепило мою уверенность. Когда я вспоминала о листе, вырванном из письма Карлотты Адамс, гордость переполняла меня.

А Дональду Россу просто не повезло. Я до сих пор не совсем понимаю, как он заподозрил меня. Париж — город, а Парис, значит, какой-то там грек? Ну и чем этот грек знаменит? Да и вообще дурацкое имя для мужчины. И почему всегда так получается: если начинаются неудачи, то это надолго? С Дональдом Россом надо было срочно что-то делать. У меня не было времени ни как следует обдумать, ни подготовить алиби. Но все обошлось, и после его смерти я опять почувствовала себя в безопасности.

Эллис, конечно, рассказала мне, что Вы приглашали ее к себе и задавали всякие вопросы, но я подумала, что Вы в первую очередь интересуетесь Брайеном Мартином. Я не могла понять, какую цель Вы на самом деле преследуете. Вы не спросили служанку, ездила ли она за заказом в Париж, наверное, для того, чтобы не спугнуть меня. Арест явился для меня полной неожиданностью. Просто невероятно, что Вы смогли все так точно разузнать.

Я поняла, что с судьбой бороться бесполезно. Фортуна отвернулась от меня. Интересно, мучает ли Вас хоть иногда совесть за то, что Вы наделали? В конце концов, я только хотела быть счастливой. Если бы я не попросила Вас сходить к лорду Эдверу, Вы бы вообще не занимались этим делом. Я не ожидала, что Вы окажетесь таким умным. По Вашему внешнему виду этого не скажешь.

Как это ни странно, но я и сейчас осталась такой же красивой, несмотря на ужасный суд и на все эти страшные вещи, которые говорил мне тот человек в зале. Правда, я стала намного бледнее и похудела. Все говорят, что я держусь удивительно стойко. Жаль, что теперь нет публичных казней, правда?

Я уверена, что такого убийцы, как я, еще не было.

А теперь мне, наверное, надо попрощаться. Странно, конечно, но я, по-видимому, недопонимаю того, что меня ждет. Завтра ко мне придет священник.

Я Вас прощаю, ведь мы должны прощать своих врагов, не так ли?

Ваша Джейн Уилкинсон.

P.S. Как Вы думаете, поместят ли мою фигуру в музей мадам Тюссо?»

Пять поросят

Роман

Five Little Pigs

Пролог

КАРЛА ЛЕМАРШАН

Эркюль Пуаро с интересом и вниманием смотрел на молодую женщину, которая вошла к нему в кабинет.

В письме, которое она ему написала, ничего особенного не было. Никакого намека на то, чем вызвана просьба ее принять. Письмо было коротким и деловым. Только твердость почерка свидетельствовала о молодости Карлы Лемаршан.

И вот она явилась собственной персоной — высокая, стройная молодая женщина лет двадцати с небольшим. Из тех, на кого приятно взглянуть и второй раз. Хорошо одета, в дорогом элегантном костюме, с роскошной горжеткой. Голова чуть вскинута, высокий лоб, приятная линия носа, решительный подбородок. И удивительная жизнерадостность. Пожалуй, жизнерадостность привлекала в ней даже больше, чем красота.

Перед ее приходом Эркюль Пуаро чувствовал себя дряхлым стариком, теперь он помолодел, оживился, собрался!

Встав ей навстречу, он почувствовал на себе изучающий взгляд темно-серых глаз. Она разглядывала его всерьез, по-деловому.

Карла Лемаршан села, взяла предложенную ей сигарету. Зажгла ее и минуту-другую курила, по-прежнему не спуская с него серьезных задумчивых глаз.

— Решение принято, не так ли? — мягко спросил ее Пуаро.

— Извините? — встрепенулась она.

Голос у нее был глубокий, с небольшой, но приятной хрипотцой.

— Вы пытаетесь решить, проходимец я или именно тот, который вам нужен?

— Да, что-то в этом духе, — улыбнулась она. — Видите ли, мсье Пуаро, вы... вы выглядите совсем не таким, каким я вас себе представляла.

— Старик? Старше, чем вы думали?

— И это тоже. — Она помолчала. — Как видите, я откровенна. Мне хотелось бы... Понимаете, мне нужен лучший из лучших.

— Не беспокойтесь, — заверил ее Эркюль Пуаро. — Я и есть лучший из лучших!

— Скромностью вы не отличаетесь, — улыбнулась Карла. — Тем не менее я готова поверить вам на слово.

— Вы ведь явились сюда не затем, чтобы нанять человека физически сильного, — рассуждал Пуаро. — Я не измеряю следы, не подбираю окурки от сигарет и не разглядываю, как помята трава. Я сижу в кресле и думаю. Вот где, — он постучал себя по яйцеобразной голове, — происходят главные события!

— Я знаю, — кивнула Карла Лемаршан. — Поэтому и пришла к вам. Я хочу, чтобы вы сотворили чудо.

— Это уже интересно, — отозвался Эркюль Пуаро и выжидательно посмотрел на нее.

Карла Лемаршан глубоко вздохнула.

— Меня зовут не Карла, — сказала она, — а Кэролайн. Так же, как и мою мать. Меня назвали в ее честь. — Она помолчала. — И хотя я всегда носила фамилию Лемаршан, на самом деле моя фамилия Крейл.

На секунду Эркюль Пуаро задумался, наморщив лоб.

— Крейл... Что-то мне припоминается.

— Мой отец был художником, причем довольно известным, — сказала она. — Некоторые считают его великим. Я придерживаюсь того же мнения.

— Эмиас Крейл? — спросил Эркюль Пуаро.

— Да. — Опять помолчав, она продолжала: — А мою мать, Кэролайн Крейл, судили за его убийство!

— Ага! — воскликнул Эркюль Пуаро. — Припоминаю, но довольно смутно. Я был в ту пору за границей. Это ведь случилось давно?

— Шестнадцать лет назад, — сказала Карла. Она побледнела, а глаза ее горели, как угли. — Понимаете? Ее судили и признали виновной... И не повесили только потому, что нашлись смягчающие обстоятельства. Смертная казнь была заменена пожизненным заключением. Но через год она умерла. Умерла. Все кончено...

— И что же? — тихо спросил Пуаро.

Молодая женщина по имени Карла Лемаршан стиснула руки и заговорила медленно, чуть запинаясь, но твердо и решительно:

— Вы должны правильно понять, зачем я пришла к вам. Когда все это произошло, мне было пять лет. Я была слишком мала. Я, конечно, помню и маму и отца, помню, что меня вдруг увезли куда-то в деревню. Помню свиней и славную толстую жену фермера... Помню, что все были очень добры ко мне... Помню, как странно, украдкой они все поглядывали на меня. Я, разумеется, понимала — дети обычно это чувствуют: что-то случилось, но что именно, понятия не имела.

А потом меня посадили на теплоход — это было чудесно, — мы плыли долго-долго, и я очутилась в Канаде, где меня встретил дядя Саймон. С ним и с тетей Луизой я жила в Монреале, а когда спрашивала про маму с папой, мне говорили, что они скоро приедут. А потом... Потом я их словно забыла — я как бы осознала, что их нет в живых, хотя мне вроде бы никто об этом не говорил. Потому что к тому времени — как бы поточнее сказать — я перестала про них вспоминать. Я была счастлива. Дядя Саймон и тетя Луиза меня любили, я ходила в школу, у меня было много друзей, и я даже забыла, что когда-то у меня была другая фамилия — не Лемаршан. Тетя Луиза сказала мне, что в Канаде у меня будет новая фамилия — Лемаршан, меня это ничуть не удивило, и, как я уже сказала, я просто не вспоминала, что когда-то меня звали по-другому. — И, вскинув подбородок, Карла Лемаршан добавила: — Посмотрите на меня. Встретив меня, вы вполне можете сказать: «Вот идет женщина, которая не знает забот!» Я богата, у меня отличное здоровье, я недурна собой и умею радоваться жизни. В двадцать лет я была уверена, что на свете нет девушки, с которой мне хотелось бы поменяться местами.

Но я уже начала задавать вопросы. О маме и об отце. Кто они были, чем занимались? И в конце концов мне суждено было узнать...

Словом, мне сказали правду. Когда мне исполнился двадцать один год. Пришлось сказать, потому что, во-первых, я стала совершеннолетней и вступила в права наследования. А во-вторых, было письмо. Письмо, которое, умирая, оставила мне мама. — Выражение лица у нее смягчилось. Глаза перестали быть горящими углями, они потемнели, затуманились, стали влажными. — Вот когда я узнала правду, — продолжала она. — О том, что мою мать обвинили в убийстве. Это было... ужасно. — Она помолчала. — Есть еще одно обстоятельство, о котором я должна вам сказать. Я собиралась выйти замуж. Но нам сказали, что мы должны подождать, что нам нельзя пожениться, пока мне не исполнится двадцать один год. Когда мне рассказали, я поняла почему.

Пуаро зашевелился.

— А какова была реакция вашего жениха? — спросил он.

— Джона? Джон не обратил внимания. Он сказал, что ему все равно, что существуем мы, Джон и Карла, и прошлое нас не касается. — Она подалась вперед. — Мы до сих пор не зарегистрировали наш брак. Но это не важно. Важно другое. И для меня, и для Джона тоже... Дело вовсе не в прошлом, а в будущем. — Она стиснула кулаки. — Мы хотим иметь детей. Мы оба хотим детей. Но мы не хотим, чтобы наши дети росли в страхе.

— Разве вам не известно, что среди предков любого человека могут отыскаться убийцы и насильники? — спросил Пуаро.

— Вы меня не поняли. Нет, ваши слова, конечно, справедливы. Но обычно человек об этом не знает. А мы знаем. Причем знаем не о каких-то там дальних родственниках, а о моей матери. И порой я замечаю на себе взгляд Джона. Он длится всего лишь секунду, но мне и этого довольно. Предположим, мы поженимся, в один прекрасный день поссоримся, и я увижу, что он смотрит на меня и думает...

— Как погиб ваш отец? — перебил ее Эркюль Пуаро.

— Его отравили, — четко и твердо ответила Карла.

— Понятно, — отозвался Пуаро.

Наступило молчание.

— Слава Богу, вы человек разумный и понимаете, почему это так важно, — спокойно и сухо констатировала молодая женщина. — Вы не сделали попытки успокоить меня и подыскать слова утешения.

— Я вас хорошо понимаю, — отозвался Пуаро. — Не понимаю только, зачем я понадобился вам.

— Я хочу выйти замуж за Джона, — сказала Карла Лемаршан. — И обязательно выйду! И рожу ему самое меньшее двух девочек и двух мальчиков. А вы должны сделать так, чтобы это осуществилось.

— Вы имеете в виду... Вы хотите, чтобы я поговорил с вашим женихом? О нет, глупости! Вы имеете в виду нечто совсем иное. Скажите мне, что вы придумали.

— Послушайте, мсье Пуаро, и поймите меня правильно: я прошу вас взять на себя расследование дела об убийстве.

— Расследование...

— Да, именно об этом я говорю. Убийство — это убийство, независимо от того, произошло ли оно вчера или шестнадцать лет назад.

— Но, моя дорогая юная леди...

— Подождите, мсье Пуаро. Вы не дослушали меня до конца. Имеется еще одно важное обстоятельство.

— Какое?

— Моя мать была не виновна, — сказала Карла Лемаршан.

Эркюль Пуаро почесал себе нос.

— Естественно... Я понимаю, что... — забормотал он.

— Нет, это не только мое мнение. Вот ее письмо. Она написала его перед смертью. Его должны были отдать мне в день совершеннолетия. Она написала это письмо по одной причине: чтобы у меня не было никаких сомнений. Об этом она и пишет. Что она не совершала никакого преступления, что она не виновна, что у меня не должно быть на этот счет никаких сомнений.

Эркюль Пуаро задумчиво разглядывал полное энергии молодое лицо, с которого на него смотрели серьезные глаза.

— Tout de même...[1] — медленно начал он.

— Нет, мама не была такой! — улыбнулась Карла. — Вы считаете, что это ложь, ложь во спасение? — Она опять подалась вперед. — Но, мсье Пуаро, есть вещи, в которых дети неплохо разбираются. Я помню свою мать, — конечно, это всего лишь отдельные впечатления, но я хорошо помню, какой она была. Она никогда не лгала, даже из самых добрых побуждений. Если будет больно, она говорила, что будет больно. Ну, например, у зубного врача или когда предстояло вытащить занозу из пальца. Она была так устроена, что не умела лгать. Насколько мне помнится, особой привязанности к ней я не испытывала, но я ей верила. И до сих пор верю! Она не из тех людей, кто, зная, что умирает, будет умышленно лгать.

Медленно, почти нехотя, Эркюль Пуаро наклонил голову в знак согласия.

— Вот почему я не боюсь выйти замуж за Джона, — продолжала Карла. — Я-то уверена, что она не виновна. Но он не уверен, хотя понимает, что я, естественно, должна считать свою мать невиновной. Это следует доказать, мсье Пуаро. И сделать это можете только вы!

— Допустим, что вы правы, мадемуазель, — в раздумье сказал Эркюль Пуаро, — но ведь прошло шестнадцать лет!

— Я понимаю, что это нелегко, — откликнулась Карла Лемаршан. — Но, кроме вас, этого сделать некому!

Глаза Эркюля Пуаро чуть блеснули.

— Не кажется ли вам, что вы мне льстите?

— Я про вас слышала, — сказала Карла. — Слышала про ваши удачи. Про ваше умение. Вас ведь интересует психология, верно? Материальных улик нет — исчезли окурки от сигарет, следы и помятая трава. Их отыскать нельзя. Зато вы можете изучить факты, приведенные в деле, и, быть может, поговорить с людьми, имевшими к этому какое-то отношение, — они все живы, — а потом, как вы только что сказали, вы можете сидеть в кресле и думать. И поймете, что в действительности произошло...

Эркюль Пуаро встал. Подкрутив усы, он сказал:

_____

[1] Тем не менее... *(фр.)*

— Мадемуазель, благодарю вас за оказанную честь! Я оправдаю ваше доверие. Я займусь расследованием вашего дела. Я изучу события шестнадцатилетней давности и отыщу истину.

Карла встала. Глаза ее сияли.

— Спасибо, — только и сказала она.

Эркюль Пуаро вскинул указательный палец:

— Одну минуту. Я сказал, что отыщу истину, но я буду, понимаете ли, беспристрастным. Я не разделяю вашей уверенности в невиновности вашей матери. Если она виновна, eh bien[1], что тогда?

— Я ее дочь, — гордо вскинула голову Карла. — Мне нужна только правда!

— Тогда en avant[2]. Хотя, пожалуй, мне следует сказать нечто противоположное. En arrière...[3]

---

[1] Итак, хорошо *(фр.)*.
[2] Вперед *(фр.)*.
[3] Назад... *(фр.)*

Книга первая

Глава 1

ЗАЩИТНИК

— Помню ли я дело Крейл? — переспросил сэр Монтегю Деплич. — Разумеется. Отлично помню. Очень привлекательная женщина. Но крайне неуравновешенная. Никакого умения владеть собой. — И, глянув на Пуаро исподлобья, поинтересовался: — А что заставило вас спросить меня об этом?

— Меня интересует это дело.

— Не очень-то это тактично с вашей стороны, мой дорогой, — заметил Деплич, оскаливая зубы в своей знаменитой «волчьей ухмылке», которая приводила в ужас свидетелей. — Одно из тех дел, где я не одержал победы. Мне не удалось ее спасти.

— Я знаю.

Сэр Монтегю пожал плечами.

— Разумеется, в ту пору у меня еще не было такого опыта, как теперь, — сказал он. — Тем не менее я полагаю, что сделал все, что было в человеческих силах. Без содействия со стороны подсудимого много не сделаешь. Нам удалось заменить смертную казнь пожизненным заключением. Подали апелляцию. Нам на помощь пришли множество уважаемых жен и матерей, подписавших прошение. К ней было проявлено большое участие. — Вытянув длинные ноги, он откинулся на спинку кресла. Лицо его обрело многозначительное и благоразумное выражение. — Если бы она его застрелила или нанесла ножевое ранение, я мог бы настаивать на предумышленном убийстве. Но я — нет, тут ничего не поделаешь. Такую задачу решить не под силу.

— Какую же версию выдвигала защита? — спросил Эркюль Пуаро.

Ответ он знал заранее, ибо уже прочел газеты того времени, но не видел беды в том, чтобы прикинуться несведущим.

— Самоубийство. Единственное, за что мы могли ухватиться. Но наша версия не сработала. Крейл был не из тех, кто способен на самоубийство. Вы его никогда не видели? Нет? Яркая личность. Живой, шумный, большой любитель женщин и пива. Убедить присяжных, что такой человек способен втихомолку покончить с собой, довольно трудно. Не вписывается в схему. Нет, боюсь, я с самого начала проигрывал дело. И она нас не захотела поддержать! Как только она уселась в свидетельское кресло, я сразу понял, что нас ждет поражение. В ней не было желания бороться. А уж коли ты не заставишь клиента давать показания, присяжные тут же делают собственные выводы.

— Именно это вы и имели в виду, — спросил Пуаро, — когда упомянули, что без содействия со стороны подсудимого много не сделаешь?

— Совершенно верно, мой дорогой. Мы же не чудотворцы. Половина удачи в том, какое впечатление обвиняемый производит на присяжных. Мне известно много случаев, когда решение присяжных идет вразрез с напутствием судьи: «Он это сделал, и все!» Или: «Он на такое не способен!» А Кэролайн Крейл даже не сделала попытки бороться.

— А почему?

— Меня не спрашивайте, — пожал плечами сэр Монтегю. — Прежде всего, она любила своего мужа. А потому, когда пришла в себя и поняла, что натворила, не сумела собраться с духом. По-моему, она так и не вышла из шокового состояния.

— Значит, вы тоже считаете ее виновной?

Деплич удивился.

— Я полагал, что это не требует доказательств, — сказал он.

— Она хоть раз призналась вам в своей вине?

Деплич был потрясен.

— Нет. Разумеется, нет. У нас свой моральный кодекс. Мы всегда исходим из того, что клиент не виновен. Если

405

вас так интересует это дело, жаль, что уже нельзя поговорить со стариком Мейхью. Контора Мейхью занималась подготовкой для меня документов по этому делу. Старик Мейхью мог бы рассказать вам куда больше меня, но он ушел в мир иной. Есть, правда, молодой Джордж Мейхью, но он в ту пору был еще совсем мальчишкой. Прошло ведь немало времени.

— Да, знаю. Мне повезло, что вы так много помните. Память у вас необыкновенная.

Депличу это понравилось.

— Главное, хочешь не хочешь, запоминается. В особенности когда это преступление, за которое предусмотрена смертная казнь. Кроме того, пресса широко разрекламировала дело Крейлов. Оно ведь вызвало большой интерес. Замешанная в этой истории девица была потрясающе интересной. Лакомый кусочек, скажу я вам.

— Прошу прощения за настойчивость, — извинился Пуаро, — но разрешите спросить еще раз: у вас не было никаких сомнений в вине Кэролайн Крейл?

Деплич пожал плечами:

— Откровенно говоря, сомневаться не приходилось. Да, она его убила.

— А какие были против нее улики?

— Весьма существенные. Прежде всего мотив преступления. В течение нескольких лет они с Крейлом жили как кошка с собакой. Бесконечные ссоры. Он то и дело влезал в истории с женщинами. Уж такой он был человек. Она-то, в общем, держалась молодцом. Делала скидку на его темперамент — а он и вправду был первоклассным художником. Его картины теперь стоят бешеных денег. Мне такая живопись не по сердцу, сплошное уродство, но выписано, следует признать, превосходно.

Так вот, время от времени между ними были скандалы из-за женщин. Миссис Крейл тоже не была кроткой овечкой, которая страдает молча. Они часто ссорились, но в конце концов он всегда возвращался к ней. Эти его романы кончались ничем. Однако последний роман разительно отличался от предыдущих. В нем была замешана совсем юная девица. Ей было всего двадцать лет.

Звали ее Эльза Грир. Единственная дочь какого-то фабриканта из Йоркшира. У нее были деньги и характер, и она знала, чего хочет. А хотела она Эмиаса Крейла. Она заставила его написать ее портрет — обычно он не писал портретов дам из общества, «Такая-то в розовом шелке и жемчугах», он писал портреты личностей. Да я и не уверен, что большинство женщин мечтали быть им увековеченными, — он был беспощаден! Но эту Грир он принялся писать, а кончил тем, что влюбился в нее без памяти. Ему было под сорок, и он уже много лет был женат. Он как раз созрел для того, чтобы сваливать дурака из-за какой-нибудь девчонки. Ею и оказалась Эльза Грир. Он был от нее без ума и собирался развестись с женой и жениться на Эльзе.

Кэролайн Крейл была против развода. Она ему угрожала. Двое людей слышали, как она говорила, что, если он не расстанется с девчонкой, она его убьет. И она не шутила! Накануне они пили чай у соседа. Тот, между прочим, увлекался сбором трав и приготовлением из них лекарственных настоек. Среди запатентованных им настоек был кониум, или болиголов крапчатый. И там шел разговор об этом кониуме и о его ядовитых свойствах.

На следующий день он заметил, что половина содержимого бутылки исчезла. Сказал всем об этом. И в спальне миссис Крейл на дне одного из ящиков бюро нашли флакон с остатками кониума.

Эркюль Пуаро заерзал в кресле:

— Его мог положить туда кто-нибудь другой.

— Да, но она призналась полиции, что сама взяла яд. Глупо, конечно, но в ту минуту при ней не было адвоката, который мог бы посоветовать ей, что говорить, а что нет. Когда ее спросили, она откровенно призналась, что взяла яд.

— Для чего?

— Чтобы покончить с собой, сказала она. Почему флакон оказался почти пустым или как получилось, что на нем были отпечатки только ее пальцев, она объяснить не сумела. Предположила, что Эмиас Крейл сам покончил с собой. Но если он взял флакон, спрятанный у нее в спальне, тогда почему на флаконе нет отпечатков ее пальцев, а?

— Яд ему подлили в пиво, не так ли?

— Да. Она взяла из холодильника бутылку с пивом и сама отнесла ее в сад, где он писал. Налила пиво в стакан и стояла́ рядом, пока он пил. Все в это время ушли обедать, он был в саду один. Он часто не приходил к обеду. А спустя некоторое время она и гувернантка нашли его на том же месте мертвым. Она утверждала, что в пиве, которое ему дала, ничего не было. Мы же в качестве защиты выдвинули версию, что он вдруг почувствовал себя виноватым — его одолели угрызения совести, — сам подлил себе в пиво яд. Все это, разумеется, было притянуто за уши — не такой он человек! А самое неприятное было с отпечатками пальцев.

— На бутылке обнаружили отпечатки ее пальцев?

— Нет. Обнаружили отпечатки только его пальцев, причем фальшивые. Когда гувернантка побежала вызывать врача, она осталась возле него. В эту минуту она, должно быть, вытерла бутылку и стакан и прижала к ним его пальцы. Хотела сделать вид, что никогда не дотрагивалась ни до бутылки, ни до стакана. Когда такое объяснение не сработало, старик Рудольф, который был прокурором на процессе, неплохо повеселился, доказав с полной очевидностью, что человек не может держать бутылку, когда у него пальцы находятся в таком положении! Разумеется, мы изо всех сил старались доказать обратное, что его пальцы были сжаты в конвульсиях, когда он умирал, но, честно говоря, наши доводы были малоубедительны.

— Кониум мог оказаться в бутылке и до того, как она отнесла ее в сад, — заметил Эркюль Пуаро.

— В бутылке вообще не было яда. Только в стакане.

Он помолчал, выражение его красивого с крупными чертами лица вдруг изменилось, он резко повернул голову.

— Подождите, Пуаро, на что вы намекаете? — спросил он.

— Если Кэролайн Крейл была не виновна, — ответил Пуаро, — каким образом кониум мог попасть в пиво? Защита на суде утверждала, что его туда налил сам Эмиас Крейл. Но вы говорите, что это вряд ли было возможно — не такой он был человек, — и я с вами согласен. Значит, если Кэролайн Крейл этого не сделала, то мог сделать кто-то другой.

— О Господи, Пуаро, к чему толочь воду в ступе? Со всем этим давным-давно покончено. Она это сделала, не сомневаюсь. Если бы вы ее видели в ту пору, у вас не осталось бы и капли сомнения. У нее на лице прямо было написано, что она виновата. Мне даже показалось, что приговор принес ей облегчение. Она не боялась. Была совершенно спокойна. Ей хотелось одного: чтобы суд поскорее кончился. Мужественная женщина...

— И тем не менее, — сказал Эркюль Пуаро, — перед смертью она написала письмо с просьбой передать его дочери, в котором торжественно клялась в собственной невиновности.

— Очень возможно, — согласился сэр Монтегю Деплич. — Мы с вами на ее месте, возможно, поступили бы точно так же.

— Ее дочь утверждает, что она не способна на ложь.

— Ее дочь утверждает... Ха! Откуда ей об этом судить? Дорогой мой Пуаро, во время процесса ее дочь была совсем малышкой. Сколько ей было? Четыре-пять? Ей дали другое имя и увезли из Англии к каким-то родственникам. Что может она знать или помнить?

— Дети иногда неплохо разбираются в людях.

— Возможно. Но это не тот случай. Дочь, естественно, не может поверить, что ее мать совершила убийство. Пусть не верит. Вреда от этого никому нет.

— Но, к сожалению, она требует доказательств.

— Доказательств того, что Кэролайн Крейл не убила своего мужа?

— Да.

— Боюсь, — вздохнул Деплич, — ей не суждено их раздобыть.

— Вы так думаете?

Знаменитый адвокат окинул своего собеседника задумчивым взором:

— Я всегда считал вас честным человеком, Пуаро. Что вы делаете? Хотите заработать деньги, играя на естественной любви дочери к матери?

— Вы не видели дочь. Она человек незаурядный. С очень сильным характером.

— Представляю, какой может быть дочь Эмиаса и Кэролайн Крейл. Чего же она хочет?

— Правды.

— Хм... Боюсь, что до правды будет трудно докопаться. Ей-богу, Пуаро, по-моему, тут нет никаких сомнений. Она его убила.

— Извините меня, мой друг, но я должен убедиться в этом лично.

— Не знаю, как вы сумеете это сделать. Можно, конечно, прочитать в газетах все отчеты с судебного процесса. Прокурором был Хампи Рудольф. Его уже нет в живых. Дайте вспомнить, кто ему помогал? Молодой Фогг, по-моему. Да, Фогг. Поговорите с ним. Кроме того, существуют люди, которые в ту пору были в доме у Крейлов. Не думаю, что им придутся по душе ваши расспросы, когда вы приметесь копать все заново, но вытянуть из них кое-что вам, пожалуй, удастся. Вы ведь умеете внушать доверие.

— А, да, люди, причастные к этому делу. Это очень важно. Может, вы их помните?

Деплич задумался.

— Подождите — много лет прошло все-таки с тех пор. В этом деле было, так сказать, замешано пятеро — слуг я не считаю, это все пожилые, преданные семье, насмерть перепуганные люди. Они были вне подозрения.

— Значит, пятеро, говорите вы? Расскажите-ка про них.

— Филип Блейк, закадычный друг Крейла, знал его всю жизнь. В ту пору он жил у них. Жив-здоров. Время от времени встречаю его на площадке для гольфа. Живет в Сент-Джордж-Хилл. Биржевой маклер. Играет на бирже, и довольно удачно. Преуспевает, последнее время начал полнеть.

— Так. Кто следующий?

— Старший брат Блейка. Деревенский сквайр. Домосед. В голове у Пуаро звякнул колокольчик. Звякнул и умолк. Хватит каждый раз вспоминать детские стишки. Последнее время это стало у него прямо каким-то наваждением. Нет, колокольчик не умолк:

«Первый поросенок пошел на базар. Второй поросенок забился в амбар...»

— Значит, он остался дома, да? — пробормотал он.

— Это тот самый, про которого я уже говорил, он возился с настойками и травами, химик, что ли. Такое у него было хобби. Как его звали? У него было имя, которое часто встречается в романах... Ага, вспомнил. Мередит. Мередит Блейк. Не знаю, жив он или нет.

— Кто следующий?

— Следующая! Причина всех бед. Третья сторона треугольника. Эльза Грир.

— «Третий поросенок устроил пир горой...» — пробормотал Пуаро.

Деплич уставился на него.

— Она и вправду наелась досыта, — сказал он. — Оказалась очень деятельной. С тех пор трижды выходила замуж. Разводилась с невероятной легкостью. Сейчас она леди Диттишем. Откройте любой номер «Татлер» — обязательно о ней прочтете.

— А кто еще двое?

— Гувернантка, но я не помню ее фамилии. Славная, услужливая женщина. Томпсон, Джонс, что-то вроде этого. И девочка, сводная сестра Кэролайн Крейл. Ей было лет пятнадцать. Сделалась знаменитостью. Занимается археологией, все время в экспедициях. Ее фамилия — Уоррен. Анджела Уоррен. Очень серьезная молодая женщина, я встретил ее на днях.

— Значит, она не тот поросенок, что, плача, побежал домой?

Сэр Монтегю Деплич окинул Пуаро каким-то странным взглядом.

— Ей есть от чего плакать, — сухо отозвался он. — У нее обезображено лицо. Глубокий шрам с одной стороны. Она... Да что говорить? Вы сами обо всем узнаете.

Пуаро встал.

— Благодарю вас, — сказал он. — Вы были крайне любезны. Если миссис Крейл *не* убила своего мужа...

— Убила, старина, убила, — оборвал его Деплич. — Поверьте мне на слово.

Не обращая на него внимания, Пуаро продолжал:

— ...тогда вполне логично предположить, что это сделал кто-то из этих пятерых.

— Пожалуй, — с сомнением произнес Деплич, — только не пойму зачем. Не было причин! По правде говоря, я убежден, что никто из них этого не делал. Выбросьте эту мысль из головы, старина!

Но Эркюль Пуаро только улыбнулся и покачал головой.

411

Глава 2

ОБВИНИТЕЛЬ

— Безусловно, виновна, — коротко ответил мистер Фогг.

Эркюль Пуаро задумчиво разглядывал худую, чисто выбритую физиономию Фогга.

Квентин Фогг был совсем не похож на Монтегю Деплича. В Депличе были сила и магнетизм, держался он властно и вселял в собеседника страх. А в суде производил впечатление быстрой и эффектной сменой тона. Красивый, любезный, обаятельный — и вдруг чуть ли не сказочное превращение — губы растянуты, зубы оскалены в ухмылке — он жаждет крови.

Квентин Фогг, худой, бледный; до удивления лишенный тех качеств, какие составляют понятие «личность», вопросы свои обычно задавал тихим, ровным голосом, но настойчиво и твердо. Если Деплича можно было сравнить с рапирой, то Фогга — со сверлом. От него веяло скукой. Он так и не сумел добиться славы, но зато считался первоклассным юристом. И дела, которые вел, обычно выигрывал.

Эркюль Пуаро задумчиво разглядывал его.

— Значит, вот какое впечатление произвело на вас это дело?

Фогг кивнул:

— Если бы вы видели ее, когда она давала показания! Старый Хампи Рудольф, а он был прокурором на этом процессе, превратил ее в котлету. В котлету! — Он помолчал и вдруг неожиданно добавил: — Но в целом процесс шел чересчур уж гладко.

— Не уверен, что правильно вас понимаю, — сказал Эркюль Пуаро.

Фогг свел свои тонко очерченные брови. Провел рукой по чисто выбритой верхней губе.

— Как бы это вам объяснить? — сказал он. — Тут сугубо английская точка зрения. Пожалуй, скорее всего подобную ситуацию можно сравнить с поговоркой: «Стрелять по сидящей птице». Понятно?

— Это и впрямь сугубо английская точка зрения, и тем не менее я вас понял. В уголовном суде, как на иг-

412

ровом поле Итона или на охоте, англичанин предпочитает не лишить своего противника или жертву надежды на успех.

— Именно. Так вот, в данном случае у обвиняемой не было никакой надежды. Хампи Рудольф играл с ней как кошка с мышью. Началось все с допроса ее Депличем. Она сидела послушная, как ребенок среди взрослых, и давала на вопросы Деплича ответы, которые выучила наизусть. Спокойно, четко формулируя мысли — и совершенно неубедительно! Ее научили, что отвечать, она и отвечала. Деплич ничуть не был виноват. Старый фигляр сыграл свою роль отлично — но в сцене, где требуются два актера, один не в силах отдуваться и за другого. Она не желала ему подыгрывать. И это произвело на присяжных отвратительное впечатление. А затем встал старый Хампи. Надеюсь, вы его встречали? Его смерть — огромная для нас потеря. Закинув полу своей мантии через плечо, он стоял, покачиваясь, и не спешил. А потом вдруг задавал вопрос, да не в бровь, а в глаз!

Как я уже сказал, он сделал из нее котлету. Заходил то с одной стороны, то с другой, и всякий раз она садилась в галошу. Он заставил ее признать абсурдность ее собственных показаний, вынудил противоречить самой себе, и она вязла все глубже и глубже. А закончил он, как обычно, очень убедительно и веско: «Я утверждаю, миссис Крейл, что ваше объяснение кражи кониума желанием покончить с собой — ложь от начала до конца. Я утверждаю, что вы украли яд с намерением отравить вашего мужа, который собирался бросить вас ради другой женщины, и что вы умышленно его отравили». И она посмотрела на него — такая милая с виду женщина, стройная, изящная — и сказала совершенно ровным голосом: «О нет, нет, я этого не делала». Прозвучало это крайне неубедительно. Я заметил, как заерзал в своем кресле Деплич. Он сразу понял, что все кончено.

Помолчав минуту, Фогг продолжал:

— И тем не менее я чувствовал в ее поведении нечто странное. В некотором отношении оно было на удивление рациональным. А что еще ей оставалось делать, как не взывать к благородству — к тому самому благородству,

413

которое наряду с нашим пристрастием к жестокой охоте заставляет иностранцев видеть в нас таких притворщиков! Присяжные, да и все присутствующие в суде, чувствовали, что у нее нет ни единого шанса. Она не умела даже постоять за себя. И уж конечно, не была способна сражаться с такой грубой скотиной, как старый Хампи. Это еле слышное, неубедительное: «О нет, нет, я этого не делала» — было просто жалким.

Однако это было лучшее из того, что она могла предпринять. Присяжные заседали всего полчаса. Их приговор: виновна, но заслуживает снисхождения.

По правде говоря, она производила очень хорошее впечатление по сравнению с другой женщиной, замешанной в этом деле. С молодой девицей. Присяжные с самого начала ей не симпатизировали, но она не обращала на них внимания. Очень интересная, жесткая, современная, в глазах женщин, присутствующих в суде, она была олицетворением разрушительницы семьи. Семья в опасности, когда рядом бродят такие сексапильные девицы, которым совершенно наплевать на права жен и матерей. Она себя не щадила, должен признать. На вопросы отвечала честно. Удивительно честно. Она влюбилась в Эмиаса Крейла, он — в нее, и никаких угрызений совести, уводя его от жены и ребенка, она не испытывала.

Я даже восхищался ею. Она была очень неглупа. Деплич устроил ей перекрестный допрос, но она его выдержала с честью. Тем не менее суд ей не симпатизировал. И судье она не нравилась. Вел процесс Эйвис. Сам в молодости любил погулять, но, когда надевал мантию, преследовал за малейшее нарушение морали. Напутствием, которое он давал присяжным по делу Кэролайн Крейл, был призыв к милосердию. Факты он отрицать не посмел, но раза два прозрачно намекнул на то, что подсудимую спровоцировали на совершение преступления.

— Но он не поддержал версию защиты о самоубийстве?

Фогг покачал головой:

— Эта версия ни на чем не была основана. Нет, я вовсе не хочу сказать, что Деплич не постарался выжать из нее все, что мог. Он произнес проникновенную речь. Расписал трогательную историю человека, наделенного темпераментом и щедрой душой, любителя удовольствий, внезапно охваченного страстью к красивой молодой девушке и хоть и терзаемого угрызениями совести, но неспособного устоять. Поведал о том, как Крейл осознал свою ошибку, и, испытывая отвращение к себе, покаялся в том, что был грешен по отношению к жене и ребенку, и решил покончить с собой! С честью выйти из замкнутого круга. Это была, повторяю, очень трогательная речь. Вы видели перед собой несчастного, раздираемого противоречиями человека: страсть и присущая ему от рождения благопристойность. Эффект от этой речи был потрясающим. Только, когда речь была завершена и чары нарушены, вам никак не удавалось в своем сознании связать эту мифическую фигуру с подлинным Эмиасом Крейлом. Ведь он был совсем другим. И Деплич не сумел найти своим словам подтверждения. Крейл, я бы сказал, скорее относился к тем людям, которые начисто лишены даже зачатков совести. Это был безжалостный, хладнокровный, всегда довольный собой себялюбец. Нравственным он был лишь в своем творчестве. Он не взялся бы, я убежден, написать на скорую руку какую-нибудь картину с сентиментальным сюжетом, сколько бы ему за нее ни предлагали. Но это был человек настоящий, который любил жизнь и умел пожить. Покончить с собой? Только не он!

— Быть может, защита выбрала не совсем убедительный вариант?

— А что еще им оставалось? — пожал плечами Фогг. — Не сидеть же сложа руки и твердить, что присяжным в данном случае делать нечего, ибо прокурор еще не доказал вину обвиняемой! Слишком уж много было улик. Яд у нее в руках был — она призналась, что украла его. В наличии имелись мотив для совершения преступления, средство и удобный случай — словом, все.

— А нельзя ли было попытаться доказать, что все это с определенным умыслом подстроено?

Фогг не стал увиливать от ответа:

— Она сама многое признала. И потом, такая версия смотрится чересчур надуманной. Вы хотите сказать, что его убил кто-то другой, сделав так, чтобы вина пала именно на нее?

— Вы считаете такую позицию несостоятельной?

— Боюсь, что да, — задумчиво ответил Фогг. — Вы предполагаете, что существует некий Икс? Где же нам его искать?

— Совершенно очевидно, среди тех людей, которые ее окружали. Таких было пятеро. И каждый из них *мог* иметь к этому делу самое непосредственное отношение.

— Пятеро? Дайте-ка припомнить. Был среди них такой нескладный малый, который варил травы. Опасное увлечение, но человек приятный. Правда, какой-то малопонятный. Нет, мне он этим Иксом не представляется. Затем сама девица — она могла бы прихлопнуть Кэролайн, но не Эмиаса. Биржевой маклер — закадычный друг Крейла. В детективных романах он мог бы сойти за убийцу, но в жизни нет. Вот и все. Ах да, была еще младшая сестра, но про нее всерьез и говорить не стоит. Значит, четверо.

— Вы забыли гувернантку, — напомнил Эркюль Пуаро.

— Да, верно. Несчастные существа эти гувернантки, никто про них и не помнит. Средних лет, некрасивая, но с образованием. Психолог, наверное, стал бы утверждать, что она испытывала тайную страсть к Крейлу и поэтому убила его. Старая дева с подавленными инстинктами! Нет, не верю. Насколько мне помнится, она вовсе не производила впечатление невропатки.

— С тех пор прошло много лет.

— Пятнадцать или шестнадцать... Да, немало. Можно ли требовать, чтобы я все помнил?

— Как раз наоборот, — возразил Эркюль Пуаро, — я просто поражен, до чего вы все хорошо помните. Вы что, все это себе представляете? Когда рассказываете, у вас перед глазами всплывает картина, верно?

— Да, — задумчиво подтвердил Фогг, — я действительно все это вижу, причем довольно отчетливо.

— Меня очень интересует, мой друг, можете ли вы мне объяснить, почему?

— Почему? — задумался Фогг. Его худое умное лицо оживилось. — И вправду, почему?

— Что вы видите отчетливо? — спросил Пуаро. — Свидетелей? Защитника? Судью? Обвиняемую, когда она дает показания?

— Как вы сумели догадаться? — восхитился Фогг. — Да, именно ее я вижу... Забавная штука — любовь. В ней жила любовь. Не знаю, была ли она красивой... Она была не первой молодости, выглядела утомленной — круги под глазами. Но она была средоточием его драмы. Она была в центре внимания. И тем не менее половину времени она отсутствовала. Была где-то в другом мире, далеко-далеко, хоть и сидела в зале суда, молчаливая, внимательная, с легкой вежливой улыбкой на губах. Она вся была в полутонах — свет и тень вместе. И при этом производила впечатление более живой, чем другая — эта девица с ее идеальной фигурой, с безупречным лицом и присущей юности дерзостью. Я восхищался Эльзой Грир — она была неглупой, умела постоять за себя, не боялась своих мучителей и ни разу не дрогнула! А Кэролайн Крейл я не восхищался, потому что она не умела бороться, потому что ушла в себя, в свой мир полутонов. Она не потерпела поражения, потому что ни разу не попыталась вступить в сражение. Я уверен только в одном, — помолчав, продолжал он. — Она любила человека, которого убила. Любила так, что умерла вместе с ним...

Мистер Фогг снова умолк и протер стекла своих очков.

— Боже мой, — вздохнул он, — какие, однако, странные вещи я говорю. В ту пору я был совсем молод и полон честолюбивых устремлений. Подобные события запоминаются. Я считаю, что Кэролайн Крейл была женщиной необыкновенной. Я ее никогда не забуду. Нет, я ее не забуду никогда...

Глава 3

МОЛОДОЙ ЮРИСКОНСУЛЬТ

Джордж Мейхью был осторожен и немногословен.

Дело он, разумеется, помнит, но не совсем отчетливо. Им занимался его отец, ему самому в ту пору было всего девятнадцать.

Да, процесс этот произвел большое впечатление. Крейл ведь был известным художником. Картины у него превосходные. Две из них и сейчас висят в Тейтовской галерее. Хотя, разумеется, это ничего не значит.

Пусть мсье Пуаро его извинит, но он не совсем понимает, что именно интересует мсье Пуаро. А, дочь! В самом деле? В Канаде? А он всегда считал, что в Новой Зеландии.

Джордж Мейхью чуть-чуть расслабился. Помягчел.

Да, для девушки это оказалось потрясением. Он ей глубоко сочувствует. Наверное, было бы куда лучше, если бы она так и не узнала всей правды. Но что толку теперь об этом говорить!

Она хочет знать? Что именно? Ведь об этом процессе много писали. Ему же лично почти ничего не известно.

Нет, он считает, что в вине миссис Крейл сомневаться не приходится. Хотя ее отчасти можно понять. Эти художники — с ними всегда нелегко. А у Крейла, насколько он помнит, вечно были романы то с одной, то с другой.

И она сама тоже, по-видимому, была женщиной с характером. Не могла примириться с тем, что ей становилось известно. В наши дни она бы просто развелась с ним, и все.

— По-моему, — осторожно добавил он, — в этом деле была замешана леди Диттишем.

Он не ошибается, заверил его Пуаро.

— Газеты время от времени вспоминают о том деле, — сказал Мейхью. — Леди Диттишем не раз участвовала в бракоразводных процессах. Очень богатая женщина, как вам, наверное, известно. До этого она была замужем за известным путешественником. Она постоянно на виду. По-видимому, из тех женщин, которые любят, когда о них говорят.

— Или чрезмерно обожают знаменитостей, — предположил Пуаро.

Мысль эта не пришлась Джорджу Мейхью по вкусу. Он воспринял ее без особой радости:

— Пожалуй, да, в этом есть доля правды.

И надолго задумался над этой мыслью.

— Ваша фирма много лет представляла интересы миссис Крейл? — спросил Пуаро.

— Нет, — покачал головой Джордж Мейхью. — «Джонатан и Джонатан» были юрисконсультами семьи Крейл.

Но когда случилась беда, мистер Джонатан счел для себя неудобным действовать в интересах миссис Крейл и поэтому договорился с нами — с моим отцом — взять на себя обязанности по делу. Вам бы следовало, мсье Пуаро, попытаться встретиться со старым мистером Джонатаном. Он отошел от дел — ему больше семидесяти, — но он хорошо знал всех членов семьи Крейл и сумеет рассказать вам гораздо больше меня. Я, по правде говоря, мало что знаю. В ту пору я был мальчишкой. Не помню даже, присутствовал ли я на процессе.

Пуаро встал, а Джордж Мейхью, поднимаясь, добавил:

— Советую вам поговорить и с нашим старшим клерком Эдмундсом. Он и тогда служил у нас и очень интересовался процессом.

Эдмундс говорил медленно. Глаза его были настороже. Он не спеша оглядел Пуаро с головы до ног и уж потом позволил себе раскрыть рот.

— Да, дело Крейл я помню, — сказал он. И сурово добавил: — Неприглядная была история. — В его хитром взгляде читался явный вопрос. — Прошло слишком много времени, чтобы заново раскапывать все подробности, — сказал он.

— Приговор суда не всегда означает конец дела.

— Верно, — кивнул квадратной головой Эдмундс.

— У миссис Крейл осталась дочь, — продолжал Пуаро.

— Да, ребенок был. Ее отправили за границу к родственникам, верно?

— Дочь убеждена в невиновности матери, — сказал Пуаро.

— Вот как? — Кустистые брови мистера Эдмундса взмыли вверх.

— Можете ли вы сказать что-либо в защиту ее убеждения?

Эдмундс задумался. Затем медленно покачал головой:

— Честно говоря, нет. Мне очень нравилась миссис Крейл. Что бы она там ни натворила, прежде всего это была леди. Не то что та, другая. Дерзкая, развязная девчонка! Прет, как танк! Выскочка из отребья — и это сра-

419

зу бросалось в глаза! А миссис Крейл была благородной дамой.

— И тем не менее оказалась убийцей?

Эдмундс нахмурился. Но ответил более охотно, нежели прежде:

— Именно этот вопрос задавал я себе день изо дня. Она сидела на скамье подсудимых и спокойно, сдержанно отвечала на вопросы. «Не могу поверить», — твердил себе я. Но сомневаться не приходилось, мистер Пуаро, если вы понимаете, о чем я говорю. Не мог же этот болиголов оказаться в пиве, которое выпил мистер Крейл, случайно. Его туда подлили. И если не миссис Крейл, то кто?

— Вот об этом я и спрашиваю, — сказал Пуаро. — Кто?

И снова в его лицо впились хитрые глаза.

— Вот, значит, в чем ваша мысль, — догадался мистер Эдмундс.

— А вы сами что думаете?

Клерк ответил не сразу:

— Никаких сомнений на этот счет вроде не существовало.

— Вы бывали в суде, когда слушалось дело? — спросил Пуаро.

— Каждый день.

— И слышали показания свидетелей?

— Да.

— Не приметили ли вы в них какую-нибудь неискренность или неестественность?

— Не лгал ли кто-либо из них, хотите вы знать? — напрямую спросил Эдмундс. — Не было ли у кого-либо из них причины желать смерти мистера Крейла? Извините меня, мистер Пуаро, но уж только это смахивает на мелодраму.

— Тем не менее подумайте над этим, — попросил Пуаро.

Он вглядывался в хитроватое лицо, в прищуренные задумчивые глаза. Медленно, с сожалением Эдмундс покачал головой.

— Эта мисс Грир, — начал он, — она, конечно, разозлилась и горела желанием отомстить. Отвечая на вопросы, она позволяла себе лишнее, но ей мистер Крейл был нужен живым. От мертвого ей было мало проку. Да, она хотела, чтобы миссис Крейл повесили, но только потому, что смерть вытащила у нее из-под носа лакомый кусок. Она была как тигрица, которой помешали совершить прыжок! Но ей, повторяю, мистер Крейл нужен был живым. Мистер Филип Блейк тоже был настроен против миссис Крейл с самого начала. А потому нападал на нее при всяком удобном случае. Но, так сказать, по-своему, а вообще он был другом мистера Крейла, вел себя честно. Его брат, мистер Мередит Блейк, был плохим свидетелем, отвечал невпопад, путался, был неуверен. Много я перевидал таких свидетелей. Впечатление такое, будто они лгут, а на самом деле говорят чистую правду. Пуще всего мистер Мередит Блейк боялся сказать что-нибудь лишнее. А потому из него вытянули больше, чем он хотел сказать. Он из тех робких джентльменов, которые при подобных обстоятельствах сразу начинают волноваться. Вот гувернантка, та не смущалась. Слов на ветер не бросала и отвечала по существу. Слушая ее, нельзя было понять, на чьей она стороне. Отлично соображала и за словом в карман не лезла. — Он помолчал. — Я уверен, что она знала куда больше, чем сказала.

— Я тоже, — согласился Эркюль Пуаро.

Он еще раз пристально взглянул на морщинистое хитроватое лицо своего собеседника. Оно было вежливо-бесстрастным. Интересно, подумал Пуаро, не снизошел ли мистер Альфред Эдмундс до намека?

Глава 4

СТАРЫЙ ЮРИСКОНСУЛЬТ

Мистер Кэлеб Джонатан жил в Эссексе. После вежливого обмена письмами Пуаро получил приглашение, чуть ли не королевское по тону, отобедать и переночевать. Старый джентльмен, несомненно, был большим оригиналом. После пресного Джорджа Мейхью мистер Джонатан напоминал стакан выдержанного портвейна его собственного разлива.

У него были собственные методы подхода к интересующей собеседника теме, а поэтому только ближе к полуночи, попивая ароматный марочный коньяк, мистер Джонатан наконец расслабился. На восточный манер он по достоинству оценил тактичность Эркюля Пуаро, который не торопил его. Вот теперь, на досуге, он был готов подробно поговорить о семье Крейл.

— Наша фирма знала не одно поколение этой семьи. Я лично был знаком с Эмиасом Крейлом и его отцом, Ричардом Крейлом. Помню я и Инока Крейла, деда. Все они были деревенские сквайры, думали больше о лошадях, чем о людях. Держались в седле прямо, любили женщин, и мысли их не обременяли. К мыслям они относились с подозрением. Зато жена Ричарда Крейла была до отказа набита идеями — больше идей, чем здравого смысла. Она писала стихи, любила музыку — даже играла на арфе. Она была не крепкого здоровья и очень живописно смотрелась у себя на диване. Она была поклонницей Кингсли и поэтому назвала своего сына Эмиасом. Отцу это имя не нравилось, но перечить он не стал.

Эмиасу Крейлу качества, унаследованные от столь разных родителей, пошли только на пользу. От болезненной матери он унаследовал художественный дар, а от отца — энергию и невероятный эгоизм. Все Крейлы были себялюбцы. Никогда и ни при каких обстоятельствах они не признавали иной точки зрения, кроме собственной. — Постучав тонким пальцем по ручке кресла, старик окинул Пуаро хитрым взглядом. — Поправьте меня, если я не прав, мсье Пуаро, но, по-моему, вы интересуетесь... характером, так сказать?

— Во всех моих расследованиях, — ответил Пуаро, — это меня интересует больше всего.

— Я вас понимаю. Вам хочется залезть в шкуру преступника. Очень интересно и увлекательно. Наша фирма никогда не занималась уголовной практикой, а поэтому мы не сочли себя достаточно компетентными, чтобы действовать в интересах миссис Крейл, хотя это было бы уместно. Мейхью же вполне отвечали требованиям. Они готовили документы для Деплича, — возможно, им не хватило широты, — он требовал больших затрат и умел производить яркое впечатление. Однако у них недостало ума сообразить, что Кэролайн никогда не будет вести себя так, как от нее требовалось. Она не умела притворяться.

— А что она собой представляла? — спросил Пуаро. — Вот это мне больше всего хотелось бы знать.

— Да, да, сейчас. Почему она совершила то, что совершила? Вот самый главный вопрос. Видите ли, я знал ее еще до замужества. Кэролайн Сполдинг — это очень несчастное существо, хотя от природы очень жизнерадостное. Ее мать рано овдовела, и Кэролайн была к ней очень привязана. Затем мать вышла замуж снова, родился ребенок, появление которого Кэролайн восприняла крайне болезненно. С неистовой, по-юношески пылкой ревностью.

— Она ревновала?

— Страстно. И произошел весьма прискорбный инцидент. Бедное дитя, она впоследствии горько раскаивалась в случившемся. Но, как вам известно, мсье Пуаро, подобные эпизоды случаются в нашей жизни. Человек не всегда умеет сдерживаться. Это приходит потом, со зрелостью.

— Так что же произошло? — спросил Пуаро.

— Она швырнула в малышку пресс-папье. Ребенок ослеп на один глаз и получил увечье на всю жизнь. — Мистер Джонатан вздохнул. — Можете себе представить, каков был эффект от единственного заданного на этот счет вопроса во время суда. — Он покачал головой. — Создалось впечатление, что Кэролайн Крейл была женщиной с необузданным темпераментом. Что ни в коей мере не соответствует истине. Нет, не соответствует. — И, еще раз вздохнув, заключил: — Кэролайн Сполдинг часто приезжала гостить в Олдербери. Она хорошо ездила верхом, была умна. Ричарду Крейлу она очень нравилась. Она ухаживала за миссис Крейл и делала это умело и заботливо, а потому миссис Крейл тоже к ней благоволила. Дома она не была счастлива, зато в Олдербери ее встречало тепло. Она подружилась и с Дианой Крейл, сестрой Эмиаса. В Олдербери часто приезжали из соседней усадьбы братья Филип и Мередит Блейки. Филип всегда был мерзким негодяем и стяжателем. Мне он никогда не нравился. Но я слышал, что он умеет рассказывать забавные истории и считается верным другом.

Мередит был, как говаривали в мое время, сентиментально-чувствительным. Увлекался ботаникой и бабочками, наблюдал за птицами и животными. Теперь это называется «изучать природу». О Боже, все эти молодые люди были разочарованием для своих родителей. Никто из них не занимался тем, чем положено: охотой, стрельбой, рыбной ловлей. Мередит очень любил наблюдать за птицами и животными, а не стрелять в них. Филип явно предпочитал деревне город и занялся добыванием денег. Диана вышла замуж за человека, который не считался джентльменом. Он был офицером, но только во время войны. А Эмиас, сильный, красивый, энергичный, сделался художником! Что и свело, я убежден, Ричарда Крейла в могилу.

Со временем Эмиас женился на Кэролайн Сполдинг. Они всегда спорили и ссорились, но брак этот был, несомненно, по любви. Они безумно любили друг друга. И по прошествии лет продолжали любить. Но Эмиас, как и все Крейлы, был жестоким эгоистом. Он любил Кэролайн, но никогда с ней не считался. Он поступал так, как ему хотелось. По-моему, он любил ее настолько, насколько вообще был способен любить; прежде всего для него существовало его искусство. И никогда ни одной женщине не удалось взять верх над искусством. У него были многочисленные романы — это его вдохновляло, — но, как только женщины ему надоедали, он безжалостно их бросал. Он не был ни сентиментальным, ни романтиком. И сластолюбцем тоже не был. Единственной женщиной, которая его немного интересовала, была его жена. И поскольку она это знала, то многое ему прощала. Он был отличным художником, она это понимала и почитала его талант. Он же бегал за женщинами, но всегда возвращался домой, чтобы, вдохновившись очередным романом, написать новую картину.

Так бы они и жили, если бы не появилась Эльза Грир. Эльза Грир... — И мистер Джонатан покачал головой.

— Что — Эльза Грир? — спросил Пуаро.

И вдруг мистер Джонатан вздохнул:

— Бедное, бедное дитя!

— Вот какое у вас к ней отношение? — удивился Пуаро.

— Быть может, это из-за того, что я уже старик, но, по-моему, мсье Пуаро, в молодости есть какая-то незащищенность, и это трогает до слез. Молодость так ранима и в то же время безжалостна и самоуверенна. Она так великодушна и так требовательна.

Он встал и подошел к книжному шкафу. Вынув оттуда томик, он перелистнул страницы и начал читать:

> ...Если искренне ты любишь
> И думаешь о браке — завтра утром
> Ты с посланной моею дай мне знать,
> Где и когда обряд свершить ты хочешь, —
> И я сложу всю жизнь к твоим ногам
> И за тобой пойду на край Вселенной[1].

Словами Джульетты говорит сама молодость. Никакого умалчивания, никакой скрытности, никакой так называемой девичьей скромности. Только отвага, настойчивость, кипучая молодая энергия. Шекспир понимал молодых. Джульетта находит Ромео. Дездемона требует Отелло. Эти молодые, они не ведают сомнений, страха, гордости.

— Значит, Эльза Грир представляется вам в образе Джульетты? — задумчиво спросил Пуаро.

— Да. Она была дитя удачи — юная, красивая, богатая. Она нашла своего Ромео и предъявила на него права. Пусть он не был юным, ее Ромео, пусть не был свободен. Эльза Грир не знала условностей, она была современной женщиной, девиз которой: «Живем ведь только раз!»

Он вздохнул, откинулся на спинку кресла и снова тихонько постучал по ручке.

— Джульетта-хищница. Молодая, безжалостная, но ранимая! Она смело ставит на кон все, что у нее есть, и выигрывает... Но в последнюю минуту является смерть, жизнерадостная, веселая, пылкая Эльза тоже умирает. Остается мстительная, холодная, жестокая женщина, всей душой ненавидящая ту, которая ей помешала. Боже милостивый, — голос его изменился, — простите меня за этот маленький экскурс в мелодраму. Идущая напро-

---

[1] У. Ш е к с п и р. Ромео и Джульетта. Акт II, сцена II. *Перевод Т. Щепкиной-Куперник. (Здесь и далее примеч. перев.)*

лом молодая женщина! Нет, ничего интересного в ней нет. Бледно-розовая юность, страстная, уязвимая и так далее. Если это убрать, то что остается? Заурядная молодая женщина в поисках героя, чтобы возвести его на пьедестал.

— Не будь Эмиас Крейл знаменитым художником... — начал Пуаро.

— Именно, именно, — поспешил согласиться мистер Джонатан. — Вы попали в самую точку. Нынешние Эльзы обожают героев. Мужчина должен чего-то добиться, быть кем-то... Кэролайн Крейл мог бы понравиться и банковский клерк, и страховой агент. Кэролайн любила в Эмиасе мужчину, а не художника. Кэролайн Крейл не шла напролом — в отличие от Эльзы Грир, которая шла... Но Эльза была молодой, красивой и, на мой взгляд, трогательной.

Эркюль Пуаро ложился спать в задумчивости. Его мысли были заняты проблемой личности.

Клерку Эдмундсу Эльза Грир представлялась дерзкой, развязной девчонкой, не более того.

Старому мистеру Джонатану — вечной Джульеттой.

А Кэролайн Крейл?

Каждый видел ее по-своему. Монтегю Деплич презирал ее за нежелание бороться. Молодому Фоггу она казалась воплощением романтики, Эдмундс видел в ней леди. Мистер Джонатан назвал ее очень несчастным существом.

Какой показалась бы она ему, Эркюлю Пуаро?

От ответа на этот вопрос зависел успех его расследования.

Пока никто из тех, с кем он беседовал, не высказал сомнения, что, какой бы она им ни казалась, Кэролайн Крейл была убийцей.

Глава 5
СТАРШИЙ ПОЛИЦЕЙСКИЙ ОФИЦЕР

Старший полицейский офицер в отставке Хейл задумчиво попыхивал трубкой.

— Забавное занятие вы для себя придумали, мсье Пуаро.

— Возможно, не совсем обычное, — осторожно согласился Пуаро.

— Сколько лет прошло, — продолжал сомневаться Хейл.

Пуаро знал, что ему не раз придется услышать эту фразу.

— Это, конечно, затрудняет расследование, — мягко заметил он.

— Рыться в прошлом, — размышлял его собеседник, — дело стоящее, если есть определенная цель...

— Цель есть.

— Какая?

— Приятно пуститься на розыски правды ради правды. Мне такое дело нравится. И не забудьте про дочь.

— Да, — кивнул Хейл, — ее я, конечно, понимаю. Но, извините меня, мсье Пуаро, вы человек изобретательный. Могли бы придумать для нее какое-нибудь объяснение.

— Вы ее не знаете, — возразил Пуаро.

— Оставьте! Человек с вашим опытом!

Пуаро выпрямился:

— Вполне возможно, mon cher[1], что я умею красиво и убедительно лгать, — вы, по-видимому, в этом уверены, — но я отнюдь не считаю, что должен этим заниматься. У меня свои принципы.

— Извините, мсье Пуаро. Я вовсе не хотел вас обидеть. Я предлагал это только из добрых побуждений, так сказать.

— Так ли?

— Девушке, которая собирается выйти замуж, неприятно вдруг узнать, что ее мать совершила убийство. На вашем месте я бы постарался убедить ее, что это было самоубийство. Скажите, что Деплич действовал не лучшим образом. Скажите, что вы лично не сомневаетесь, что Крейл сам отравился.

— Но все дело в том, что я очень сомневаюсь! Я ни на минуту не верю, что Крейл отравился. А вы-то сами считаете это возможным?

Хейл медленно покачал головой.

_____
[1] Мой дорогой *(фр.)*.

— Видите? Нет, я должен отыскать истину, а не правдоподобную, пусть и очень правдоподобную, ложь.

Хейл посмотрел на Пуаро. Его квадратное красное лицо еще больше побагровело и даже сделалось еще более квадратным.

— Вы говорите о правде, — сказал он. — Мы же считаем, что в деле Крейл пришли к правде.

— Ваше заявление свидетельствует о многом, — быстро откликнулся Пуаро. — Я знаю, что вы честный, знающий свое дело человек. А теперь ответьте мне на такой вопрос: были ли у вас какие-либо сомнения по поводу вины миссис Крейл?

— Никогда, мсье Пуаро, — быстро и четко ответил полицейский. — Все обстоятельства указывали прямо на нее, и в поддержку этой версии работал каждый обнаруженный нами факт.

— Вы можете в общих чертах суммировать выдвинутые против нее обвинения?

— Могу. Когда я получил ваше письмо, я проглядел дело заново. — Он взял в руки маленькую записную книжку. — И выписал все заслуживающие внимания факты.

— Спасибо, друг мой. Я весь внимание.

Хейл откашлялся. В голосе его зазвучали официальные интонации.

— «В два сорок пять дня восемнадцатого сентября инспектору Конвею позвонил доктор Эндрю Фоссет, — начал он. — Доктор Фоссет сделал заявление о внезапной кончине мистера Эмиаса Крейла из Олдербери, добавив, что в силу обстоятельств, сопутствующих смерти, а также утверждения, высказанного неким мистером Блейком, находящимся в доме в качестве гостя, в дело должна вмешаться полиция.

Инспектор Конвей в сопровождении сержанта и полицейского врача тотчас выехал в Олдербери. Там был доктор Фоссет, который и провел их туда, где лежал труп мистера Крейла.

Мистер Крейл писал очередную картину в небольшом саду, известном под названием Оружейный сад, поскольку он выходил к морю и в нем стояла укрытая в бойнице миниатюрная старинная пушка. Сад находился на расстоянии четырех минут ходу от дома. Мистер Крейл не пришел домой к обеду, объяснив это тем, что ему нужна определенная игра света на камне, а позже, мол, солнце начнет садиться. И поэтому остался один в Оружейном саду, в чем, по словам присутствующих, ничего необычного не было. Мистер Крейл не придавал значения часам приема пищи. Иногда ему приносили в сад сандвич, но большей частью он предпочитал, чтобы его не беспокоили. Последними, кто видел его живым, были: мисс Эльза Грир (гость в доме) и мистер Мередит Блейк (ближайший сосед). Эти двое вернулись из сада в дом и вместе с остальными домочадцами сели обедать. После обеда на террасе был подан кофе. Миссис Крейл выпила кофе и сказала, что «пойдет посмотрит, что там поделывает Эмиас». Мисс Сесили Уильямс, гувернантка, встала и пошла вместе с ней. Ей нужно было найти кофту ее воспитанницы, мисс Анджелы Уоррен, сестры миссис Крейл, которую мисс Анджела куда-то задевала, а потому мисс Уильямс решила, что девочка могла оставить ее на берегу.

Они отправились в путь. Дорожка вела вниз среди деревьев, мимо калитки в Оружейный сад, на берег моря.

Мисс Уильямс начала было спускаться к морю, а миссис Крейл вошла в Оружейный сад. Почти сразу же миссис Крейл вскрикнула, и мисс Уильямс бросилась назад. Мистер Крейл полулежал, откинувшись на спинку скамьи, и был мертв.

По настоятельной просьбе миссис Крейл мисс Уильямс кинулась в дом, чтобы по телефону вызвать врача. Однако по дороге она встретила мистера Мередита Блейка и, поручив ему сделать то, что надлежало ей, сама вернулась к миссис Крейл, полагая, что кто-нибудь должен быть при ней. Доктор Фоссет прибыл к месту действия через пятнадцать минут. Он тотчас понял, что мистер Крейл умер уже некоторое время назад, примерно между часом и двумя часами дня. Ничто не указывало на причину смерти. Мистер Крейл не был ранен, и поза его была вполне естественной. Тем не менее доктор Фоссет, который был осведомлен о состоянии здоровья мистера Крейла и знал, что он не страдает никаким заболеванием, не был склонен воспринять случившееся как скоропостижную кончину. Именно в эту минуту мистер Филип Блейк и сделал доктору Фоссету свое заявление».

Хейл помолчал, а потом, глубоко вздохнув, перешел, так сказать, ко второй главе своего повествования:

— «В дальнейшем мистер Блейк повторил свое заявление инспектору Конвею. Оно заключалось в следующем. Утром того дня ему позвонил его брат мистер Мередит Блейк, который жил в Хэндкросс-Мэнор, в полутора милях от дома Крейлов. Мистер Мередит Блейк был химиком-любителем или, лучше сказать, травником. Войдя в то утро в свою лабораторию, мистер Мередит Блейк был удивлен, увидев, что бутылка с настойкой из болиголова была наполовину пустой, хотя накануне была полной. Обеспокоенный и напуганный, он позвонил брату, чтобы получить у него совет, как действовать дальше. Мистер Филип Блейк настоятельно посоветовал брату сейчас же явиться в Олдербери, где они подробно обговорят случившееся. И пошел ему навстречу, так что в дом они вернулись вместе. Они не приняли решения, как им следует поступить, придя к выводу, что побеседуют еще раз после обеда.

В результате дальнейших расспросов инспектор Конвей установил следующее. Накануне днем пять человек из Олдербери были приглашены в Хэндкросс-Мэнор к чаю. Это были мистер и миссис Крейл, мисс Анджела Уоррен, мисс Эльза Грир и мистер Филип Блейк. Пока они были там, мистер Мередит Блейк подробно рассказал им про свое увлечение и показал небольшую лабораторию, где продемонстрировал некоторые весьма специфического назначения настойки, среди которых был и кониум, основным компонентом которого является болиголов крапчатый. Мистер Блейк рассказал о его свойствах, заметив, что в настоящее время его изъяли из аптек, и похвастался тем, что обнаружил большую эффективность этого средства при употреблении в малых дозах для лечения коклюша и астмы. Потом он упомянул о его фатальных свойствах и даже прочел своим гостям отрывок из книги какого-то греческого автора, где описывалось действие этого яда».

Хейл снова помолчал, набил трубку свежим табаком и перешел к главе третьей:

— «Полковник Фрир, начальник полиции, поручил это дело мне. После вскрытия сомнений не осталось. Кониум, насколько мне известно, после смерти человека ни в чем внешне не проявляется, но врачи знали, что искать, а потому обнаружили его в значительном количестве. Доктор считал, что его дали за два-три часа до наступления смерти. Перед мистером Крейлом на столе стояли пустой стакан и пустая бутылка из-под пива. Были отданы на анализ остатки содержимого и из стакана, и из бутылки. В бутылке кониума не обнаружили, зато в стакане он был. Я провел расследование и выяснил, что, хотя ящик с пивом и стаканы хранились в небольшом сарае в Оружейном саду на случай, если мистеру Крейлу захочется во время работы пить, именно в это утро миссис Крейл принесла из дома бутылку пива со льда. Когда она пришла, мистер Крейл писал, а мисс Грир ему позировала, сидя на каменной ограде сада.

Миссис Крейл откупорила бутылку, вылила ее содержимое в стакан и дала стакан мужу, который стоял перед мольбертом. Он выпил пиво, как обычно, одним глотком. Потом, скривившись, поставил стакан на стол и сказал: «Сегодня мне все кажется противным на вкус!» На что мисс Грир засмеялась: «Гурман!» Мистер Крейл отозвался: «Хорошо, хоть холодное».

Хейл замолчал.

— В котором часу это было? — спросил Пуаро.

— Примерно в четверть двенадцатого. Мистер Крейл продолжал писать. По словам мисс Грир, он через некоторое время пожаловался, что у него немеют конечности, — наверное, из-за ревматизма. Но он был не из тех, кто любит говорить про болезни, и, по-видимому, постеснялся признаться, что плохо себя чувствует. Он довольно раздраженно заявил, что хотел бы остаться один, а все остальные пусть идут обедать, — впрочем, такое заявление не было для него чем-то необычным.

Пуаро кивнул.

— Итак, Крейл остался один в Оружейном саду, — продолжал Хейл. — А оставшись один, сел и расслабился. Начался паралич мышц. И поскольку быстрой помощи не было, последовала смерть.

Пуаро снова кивнул.

— Я действовал как положено. Никаких затруднений в установлении фактов я не испытывал. Накануне имела место ссора между миссис Крейл и мисс Грир, которая крайне нагло позволила себе заявить, как она переставит мебель, когда будет там жить. Миссис Крейл возмутилась: «О чем вы говорите? Что значит «когда вы будете здесь жить»?» — «Не притворяйтесь, будто вы не понимаете, о чем я говорю, Кэролайн. Вы как страус, который прячет голову в песок. Вам прекрасно известно, что мы с Эмиасом любим друг друга и собираемся пожениться». — «Ничего подобного я не слышала», — сказала миссис Крейл. Тогда миссис Крейл повернулась к мужу, который в эту минуту вошел в комнату, и спросила: «Эмиас, действительно ли ты собираешься жениться на Эльзе?»

— И что же ответил мистер Крейл? — с любопытством спросил Пуаро.

— По-видимому, он обратился к мисс Грир и закричал на нее: «Какого черта ты болтаешь ерунду? Неужто у тебя не хватает ума держать язык за зубами?» — «Я считала, что Кэролайн должна знать правду», — ответила мисс Грир. «Это правда, Эмиас?» — спросила у мужа миссис Крейл.

Он, не глядя на нее, отвернулся и что-то пробормотал.

«Скажи. Я хочу знать», — настаивала она. На что он ответил: «Правда, правда, только я не хочу сейчас об этом говорить». И вышел из комнаты. А мисс Грир сказала: «Вот видите!» — и продолжала рассуждать на тот счет, что непорядочно со стороны миссис Крейл вести себя как собака на сене. Что все они должны вести себя как люди разумные. И что она лично надеется, что Кэролайн и Эмиас навсегда останутся друзьями.

— И что на это ответила миссис Крейл? — полюбопытствовал Пуаро.

— По словам свидетелей, она рассмеялась. «Только через мой труп, Эльза», — сказала она и пошла к дверям. А мисс Грир вдогонку ей крикнула: «Что вы имеете в виду?» Миссис Крейл оглянулась и сказала: «Я скорее убью Эмиаса, чем отдам его вам». — Хейл помолчал. — Изобличающее заявление, а?

— Да, — в раздумье согласился Пуаро. — И кто все это слышал?

— В комнате были мисс Уильямс и Филип Блейк. Они чувствовали себя крайне неловко.

— Их показания совпадают?

— Почти. Я еще ни разу не видел, чтобы двое свидетелей описывали какое-нибудь событие совершенно одинаково. Вам это известно не хуже меня, мсье Пуаро.

Пуаро кивнул. И сказал задумчиво:

— Да, было бы интересно посмотреть... — И замолчал.

— Я провел в доме обыск, — продолжал Хейл. — В спальне миссис Крейл в нижнем ящике был найден небольшой флакон из-под жасминовых духов, завернутый в шерстяной чулок. Пустой. Я снял с него отпечатки пальцев. Они принадлежали только миссис Крейл. При анализе в нем были обнаружены остатки почти выдохшегося жасминового масла и свежего раствора кониума.

Я предупредил миссис Крейл о правилах дачи показаний и показал ей флакон. Она отвечала охотно. Она была, сказала она, в очень плохом настроении. Выслушав от мистера Мередита Блейка описание свойств настойки, она осталась в лаборатории, вылила жасминовые духи, которые у нее были при себе, и наполнила флакон настойкой кониума. Я спросил ее, зачем она это сделала, и она ответила: «Есть вещи, о которых мне не хотелось бы говорить, но со мной вдруг случилась беда. Мой муж собирался оставить меня ради другой женщины. Если бы это произошло, я предпочла бы умереть. Вот почему я взяла яд».

Хейл умолк.

— Что ж, это звучит правдоподобно, — сказал Пуаро.

— Может быть, мсье Пуаро. Но это не совпадает с тем, что она говорила раньше. На следующее утро случился очередной скандал. Часть его слышал мистер Филип Блейк. Мисс Грир — другую часть. Скандал разразился в библиотеке между мистером и миссис Крейл. Мистер Блейк был в холле и слышал кое-какие подробности. Мисс Грир сидела на террасе возле открытого окна библиотеки и слышала гораздо больше.

— И что же они слышали?

— Мистер Блейк слышал, как миссис Крейл сказала: «Ты и твои женщины! Я готова тебя убить. Когда-нибудь я тебя прикончу».

— Никакого упоминания о самоубийстве?

— Нет. Никаких слов вроде: «Если ты это сделаешь, я покончу с собой». Мисс Грир засвидетельствовала примерно то же самое. По ее словам, мистер Крейл сказал: «Постарайся относиться к этому разумно, Кэролайн. Я тебя люблю и всегда буду заботиться о вас — о тебе и о ребенке. Но я хочу жениться на Эльзе. Мы всегда были готовы предоставить друг другу свободу». На что миссис Крейл ответила: «Хорошо, но не говори потом, что я тебя не предупредила». — «О чем ты?» — спросил он. И она сказала: «О том, что люблю тебя и не собираюсь от тебя отказаться. Я скорее тебя убью, чем отдам другой женщине».

Пуаро чуть шевельнул рукой.

— Мне представляется, — пробормотал он, — что мисс Грир вела себя крайне неразумно, настаивая на браке. Миссис Крейл вполне могла отказать мужу в разводе.

— И на этот счет у нас есть свидетельские показания, — сказал Хейл. — Миссис Крейл, по-видимому, кое в чем призналась мистеру Мередиту Блейку. Он был старым и верным другом. Он расстроился и решил переговорить с мистером Крейлом на этот счет. Произошло это, могу я сказать, накануне днем. Мистер Блейк весьма деликатно попенял своему приятелю, заметив, что он будет огорчен, если брак мистера и миссис Крейл так катастрофически распадется. Он также указал на то, что мисс Грир еще очень молода и что для такой молодой женщины крайне неприятно быть замешанной в бракоразводном процессе. На что мистер Крейл ответил, усмехнувшись (бесчувственный он был человек): «Да Эльза вовсе об этом и не помышляет. Она и не собирается участвовать в бракоразводном процессе. Мы это устроим как обычно».

— Следовательно, мисс Грир вела себя недостойно, затеяв подобный разговор, — заметил Пуаро.

— Вы же знаете, что такое женщины! — сказал старший полицейский офицер Хейл. — Как они готовы схватить друг друга за горло! Так или иначе, ситуация создалась нелегкая. Не могу понять, почему мистер Крейл это допустил. По словам мистера Мередита Блейка, он хотел завершить картину. Вам это что-нибудь говорит?

— Да, друг мой, полагаю, да.

— А мне нет. Человек сам искал себе неприятностей.

— Возможно, он всерьез рассердился на молодую женщину за то, что она чересчур распустила язык.

— О да. Мередит Блейк тоже так сказал. Если он хотел закончить картину, не понимаю, почему бы ему было не взять несколько фотографий и не поработать с ними. Я знаю одного малого — он делает акварели-пейзажи, — он так и работает.

Пуаро покачал головой:

— Нет, я вполне могу понять Крейла. Поймите, друг мой, что в ту пору картина была для него важнее всего на свете. Как бы он ни хотел жениться на этой девушке, картина была для него прежде всего. Вот почему он надеялся, что во время ее пребывания у них в доме ничего не обнаружится. Девушка, конечно, придерживалась совсем иной точки зрения. У женщин всегда на первом месте любовь.

— Мне ли об этом не знать? — почему-то с чувством отозвался старший полицейский офицер Хейл.

— Мужчины, — продолжал Пуаро, — а в особенности люди искусства, устроены по-другому.

— Искусства! — с презрением воскликнул старший полицейский чин. — Вечно эти разговоры про искусство! Никогда я его не понимал и не пойму! Вы бы видели картину, которую писал Крейл. Вся какая-то перекошенная. Девушка на ней выглядит так, будто у нее болят зубы, а бойницы все кажутся кривыми. Неприятная картина! Я потом долго не мог ее забыть. Мне она даже по ночам снилась. Более того, она каким-то образом повлияла на мое зрение — бойницы, стены и все прочее виделись мне именно такими, какими они были на картине. Да и женщины тоже!

— Сами того не ведая, — улыбнулся Пуаро, — вы сейчас воздали должное величию Эмиаса Крейла.

— Чепуха! Почему это художник не может нарисовать такое, на что приятно посмотреть? Зачем лезть из себя в поисках уродства?

435

— Некоторые из нас, mon cher, видят красоту в самых необычных вещах.

— Девушка эта ведь была хороша, — сказал Хейл. — Намазана, конечно, и ходила почти голая. Нынче девицы вообще потеряли всякий стыд. А то ведь было, если помните, шестнадцать лет назад. В наши дни, конечно, никто не обратил бы внимания на ее одежду. Но тогда — я просто был шокирован. Брюки и полотняная рубашка, распахнутая на груди, а под ней — ничего...

— Вы неплохо запомнили подробности, — лукаво заметил Пуаро.

Старший полицейский офицер Хейл покраснел.

— Я просто излагаю вам то впечатление, которое произвела на меня картина, — сурово ответил он.

— Я понимаю, — успокоил его Пуаро. И продолжал: — Значит, получается, что главными свидетелями против миссис Крейл были Филип Блейк и Эльза Грир.

— Да. Эти двое просто исходили злостью. Но обвинение привлекло в качестве свидетеля гувернантку, и ее показания получились даже более существенными, нежели показания Блейка и мисс Грир. Она была, как вы понимаете, целиком на стороне миссис Крейл. Готова была сражаться за нее до конца. Но, как женщина честная, говорила правду, не стараясь что-либо скрыть.

— А Мередит Блейк?

— Бедный джентльмен был очень расстроен случившимся. И правильно! Он винил себя за то, что приготовил эту ядовитую настойку, — и коронер тоже винил его в этом. Кониум входит в список ядовитых веществ номер один. Мистеру Блейку было выражено порицание в самой резкой форме. Он дружил и с мистером и с миссис Крейл, а потому случившееся переживал особенно болезненно, не говоря уж о том, что ему, как человеку, постоянно живущему в деревне, такая популярность была совершенно ни к чему.

— А младшая сестра миссис Крейл давала показания?

— Нет. В этом не было необходимости. Она не слышала, как миссис Крейл угрожала своему мужу, а сообщить нам нечто такое, чего бы мы не узнали от остальных свидетелей, она не могла. Она видела, как миссис Крейл подошла к холодильнику и вынула оттуда бутылку с пивом. Защита, разумеется, могла вызвать ее в качестве свидетеля для подтверждения того, что миссис Крейл отнесла бутылку прямо в сад, не открыв ее. Но это уже не имело значения, поскольку мы и не утверждали, что кониум был в бутылке.

— Как же она сумела подлить его в стакан, если при этом присутствовали еще два человека?

— Ну, во-первых, они не следили за ней. Мистер Крейл писал — он смотрел попеременно то на холст, то на натурщицу. А мисс Грир позировала ему, сидя спиной к миссис Крейл, и взгляд ее был обращен на мистера Крейла.

Пуаро кивнул.

— Никто не смотрел на миссис Крейл, а яд, как оказалось, у нее был в пипетке от авторучки, которую заправляют чернилами. Мы нашли пипетку раздавленной на дорожке, ведущей к дому.

— У вас, я смотрю, есть ответ на все, — пробормотал Пуаро.

— А как же, мсье Пуаро! Не будучи предвзятым, должен констатировать, что миссис Крейл угрожала убить мужа и она украла яд из лаборатории. Пустой флакон был найден у нее в комнате, и на нем нашли отпечатки только ее пальцев. Она умышленно отнесла ему пиво — весьма странно, если припомнить, что перед этим они поругались и не разговаривали друг с другом...

— Очень любопытно. Я на это обратил внимание.

— Да. Тоже доказательство в некотором роде. Почему это она вдруг проявила к нему такую благожелательность? Он жалуется на странный привкус — а кониум и в самом деле имеет неприятный привкус. Она находит его мертвым и отсылает гувернантку к телефону. Почему? Для того, чтобы вытереть бутылку и стакан и прижать к нему его пальцы. И после этого она рассказывает, что он раскаялся и покончил с собой. Очень правдоподобно!

— Да, задумано было, конечно, человеком лишенным фантазии.

— Если хотите знать мое мнение, то она даже не взяла на себя труд как следует поразмыслить. Слишком была поглощена ненавистью и ревностью. Думала только о том, как бы с ним расправиться. А потом, когда все было кончено, когда она увидела его мертвым, тогда, по-моему, она вдруг пришла в себя и сообразила, что совершила убийство, за которое ей грозит смертная казнь. И в полном отчаянии схватилась за первую пришедшую ей в голову мысль, выдвинув версию о самоубийстве.

— Что ж, все, что вы говорите, звучит очень убедительно, — заметил Пуаро. — Она могла мыслить именно так.

— Это убийство можно было квалифицировать и как преднамеренное убийство, и как неумышленное, — сказал Хейл. — Нельзя поверить, что она продумала все от начала до конца. Думаю, что она совершила его под влиянием минуты.

— Пожалуй... — пробормотал Пуаро.

Хейл посмотрел на него с любопытством.

— Удалось ли мне убедить вас, мсье Пуаро, — спросил он, — что в этом деле существует полная ясность?

— Почти. Но не совсем. Есть два-три обстоятельства...

— Можете ли вы предложить иное решение, которое звучало бы более убедительно?

— Чем были заняты в то утро все прочие действующие лица? — спросил Пуаро.

— Смею вас уверить, мы тщательно проверили их действия. Все до единого. Алиби ни у кого не оказалось, но, когда смерть вызвана ядом, такое случается довольно часто. Ничто не может помешать убийце дать своей жертве облатку с ядом, объяснив, что она очень способствует работе кишечника, и затем очутиться в другом конце Англии.

— Но вы полагаете, что в данном случае такого произойти не могло?

— Мистер Крейл не жаловался на кишечник. Да и не похоже, чтобы что-либо подобное могло случиться. Мистер Мередит Блейк, правда, любил рекомендовать снадобья собственного приготовления, но не думаю, что мистер Крейл их принимал. А если бы он и решился, то сначала с шутками оповестил бы всех об этом. Кроме того, зачем мистеру Мередиту Блейку было убивать мистера Крейла? Все показания свидетельствовали о том, что они были в очень хороших отношениях. Как и все прочие. Мистер Филип Блейк был самым близким приятелем покойного. Мисс Грир была в него влюблена. Мисс Уильямс, я полагаю, его осуждала, но моральное осуждение вовсе не влечет за собой желание отравить человека. Маленькая мисс Уоррен часто с ним цапалась — она была в переходном возрасте, — но ей предстояло отправиться в школу, и, по-моему, они друг другу очень симпатизировали. В доме к ней относились особенно ласково и участливо. Вы, наверное, знаете почему. Когда она была еще совсем ребенком, ей было нанесено увечье, причем сделала это миссис Крейл в приступе безумной ярости. Что еще раз свидетельствует о том, что она не умела сдерживаться. Рассердиться на ребенка и изувечить его на всю жизнь!

— Это также доказывает, — задумчиво сказал Пуаро, — что Анджела Уоррен имела основание затаить обиду на Кэролайн Крейл.

— Возможно. Но при чем тут Эмиас Крейл? Кстати, миссис Крейл была искренне предана своей младшей сестре, взяла ее к себе, когда умерли ее родители, и, как я уже сказал, относилась к ней с особой любовью, по словам других чрезмерно ее балуя. И девочка любила миссис Крейл. Во время судебного процесса ее увезли из Лондона, старались, чтобы она знала о нем как можно меньше — на этом, по-моему, очень настаивала сама миссис Крейл. Но девочка была очень расстроена и требовала, чтобы ей дали возможность повидаться с сестрой в тюрьме. Кэролайн Крейл отказалась. Подобная встреча, сказала она, может на всю жизнь отразиться на психике девочки. И устроила так, чтобы девочку отправили учиться за границу. Мисс Уоррен стала очень известной личностью, — добавил он. — Путешествует по каким-то забытым Богом местам и читает лекции в Королевском географическом обществе.

— И никто ей не напоминает про тот процесс?

— Во-первых, у нее другая фамилия. Даже девичьи фамилии у них разные. У них была одна мать, но разные отцы. Девичья фамилия миссис Крейл была Сполдинг.

— А эта мисс Уильямс, она была гувернанткой дочери Крейлов или Анджелы Уоррен?

— Анджелы. У малышки была няня, но мисс Уильямс ежедневно немного с ней занималась.

— А где был ребенок в ту пору?

— Она уехала с няней погостить у бабушки. У леди Трессилиан, вдовы, потерявшей двух малолетних дочерей и потому особенно привязанной к ребенку.

— Понятно, — кивнул Пуаро.

— Что же касается поступков всех прочих действующих лиц, — продолжал Хейл, — то я могу рассказать вам о них.

Мисс Грир после завтрака сидела на террасе возле окна библиотеки. Там, как я уже сказал, она и подслушала ссору между Крейлом и его женой. Потом она вместе с Крейлом прошла в Оружейный сад и просидела там до обеда, раза два пройдясь по саду, чтобы немного размяться.

Филип Блейк после завтрака остался в доме и тоже отчасти слышал ссору. После того как Крейл и мисс Грир ушли, он принялся читать газету. Потом ему позвонил его брат, и он отправился ему навстречу. Они вместе прошли по дорожке, идущей мимо Оружейного сада. Мисс Грир пошла в дом взять пуловер, так как ей стало холодно, а с Крейлом была миссис Крейл, и они обсуждали вопрос об отъезде Анджелы в школу.

— Вполне дружеская беседа?

— Нет, не дружеская. Крейл чуть ли не кричал на нее, насколько я понимаю. Сердился, что его донимают домашними проблемами. По-моему, она хотела обговорить некоторые подробности, раз им предстояло разойтись.

Пуаро кивнул.

— Оба брата обменялись с Эмиасом Крейлом несколькими словами. Затем снова появилась мисс Грир и села на свое место. Крейл взялся за кисть, явно надеясь, что все уйдут. Намек был понят, и они вернулись в дом. Между прочим, именно тогда, когда они были в Оружейном саду, Эмиас Крейл пожаловался, что пиво теплое, и его жена пообещала ему принести пиво из холодильника.

— Ага!

— Вот именно «ага!». В ту минуту она просто источала мед. Братья вернулись в дом и уселись на террасе. Миссис Крейл и Анджела Уоррен принесли им пива.

Потом Анджела Уоррен отправилась на берег моря купаться, и Филип Блейк пошел с ней.

Мередит Блейк устроился на поляне, где была скамейка. Поляна эта выходила как раз на Оружейный сад. Ему была видна сидевшая на бойнице мисс Грир и слышен разговор между ней и Крейлом. Мистер Мередит сидел и думал о пропавшем кониуме. Он очень беспокоился по этому поводу и не знал, как поступить. Эльза Грир увидела его и помахала ему рукой. Когда позвонили к обеду, он спустился к калитке Оружейного сада, откуда вышла Эльза Грир, и они вместе вернулись в дом. Именно тогда он заметил, что Крейл выглядел, как он сказал, довольно странно, но в ту пору не придал этому значения. Крейл был из тех, кто никогда не болеет, поэтому никому и в голову не пришло, что с ним может что-то случиться. С другой стороны, когда ему не писалось так, как он хотел, у него бывали приступы гнева или, наоборот, он впадал в депрессию. В таких случаях его не трогали и старались как можно меньше с ним общаться. Так и поступили в данном случае мисс Грир и мистер Мередит Блейк.

Что же касается остальных, то слуги были заняты работой по дому и приготовлением обеда. Мисс Уильямс с утра сидела в классной комнате, проверяя тетради Анджелы. А затем тоже уселась на террасе, занимаясь починкой белья. Анджела Уоррен большую часть утра провела в саду — лазала по деревьям, срывала плоды. Вам известно, что такое пятнадцатилетняя девчонка! Сливы, кислые яблоки, недозрелые груши и тому подобное. После этого она вернулась в дом, а потом, как я уже сказал, пошла с Филипом Блейком на море, где перед обедом выкупалась.

Старший полицейский офицер Хейл помолчал.

— А теперь, — воинственно сказал он, — как по-вашему, есть во всей этой истории нечто вызывающее сомнения?

— Нет, — сказал Пуаро.

— Вот видите!

В этих двух словах слышалось торжество.

— И тем не менее, — продолжал Пуаро, — я намерен добиться для себя полной ясности. Я...

— Что вы собираетесь делать?

— Я хочу посетить этих пятерых и услышать от каждого из них их собственную версию случившегося.

Старший полицейский офицер Хейл тяжело вздохнул.

— Вы сошли с ума! — сказал он. — Их версии никогда не совпадут. Неужто вам не ясно, что не встретишь и двух людей, кто бы помнил события одинаково. Да еще когда прошло столько времени! Вы услышите пять версий пяти различных убийств!

— На это я и рассчитываю, — ответил Пуаро. — Это будет очень поучительно.

Глава 6

ПЕРВЫЙ ПОРОСЕНОК ПОШЕЛ НА БАЗАР...

Филип Блейк полностью соответствовал описанию Монтегю Деплича. Преуспевающий и общительный хитрец, склонный к полноте.

Эркюль Пуаро попросил принять его в половине седьмого вечера в воскресенье. Филип Блейк только что закончил партию в гольф и торжествовал победу, выиграв у противника пять фунтов. Он был готов к дружелюбному и откровенному разговору.

Эркюль Пуаро представился и объяснил, что ему нужно. На этот раз он не спешил признаться в истинной причине своего прихода. Речь шла, как понял Блейк, о серии книг, посвященных знаменитым преступлениям.

— Господи, — нахмурился Филип Блейк, — кому это нужно?

Эркюль Пуаро пожал плечами. Сегодня он старался как можно больше выглядеть иностранцем. Пусть к нему относятся свысока, но снисходительно.

— Публика любит такое чтение, — пробормотал он.

— Дикари, — отозвался Филип Блейк. Но сказано это было благодушно — без той брезгливости и отвращения, которые проявил бы более щепетильный человек.

— Такова человеческая натура, — заметил, пожав плечами, Эркюль Пуаро. — Мы с вами, мистер Блейк, знаем жизнь, а потому не испытываем иллюзий насчет наших соплеменников. Большинство из них люди неплохие, но идеализировать их не приходится.

— Я лично давно расстался с иллюзиями, — признался Блейк.

— Зато, говорят, вы рассказываете занимательные истории.

— А! — блеснул глазами Блейк. — Слышали эту?

Пуаро рассмеялся именно там, где следовало. История была не поучительной, но забавной.

Филип Блейк откинулся на спинку кресла, расслабился, глаза щурились от удовольствия.

А Эркюлю Пуаро вдруг пришло в голову, что он выглядит как довольный жизнью поросенок.

Первый поросенок пошел на базар...

Что представляет собой этот человек, Филип Блейк? Забот он, по-видимому, не ведает. Преуспевает, доволен собой. Никаких укоров, угрызений совести, навязчивых воспоминаний о прошлом. Да, откормленный поросенок, который пошел на базар и накупил много товара...

А когда-то Филип Блейк, наверное, был совсем другим. Видно, красивым в молодости. Глаза, правда, могли бы быть чуть побольше и пошире расставлены, но в остальном вполне приличный молодой человек. Сколько ему сейчас? На вид где-то между пятьюдесятью и шестьюдесятью. Значит, во время смерти Крейла ему было под сорок. Был в ту пору меньше доволен собой, своим положением. Требовал от жизни, наверное, больше, а получал меньше...

Не зная, как приступить к делу, Пуаро пробормотал:

— Вы, разумеется, понимаете мое положение?

— Нет, представьте себе, и не догадываюсь. — Маклер выпрямился, взгляд его снова стал внимательным. — Почему вы? Вы ведь не писатель?

— Ни в коем случае. Я сыщик.

Подобная скромность вовсе не была присуща Эркюлю Пуаро.

— Ну конечно! Мы все знаем, кто вы. Знаменитый Эркюль Пуаро!

Но в тоне его звучала насмешка. Филип Блейк был слишком англичанином, чтобы всерьез относиться к претензиям иностранца.

Своим приятелям он бы сказал: «Продувная бестия! Может, на женщин он и производит впечатление, но со мной этот номер не пройдет!»

И хотя именно такое ироническое отношение и хотел вызвать у него Эркюль Пуаро, тем не менее он вдруг разозлился.

На этого человека, этого преуспевающего дельца появление Эркюля Пуаро не произвело должного впечатления! Какое безобразие!

— Я искренне польщен, — отнюдь не искренне сказал Пуаро, — что вы меня так хорошо знаете. Мой успех, позвольте заметить, основан на психологии — на вечном «почему?» в поведении человека. Сегодня, мистер Блейк, мир интересует психологический аспект совершенного преступления. А когда-то это был романтический аспект. Знаменитые преступления пересказывались только под одним углом зрения — в основе их лежала любовная история. В наши дни все изменилось. Люди с интересом читают о том, что доктор Криппен убил свою жену, потому что она была крупной, рослой женщиной, а он — маленьким и невидным, и поэтому у него развился комплекс неполноценности. Они читают об известной преступнице, которая совершила убийство потому, что ее отец не обращал на нее никакого внимания, когда ей было три года. Нынче публику интересует, почему совершено то или иное преступление.

Слегка зевнув, Филип Блейк сказал:

— По-моему, причина большинства преступлений совершенно ясна. Обычно это деньги.

— Нет, дорогой мой сэр, — воскликнул Пуаро, — причина никогда не бывает ясна! В этом-то все дело!

— И именно тут подключаетесь вы?

— И именно тут, как вы изволили выразиться, подключаюсь я! Есть идея изложить ряд совершенных когда-то преступлений с точки зрения психологии. Я специалист в области психологии. Вот почему я и принял на себя эту обязанность.

— Думаю, на весьма выгодных условиях? — ухмыльнулся Филип Блейк.

— Надеюсь. Очень надеюсь.

— Примите мои поздравления. А тут, быть может, вы объясните, при чем тут я?

— С удовольствием. Речь идет о деле Крейлов, мсье.

Филип Блейк не удивился. Но сделался задумчив.

— Да, конечно, дело Крейл... — произнес он.

— Надеюсь, это не вызывает у вас неприятных чувств, мистер Блейк? — заволновался Эркюль Пуаро.

— Ни в коем случае, — заверил его Филип Блейк. — Зачем негодовать по поводу того, что ты не можешь изменить? Процесс Кэролайн Крейл давно стал достоянием общественности. Любой может обратиться к архивам и изучить его от начала до конца. Возражать бесполезно. Хотя — не боюсь вам признаться — все это мне очень не по душе. Эмиас Крейл был моим близким другом. Очень жаль, что предстоит заново разворошить всю эту неприглядную историю. Но от этого никуда не денешься.

— Вы философ, мистер Блейк.

— Нет. Просто я хорошо понимаю, что лезть на рожон ни к чему. Думаю даже, что вы подойдете к этой проблеме менее предвзято, чем кто-либо другой.

— Надеюсь, что мне удастся написать об этом достаточно деликатно и удержаться от безвкусицы, — сказал Пуаро.

Филип Блейк громко, но невесело хохотнул:

— Забавно слышать это от вас.

— Уверяю вас, мистер Блейк, я в этом весьма заинтересован. Для меня это вопрос не только денег. Я искренне хочу воссоздать прошлое, прочувствовать и увидеть события, которые имели место, понять, что за ними стояло, уяснить мысли и чувства участников драмы.

— Не думаю, что в этой, как вы выражаетесь, драме присутствовали какие-то особые хитросплетения. Дело было совершенно очевидным. Обычная женская ревность, и ничего больше, — заметил Филип Блейк.

— Меня очень интересует, мистер Блейк, ваша реакция на случившееся.

— Реакция! Реакция! — вдруг с жаром повторил Филип Блейк, и лицо его побагровело. — Как вы можете так говорить? Какой могла быть моя реакция, когда убили, отравили моего друга, моего лучшего друга! А ведь

445

если бы я действовал более проворно, то сумел бы его спасти.

— Почему вы так считаете, мистер Блейк?

— Вот почему. Полагаю, вы уже знакомы с обстоятельствами дела?

Пуаро кивнул.

— Отлично. В то утро мой брат Мередит позвонил мне. Он попал в переплет. Одна из его адских смесей, к тому же смертельно опасная, пропала. Как же поступил я? Велел ему прийти и обещал обговорить с ним это обстоятельство. Решить, что нам делать. «Решить, что нам делать». До сих пор не могу понять, почему я оказался таким дураком и не сообразил сразу, что промедление смерти подобно. Мне следовало подойти прямо к Эмиасу и предупредить его, сказав: «Кэролайн утащила у Мередита яд, и вам с Эльзой следует быть начеку».

Блейк встал и возбужденно заходил взад и вперед по комнате:

— Господи Боже, неужто вы думаете, что я об этом забыл? Я знал. И у меня была возможность спасти Эмиаса, а я отнесся к этому несерьезно, предоставив Мередиту решать, как поступить. Почему у меня не хватило ума сообразить, что Кэролайн не остановят ни угрызения совести, ни сомнения? Она украла этот яд неспроста, украла, чтобы использовать при первой же возможности. Она не станет ждать, пока Мередит обнаружит пропажу. Я знал, что Эмиасу грозит смертельная опасность, и ничего не предпринял.

— Вы напрасно так казнитесь, мсье. У вас не было времени...

— Времени? — перебил его Блейк. — У меня было полно времени. И куча возможностей. Я мог пойти прямо к Эмиасу, как я уже сказал, пусть даже он бы мне не поверил. Эмиас был не из тех, кто легко верит, что им грозит опасность. Он бы только махнул рукой. Кроме того, он никогда бы не согласился с тем, что Кэролайн способна на преступление. А я мог бы пойти к ней. И сказать: «Я знаю, что ты задумала, что ты собираешься сделать. Предупреждаю тебя, если Эмиас или Эльза умрут от отравления кониумом, тебя повесят». Это бы ее остановило. В конце концов, я мог бы по-

446

звонить в полицию. Многое можно было бы сделать, а вместо этого я позволил Мередиту уговорить себя действовать осторожно и не спеша. «Нам необходимо обговорить все как следует, удостовериться, кто взял яд...» Старый дурак — за всю жизнь не принял ни единого быстрого решения! Ему повезло, что он оказался старшим сыном и унаследовал поместье. Если бы ему хоть раз пришлось делать деньги, он бы остался без пенни в кармане.

— А вы не сомневались, кто взял яд? — спросил Пуаро.

— Разумеется, нет. Я сразу понял, что это дело рук Кэролайн. Я ее хорошо знал.

— Очень интересно, — заметил Пуаро. — Мне хотелось бы знать, мистер Блейк, что представляла собой Кэролайн Крейл.

— Она не была оскорбленной невинностью, какой казалась на процессе, — резко сказал Филип Блейк.

— Какой же она была?

Блейк сел на место.

— Вы в самом деле хотите знать? — сурово спросил он.

— Очень.

— Кэролайн была дрянью. Дрянью от начала и до конца. Но с обаянием. Ей была присуща та мягкость, которая действует на людей обманчиво. Она казалась хрупкой и беспомощной, и окружающим всегда хотелось прийти ей на помощь. Если обратиться к истории, у нее много общего с королевой шотландской Марией Стюарт. Всегда добрая, несчастная, привлекательная, а в действительности — холодная, расчетливая интриганка, замыслившая убийство Дарнли и ушедшая от ответа. И Кэролайн была такой же — холодной и расчетливой. И по характеру она была недоброй.

Не знаю, сказали ли вам — на процессе это не было отмечено как существенная деталь, но ее это высвечивает в определенном ракурсе, — что она сделала со своей младшей сестрой? Она была от природы ревнивой. Ее мать вышла замуж вторично, и все внимание и любовь были обращены на маленькую Анджелу. Кэролайн не могла этого выдержать. Она попыталась убить малышку — ударила ее рукояткой кочерги. К счастью, удар оказался несмертельным. Но поступок этот говорит о многом.

447

— Да, конечно.

— Вот что такое настоящая Кэролайн. Она всегда и везде стремилась быть первой. Быть второй — этого она не могла пережить. В ней был холодный эгоизм, способность совершить убийство.

Она казалась импульсивной, а в действительности была расчетливой. Когда она еще совсем молоденькой гостила в Олдербери, она быстро, но внимательно разглядывала нас и планировала свое будущее. Собственных денег у нее не было. Я в ее расчеты не входил — младший сын, которому предстояло проложить себе дорогу самостоятельно. Забавно, что сейчас я мог бы, пожалуй, купить Мередита и Крейла, будь он жив, со всеми потрохами! Некоторое время она присматривалась к Мередиту, но в конце концов остановила свой выбор на Эмиасе. У Эмиаса будет Олдербери, и, хотя доходов от поместья немного, она поняла, что как художник он необычайно талантлив. И сделала ставку на то, что, прославившись, он сумеет неплохо зарабатывать.

Она не ошиблась. Признание пришло к Эмиасу очень скоро. Он не сделался модным художником — но талант его был признан, и картины раскупались. Вам доводилось видеть его картины? У меня есть одна. Пойдемте, я вам покажу.

Он повел Пуаро в столовую и указал на стену слева:

— Вот пожалуйста. Это картина Эмиаса.

Пуаро молча разглядывал картину. Он был поражен, как человек способен преобразить самый обычный предмет волшебной силой таланта. На полированном столе красного дерева стояла ваза с розами. Казалось бы, избитая тема. Как же Эмиасу Крейлу удалось заставить розы полыхать буйным, почти непристойным пламенем? Блики этого пламени, словно наяву, дрожали на полировке стола. Чем объяснить то изумление, которое вызывала картина? Ибо она была изумительной. Пропорции стола, наверное, повергли бы старшего полицейского офицера Хейла в отчаяние. Он принялся бы утверждать, что роз такой формы и такого цвета не бывает. А потом гадал бы, чем ему не пришлись по душе эти розы и по какой причине не понравился круглый стол красного дерева.

— Удивительно, — с легким вздохом пробормотал Пуаро.

Блейк повел его обратно.

— Я сам никогда не разбирался в искусстве. Не понимаю, почему мне хочется смотреть и смотреть на эту картину не отрывая глаз. Она такая... такая настоящая, — признался он.

Пуаро энергично закивал.

Блейк предложил гостю сигарету и закурил сам.

— И этот человек, человек, который написал эти розы, человек, который создал «Женщину, готовящую коктейль», человек, который написал потрясающее «Рождество Христово», этот человек погублен в расцвете лет мстительной, злобной по натуре женщиной! — Он помолчал. — Вы скажете, что я ожесточен, что я несправедлив к Кэролайн. Да, она обладала обаянием, я это чувствовал. Но я знал, я всегда знал, что она представляет собой в действительности. Эта женщина, мсье Пуаро, была олицетворением зла. Она была беспощадной, безжалостной и хищной.

— Но мне говорили, что миссис Крейл в браке довелось мириться с многочисленными трудностями?

— Да, причем она не стеснялась всем об этом рассказывать. Вечная мученица! Бедняга Эмиас! Его семейная жизнь была сплошным адом — или, скорее, была бы адом, не будь он человеком необычным. Его талант служил ему защитой. Когда он писал, все становилось ему безразличным, он забывал про Кэролайн, про ее придирки, про их ссоры и размолвки, а им не было конца, как вам известно. Не проходило и недели, чтобы не случалось очередного скандала. Ей эти распри доставляли удовольствие. Поднимали настроение, что ли. Давали выход чувствам. Она выкрикивала все обидные слова и оскорбления, что приходили ей на ум, а потом мурлыкала от удовольствия, как гладкая, откормленная кошка. Ему же подобные скандалы обходились дорого. Он жаждал мира, тишины, покоя. Такому человеку, как он, вообще не следовало жениться — он не был создан для семейного очага. У мужчины вроде Крейла могут быть связи, но не семейные узы. Они сковывают его индивидуальность.

— Он вам об этом говорил?

— Он знал, что я его верный друг. И понимал, что я сам все вижу. Он не жаловался. Не таким он был человеком. Порой у него вырывалось: «Будь они прокляты, эти женщины!» Или: «Никогда не женись, старина. Успеешь побывать в аду после смерти».

— Вы знали про его увлечение мисс Грир?

— О да, по крайней мере, я видел, как это началось. Он сказал мне, что познакомился с изумительной девушкой. Она совсем не такая, сказал он, каких ему довелось знать прежде. Правда, я не придал большого значения его словам. Эмиас вечно встречал «необыкновенных женщин». Но обычно уже через месяц он смотрел на вас непонимающими глазами и не мог вспомнить, о ком идет речь. Но Эльза Грир действительно была не похожа на других. Я понял это, когда приехал в Олдербери. Она его заарканила, поймала раз и навсегда. Бедняга плясал под ее дудку.

— Вам Эльза Грир тоже не нравилась?

— Не нравилась. Она явно была из хищниц. Она хотела, чтобы Крейл принадлежал ей и душой и телом. И тем не менее я считаю, она подходила ему больше, чем Кэролайн. Будь она за ним замужем, она бы предоставила ему свободу. Или он бы ей надоел и она быстро нашла бы кого-нибудь другого. Освободиться от всяких связей с женщинами было бы Эмиасу только на пользу.

— Но он, по-видимому, к этому не стремился?

— Этот глупец вечно впутывался в интрижки, — вздохнул Филип Блейк. — Но в действительности женщины мало что значили в его жизни. Только две оставили в ней след — это Кэролайн и Эльза.

— А ребенка он любил? — спросил Пуаро.

— Анджелу? Мы все любили Анджелу. Отличная девочка! Не капризная, любила всякие проделки. Несчастная женщина была эта ее гувернантка. Эмиас тоже очень любил Анджелу, но порой она позволяла себе слишком многое, и тогда он жутко на нее злился. Тогда вмешивалась Кэролайн, всегда принимая сторону Анджелы, чем окончательно выводила Эмиаса из себя. Он терпеть не мог, когда они выступали против него единым фронтом. В доме вообще было чересчур много ревности. Эмиас ревновал к тому, что у Кэро Анджела обычно была на первом месте и ради нее она была готова на все. А Анджела ревновала Кэро к Эмиасу и бунтовала против его властных манер. Это он принял решение отправить ее осенью в школу, и она была в ярости. Не из-за того, что ей не хотелось ехать в школу, по-моему, она была вовсе не против школы, ее разозлило, что Эмиас решил все сам, даже не поговорив предварительно с ней. И она всячески старалась ему отомстить. Однажды она сунула ему в постель с десяток слизняков. А вообще-то я считаю, Эмиас был прав. Пора ей было узнать, что такое дисциплина. Мисс Уильямс была превосходной гувернанткой, но даже она признавалась, что не в силах справиться с Анджелой.

Он умолк.

— Когда я спросил, любил ли Эмиас ребенка, — сказал Пуаро, — я имел в виду его собственную дочь.

— А, вы говорили про малышку Карлу? Она тоже была всеобщей любимицей. И Эмиас, когда был в настроении, с удовольствием с ней возился. Но его привязанность к девочке ни в коем случае не помешала бы ему жениться на Эльзе, если вы об этом меня спрашиваете. Такого чувства к дочери он не испытывал.

— А Кэролайн Крейл была очень привязана к ребенку?

Что-то вроде судороги исказило лицо Филипа.

— Не могу сказать, что она была плохой матерью. Нет, не могу. Единственное...

— Да, мистер Блейк?

— Единственное, что вызывает у меня чувство боли во всей этой истории, — с горечью отозвался Филип, — это мысль о ребенке. При каких трагических обстоятельствах началась, по существу, ее жизнь! Ее отправили за границу к двоюродной сестре Эмиаса. Я надеюсь, очень надеюсь, что ей и ее мужу удалось утаить от ребенка правду.

Пуаро покачал головой:

— Правда, мистер Блейк, имеет обыкновение обнаруживаться. Даже по прошествии лет.

— Не уверен, — пробормотал маклер.

— В интересах истины, мистер Блейк, — продолжал Пуаро, — я хочу попросить вас кое-что сделать.

— Что именно?

— Я хочу попросить вас подробно описать все события, имевшие место в те дни в Олдербери. То есть я прошу вас в письменной форме изложить ваши воспоминания, связанные как с самим убийством, так и с сопутствующими ему обстоятельствами.

— Но разве можно после стольких лет упомнить все в точности и последовательности?

— Почему же нет?

— Потому что прошло так много времени.

— Именно по прошествии лет в памяти остается самое главное, отсекая все несущественные детали.

— Вы хотите получить общее изложение фактов?

— Ни в коем случае. Мне нужно подробное, добросовестное описание всех событий в том порядке, в каком они происходили, и всех бесед, которые вы в состоянии припомнить.

— А что, если я неправильно их запомнил?

— Постарайтесь изложить их так, как они вам помнятся. Конечно, кое-что вы подзабыли, но этому уж ничем не поможешь.

Блейк с любопытством смотрел на него.

— А зачем все это? В полицейском досье вы найдете значительно более аккуратное изложение фактов.

— Нет, мистер Блейк. Меня интересует психология. Мне не нужны голые факты. Мне нужен ваш собственный отбор фактов. Время и память помогут вам сделать выбор. Возможно, имели место эпизоды или были сказаны слова, которых мне никогда не найти в полицейских досье, ибо вы никогда о них прежде не упоминали, либо не придавая им значения, либо не желая о них говорить.

— Эти мои воспоминания будут опубликованы? — резко спросил Блейк.

— Разумеется, нет. Прочту их только я. Они помогут мне сделать определенные выводы.

— И вы не будете из них ничего цитировать без моего согласия?

— Разумеется, нет.

— Хм, — задумался Филип Блейк, — я очень занят, мсье Пуаро.

— Я прекрасно понимаю, что вам придется затратить на это время и усилия. Я был бы рад договориться о гонораре. В разумных пределах.

Наступило молчание.

— Нет, — вдруг выпалил Филип Блейк, — если я уж возьмусь за это дело, то бесплатно.

— Значит, возьметесь?

— Помните, я не могу поручиться за надежность своей памяти, — предупредил Филип.

— Это вполне понятно.

— В таком случае, — сказал Филип Блейк, — я с удовольствием это сделаю. По-моему, я обязан сделать это... из дружбы к Эмиасу Крейлу.

Глава 7

ВТОРОЙ ПОРОСЕНОК ЗАБИЛСЯ В АМБАР...

Эркюль Пуаро был не из тех, кто пренебрегает деталями.

Он тщательно продумал тактику подхода к Мередиту Блейку. Мередит Блейк, был уверен он, очень отличается от Филипа Блейка, и его нельзя брать штурмом. Тут следовало действовать не спеша.

Эркюль Пуаро знал, что есть только один способ проникнуть в эту крепость. Необходимо запастись рекомендательными письмами. Причем эти письма ни в коем случае не должны быть от его коллег по профессии. К счастью, за годы карьеры Эркюль Пуаро обрел друзей во многих графствах. В том числе и в Девоншире. Он стал вспоминать, кто ему может помочь в Девоншире. И нашел двух людей, которые оказались знакомыми или друзьями мистера Мередита Блейка. В результате чего и явился к нему во всеоружии: одно письмо было написано леди Мэри Литтон-Гор, вдовой благородного происхождения, но с ограниченными средствами, ведущей весьма уединенный образ жизни, а второе — адмиралом в отставке, семья которого продолжала обитать в Девоншире уже в четвертом поколении.

Мередит Блейк принял Пуаро в состоянии некоторого замешательства.

Последнее время, чувствовал он, очень многое в жизни изменилось. Например, когда-то частные сыщики были только частными сыщиками, которым либо поручали охрану подарков на деревенских свадьбах, либо предстояло распутать какое-нибудь грязное дельце.

Но вот что пишет леди Мэри Литтон-Гор: «Эркюль Пуаро — мой старый и близкий друг. Убедительно прошу вас оказать ему посильную помощь». А Мэри Литтон-Гор никак нельзя отнести к тем женщинам, которые имеют дело с частными сыщиками. И адмирал Кроншо писал: «Отличный малый, превосходно соображает. Буду признателен, если вы сочтете возможным ему помочь. И человек он интересный, может рассказать немало занимательного».

И вот он явился. Странный тип: не так одет, ботинки на пуговичках, немыслимые усы! Явно не в его, Мередита Блейка, вкусе. Сразу видно, что не охотник и не картежник. Иностранец, одним словом.

Посмеиваясь в душе, Эркюль Пуаро с легкостью читал мысли, которые роились в голове у Мередита Блейка.

Он сразу почувствовал, насколько вырос его интерес, как только поезд доставил его в Вест-Кантри. Теперь он собственными глазами увидит те места, где когда-то разыгрались события.

Именно здесь, в Хэндкросс-Мэнор, жили два брата, отсюда они ходили в Олдербери, где шутили, играли в теннис и дружили с юным Эмиасом Крейлом и девушкой по имени Кэролайн. Отсюда Мередит отправился в Олдербери в то роковое утро. Было это шестнадцать лет назад. Эркюль Пуаро с любопытством посмотрел на человека, который в свою очередь вежливо, но не без тревоги взирал на него.

Мередит Блейк был именно такой, каким Пуаро и ожидал его увидеть: очень похож на английского джентльмена из сельской местности, довольно стесненного в средствах и увлекающегося охотой и спортивными играми на свежем воздухе.

Поношенный пиджак из твида, обветренное, но с приятными чертами и выцветшими голубыми глазами лицо, нечетко очерченный рот, неровная щеточка усов. Мередит Блейк, решил Пуаро, совсем не такой, как его брат. Держался он неуверенно, мыслил явно лениво. Казалось, будто с годами ритм его жизни становился все более медлительным, в то время как у его брата, наоборот, ускорялся.

Как Пуаро уже догадался, Мередит Блейк был из тех, кого нельзя подталкивать. Неторопливость английской сельской жизни проникла в его кровь и плоть.

Выглядел он, думал Пуаро, много старше своего брата, хотя, по словам мистера Джонатана, разница между ними составляла всего лишь года два.

Эркюль Пуаро похвалил себя за то, что угадал, с чего начать общение с человеком старой закваски. И казаться англичанином сейчас тоже было незачем. Нет, лучше быть явным иностранцем — и тогда тебя великодушно за это простят. Эти иностранцы плохо разбираются в наших порядках. Например, перед завтраком протягивают руку, чтобы поздороваться. И тем не менее это вполне приличный человек...

Пуаро решил произвести именно такое впечатление. Они осторожно побеседовали о леди Мэри Литтон-Гор и об адмирале Кроншо. Были упомянуты и другие имена. К счастью, Пуаро был знаком с чьим-то кузеном и встречался с чьей-то золовкой. И заметил, как глаза сквайра потеплели. Этот иностранец, по-видимому, вращается среди приличных людей.

Легко и незаметно Пуаро перешел к цели своего визита. Быстро преодолел неизбежно вызванную неприязнь. Эта книга — увы! — должна быть написана. Мисс Крейл — мисс Лемаршан, как ее зовут теперь, — просит его быть редактором. Факты, к сожалению, явились достоянием общественности. Но можно постараться и сделать так, чтобы исключить из текста душераздирающие подробности. Ранее, добавил Пуаро, ему уже удалось использовать свое влияние, дабы избежать пикантных частностей в мемуарах одного лица.

Мередит Блейк побагровел от гнева. Руки его дрожали, когда он набивал трубку. Чуть заикаясь, он сказал:

— Отвратительно раскапывать то, что случилось шестнадцать лет назад! Почему не оставить все как есть?

Пуаро пожал плечами.

— Я с вами совершенно согласен, — сказал он. — Но что поделать? На такие вещи есть спрос. И любой имеет право восстановить в памяти людей доказанное в суде преступление и прокомментировать его.

— Мне это представляется безобразием.

— Увы, мы живем в далеко не деликатном веке... — пробормотал Пуаро. — Вы были бы поражены, мистер Блейк, если бы узнали, сколько неприятных публикаций мне удалось, скажем, смягчить. Я очень хочу сделать все, что в моих силах, чтобы пощадить чувства мисс Крейл.

— Малышка Карла! Этот ребенок уже превратился во взрослую женщину! Трудно поверить! — бормотал Мередит Блейк.

— Время летит быстро, не так ли?

— Чересчур быстро, — вздохнул Мередит Блейк.

— Как вы убедились из переданного мною письма мисс Крейл, — сказал Пуаро, — она поставила себе задачей узнать все, что можно, о печальных событиях прошлого.

— Зачем? Зачем раскапывать все заново? — сердился Мередит Блейк. — Не лучше ли оставить все как есть?

— Вы это говорите, мистер Блейк, потому что слишком хорошо знаете прошлое. Мисс Крейл же ничего не помнит. То есть она знает о случившемся только из официальных документов.

— Да, я забыл, — поморщился Мередит Блейк. — Бедное дитя. В каком она положении! Какой ужас — узнать всю правду! И прочитать эти бездушные, сухие судебные отчеты.

— Истину, — заметил Эркюль Пуаро, — никогда не оценить только на основании судебных протоколов. Многое остается за пределами этих документов и в то же время имеет большое значение. Это ощущения, чувства, характеры участников состоявшейся драмы, смягчающие вину обстоятельства...

Он умолк, и его собеседник тотчас откликнулся, словно актер в ответ на брошенную ему реплику:

— Смягчающие вину обстоятельства! Вот именно. Если они и существовали когда-либо, то именно в этом случае. Эмиас Крейл был мне старым приятелем — наши семьи уже несколько поколений дружат, — но, честно говоря, его поведение было возмутительным. Конечно, он был художником, и, по-видимому, этим оно объясняется. Он позволял себе бесконечные романы, да и вообще такие поступки, какие не придут в голову приличному человеку.

— Ваше последнее замечание крайне интересно, — сказал Эркюль Пуаро. — Эта ситуация представляется мне исключительно непонятной, ибо воспитанный светский человек никогда не станет хвастаться своими связями с женщинами.

Худое лицо Блейка, с которого так и не сошло выражение недоумения, вдруг оживилось.

— Да, — согласился он, — но дело ведь в том, что Эмиас был человеком необычным! Он был художником, и искусство у него всегда вытесняло все остальное. Я никогда не понимал и сейчас не понимаю эти так называемые художественные натуры. Крейла, правда, я немного понимал — наверное, потому, что знал его всю жизнь. Его родители ничем не отличались от моих родителей. Во многом Крейл был обычным человеком. И только в том, что касалось искусства, он не соглашался с общепринятыми стандартами. Он ни в коем случае не был любителем. Он был первоклассным, поистине первоклассным художником. Его кое-кто считает даже гением. Может, это и справедливо. Но именно поэтому он и был, так сказать, человеком неуравновешенным. Когда он писал картину, все остальное для него не существовало, не имело права ему мешать. Он жил как во сне. Работа завладевала им целиком. И только когда картина была написана, он приходил в себя и начинал жить обычной жизнью.

Он вопросительно взглянул на Пуаро, и тот кивнул.

— Я вижу, вы меня понимаете. Вот чем объясняется и возникновение той самой ситуации. Он был влюблен в эту девушку. Хотел на ней жениться. Был готов ради нее оставить жену и ребенка. Но он уже начал писать ее и хотел закончить картину. Все прочее перестало для него существовать. Он никого не видел. И ему даже в голову не приходило, что сложившаяся обстановка была невыносимой для этих двух женщин.

— А они его понимали?

— Отчасти. Эльза, по-моему, понимала. Она восторгалась им как художником. Но положение у нее, естественно, было нелегким. Что же касается Кэролайн...

Он умолк.

— Что же касается Кэролайн... — напомнил Пуаро.

— Кэролайн... Я всегда... Я всегда очень любил Кэролайн. Было время, когда... когда я мечтал жениться на ней. Но это чувство вскоре было в корне пресечено. Тем не менее я навсегда остался, если можно так сказать, преданным ей.

Пуаро в раздумье кивнул. Это старомодное выражение, почувствовал он, отражает сущность сидящего перед ним человека. Мередит Блейк был из тех людей, кто охотно и преданно посвящает себя своей романтической привязанности. Он будет беззаветно служить даме сердца, не надеясь на награду. Да, все это очень соответствует его натуре.

— Вас, должно быть, — тщательно подбирая слова, сказал Пуаро, — возмущало подобное отношение к ней?

— Да. Очень. Я даже попытался поговорить с Крейлом по этому поводу.

— Когда же это произошло?

— Накануне случившегося. Они пришли ко мне на чай. Я отозвал Крейла в сторону и... высказался. Помню, я даже сказал, что это несправедливо по отношению к ним обеим.

— А, вы так сказали?

— Да. Видите ли, мне казалось, что он этого не понимает.

— Вполне возможно.

— Я объяснил ему, что это ставит Кэролайн в исключительно трудное положение. Если он намерен жениться на этой девушке, то незачем держать ее у себя в доме, тыча ею Кэролайн в лицо. Сносить подобное оскорбление, сказал я, выше ее сил.

— И что же он ответил? — с любопытством спросил Пуаро.

— «Ничего, проглотит», — с отвращением произнес Мередит Блейк.

Эркюль Пуаро поднял брови.

— Не очень симпатичный ответ, — заметил он.

— По-моему, просто гнусный. Я вышел из себя, сказал, что если ему наплевать на жену и безразлично, что он заставляет ее страдать, тогда как быть с девушкой? Неужто он не понимает, в какое гадкое положение ставит ее? Он ответил, что и Эльза это проглотит. И затем продолжал: «Ты, Мередит, по-видимому, не понимаешь, что я пишу свою лучшую картину. Это шедевр. И двум ревнивым и сварливым бабам не удастся ее испортить, черт побери!»

Убеждать его было без толку. Я сказал, что он утратил всякое чувство приличия. Работа, сказал я, это еще не все. И тут он меня перебил: «Для меня — все».

Я никак не мог успокоиться. Заявил, что его отношение к Кэролайн просто позор. Что она с ним несчастна. Он ответил, что знает это и очень сожалеет. Сожалеет! «Я знаю, Мерри, — сказал он, — ты мне не поверишь, но это правда. Из-за меня Кэролайн живет в аду, но она святая и никогда не жалуется. Она, по-моему, знала, на что идет. Я не скрывал от нее, что я законченный эгоист и распущенный малый».

Тогда я стал убеждать его не разрушать свой брак. Ведь следует подумать и о ребенке. Могу понять, сказал я, что такая девушка, как Эльза, способна вывести мужчину из равновесия, но что даже ради нее он обязан покончить с создавшимся положением. Она еще совсем молода. Она вступила с ним в связь, не подумав, чем это может кончиться. Неужто он не в силах окончательно порвать с Эльзой и вернуться к жене?

— И что же он ответил?

— Ничего, — сказал Блейк. — Он вроде бы смутился. Похлопал меня по плечу и сказал: «Хороший ты малый, Мерри, только чересчур чувствительный. Подожди, пока я закончу картину, и тогда ты поймешь, что я был прав». — «Черт бы побрал твою картину!» — не смог удержаться я. А он усмехнулся и сказал, что даже стараниями всех психопаток Англии это вряд ли случится. Тогда я сказал, что было бы куда более пристойно скрывать все от Кэролайн, пока картина не будет закончена. Это не его вина, ответил он. Эльза проболталась. Зачем, спросил я. Ей взбрело в голову, ответил он, что иначе не получится так, как она хочет. Она хочет, чтобы все было ясно и определенно. Ну, разумеется, отчасти ее можно понять и оправдать. Как бы дурно она себя ни вела, она, по крайней мере, хотела быть честной.

— Честность часто только добавляет боли и горя, — заметил Эркюль Пуаро.

Мередит Блейк недоверчиво посмотрел на него. Ему не очень понравилось последнее замечание Пуаро.

— Во всяком случае, это было крайне тяжкое время для всех нас, — вздохнул он.

— И единственный, кто, по-видимому, этого не замечал, был Эмиас Крейл, — сказал Пуаро.

— А почему? Потому что был законченным эгоистом. Помню, как перед тем, как отойти от меня, он усмехнулся и сказал: «Не беспокойся, Мерри. Все вернется на круги своя!»

— Безнадежный оптимист, — пробормотал Пуаро.

— Он был из тех мужчин, которые не относятся к женщинам всерьез. Мне следовало бы предупредить его, что Кэролайн дошла до отчаяния, — признался Мередит Блейк.

— Она сама вам об этом сказала?

— Не то чтобы сказала, но я никогда не забуду ее лица в тот день. Бледное и напряженное от какого-то искусственного веселья. Она без умолку говорила и смеялась. Но в ее глазах были такие боль и отчаяние, каких я никогда не видел. Благородное создание...

Эркюль Пуаро секунду-другую молча смотрел на него. Неужто человек, сидящий напротив, не понимает несообразности своих слов, отзываясь таким образом о женщине, которая на следующий день намеренно убила своего мужа?

Мередит Блейк разговорился. Он наконец преодолел появившиеся у него поначалу подозрительность и неприязнь к Пуаро. Эркюль Пуаро умел слушать. А для людей вроде Мередита Блейка возможность пережить заново прошлое имела свою привлекательность. Сейчас он рассказывал больше самому себе, нежели своему гостю.

— Мне следовало бы кое-что заподозрить. Именно Кэролайн перевела разговор на мое увлечение. Признаться, я очень интересовался работами старых английских травников. Существует множество трав, которые когда-то использовались в медицине, а теперь исчезли из официальной фармакопеи. А ведь простой отвар способен творить чудеса. Половине больных не нужен даже врач. Французы это понимают — у них есть первоклассные tisanes[1]. — Он был весь захвачен своим увлечением. — Вот, например,

---

[1] Отвары *(фр.)*.

чай из одуванчиков. Чудесная вещь. Или настойка из шиповника — на днях я где-то прочитал, что она становится модной у наших медиков. О да, я получаю массу удовольствия от моих отваров. Собрать растения вовремя, одни высушить, другие вымочить и все такое прочее. Иногда я даже становлюсь суеверным и собираю корни только в полнолуние или в то время, когда советуют старинные книги. В тот день, я помню, я прочел моим гостям целую лекцию о болиголове крапчатом. Он цветет раз в два года. Нужно собрать ягоды, когда они созрели, но до того, как начали желтеть. Из них получается кониум — лекарственная настойка, которой сейчас перестали пользоваться, — по-моему, она даже не упоминается в последнем лекарственном справочнике, но я доказал, что она очень полезна при коклюше, а также при астме...

— Вы рассказывали им обо всем этом у себя в лаборатории?

— Да. Я показал им различные настойки, например настойку валерьяны, и объяснил, почему ее так любят кошки, стоит им только раз ее понюхать. Затем они спросили у меня про ядовитый паслен, и я рассказал им про белладонну и атропин. Их это очень заинтересовало.

— Их? Кого вы имеете в виду?

Мередит Блейк удивился — он совсем забыл, что его гость вовсе не присутствовал тогда в его лаборатории.

— Да всех. Кто же там был? Филип, Эмиас и, разумеется, Кэролайн, Анджела и Эльза Грир.

— Больше никого?

— По-моему, нет. Нет, никого, я уверен. — Блейк с любопытством посмотрел на Пуаро: — А кто еще мог там быть?

— Я подумал было, что гувернантка...

— А, понятно. Нет, ее в тот день с ними не было. Забыл, как ее звали. Славная женщина. Очень серьезно относилась к своим обязанностям. Анджела, по-моему, доставляла ей немало хлопот.

— Чем?

— Вообще-то она была неплохой девчушкой, но порой становилась неуправляемой. Часто вытворяла мелкие пакости. Один раз, когда Эмиас был увлечен работой, она сунула ему за шиворот слизняка. Он вскочил как сумасшедший. Ругал ее на чем свет стоит. Именно после этого случая он и стал настаивать на ее отъезде в частную школу.

— Да. Я не хочу сказать, что он ее не любил, просто порой она ему надоедала. И я думаю, всегда думал...

— Да?

— Что он немного ревновал. Кэролайн была у Анджелы в рабынях. Для нее прежде всего существовала Анджела, а потом уж все остальные, и Эмиас, естественно, был очень недоволен. На это, конечно, была причина. Мне не хотелось бы касаться подробностей, но...

— Причина состояла в том, — перебил его Пуаро, — что Кэролайн Крейл не могла простить себе увечье, которое нанесла девочке.

— Ах, вам и это известно? — воскликнул Блейк. — Я не хотел об этом говорить. Зачем ворошить прошлое? Да, именно это, по-моему, было причиной такого отношения к девочке. Кэролайн, по-видимому, считала, что ей не искупить свою вину.

Пуаро задумчиво кивнул.

— А что Анджела? — спросил он. — Она затаила обиду на свою сводную сестру?

— О нет, ни в коем случае! Анджела очень любила Кэролайн. Она никогда не вспоминала о случившемся, я уверен. Просто Кэролайн не могла простить себе свой поступок.

— Анджела не возражала против отъезда в школу?

— Нет. Правда, она злилась на Эмиаса. И Кэролайн приняла ее сторону, но Эмиас не желал менять принятого решения. Несмотря на горячность, Эмиас был во многих отношениях легким человеком, но, когда он по-настоящему упрямился, всем приходилось уступать. И Кэролайн с Анджелой получили хороший нагоняй.

— И когда же ей предстояло отправиться в школу?

— Осенью. Я помню, они уже начали ее собирать. По-моему, не случись трагедии, через несколько дней она бы уехала. Утром того дня шел разговор о том, что ей взять с собой.

— А гувернантка? — спросил Пуаро.

— Что именно вас интересует насчет гувернантки?

— Как она отнеслась к этой идее? Она ведь лишалась работы, не так ли?

— Пожалуй, да. Правда, она давала уроки и маленькой Карле, но той было — сколько? — лет шесть, наверное. У нее была няня. Они бы не стали держать мисс Уильямс ради малышки. Да, правильно — ее фамилия была Уильямс. Забытые вещи всплывают в разговоре...

— Да, конечно. Вы ведь сейчас целиком перенеслись в прошлое. Оживают в памяти целые сцены, слова, жесты, выражения лиц, верно?

— Отчасти да... — задумчиво отозвался Мередит Блейк. — Но в то же время есть и какие-то провалы... Целые куски выпадают. Например, я помню, какой испытал шок, узнав, что Эмиас намерен оставить Кэролайн, но не могу вспомнить, кто мне сказал об этом — он или Эльза. Я помню, как спорил с Эльзой, пытаясь доказать ей, что она поступает мерзко. Но она только холодно рассмеялась мне в лицо и заявила, что я человек старомодный. Я и вправду, наверное, старомоден, но все-таки убежден в своей правоте. У Эмиаса были жена и ребенок — ему следовало быть с ними.

— Но мисс Грир считала такую точку зрения устарелой?

— Да. Не забывайте, что шестнадцать лет назад на развод смотрели не так, как нынче. Однако Эльза была из тех девиц, которые стараются быть суперсовременными. Она считала, что, если муж и жена не слишком счастливы в браке, им лучше развестись. Эмиас и Кэролайн вечно ссорятся, говорила она, а ребенку, мол, куда полезнее воспитываться в атмосфере гармонии.

— Однако ее доводы вас не убедили?

Мередит Блейк опять задумался.

— Мне казалось, что она на самом деле не знает, о чем говорит. Она как попугай повторяла чужие мысли, вычитанные ею из книг или услышанные от приятелей. Порой она, как ни странно, вызывала жалость. Такая юная и такая самоуверенная. — Он помолчал. — Есть что-то в молодых, мсье Пуаро, что вызывает к ним жалость.

Эркюль Пуаро с интересом посмотрел на него:

— Я понимаю, о чем вы говорите...

Блейк продолжал, убеждая скорее самого себя, нежели Пуаро:

— Поэтому я и решил поговорить с Крейлом. Он был почти на двадцать лет старше Эльзы. Мне это представлялось неправильным.

— Увы, в таких случаях уговоры бесполезны, — пробормотал Пуаро. — Когда человек отважился на что-то, в особенности если в этом замешана женщина, отговорить его нелегко.

— Совершенно верно, — не без горечи согласился Мередит Блейк. — Мое вмешательство ни к чему не привело. Но, честно говоря, я не очень-то умею убеждать и никогда не умел.

Пуаро окинул его быстрым взглядом. В этой горечи он распознал неудовлетворенность человека, болезненно реагирующего на собственный комплекс неполноценности. И признал справедливость того, что сказал Блейк. Мередит Блейк был не из тех, кто способен уговорить другого отказаться от намеченного. Его попытки действовать из лучших побуждений всегда отвергаются — обычно снисходительно, без раздражения, но оттого не менее решительно. В них отсутствует сила убеждения. Он не способен убеждать.

— У вас по-прежнему есть лаборатория, где вы готовите целебные снадобья и настойки? — спросил Пуаро, пытаясь уйти от болезненной темы.

— Нет, — резко ответил Мередит Блейк и с какой-то болью — лицо его вспыхнуло — принялся объяснять: — Я забросил свое увлечение и ликвидировал лабораторию. После того, что произошло, разве я мог продолжать работу? По правде говоря, большая доля вины за случившееся лежит, можно сказать, на мне.

— Вы слишком впечатлительны, мистер Блейк.

— Разве вы не понимаете? Если бы я не собирал эти проклятые травы, если бы не придавал им такое значение, если бы не хвастался ими и не демонстрировал их своим гостям в тот день... Правда, мне и в голову не приходило... Я никогда не думал, что я мог...

— Я в этом и не сомневаюсь.

— А я болтал и болтал, довольный, что могу поразить гостей своими знаниями. Слепой и тщеславный дурак.

Я рассказал им про кониум. Я даже — сущий идиот! — повел их в библиотеку и прочел отрывок из «Федона»[1], описывающий смерть Сократа. Прекрасное творение — я всегда им восторгался. С тех пор этот отрывок не выходит у меня из головы.

— На бутылке с кониумом нашли отпечатки чьих-нибудь пальцев? — спросил Пуаро.

— Только ее.

— Кэролайн Крейл?

— Да.

— А ваши?

— Нет. Я не брал бутылку в руки. Только показал на нее.

— Но раньше-то вы наверняка брали ее в руки?

— Конечно, но время от времени я вытирал с бутылок пыль. Я не разрешал слугам входить в лабораторию. И дней за четыре-пять до случившегося я протер все бутылки.

— Вы держали лабораторию под замком?

— Постоянно.

— Когда же Кэролайн Крейл отлила кониум из бутылки?

— Она вышла из лаборатории последней, — неохотно ответил Мередит Блейк. — Я помню, мне даже пришлось позвать ее и она почти выбежала оттуда. Щеки у нее порозовели, глаза расширились, взгляд был возбужденным. О Господи, я прямо вижу ее перед собой.

— Довелось ли вам в тот день с ней беседовать? — спросил Пуаро. — Я имею в виду, обсуждали ли вы с ней ее отношения с мужем?

— Впрямую нет, — тихо проговорил Блейк. — Она выглядела, как я уже вам сказал, очень расстроенной. Улучив минуту, когда мы оказались наедине, я спросил у нее: «Что-нибудь случилось, дорогая?» — «Случилось все...» — ответила она. Если бы вы слышали отчаяние, что было в голосе. Эти слова следовало понимать буквально, ибо Эмиас Крейл был для Кэролайн всем. «Все кончено, — сказала она. — И меня больше нет, Мередит». А потом засмеялась, обернувшись к остальным, и

---

[1] Диалог древнегреческого философа Платона.

465

вдруг ни с того ни с сего сделалась безумно и неестественно веселой.

Эркюль Пуаро медленно кивнул. Он почему-то стал похож на китайского мандарина.

— Да. Понятно, как это было...

Мередит Блейк внезапно стукнул по столу кулаком. Он уже не говорил, а почти кричал:

— И вот что я вам скажу, мсье Пуаро. Когда Кэролайн Крейл на суде сказала, что взяла яд для себя, клянусь, она сказала правду! В ту минуту она не думала об убийстве. Клянусь! Эта мысль возникла у нее потом.

— Вы уверены, что она возникла потом? — спросил Эркюль Пуаро.

Блейк уставился на него:

— Извините, я не совсем понял...

— Я спрашиваю вас, — сказал Пуаро, — уверены ли вы в том, что у Кэролайн Крейл вообще возникала мысль об убийстве? Неужто у вас нет ни капли сомнения, что Кэролайн Крейл не совершала умышленного убийства?

Дыхание Мередита Блейка сделалось неровным.

— Но если нет... если нет... Вы что, полагаете, что имел место несчастный случай?

— Не обязательно.

— Тогда я окончательно отказываюсь вас понимать.

— Вот как? Но вы же сами назвали Кэролайн Крейл благородным созданием. Разве благородные создания совершают убийства?

— Она была благородным созданием, но тем не менее между ней и ее мужем бывали весьма бурные ссоры.

— Значит, она не была благородным созданием?

— Была... Как трудно объяснить некоторые вещи!

— Я изо всех сил стараюсь понять.

— Кэролайн часто говорила не задумываясь и порой прибегала к довольно резким выражениям. Она могла сказать: «Я тебя ненавижу. Хорошо бы ты умер». Но это вовсе не означало... вовсе не влекло за собой... действий.

— Значит, по-вашему, совершение убийства было проступком, никак не соответствовавшим характеру миссис Крейл?

— Удивительные вы умеете делать выводы, мсье Пуаро. Могу сказать только... что да, подобный поступок

466

отнюдь не в ее характере. И объяснить его можно только тем, что повод был чрезвычайным. Она обожала мужа. В таких условиях женщина способна на убийство.

— Согласен... — кивнул Пуаро.

— Сначала я был просто огорошен. Не понимал, как такое могло случиться. Ведь настоящая Кэролайн не могла этого совершить.

— Но вы не сомневаетесь — в юридическом смысле, — что Кэролайн Крейл совершила убийство?

Мередит Блейк опять вытаращил глаза:

— Мой дорогой, если не она...

— Если не она?

— Не могу представить иного решения. Несчастный случай? С чего бы?

— Ни с чего, сказал бы я.

— В версию о самоубийстве я тоже не верю. Такая версия была выдвинута, но звучала она крайне неубедительно для всех, кто знал Крейла.

— Понятно.

— Итак, что же остается? — спросил Мередит Блейк.

— Остается возможность, — весьма хладнокровно заявил Пуаро, — что Эмиаса Крейла убил кто-то другой.

— Но это же чепуха!

— Вы так думаете?

— Уверен в этом. Кому нужна была его смерть? Кто мог убить его?

— Вам лучше знать.

— Не можете же вы всерьез утверждать...

— Возможно, я ошибаюсь. Но мне хотелось бы исследовать все варианты. Поразмыслите как следует. И скажите мне ваше мнение.

Мередит с минуту-другую не спускал с Пуаро взгляда. А затем опустил глаза. Прошло еще минуты две, он покачал головой:

— Не могу представить себе ничего другого. А хотелось бы. Если бы была возможность заподозрить кого-нибудь другого, я бы охотно поверил в невиновность Кэролайн. Мне не по душе считать, что это сделала она. Сначала я вообще не мог этому поверить. Но кто еще был там? Филип? Закадычный друг Крейла. Эльза? Глупо. Я? Разве я похож на убийцу? Почтенная гувернантка? Двое старых верных слуг? Можно ли считать, что Анджела способна на такой поступок? Нет, мсье Пуаро, альтернативы не существует. Никто не мог убить Эмиаса Крейла, кроме его жены. Но он сам довел ее до этого. Вот почему, по-моему, это убийство можно считать самоубийством.

— Он погиб по своей вине, хотя и не от своей руки?

— Да. Правда, это несколько фантастично, но есть причина, и есть результат.

— А не приходило ли вам в голову, мистер Блейк, что причину преступления почти всегда можно отыскать, изучив личность убитого?

— Нет, не приходило, но я понимаю, о чем вы говорите.

— Только когда вы точно знаете, что представлял собой убитый, вы начинаете отчетливо понимать обстоятельства, в которых было совершено преступление, — сказал Пуаро. А потом добавил: — Именно это я и пытаюсь выяснить. И вы с вашим братом очень мне помогли понять, что за человек был Эмиас Крейл.

Мередит Блейк не обратил внимания на слова Пуаро. Его привлекло только упоминание о его брате.

— Филип? — тотчас спросил он.

— Да.

— Вы с ним тоже беседовали?

— Разумеется.

— Вам следовало сначала обратиться ко мне, — не сдержался Мередит Блейк.

Чуть улыбнувшись, Пуаро протянул руку, словно прося извинения.

— Если исходить из права первородства, то конечно, — согласился он. — Я знаю, что вы — старший брат. Но поскольку ваш брат живет недалеко от Лондона, мне было проще сначала встретиться с ним.

Мередит Блейк продолжал хмуриться и теребить свои усы.

— Вам следовало сначала обратиться ко мне, — повторил он.

На этот раз Пуаро не стал оправдываться. Он ждал. И Мередит Блейк объяснил:

— У Филипа на этот счет предвзятое мнение.

— Вот как?

— По правде говоря, он ко всему относится и относился с предубеждением. — Он окинул Пуаро быстрым тревожным взглядом. — Он пытался настроить вас против Кэролайн?

— А разве это имеет значение по прошествии стольких лет?

— Понимаю, — тяжело вздохнул Мередит Блейк. — Порой я забываю, что прошло столько лет и что все давным-давно забыто. Кэролайн больше нельзя обидеть. Но тем не менее мне бы не хотелось, чтобы у вас создалось превратное впечатление.

— А вы считаете, что ваш брат способен вызвать у меня превратное впечатление?

— Честно — да. Дело в том, что между ним и Кэролайн всегда существовал, так сказать, антагонизм.

— Почему?

Вопрос Блейку, по-видимому, не понравился.

— Почему? Откуда мне знать, почему? Так складывались отношения. Филип при каждом удобном случае цеплялся к ней. Он был очень недоволен, когда Эмиас на ней женился. Больше года не встречался с ними. Тем не менее Эмиас оставался его близким другом. Наверное, причина и была именно в этом. Филип, вероятно, считал, что на свете нет женщины, которая была бы достойна его приятеля. А может, боялся, что под влиянием Кэролайн их дружба разладится.

— Так и случилось?

— Вовсе нет. Эмиас оставался другом Филипа до конца своих дней. Любил посмеяться над ним за любовь к деньгам, за увлеченность биржевыми сделками, за то, что он все больше и больше становится обывателем. Но Филип не обращал внимания. Он только усмехался и говорил, что Эмиасу повезло, что у него оказался хоть один респектабельный друг.

— А как ваш брат относился к роману Эмиаса с Эльзой Грир?

— Мне почему-то непросто ответить на ваш вопрос. Филипа порой нелегко понять. По-моему, он злился на Эмиаса за то, то тот делает из себя дурака из-за этой девицы. И не раз говорил, что ничего из этого не получится и

469

что Эмиасу суждено об этом пожалеть. И в то же время мне кажется — да я в этом и не сомневаюсь, — что он был доволен, видя Кэролайн униженной.

У Пуаро поднялись брови.

— В самом деле?

— Поймите меня правильно, — ответил Блейк. — Я высказываю только свое мнение, не более того. Так вот, мне кажется, что он был этим доволен. Не знаю, испытывал он такое чувство сознательно или бессознательно. У нас с Филипом мало общего, но мы все-таки родные братья и должны понимать друг друга. Обычно братья знают мысли друг друга.

— А после трагедии?

Мередит Блейк покачал головой. Лицо его передернулось судорогой боли.

— Бедняга Фил. Он был искренне потрясен. И долго не мог прийти в себя. Он был очень привязан к Эмиасу. Преклонялся перед его талантом. Мы с Крейлом одного возраста. А Филип на два года моложе и поэтому всегда смотрел на Эмиаса снизу вверх. Да, для него это был настоящий удар. Он был очень зол на Кэролайн.

— И он тоже не испытывал никаких сомнений?

— Ни у кого из нас не было сомнений... — ответил Мередит Блейк.

Наступило молчание. А затем с грустью и раздражением, свойственным человеку безвольному, Блейк сказал:

— Все это забыто... кончено. И вот являетесь вы и начинаете раскапывать все заново...

— Не я. Кэролайн Крейл.

— Кэролайн? — вытаращил глаза Мередит. — Что вы хотите этим сказать?

Не сводя с него взгляда, Пуаро ответил:

— Кэролайн Крейл-младшая.

Лицо Мередита смягчилось.

— Ах да, малышка Карла. Я даже не сразу вас понял.

— Вы решили, что я говорю о самой Кэролайн Крейл? Вы решили, что я говорю о той, кому — как это сказать? — суждено спокойно спать в своей могиле?

— Не нужно, — вздрогнул Мередит Блейк.

— Вам известно, что в последнем в своей жизни письме, адресованном ее дочери, она написала, что не виновна?

Мередит опять вытаращил глаза.

— Кэролайн так написала? — не мог поверить он.

— Да. — Помолчав, Пуаро спросил: — Вас это удивляет?

— И вас бы удивило, если бы вы видели ее на суде. Бедное, загнанное в угол, беззащитное существо. Она даже не пыталась бороться.

— Капитулировала?

— Нет-нет. Ни в коем случае. Скорее здесь играло роль сознание того, что она убила человека, которого любила, по крайней мере, так мне казалось в ту пору.

— А сейчас вы сомневаетесь?

— Написать такую вещь, да еще когда умираешь...

— Быть может, это была ложь во спасение? — подсказал Пуаро.

— Может быть, — с сомнением в голосе согласился Мередит. — Но это не похоже на Кэролайн...

Эркюль Пуаро кивнул. Карла Лемаршан сказала то же самое. Но Карла утверждала это, исходя из детских воспоминаний. А вот Мередит Блейк хорошо знал Кэролайн. Это было первое полученное Пуаро подтверждение того, что мнению Карлы можно доверять.

Мередит Блейк смотрел на него.

— Если... Если Кэролайн была не виновна, тогда все это просто безумие! — медленно сказал он. — Только я не вижу другого решения... — Он резко обратился к Пуаро: — А вы? Что думаете вы?

Молчание.

— Пока, — наконец заговорил Пуаро, — я ничего не думаю. Я только собираю мнения. Хочу знать, что представляла собой Кэролайн Крейл. Каким был Эмиас Крейл. Что представляли собой люди, которые были там в ту пору. Что именно имело место в течение тех двух дней. Вот что мне нужно. Тщательно изучить один за другим все факты. Ваш брат готов мне помочь. Он согласился письменно изложить все события в том порядке, в каком они ему помнятся.

— Большой пользы вам от него не будет, — резко сказал Мередит Блейк. — Филип — человек занятой. Он старается не держать в памяти события, с которыми покончено. Вполне возможно, что он многое перепутает.

— Все запомнить трудно, я понимаю.

— Вот что я вам скажу... — Мередит вдруг умолк, а потом, покраснев, продолжал: — Если хотите, я могу сделать то же самое. Тогда вы сможете, так сказать, сверить наши воспоминания, верно?

— Это было бы замечательно! — с горячностью откликнулся Пуаро. — Какая превосходная мысль!

— Решено, я пишу. У меня где-то лежат старые дневники. Только имейте в виду, — он смущенно засмеялся, — я не большой литератор. И с орфографией я не в ладах. Надеюсь, вы не будете в претензии?

— Меня стиль и орфография мало интересуют. Мне нужен простой пересказ того, что вы помните. Кто что сказал, как кто выглядел, что произошло. И не отбирайте, пожалуйста, только то, что кажется важным вам. Все помогает, так сказать, воссоздать атмосферу.

— Понятно. Должно быть, нелегко представить себе людей и места, которых вы никогда не видели.

Пуаро кивнул:

— Я хотел попросить вас еще кое о чем. Олдербери прилегает к вашему поместью, не так ли? Нельзя ли мне побывать там и собственными глазами увидеть, где произошла трагедия?

— Я могу хоть сейчас проводить вас туда, — ответил Мередит Блейк. — Но конечно, там многое с тех пор изменилось.

— Дом не был перестроен?

— Нет, слава Богу, до этого не додумались. Но теперь там нечто вроде общежития, поместье купила какая-то общественная организация. Орды молодых людей наезжают туда на лето, поэтому все комнаты поделены на клетушки, да и само поместье тоже претерпело большие изменения.

— Вам придется восстановить его в памяти.

— Постараюсь. Как жаль, что вам не довелось его видеть в былые дни. Это было одно из самых красивых поместий в наших местах.

Они вышли и начали спускаться вниз по зеленевшей перед домом лужайке.

— А кто занимался продажей поместья?

— Опекуны маленькой Карлы. Ей досталось все, чем владел Крейл. Он не оставил завещания, поэтому его состояние должно было автоматически делиться поровну между женой и ребенком. Согласно завещанию Кэролайн, ее доля тоже досталась девочке.

— И ничего ее сводной сестре?

— У Анджелы были деньги, оставленные ей ее отцом.

— Понятно, — кивнул Пуаро. И тут же воскликнул: — А куда вы меня ведете? Ведь впереди уже берег моря.

— Должен объяснить вам нашу географию. Впрочем, через минуту вы сами все поймете. Видите бухту? Она называется Кэмел-Крик и вдается в сторону суши. Похоже на устье реки, а на самом деле это море. Чтобы попасть в Олдербери, нужно пойти направо и обогнуть бухту, но куда проще перебраться с одного берега на другой на лодке. На том берегу и стоит Олдербери. Вот здесь бухта сужается и сквозь деревья просматривается дом.

Они дошли до небольшого пляжа. На другом берегу была роща, а за ней на вершине холма среди деревьев виднелся белый дом.

На берегу лежали две лодки. Мередит Блейк, которому попытался было помочь Пуаро, стащил одну из них в воду, и через минуту они уже шли на веслах по направлению к дому.

— В прежние дни мы всегда пользовались именно этим путем, — пояснил Мередит. — А если был ветер или шел дождь, тогда мы добирались на машине. Там мили три, если ехать кружным путем.

Он аккуратно пришвартовался вдоль каменного причала на другой стороне залива, а потом пренебрежительно оглядел размещенные на берегу деревянные домики и бетонные террасы.

— Все это новое. Раньше здесь стоял эллинг для лодок — ветхий сарай — и больше ничего. Можно было пройтись по пляжу и выкупаться вон там, возле скал.

Он помог Пуаро выбраться из лодки, привязал ее, и они стали подниматься по круто уходящей вверх тропинке.

— Вряд ли мы кого-нибудь встретим, — сказал он. — В апреле здесь если кто и бывает, то только на Пасху.

А встретим, не обращайте внимания — я со своими соседями в хороших отношениях. Солнце сегодня греет вовсю. Как летом. Вот и тогда стоял чудесный день. Больше было похоже на июль, чем на сентябрь. С неба лучилось яркое солнце, но дул довольно прохладный ветерок.

Тропинка, выйдя из рощи, обогнула нагромождение скал.

— А вон там, — показал Мередит, — Оружейный сад. Мы как раз под ним. Обходим его со стороны моря.

Тропинка опять пошла среди деревьев, а потом, круто свернув, привела к воротам в высокой каменной ограде. Отсюда наверх пролегла зигзагообразная дорожка, но Мередит открыл калитку, и они очутились за оградой.

На мгновение Пуаро ослепил яркий солнечный свет. Оружейный сад расположился на искусственном плато с бойницами в каменной ограде и пушкой. Сад, казалось, навис над морем. Над садом и позади него росли деревья, но со стороны моря не было ничего, кроме ослепительно голубой воды.

— Привлекательное место, — заметил Мередит. И с презрением кивнул на нечто вроде беседки возле задней стены. — Этого в ту пору, разумеется, не было — только старый сарай, где у Эмиаса хранились краски, пиво в бутылках и несколько садовых стульев. И бетоном все это тоже не было залито. Здесь стояли стол и скамейка — чугунные, но крашеные. Вот и все. Тем не менее больших перемен вроде нет, — завершил он неуверенно.

— Именно здесь все и произошло? — спросил Пуаро.

Мередит кивнул:

— Скамья была вон там, возле сарая. На ней он и лежал, когда его нашли. Правда, он часто писал полулежа. Откидывался на спинку и смотрел, смотрел... А потом вдруг вскакивал и, как безумный, начинал класть мазки один за другим. — Он помолчал. — Поэтому, когда его нашли, он вовсе не казался мертвым. Спит человек, и все. Откинулся на спинку скамьи и задремал. Этот яд вызывает мгновенный паралич. Человек даже боли не чувствует... Я... Я даже рад был этому...

— А кто его нашел? — спросил Пуаро, хотя уже знал ответ.

— Она. Кэролайн. После обеда. Мы с Эльзой, по-моему, последними видели его в живых. Должно быть, яд уже проник в организм. Потому что у него был какой-то странный вид. Я бы предпочел об этом не говорить. Лучше напишу. Мне так легче.

Он резко повернулся и вышел из Оружейного сада. Пуаро, не говоря ни слова, последовал за ним.

Они поднялись вверх по зигзагообразной дорожке. Выше была еще одна лужайка, затененная деревьями, там стояли стол и скамейка.

— И здесь нет больших перемен, — заметил Мередит. — Правда, скамейка не была подделкой под старину, а просто крашеной, чугунной. Сидеть на ней было немного жестко, зато какой вид!

Пуаро согласился. Сквозь кроны деревьев были видны Оружейный сад и залив.

— Перед обедом я некоторое время провел здесь, — сказал Мередит. — Деревья тогда еще не разрослись так, как теперь. Были хорошо видны бойницы. На одной из них сидела Эльза, позируя для картины. Она сидела, повернув голову в сторону. Деревья растут быстрее, чем кажется, — еле приметно передернув плечами, пробормотал он. — А может, просто я сам старею. Пойдемте в дом.

Они продолжали свой путь по дорожке, пока она не привела их прямо к дому. Это был красивый старый дом в стиле эпохи Георгов. К нему уже была сделана пристройка, а на зеленой лужайке перед ним расположилось около пятидесяти деревянных домиков.

— Молодые люди спят здесь, а девушки в большом доме, — объяснил Мередит. — Не думаю, что вас здесь что-либо может заинтересовать. Все комнаты поделены перегородками. Вот здесь когда-то была небольшая теплица. А эти люди построили вместо нее крытую галерею. Им, наверное, нравится проводить здесь свой отдых. Но конечно, жаль, что они не оставили все как было. — Он круто повернулся. — Обратно пойдем другой дорогой. А то мне всюду мерещится прошлое. Кругом одни привидения.

Они вернулись к причалу более длинным и петляющим путем. Оба молчали. Пуаро понимал, в каком настроении пребывает его спутник.

Когда они снова оказались в Хэндкросс-Мэнор, Мередит Блейк вдруг сказал:

— Знаете, я ведь купил ту картину. Ту самую, которую Эмиас писал. Мне претила мысль о том, что ее продадут только из-за ее скандальной репутации и эти негодяи с их склонностью к патологии будут на нее глазеть. Работа в самом деле превосходная. Эмиас говорил, что это его лучшая вещь, и, по-моему, был прав. Практически он ее завершил. Собирался поработать над ней день-другой, не больше. Хотите на нее посмотреть?

— С удовольствием, — поспешил заверить его Эркюль Пуаро.

Блейк провел его через холл, вынул из кармана ключ, отпер дверь, и они очутились в довольно большой комнате, где пахло пылью. Окна были закрыты деревянными ставнями. Блейк распахнул их. Потом с трудом поднял раму, и в комнату ворвался напоенный весенними ароматами воздух.

— Вот так-то лучше, — сказал он.

Он стоял у окна, вдыхая свежий воздух, и Пуаро подошел и встал рядом. Спрашивать, что это за комната, было незачем. Полки были пустыми, но на них еще остались следы от бутылок. Возле одной из стен рядом с раковиной стоял пришедший в негодность химический прибор. На всех вещах лежал толстый слой пыли.

Мередит Блейк смотрел в окно.

— С какой легкостью возвращается прошлое, — сказал он. — Вот именно здесь я стоял, вдыхая запах цветущего жасмина, и разливался соловьем о моих необыкновенных снадобьях и настойках.

Пуаро машинально протянул в окно руку и отломил покрытую листьями ветку жасмина.

Мередит Блейк решительными шагами подошел к стене, на которой висела укутанная от пыли в простыню картина. И дернул простыню за край.

У Пуаро перехватило дыхание. До сих пор ему довелось видеть четыре картины, написанные Эмиасом Крейлом: две в Тейтовской галерее, одну у лондонского торговца картинами и еще натюрморт с розами. А сейчас перед ним была картина, которую художник считал лучшей из своих работ; он еще раз убедился, каким превосходным мастером был Крейл.

Картина была написана в характерной для него манере и казалась покрытой глянцем. На первый взгляд она напоминала плакат — такими кричащими были ее краски. На ней была изображена девушка в ярко-желтой рубашке и темно-синих брюках. Залитая ярким светом солнца, она сидела на серой стене на фоне ярко-голубого моря. Таких обычно изображают на рекламных щитах.

Но первое впечатление было обманчивым. В картине была едва приметная искаженность: чуть больше, чем нужно, блеска и света. Что же касается девушки...

Она была сама жизнь. Здесь было все, что можно ждать от жизни, юности, кипучей энергии. Сияющие лицо и глаза...

Столько жизни! Столько юной страсти! Вот что видел Эмиас Крейл в Эльзе Грир, которая сделала его слепым и глухим по отношению к такому благородному созданию, каким была его жена. Эльза была жизнь, юность.

Идеальное, с тонкой и стройной фигурой существо, голова вскинута, взгляд самонадеянный и торжествующий. Смотрит на вас, разглядывает, ждет...

Эркюль Пуаро вскинул руки:

— Изумительно... Да, изумительно...

— Она была такой молодой, — взволнованно прошептал Мередит Блейк.

Пуаро кивнул.

«Что имеют в виду большинство людей, когда говорят «такая молодая»? — думал он. — Такая невинная, такая трогательная, такая беспомощная? Но молодость — это дерзость, это сила, это энергия — и жестокость! И еще одно — молодость легкоранима».

Вслед за Блейком он пошел к выходу. Интерес Пуаро к Эльзе Грир возрос. Следующий визит он нанесет ей. Что сделали годы с этим пылким, страстным, дерзким существом?

Он еще раз посмотрел на картину.

Эти глаза, они следят за ним... Хотят ему что-то сказать...

Но если он не поймет, что они хотят ему сказать? Сможет ли это сделать сама женщина? Или эти глаза пытаются сказать нечто, чего их владелица не знает?

Такая самонадеянность, такое предвкушение торжества.

Но тут вмешалась Смерть и выхватила жертву из этих жадных, нетерпеливых юных рук...

И свет погас в этих горящих от торжества глазах. Какие теперь глаза у Эльзы Грир?

Он вышел из комнаты, бросив на картину последний взгляд.

«Она была чересчур жизнерадостной», — подумал он. И ему стало... чуть страшно.

Глава 8

ТРЕТИЙ ПОРОСЕНОК УСТРОИЛ ПИР ГОРОЙ...

Окна дома на Брук-стрит украшали ящики с тюльпанами. А когда открылась входная дверь, от стоявшей в холле огромной вазы с цветами поплыл аромат душистой белой сирени.

Пожилой дворецкий принял у Пуаро шляпу и палку. Их тотчас перехватил появившийся откуда-то лакей, а дворецкий почтительно пробормотал:

— Не угодно ли следовать за мной, сэр?

Вслед за ним Пуаро пересек холл и спустился на три ступеньки вниз. Отворилась дверь, дворецкий четко и ясно произнес его имя и фамилию.

Затем дверь закрылась, со стула возле горящего камина поднялся и пошел ему навстречу высокий худощавый человек.

Лорду Диттишему было около сорока. И был он не только пэр Англии, но и поэт. Две его экстравагантные стихотворные пьесы ценой немалых расходов были поставлены на сцене и имели succès d'estime[1]. У него был довольно выпуклый лоб, острый подбородок, чудесные глаза и удивительно красивый рот.

— Прошу садиться, мсье Пуаро, — сказал он.

---

[1] Умеренный успех *(фр.)*.

Пуаро сел и взял предложенную хозяином сигарету. Лорд Диттишем закрыл коробку, зажег спичку, подождал, пока Пуаро прикурит, и только тогда сел сам и задумчиво посмотрел на гостя.

— Насколько я понимаю, вы пришли повидаться с моей женой, — сказал он.

— Леди Диттишем любезно согласилась меня принять, — подтвердил Пуаро.

— Понятно.

Наступило молчание.

— Вы, надеюсь, не возражаете, лорд Диттишем? — рискнул спросить Пуаро.

Худое сонное лицо вдруг расцвело в улыбке.

— Кто в наши дни, мсье Пуаро, принимает всерьез возражения мужа?

— Значит, вы против?

— Нет, не могу сказать, что я против. Но, должен признаться, я несколько опасаюсь того эффекта, который произведет на мою жену беседа с вами. Позвольте быть предельно откровенным. Много лет назад, когда моя жена была совсем юной, на ее долю выпало тяжкое испытание. Я считал, что она оправилась от потрясения и забыла о случившемся. И вот являетесь вы. Боюсь, ваши вопросы пробудят старые воспоминания.

— Очень жаль, — сочувственно произнес Пуаро.

— Я плохо представляю, каков будет результат.

— Могу заверить вас, лорд Диттишем, что я сделаю все возможное, чтобы не расстроить леди Диттишем. Она, судя по всему, человек хрупкий и нервный.

И вдруг, к удивлению Пуаро, его собеседник расхохотался.

— Кто, Эльза? — спросил он. — Да у Эльзы сил как у лошади.

— В таком случае... — Пуаро дипломатически умолк. Эта ситуация показалась ему любопытной.

— Моя жена, — сказал лорд Диттишем, — способна пережить любое потрясение. Меня интересует, знаете ли вы, почему она согласилась встретиться с вами?

— Из любопытства? — безмятежно предположил Пуаро.

Что-то похожее на уважение мелькнуло в глазах хозяина дома.

— А, значит, вы это понимаете?

— Разумеется. Женщина не способна отказаться от возможности поговорить с частным детективом. Мужчина пошлет его к черту.

— Есть и женщины, которые могут послать его к черту.

— Но не раньше, чем побеседуют с ним.

— Возможно. — Лорд Диттишем помолчал. — Кому нужна эта книга?

Эркюль Пуаро пожал плечами:

— Одни воскрешают былые мотивы, воссоздают былые интермедии, возрождают былые костюмы. А другие восстанавливают в памяти былые преступления.

Лорд Диттишем презрительно скривился.

— Можете относиться к этому как угодно, но человеческую натуру не изменить. Убийство — это драма. А люди жаждут драмы.

— Это так, — согласился лорд Диттишем.

— Поэтому, как вы понимаете, — сказал Пуаро, — книга будет написана. В мои же обязанности входит присмотреть за тем, чтобы в ней не было грубых ошибок или искажений известных фактов.

— Я всегда считал, что факты являются общественным достоянием.

— Факты, но не их интерпретация.

— Что вы имеете в виду, мсье Пуаро? — резко спросил Диттишем.

— Дорогой лорд Диттишем, разве вам не известно, что существуют многочисленные возможности подхода к историческому факту? Возьмем пример: сколько книг написано о королеве Марии Стюарт, где она представлена то мученицей, то бесчестной и распутной женщиной, то простодушной святой, то убийцей и интриганкой, то жертвой обстоятельств и судьбы! Выбирайте что хотите.

— А в данном случае? Крейла убила его жена — это, по крайней мере, доказано. Во время судебного процесса моя жена подверглась незаслуженным оскорблениям. Ей приходилось тайно выбираться из здания суда. Общественное мнение явно было враждебным к ней.

— Англичане, — сказал Пуаро, — люди высокой нравственности.

480

— Верно, будь они прокляты! — подтвердил лорд Диттишем. И, не сводя с Пуаро глаз, спросил: — А вы лично?

— Я, — ответил Пуаро, — веду очень добродетельную жизнь. Но это отнюдь не то же самое, что быть человеком высокой нравственности.

— Порой я задумываюсь, — сказал лорд Диттишем, — что́ на самом деле представляла собой миссис Крейл. Все эти разговоры об оскорбленных чувствах жены. По-моему, за этим кроется нечто иное.

— Об этом может знать ваша жена, — заметил Пуаро.

— Моя жена, — отозвался лорд Диттишем, — ни разу не вспомнила о случившемся.

Пуаро с интересом взглянул на него:

— Я начинаю понимать...

— Что вы начинаете понимать? — резко перебил его Диттишем.

— Творческое воображение поэта... — с поклоном ответил Пуаро.

Лорд Диттишем встал и позвонил в звонок.

— Моя жена вас ждет, — резко сказал он.

Дверь отворилась.

— Вы звонили, милорд?

— Проводите мсье Пуаро к леди Диттишем.

Два пролета лестницы наверх, мягкий ковер, приглушенный свет. Все свидетельствует о деньгах. Меньше о вкусе. Суровая простота в комнате лорда Диттишема. Но в остальной части дома царила роскошь. Все самое лучшее. Не обязательно самое броское. Просто «цена не имеет значения» и отсутствие воображения.

«Устроил пир горой? Да, горой!» — заметил про себя Пуаро.

Комната, куда его ввели, оказалась небольшой. Главная гостиная была на втором этаже. А это была личная гостиная хозяйки дома, которая стояла у камина, когда ей доложили о приходе Пуаро.

Ему опять вспомнилась фраза: *Она умерла молодой...*

Мысленно повторяя эти слова, он смотрел на Эльзу Диттишем, которая когда-то была Эльзой Грир.

Он никогда не узнал бы в ней той, что была на картине, которую показал ему Мередит Блейк. Там она была воплощением юности, воплощением энергии. Здесь же юности не было, быть может, не было никогда. Зато теперь он увидел то, чего не увидел в картине Крейла: Эльза была красивой женщиной. Да, навстречу ему шла настоящая красавица. И разумеется, совсем еще молодая. Сколько ей? Не больше тридцати шести, если, когда случилась трагедия, ей было всего двадцать. Ее темные волосы были безупречно уложены на идеальной головке, черты лица были почти классическими, грим наложен очень умело.

Ему вдруг стало не по себе. Наверное, по вине старого мистера Джонатана, рассуждавшего о Джульетте... Никакой Джульетты здесь нет, впрочем, можно ли представить себе Джульетту уцелевшей и примирившейся, что нет ее Ромео?.. Разве сущность Джульетты не в том, что ей суждено было умереть юной?

Эльза Грир осталась жива...

Она обращалась к нему, произнося слова ровным, даже монотонным голосом:

— Я так заинтригована, мсье Пуаро. Садитесь, пожалуйста, и скажите, чем я могу быть вам полезна.

«Она вовсе не заинтригована, — подумал он. — Ничто не способно ее заинтриговать».

Большие серые глаза, похожие на мертвые озера.

Пуаро в очередной раз прикинулся иностранцем.

— Я в замешательстве, мадам, в полнейшем замешательстве, — воскликнул он.

— Почему?

— Потому что я понял, что это... это воссоздание былой трагедии может оказаться исключительно болезненным для вас!

Ее это, похоже, позабавило. Да, именно позабавило. Она явно смеялась над его страхами.

— Наверное, это мой муж вас надоумил? Он ведь встретил вас, когда вы приехали? Он ничего не понимает. И никогда не понимал. Я вовсе не такая чувствительная, какой он меня представляет. — Ее по-прежнему забавляла создавшаяся ситуация. — Мой отец был простым рабочим, но сумел выйти в люди и скопить состояние. Для этого нужно быть толстокожим. Я такая же.

«Да, это правда, — подумал Пуаро. — Нужно быть толстокожей, чтобы поселиться в доме Кэролайн Крейл».

— Так чем же я могу вам помочь? — повторила леди Диттишем.

— Вы уверены, мадам, что вам не будет больно обсуждать прошлое?

На секунду она задумалась, и Пуаро вдруг пришло в голову, что леди Диттишем — человек искренний. Она способна солгать из необходимости, но не ради корысти.

— Нет, больно не будет, — задумчиво сказала леди Диттишем. — Признаться, я бы даже не возражала, чтобы стало больно.

— Почему?

— Так глупо никогда ничего не чувствовать... — раздраженно ответила она.

И снова Эркюль Пуаро подумал: «Да, Эльза Грир умерла...»

А вслух сказал:

— В таком случае, леди Диттишем, моя задача становится куда проще.

— Что именно вас интересует? — весело спросила она.

— У вас хорошая память, мадам?

— По-моему, неплохая.

— И вы убеждены, что вам не будет больно вести подробный разговор о тех днях?

— Ничуть. Боль испытываешь, только когда ее причиняют.

— Да, я знаю, некоторые люди мыслят именно так.

— А Эдвард — мой муж — совершенно не способен этого понять, — сказала леди Диттишем. — Он считает, что судебный процесс, например, был для меня тяжким испытанием.

— А разве нет?

— Нет, я даже получила от этого удовольствие, — ответила Эльза Диттишем, и в ее голосе слышался отзвук испытанного когда-то удовлетворения. — Господи, чего только не делал со мной этот негодяй Деплич! — продолжала она. — Это сущий дьявол! Но мне нравилось сражаться с ним. Он так и не сумел со мной справиться. — Она с улыбкой посмотрела на Пуаро: — Надеюсь, я не разрушила ваших иллюзий? Двадцатилетняя девчонка, я должна была бы умирать от стыда. Но такого не случилось. Мне было наплевать, что обо мне говорили. Я хотела только одного.

— Чего же именно?

— Чтобы ее повесили, разумеется, — ответила Эльза Диттишем.

Он обратил внимание на ее руки — красивые, с длинными острыми ногтями. Руки хищницы.

— Вы считаете меня мстительной? Да, я готова мстить за любую нанесенную мне обиду. Та женщина была просто гадиной. Она знала, что Эмиас меня любит, что он собирается ее бросить, и убила его только из-за того, чтобы он мне не достался. — Она посмотрела Пуаро в глаза: — Вам такое поведение не кажется недостойным?

— А вы не понимаете, что существует ревность, и не испытываете участия к людям, ею одержимым?

— Нет, не испытываю. Если игра проиграна, значит, проиграна. Не можешь удержать мужа при себе, отпусти его на все четыре стороны. Мне не знакомо чувство собственника.

— Может, вы думали бы иначе, если бы стали женой Крейла.

— Не думаю. Мы не были... — Она вдруг одарила Пуаро улыбкой. Ее улыбка, почувствовал он, немного пугала, потому что никак не была отражением тех чувств, которые она в эту минуту испытывала. — Мне хотелось бы, чтобы вы поняли раз и навсегда, — сказала она, — что Эмиас Крейл не совращал невинной девушки. Все было вовсе не так! Из нас двоих вина лежит на мне. Я встретила его на приеме и влюбилась в него. Я поняла, что хочу, чтобы он принадлежал мне...

Пародия, чудовищная пародия, но —

> И я сложу всю жизнь к твоим ногам
> И за тобой пойду на край Вселенной[1].

— Несмотря на то, что он был женат?

— Посторонним вход воспрещен? Чтобы удержаться от поступка, в жизни требуется нечто большее, чем на-

---

[1] У. Ш е к с п и р. Ромео и Джульетта. Акт II, сцена II. *Перевод Т. Щепкиной-Куперник.*

печатанное в типографии объявление. Если он несчастлив со своей женой и может быть счастлив со мной, то почему нет? Живем ведь только раз.

— Но говорят, он был счастлив в своей семейной жизни.

— Нет, — покачала головой Эльза. — Они жили как кошка с собакой. Она все время придиралась к нему. Она была... О, она была страшной женщиной!

Она встала и закурила сигарету.

— Может, я несправедлива к ней, — чуть улыбнулась она, — но я и вправду считаю ее гадким существом.

— Это была большая трагедия, — задумчиво заметил Пуаро.

— Да, большая трагедия. — И вдруг она резко повернулась, выражение смертельной скуки исчезло, и лицо ее оживилось. — Меня убили, понимаете? Убили. С тех пор не было ничего, совершенно ничего. — Голос у нее упал. — Пустота! — Она раздраженно махнула рукой. — Я музейный экспонат из аквариума!

— Неужто Эмиас Крейл для вас так много значил?

Она кивнула. Кивнула как-то по-странному доверительно, даже трогательно.

— По-моему, я всегда страдала ограниченностью, — хмуро призналась она. — Наверное, нужно было... заколоться кинжалом, как Джульетта. Но поступить так значило бы признать, что ты уже ни на что не годна, что жизнь с тобой расправилась!

— А вместо этого?

— Стоит только справиться с бедой, как у тебя будет все. Я справилась. Беда ушла. Я решила найти что-то новое.

Да, новое. Пуаро почти видел, как она изо всех сил старается осуществить задуманное. Видел, как она, красивая, богатая и соблазнительная, жадными, хищными руками пытается отхватить кусок повкуснее, чтобы было чем заполнить пустоту в своей жизни. Ей требовались герои — вот она и вышла замуж за знаменитого авиатора, потом за путешественника, рослого и сильного Арнольда Стивенсона, вероятно внешне напоминавшего Эмиаса Крейла, а потом снова обратилась к творческой личности — Диттишему!

— Я никогда не была лицемерной, — говорила Эльза Диттишем. — Есть испанская поговорка, которая мне всегда нравилась. Бери что хочешь, но плати сполна, говорит Бог. Я так и поступала. И всегда была готова платить сполна.

— Но ведь есть вещи, которые нельзя купить, — заметил Пуаро.

Она смерила его внимательным взглядом:

— Я не имею в виду только деньги.

— Конечно, конечно. Я понимаю, что вы имеете в виду, — откликнулся Пуаро. — Но существуют вещи, которые не подлежат продаже.

— Глупости!

Он чуть приметно улыбнулся. В ее голосе послышалась заносчивость фабричной девчонки, которая сумела разбогатеть.

Эркюль Пуаро вдруг испытал прилив жалости. Он взглянул на гладкое, без возраста лицо, усталые глаза и вспомнил девушку на картине Эмиаса Крейла...

— Расскажите мне подробнее про эту книгу, — сказала Эльза Диттишем. — Почему ее решили издать? Чья это была мысль?

— О, дорогая леди, обычная цель издателей: потрафить публике, подав вчерашние сенсации под сегодняшним соусом!

— Но не вы ее автор?

— Нет, я только эксперт по преступлениям.

— Вы хотите сказать, что, издавая подобные книги, они с вами консультируются?

— Не всегда. Но на этот раз ко мне действительно обратились.

— Кто именно?

— Мне предстоит — как это сказать? — просмотреть рукопись по просьбе заинтересованной стороны.

— Кто эта заинтересованная сторона?

— Мисс Карла Лемаршан.

— Кто это?

— Дочь Эмиаса и Кэролайн Крейл.

Эльза с минуту смотрела на Пуаро непонимающим взглядом.

— Ах да, конечно, ведь был ребенок, — вспомнила она. — Она, наверное, уже взрослая?

— Да. Ей двадцать один год.

— И какая же она из себя?

— Высокая, темноволосая и, по-моему, красивая. В ней чувствуется личность.

— Хотелось бы посмотреть на нее, — задумчиво сказала Эльза.

— Она может отказаться от встречи с вами.

— Почему? — удивилась Эльза. — Ах да. Но ведь это чепуха. Разве она может что-нибудь помнить? Ей тогда, должно быть, и шести не было.

— Она знает, что ее мать судили за убийство ее отца.

— И она полагает, что это по моей вине?

— Вполне возможно.

Эльза пожала плечами:

— Какая глупость! Если бы Кэролайн вела себя разумно...

— Значит, вы считаете, что на вас нет ответственности?

— Конечно. Мне нечего стыдиться. Я его любила. Я могла бы сделать его счастливым. — Она посмотрела на Пуаро. Ее лицо дрогнуло, и он вдруг увидел девушку с картины. — Если бы я могла заставить вас понять... Если бы вы могли взглянуть на происшедшее с моей точки зрения... Если бы вы знали...

Пуаро наклонился вперед:

— Именно этого я и хочу. Видите ли, мистер Филип Блейк, который присутствовал в доме Крейлов в ту пору, пишет для меня подробный отчет обо всем, что произошло. Мистер Мередит Блейк пообещал сделать то же самое. Если бы и вы...

Эльза Диттишем глубоко вздохнула.

— Эти двое! — с презрением сказала она. — Филип никогда не отличался большим умом. Мередит крутился возле Кэролайн. Он был довольно славный человек. Но из их отчетов вы ничего толком не узнаете.

Он следил за ней, видел, как она оживилась, видел, как мертвая женщина превращается в живую.

— Хотите знать правду? — быстро и чуть ли не с яростью спросила она. — Не для публикации. Только для себя...

— Я обещаю вам ничего не публиковать без вашего согласия.

— Мне хотелось бы написать правду...

Минуту-другую она молчала, думая о чем-то своем. Он видел, как смягчилось ее лицо, помолодело, видел, как она ожила, когда в ее жизнь снова вошло прошлое.

— Вернуться в прошлое, описать его... Объяснить вам, что она собой... — Глаза ее загорелись. Дыхание участилось. — Она убила его. Она убила Эмиаса. Эмиаса, который хотел жить... наслаждаться жизнью. Ненависть не должна быть сильнее любви, но ее ненависть была сильнее. И моя ненависть к ней... Я ее ненавижу, ненавижу, ненавижу...

Она подошла к нему, наклонилась и схватила его за рукав.

— Вы должны понять, — настойчиво попросила она, — какие чувства мы с Эмиасом испытывали друг к другу. Сейчас я кое-что вам покажу.

Она бросилась к маленькому бюро, открыла потайной ящик.

Потом вернулась к Пуаро. В руках у нее было измятое письмо, на котором даже выцвели чернила. Она сунула его Пуаро, и ему почему-то вдруг вспомнилась когда-то встреченная им маленькая девочка, которая вот так же сунула ему одно из своих сокровищ — ракушку, подобранную где-то на пляже и ревностно хранимую. Точно так же девочка отошла в сторону и стала следить за ним. Гордая, испуганная, она зорко наблюдала за реакцией на ее сокровище.

Он развернул свернутую вчетверо страничку.

«Эльза, дитя мое изумительное! Никогда еще не существовало ничего столь прекрасного. И все же я боюсь — я пожилой человек с отвратительным характером, который не знает, что такое постоянство. Не верь мне, не облекай меня своим доверием — я дурной человек, но хороший художник. Самое лучшее, что есть во мне, принадлежит искусству. Поэтому не говори потом, что я тебя не предупреждал.

Любимая моя, все равно ты будешь моей. Ради тебя я готов продать душу дьяволу, и ты это знаешь. Я напишу твой портрет, который заставит весь мир ахнуть от изумления. Я схожу с ума по тебе. Я не могу спать, не могу есть. Эльза, Эльза, Эльза, я твой навеки, твой до конца дней моих.

Эмиас».

Чернила выцвели, бумага крошится. Но слова живут, вибрируют... Как шестнадцать лет назад.

Он посмотрел на женщину, которой было адресовано это письмо.

Этой женщины больше не существовало.

Перед ним сидела юная влюбленная девушка.

И снова ему пришла на память Джульетта...

Глава 9

ЧЕТВЕРТЫЙ ПОРОСЕНОК ЛОЖКИ НЕ ПОЛУЧИЛ НИ ОДНОЙ...

— Могу я спросить зачем, мсье Пуаро?

Эркюль Пуаро не сразу ответил на вопрос. Он чувствовал, как внимательно смотрят на него с морщинистого личика серые с хитринкой глаза.

Он поднялся на верхний этаж скромного дома, принадлежавшего компании «Джиллеспай билдингс», которая явилась на свет Божий, чтобы сдавать внаем жилую площадь одиноким женщинам, и постучал в дверь квартиры номер 584.

Здесь в крайне ограниченном пространстве, а точнее, в комнате, служившей ей спальней, гостиной, столовой и, поскольку там же стояла газовая плита, кухней, к которой примыкала сидячая ванна и прочие службы, обитала мисс Сесили Уильямс.

Хоть обстановка и была убогой, тем не менее она несла на себе отпечаток личности мисс Уильямс.

Стены были выкрашены светло-серой клеевой краской, и на них было развешано несколько репродукций. Данте, встречающий Беатрису на мосту, картина, когда-то описанная ребенком как «слепая девочка, сидящая на апельсине» и названная почему-то «Надежда». Еще были две акварели с видами Венеции и выполненная сепией копия «Весны» Боттичелли. На комоде стояло множество

489

выцветших фотографий, если судить по прическам — двадцати-тридцатилетней давности.

Ковер на полу был потерт, обивка убогой мебели лоснилась. Эркюлю Пуаро стало ясно, что Сесили Уильямс живет на мизерные средства. Здесь не устроишь пира горой. Этот поросенок «ложки не получил ни одной».

Резким, категорическим и настойчивым голосом мисс Уильямс повторила свой вопрос:

— Вам требуются мои воспоминания о деле Крейлов? А зачем, могу я спросить?

Друзья и сослуживцы Эркюля Пуаро в те минуты, когда он доводил их до белого каления, говорили про него, что он предпочитает ложь правде и будет из кожи лезть вон, чтобы добиться своей цели с помощью тщательно продуманных ложных утверждений, нежели довериться голой правде.

Но в данном случае он не долго думал. Эркюль Пуаро не был выходцем из тех бельгийских или французских семей, где у детей была английская гувернантка, но он среагировал так же просто, как мальчишки, когда их в свое время спрашивали: «Ты чистил зубы нынче утром, Хэролд (Ричард или Энтони)?» На секунду им хотелось соврать, но они тут же спохватывались и робко признавались: «Нет, мисс Уильямс».

Ибо мисс Уильямс обладала тем загадочным свойством, каким должен обладать любой хороший педагог, — авторитетом! Когда мисс Уильямс говорила: «Пойди и помой руки, Джоан» или: «Я надеюсь, что ты прочтешь эту главу про поэтов Елизаветинской эпохи и сумеешь ответить мне на вопросы», ее беспрекословно слушались. Мисс Уильямс и в голову не приходило, что ее могут ослушаться.

Поэтому в данном случае Эркюль Пуаро не стал рассказывать о готовящейся книге о былых преступлениях, а просто поведал об обстоятельствах, ради которых Карла Лемаршан прибегла к его услугам.

Маленькая пожилая особа в аккуратном, хотя и поношенном платье выслушала его внимательно.

— Мне очень интересно узнать о судьбе этой девочки, услышать, какой она стала, — сказала она.

— Она стала очаровательной женщиной с весьма твердым характером.

— Отлично, — коротко отозвалась мисс Уильямс.

— А также, могу добавить, весьма настойчивой. Она не из тех, кому легко отказать или от кого легко отделаться.

Бывшая гувернантка задумчиво кивнула.

— Есть ли у нее склонность к искусству? — спросила она.

— По-моему, нет.

— И то слава Богу, — сухо заметила мисс Уильямс. Ее тон не позволял сомневаться в отношении мисс Уильямс ко всем художникам без исключения. — Из вашего повествования я делаю вывод, — добавила она, — что она больше похожа на свою мать, чем на отца.

— Вполне возможно. Вы сможете сказать мне об этом, когда ее увидите. Вам бы хотелось повидаться с ней?

— Сказать по правде, очень. Всегда интересно посмотреть, во что превратился ребенок, которого я когда-то знала.

— Когда вы ее видели в последний раз, она ведь была совсем малышкой?

— Ей было пять с половиной лет. Очаровательный ребенок. Пожалуй, чересчур тихий. Задумчивый. Любила играть одна. Нормальный и неизбалованный ребенок.

— Счастье, что она была такой маленькой, — заметил Пуаро.

— Да, конечно. Будь она старше, потрясение, испытанное из-за этой трагедии, могло иметь очень дурной эффект.

— Тем не менее, — сказал Пуаро, — эта трагедия все-таки на ней отозвалась. Как бы мало девочка ни понимала или сколько бы ей ни позволялось понимать, существовавшая в доме атмосфера тайны и отговорок, а также тот факт, что девочку вдруг насильно заставили покинуть родные места, могли оказать пагубное влияние на ребенка.

— Вполне возможно, но не обязательно пагубное, как вы предполагаете, — задумчиво ответила мисс Уильямс.

— Прежде чем мы оставим тему Карлы Лемаршан, то есть маленькой Карлы Крейл, мне хотелось бы задать вам один вопрос. Только вы можете на него ответить.

— Да? — Голос ее был ровным, она только спрашивала, и все.

Пуаро отчаянно жестикулировал в надежде быть более убедительным.

— Есть нюанс, который не поддается определению, но мне все время кажется, что, когда я упоминаю о девочке, никто о ней не помнит. В ответ я слышу удивленный возглас, словно тот, с кем я разговариваю, успел забыть, что вообще существовал ребенок. Скажите мне, мадемуазель, не странно ли это? В подобных обстоятельствах ребенок важен даже не сам по себе, он есть лицо, от которого многое зависит. У Эмиаса Крейла, возможно, были причины бросить или не бросить жену. Ибо обычно, когда распадается брак, ребенок играет очень важную роль. Здесь же о ребенке словно забыли. Мне это странно.

— Вы попали в точку, мсье Пуаро, — тотчас откликнулась мисс Уильямс. — Вы совершенно правы. Отчасти именно поэтому я и сказала сейчас, что новая обстановка могла в некотором отношении оказаться для Карлы полезной. С годами она могла бы очень страдать от отсутствия у нее настоящего дома.

Она наклонилась вперед и заговорила медленно и осторожно:

— За годы моей работы я, естественно, часто сталкивалась с различными аспектами проблемы «дети — родители». Дети, большинство детей, я бы сказала, страдают от чрезмерного внимания со стороны родителей. Родители чересчур любят своих детей, чересчур следят за ними. Ребенок же тяготится этой заботой, старается от нее отделаться, освободиться из-под опеки. Ситуация осложняется, когда в семье только один ребенок, которого мать просто терроризирует. Часто это способствует тому, что между мужем и женой возникают трения. Мужу не нравится, что главная забота не о нем, он ищет утешения — или, скорее, лести и внимания — на стороне, и рано или поздно родители разводятся. Самое лучшее для ребенка, я убеждена, — это то, что я называю здоровым отсутствием родительской заботы. Обычно так и бывает в семьях, где много детей и мало денег. На детей не обращают внимания, потому что матери некогда ими заниматься. Они знают, что их любят, и их не беспокоит отсутствие бурных проявлений этой любви.

Но есть и другой аспект проблемы. Бывают супружеские пары, где муж и жена так довольны друг другом, так влюблены друг в друга, что не замечают собственное дитя. В этом случае ребенок начинает обижаться, чувствует, что им пренебрегают. Я ни в коем случае не говорю об отсутствии родительской заботы. Миссис Крейл, например, была, что называется, образцовой матерью, постоянно пеклась о благополучии маленькой Карлы, о ее здоровье, часто играла с ней, в отношениях с ребенком оставалась доброй и веселой. Но мысленно миссис Крейл была всегда рядом с мужем. Она растворилась в нем, жила ради него. — Мисс Уильямс помолчала минуту, а затем тихо добавила: — В этом, по-моему, и есть оправдание тому, что она в конце концов совершила.

— Вы хотите сказать,, — спросил Эркюль Пуаро, — что они были больше похожи на возлюбленных, нежели на мужа и жену?

— Можно сказать и так, — хмуро согласилась мисс Уильямс, которой явно пришлось не по вкусу подобное заключение.

— И он любил ее не меньше, чем она его?

— Они были любящей парой. Но он был мужчина и вел себя как мужчина. — Мисс Уильямс вложила в последнюю фразу отчетливо викторианский подтекст. — Мужчины... — начала мисс Уильямс, но умолкла. Она произнесла слово «мужчины» с тем выражением, с каким богатый помещик произносит слово «большевики», а настоящий коммунист — «капиталисты».

Старая дева, которая всю жизнь провела в гувернантках, сделалась ярой феминисткой. Послушав ее, можно было не сомневаться, что для мисс Уильямс все мужчины были ее заклятыми врагами.

— Вы не любите мужчин? — спросил Пуаро.

— Все лучшее на свете принадлежит мужчинам, — сухо ответила она. — Надеюсь, так будет не всегда.

Эркюль Пуаро пристально на нее посмотрел. Он ясно представил себе, как мисс Уильямс во имя идеи методично и старательно приковывает себя цепью к поручню, а потом решительно отказывается принимать пищу. Но, тут же перейдя от общего к частному, он спросил:

— Вам не нравился Эмиас Крейл?

— Да, мистер Крейл мне не нравился. И его поведение я не одобряла. Будь я его женой, я бы его бросила. Есть вещи, с которыми женщина не должна мириться.

— А миссис Крейл с ними мирилась?

— Да.

— Вы считали, что она поступала неправильно?

— Да. Женщина должна уважать себя и не позволять другим себя унижать.

— Вы когда-нибудь говорили что-либо подобное миссис Крейл?

— Разумеется, нет. Я не имела на это права. Меня наняли обучать Анджелу, а не давать ненужные советы миссис Крейл. С моей стороны это было бы крайне бестактно.

— Вам нравилась миссис Крейл?

— Очень. — В ее ровном голосе послышались теплота и искренность. — Мне она очень нравилась, и мне было очень ее жаль.

— А ваша ученица Анджела Уоррен?

— Удивительно яркая девочка — одна из самых ярких моих учеников. Умница. Недисциплинированная, вспыльчивая, с ней порой трудно было справиться, но прекрасная душа. — Помолчав, она продолжала: — Я всегда считала, что она сумеет в жизни чего-то добиться. И оказалась права! Вы читали ее книгу о Сахаре? А какие захоронения она нашла во время раскопок в Фаюме! Да, я горжусь Анджелой. Я не долго пробыла в Олдербери — два с половиной года, — но мне приятно думать, что я стимулировала ее интеллект и привила ей вкус к археологии.

— Кажется, было решено продолжить ее образование в частной школе, — пробормотал Пуаро. — Вам, наверное, это пришлось не по душе?

— Как раз наоборот, мсье Пуаро. Я была совершенно согласна с подобным решением. — Помолчав, она продолжала: — Я вам все объясню. Анджела была очень хорошей девочкой, очень хорошей — душевной и импульсивной, — но в то же время трудным ребенком. Она была в переходном возрасте. В этот период девочка испытывает в себе неуверенность: она еще не женщина, но уже и не ребенок. Анджела могла быть рассудительной и зрелой — взрослой, можно сказать, — а через минуту превращалась в сорванца, проказничала, грубила, теряла самообладание. Девочки в этом возрасте ужасно обидчивы. Они не терпят никаких возражений, злятся, если к ним относятся как к детям, и стесняются, если с ними обращаются как со взрослыми. Анджела пребывала в таком состоянии. Она вдруг вспыхивала и обижалась, если ее дразнили, и целыми днями ходила мрачной и хмурой, потом снова делалась веселой, лазала по деревьям, бегала с соседскими мальчишками, никого не желая слушаться.

Мисс Уильямс опять помолчала.

— Для девочки в этом возрасте школа очень полезна. Она дает возможность позаимствовать кое-что у подруг, а строгая дисциплина помогает стать полноправным членом общества. Домашние условия Анджелы никак нельзя было назвать идеальными. Во-первых, миссис Крейл исполняла все ее прихоти. Стоило Анджеле пожаловаться, как она тотчас становилась на ее сторону. В результате Анджела считала, что имеет право претендовать на время и внимание сестры, и именно из-за этого у нее бывали стычки с мистером Крейлом. Тот, естественно, был уверен, что главное внимание должно уделяться ему, и не терпел никаких возражений. На самом деле он очень любил Анджелу — они дружили и пикировались вполне по-приятельски, но порой мистер Крейл обижался на чрезмерную привязанность миссис Крейл к Анджеле. Как все мужчины, он тоже был избалованным ребенком и требовал, чтобы все суетились вокруг него. Потом у них с Анджелой вспыхивала действительно крупная ссора, и опять миссис Крейл принимала сторону Анджелы. Тогда он приходил в ярость. С другой стороны, если она поддерживала его, то неистовствовала Анджела. Именно в таком случае Анджела снова превращалась в маленькую девочку и позволяла себе сделать ему какую-нибудь пакость. Он имел привычку пить свое пиво залпом, и однажды она подсыпала ему в стакан соли. Его вырвало, и он долго не мог успокоиться. А окончательно обострилась ситуация, когда она подложила ему в постель слизняков. Он совершенно не выносил слизняков. Он вышел из себя и заявил, что девочку следует отправить в частную школу. Сказал, что больше не намерен терпеть подобные выходки. Анджела очень расстроилась, хотя не раз сама выражала желание поехать в пансионат, и сочла себя ужасно обиженной. Миссис Крейл не хотела отпускать ее, но на сей раз позволила себя убедить, по-моему, в основном потому, что я всерьез поговорила с ней на эту тему. Я обратила ее внимание на то, что это пойдет Анджеле только на пользу и что девочке не мешает побыть некоторое время вне дома. Поэтому было решено, что осенью она отправится в Хелстон — превосходную школу на южном побережье. Но миссис Крейл все лето была обеспокоена этим обстоятельством. И Анджела продолжала дуться на мистера Крейла, когда вспоминала, что ей предстоит. На самом деле ничего серьезного в этом, как вы понимаете, мсье Пуаро, не было, но, естественно, это еще больше осложняло и без того сложную обстановку в доме тем летом.

— Вы имеете в виду, сложную в связи с появлением Эльзы Грир? — спросил Пуаро.

— Именно, — резко ответила мисс Уильямс и стиснула губы.

— А какого вы мнения об Эльзе Грир?

— Никакого. Исключительно беспринципная молодая особа.

— Она ведь была совсем юной.

— Она была достаточно взрослой, чтобы все понимать. Ее поведение не заслуживает никакого оправдания.

— По-моему, она была влюблена...

— Влюблена! — фыркнула мисс Уильямс. — Я считаю, мсье Пуаро, что, какие бы чувства человек ни испытывал, он обязан их сдерживать. И владеть собой. Эта девица была совершенно безнравственной особой. Она не желала считаться с тем, что мистер Крейл женат. Ей было чуждо чувство стыда, она действовала хладнокровно и решительно. Возможно, она была дурно воспитана, только этим я могу объяснить ее поведение.

— Смерть мистера Крейла была для нее тяжким потрясением?

— Да. Но винить она могла только себя. Я ни в коем случае не намерена оправдывать убийство, но тем не менее, мсье Пуаро, если когда-либо существовала доведенная до отчаяния женщина, то такой была Кэролайн

Крейл. Скажу вам откровенно, что были минуты, когда я сама была готова убить их обоих. Он позволил себе афишировать свою любовницу в присутствии своей жены, быть свидетелем того, как она вынуждена мириться с наглостью этой особы, а мисс Грир и в самом деле была наглой, мсье Пуаро. Эмиас Крейл заслужил то, что с ним случилось. Ни один мужчина не имеет права так относиться к своей жене и оставаться безнаказанным. Его смерть была справедливой карой.

— У вас нет сомнений... — сказал Эркюль Пуаро.

Маленькая сероглазая женщина смело смотрела на него.

— У меня нет сомнений в том, какими должны быть брачные узы. Если их не уважать и не поддерживать, народ вырождается. Миссис Крейл была верной и преданной женой. Ее муж относился к ней с пренебрежением и привел в дом любовницу. Как я уже сказала, он заслужил то, что с ним случилось. Он довел ее до отчаяния, и я не обвиняю ее в случившемся.

— Он вел себя отвратительно, я согласен, но не забудьте, что он был великим художником.

— О да, конечно, — снова фыркнула мисс Уильямс. — В наши дни это стало оправданием. Художник! Оправданием распущенности, пьянства, ссор, измен. А что собой представляет мистер Крейл как художник? Быть может, еще несколько лет будет модно восхищаться его картинами, но долго им не прожить. Он даже не умел как следует рисовать! Перспектива у него была нарушена. Даже анатомия и та была неправдоподобной. Я немного разбираюсь в том, о чем говорю, мсье Пуаро. Девочкой я изучала искусство во Флоренции, и тем, кто знает и ценит великих мастеров прошлого, работы мистера Крейла представляются просто мазней. Клал краски на холст — и все, ни мысли о внутреннем построении, ни старания выписать натуру. Нет, — покачала она головой, — не просите меня восхищаться работами мистера Крейла.

— Две из них висят в Тейтовской галерее, — напомнил ей Пуаро.

— Возможно. Там, по-моему, есть и одна из скульптур мистера Эпстайна.

Пуаро почувствовал, что мисс Уильямс высказалась до конца. Он решил оставить тему искусства.

— Вы были рядом с миссис Крейл, когда она нашла мистера Крейла мертвым?

— Да. Мы с ней вышли из дому после обеда вместе. Анджела забыла на берегу или в лодке свою кофту. Она вечно теряла вещи. Я рассталась с миссис Крейл у входа в Оружейный сад, но почти тотчас же она позвала меня обратно. Мистер Крейл был мертв уже около часа. Он лежал на скамье возле мольберта.

— Увидев его, она впала в отчаяние?

— Я не совсем понимаю, о чем вы меня спрашиваете, мсье Пуаро.

— Я спрашиваю, как она вела себя в эту минуту?

— По-моему, на нее нашло какое-то оцепенение. Она послала меня вызвать по телефону врача. Мы ведь не сразу поняли, что он умер, а вдруг у него каталептический припадок.

— Это она высказала такое предположение?

— Не помню.

— И вы отправились звонить?

Мисс Уильямс ответила сухо и резко:

— На полпути я встретила мистера Мередита Блейка. Я попросила его выполнить данное мне поручение, а сама вернулась к миссис Крейл. Я подумала, что ей может стать плохо, а мужчины в таком случае помощники никудышные.

— А ей стало плохо?

— Нет, миссис Крейл вполне владела собой, — сухо ответила мисс Уильямс. — В отличие, между прочим, от мисс Грир, которая закатила истерику и вообще вела себя непристойно.

— В чем это проявилось?

— Она пыталась наброситься на миссис Крейл.

— Вы хотите сказать, что, по ее мнению, миссис Крейл была виновна в смерти мистера Крейла?

Секунду-другую мисс Уильямс размышляла.

— Нет, вряд ли она была в этом убеждена. То есть... тогда еще не возникло подозрения. Мисс Грир просто принялась кричать: «Вот что вы наделали, Кэролайн. Вы убили его. Это ваша вина». Она не сказала:

«Вы его отравили», но, по-моему, она в этом не сомневалась.

— А миссис Крейл?

Мисс Уильямс тревожно задвигалась в своем кресле:

— Стоит ли лицемерить, мсье Пуаро? Не знаю, что на самом деле испытывала или думала миссис Крейл в ту минуту. То ли она испугалась того, что совершила...

— Так вам казалось?

— Нет, точно не могу сказать. Она была потрясена и, пожалуй, испугана. Да, испугана, я уверена. Что вполне естественно.

— Может, и естественно... — с досадой согласился Пуаро. — Чем же она лично объяснила смерть мужа?

— Самоубийством. Она с самого начала утверждала, что это — самоубийство.

— И продолжала утверждать то же самое, когда разговаривала с вами наедине, или выдвинула какую-либо другую версию?

— Нет. Она старательно уговаривала меня, что он покончил с собой.

В голосе мисс Уильямс явно присутствовало смущение.

— А что ей сказали вы?

— Мсье Пуаро, неужели сейчас это имеет значение?

— Да.

— Не понимаю, для чего... — Но, словно загипнотизированная его молчанием, она неохотно призналась: — По-моему, я сказала: «Конечно, миссис Крейл. Мы все считаем, что он покончил с собой».

— Вы верите собственным словам?

Подняв голову, мисс Уильямс твердо заявила:

— Нет, не верю. Но пожалуйста, поймите, мсье Пуаро, что я была целиком на стороне миссис Крейл. Я сочувствовала ей, а не полиции.

— Вы были бы рады, если бы ее оправдали?

— Да, — с вызовом в голосе ответила мисс Уильямс.

— Значит, вам небезразличны чувства ее дочери? — спросил Пуаро.

— Я полностью симпатизирую Карле.

— Не согласились бы вы написать мне подробный отчет о случившейся трагедии?

— Чтобы она прочитала, хотите вы сказать?

499

— Именно.

— Пожалуйста, — в раздумье согласилась мисс Уильямс. — Значит, она твердо решила разузнать, как все было?

— Да. Хочу предупредить только, что было бы лучше скрыть от нее правду...

— Нет, — перебила его мисс Уильямс. — Я считаю, что лучше смотреть правде в глаза. Подтасовывая факты, от судьбы не уйдешь. Карле довелось пережить потрясение, узнав правду, — теперь она хочет знать, как именно все было. Я считаю, что смелая молодая женщина так и должна поступать. Как только ей станут известны подробности, она сумеет снова забыть обо всем и жить собственной жизнью.

— Возможно, вы и правы, — согласился Пуаро.

— Я в этом убеждена.

— Но тут есть одно обстоятельство. Она не только хочет знать, как все произошло, она хочет убедиться в невиновности своей матери.

— Бедное дитя, — вздохнула мисс Уильямс.

— Вы так полагаете?

— Теперь я понимаю, почему вы сказали, что будет лучше, если она никогда не узнает правды, — откликнулась мисс Уильямс. — Тем не менее я остаюсь при своем мнении. Конечно, желание удостовериться, что мать не виновна, мне представляется вполне естественным, и, хотя ей предстоит убедиться, что ее надежды напрасны, судя по вашим словам, Карла достаточно отважна, чтобы узнать правду и не дрогнуть.

— Вы уверены, что это правда?

— Я вас не понимаю.

— У вас нет никаких сомнений в вине миссис Крейл?

— По-моему, это обстоятельство даже не подлежит сомнению.

— Даже если она сама настаивала на версии о самоубийстве?

— Бедняжке надо же было хоть что-то сказать, — сухо заметила мисс Уильямс.

— Известно ли вам, что перед смертью миссис Крейл написала дочери письмо, в котором торжественно клялась в своей невиновности?

Мисс Уильямс уставилась на Пуаро.

— Она поступила крайне неразумно, — резко заметила она.

— Вы так считаете?

— Да. Боюсь, что вы, как большинство мужчин, человек сентиментальный...

— Мне чужда сентиментальность, — возмущенно перебил ее Пуаро.

— Существует и такая штука, как ложь во спасение. Но к чему лгать перед лицом смерти? Чтобы избавить от боли собственное дитя? Да, так поступают многие женщины. Но миссис Крейл, на мой взгляд, не могла так поступить. Она была отважной и очень искренней женщиной. Я бы не удивилась, если бы она завещала своей дочери не судить ее слишком строго.

— Значит, вы не верите, что Кэролайн Крейл написала правду? — спросил несколько озадаченный Пуаро.

— Не верю.

— И тем не менее утверждаете, что любили ее?

— Я в самом деле ее любила. Я была к ней очень привязана и глубоко ей симпатизировала.

— В таком случае...

Мисс Уильямс окинула его каким-то странным взглядом:

— Вы не совсем понимаете, мсье Пуаро. Поскольку прошло уже так много времени, я могу кое в чем признаться. Видите ли, случайно мне довелось узнать, что Кэролайн Крейл виновна!

— Что?

— Это правда. Не уверена, правильно ли я поступила, но я скрыла это от суда. Поверьте мне, Кэролайн Крейл виновна, я это знаю твердо.

Глава 10

А ПЯТЫЙ, ПЛАЧА, ПОБЕЖАЛ ДОМОЙ...

Окна квартиры Анджелы Уоррен выходили на Риджентс-парк. Здесь в этот весенний день легкий ветерок проникал в открытое окно, и, если бы не рев мчавшихся внизу машин, можно было подумать, что находишься за городом.

Пуаро отвернулся от окна, когда дверь отворилась и в комнату вошла Анджела Уоррен.

Он уже видел ее. Воспользовался возможностью побывать на лекции, которую она читала в Королевском географическом обществе. По его мнению, лекция была превосходной. Быть может, прочитана в несколько сдержанной манере, если принять во внимание желание всех лекторов быть понятыми как можно большим числом публики. Мисс Уоррен отлично знала свой предмет, не запиналась, не повторялась и за словом в карман не лезла. Голос у нее был звонкий и довольно мелодичный. Она не пыталась увлечь аудиторию романтичностью своей профессии или привить слушающим любовь к приключениям. Она кратко и немногословно излагала факты, сопровождая их отменно выполненными слайдами, а потом из этих фактов делала весьма интересные выводы. Сухо, педантично, ясно, четко и на высочайшем уровне.

Эркюль Пуаро всей душой порадовался за нее. Разумная особа!

Теперь, увидев ее вблизи, он понял, что Анджела Уоррен могла бы стать очень красивой женщиной. У нее были правильные, хотя и несколько суровые черты лица, ровно очерченные темные брови, ясные и умные карие глаза, матово-белая кожа. Плечи, правда, были чуть шире чем следовало и походка больше похожа на мужскую.

Нет, она никак не была тем поросенком, который, плача, побежал домой... Но на правой щеке, уродуя ее и морща кожу, был давно заживший шрам, чуть оттягивающий вниз угол правого глаза, — никому и в голову бы не пришло, что этим глазом она не видит. Эркюлю Пуаро было совершенно ясно, что она уже настолько привыкла к своему физическому недостатку, что совершенно его не замечает. Кроме того, из тех пятерых, которыми он заинтересовался в ходе расследования, наибольшего успеха и счастья в жизни добились вовсе не те, кто, казалось, поначалу обладал преимуществом. Эльза, на руках у которой были все козыри — юность, красота, богатство, — преуспела меньше всех. Она была похожа на цветок, прихваченный морозом, а потому не успевший распуститься. У Сесили Уильямс вроде не было особых достоинств, которыми можно было бы хвастаться. Тем не менее, на взгляд Пуаро, она не пала духом и не сетовала на неудачи. Мисс Уильямс нравилась ее собственная жизнь — она по-прежнему интересовалась людьми и событиями. Она обладала умственным и моральным потенциалом, обеспеченным строгим викторианским воспитанием, которого мы нынче лишены, — она выполняла свой долг на том жизненном посту, который был предопределен ей свыше, и это заковало ее в латы, неуязвимые для камней и стрел зависти, недовольства и жалости. Она жила воспоминаниями, маленькими удовольствиями, которые позволяла себе в силу строжайшей экономии, это помогало ей, сохранившей физическое здоровье и энергию, по-прежнему интересоваться жизнью.

Что же касается Анджелы Уоррен, то в ней, с детства обезображенной и, должно быть, страдающей от этого, Пуаро увидел человека, наделенного силой духа, что воспитала постоянная борьба с собой и обстоятельствами. Недисциплинированная когда-то школьница превратилась в волевую, честолюбивую женщину, наделенную живым умом и огромной энергией. Это была женщина, чувствовал Пуаро, преуспевающая и счастливая. Она получала огромное удовольствие от своей кипучей деятельности.

Правда, она не принадлежала к тому типу женщин, который Пуаро безусловно одобрял. Несмотря на ее интеллектуальность, в ней было нечто от femme formidable[1], что его как мужчину порядком пугало. Ему больше по вкусу были яркие и экстравагантные особы.

Изложить Анджеле Уоррен цель своего визита не составило никакого труда. Не надо было ничего придумывать. Он просто пересказал свой разговор с Карлой Лемаршан.

Суровое лицо Анджелы Уоррен осветила радостная улыбка.

— Малышка Карла? Она здесь? Я бы с удовольствием ее повидала.

— Вы не поддерживали с ней связь?

---

[1] Роскошная женщина *(фр.)*.

— Весьма нерегулярно. Я была школьницей в ту пору, когда ее увезли в Канаду, и думала, что через год-другой она меня забудет. А в последнее время вся наша связь заключалась только в том, что время от времени я посылала ей подарки. Я была уверена, что она станет настоящей канадкой и свяжет свое будущее с этой страной. Это было бы ей только на пользу...

— Да, конечно. Новое имя — новое место жительства. Новая жизнь. Но все оказалось не так просто.

И он рассказал Анджеле о помолвке Карлы, о том, чтó ей стало известно в день совершеннолетия, и о причине ее приезда в Англию.

Анджела Уоррен слушала молча, подложив руку под изуродованную щеку. Пока он говорил, ее лицо было бесстрастным. Но когда закончил, сказала:

— Молодец Карла.

Пуаро удивился. Впервые он встретился с такой реакцией.

— Вы одобряете, мисс Уоррен? — спросил он.

— Конечно! И желаю ей всяческого успеха. Если я могу чем-нибудь помочь, я к вашим услугам. Жаль, я сама до этого не додумалась.

— По-вашему, она, возможно, права в своих предположениях?

— Разумеется, права, — твердо отозвалась Анджела Уоррен. — Кэролайн ничего не совершала. Я всегда это знала.

— Вы крайне удивляете меня, мадемуазель, — пробормотал Пуаро. — Все остальные, с кем я беседовал...

— Забудьте про них, — перебила его она. — Я знаю, что косвенных доказательств в избытке. Мое же собственное убеждение основывается на знании — знании моей сестры. Я просто знаю, что Кэро не была способна на убийство.

— Можно ли быть настолько уверенным в другом человеке?

— В большинстве случаев, вероятно, нет. От людей можно ожидать чего угодно. Но в случае с Кэролайн были особые причины, и я тут кое-что знаю лучше других. — Она дотронулась до своей изуродованной щеки. — Видите? Вы об этом уже, наверное, слышали?

Пуаро кивнул.

— Это сделала Кэролайн. Вот почему я так уверена, что она не могла совершить убийство.

— Для многих это вряд ли покажется убедительным.

— Да, я знаю. Для них это скорее будет доказывать обратное. И по-моему, в суде именно это стало подтверждением того, что Кэролайн обладала бешеным и неукротимым нравом! Из-за того, что она нанесла мне увечье, когда я была ребенком, наши законники сочли, что она вполне способна отравить своего неверного мужа.

— Я, во всяком случае, понимаю вот что, — сказал Пуаро, — внезапная вспышка ярости вовсе не означает, что человек, укравший яд, обязательно должен найти ему применение на следующий день.

— Я не это имела в виду, — замахала руками Анджела Уоррен, — попробую объяснить вам еще раз. Предположим, вы, человек по натуре добрый и приветливый, подвержены чувству ревности. И предположим, в те годы вашей жизни, когда особенно трудно сдерживать себя, вы в приступе ярости совершаете поступок, который мог окончиться убийством. Какое ужасное потрясение, раскаяние и, наконец, страх испытываете вы! Человек впечатлительный, каким была Кэролайн, не способен забыть этот страх и раскаяние. Не способна была и она. Не думаю, что в ту пору я это понимала, но, оглядываясь, отчетливо вижу, что это было именно так. Кэро постоянно преследовал и мучил тот факт, что она нанесла мне увечье. Раскаяние не давало ей покоя. Его след лежит на всех ее поступках. Этим объясняется и ее отношение ко мне. Для меня она ничего не жалела. В ее глазах первой была я. Половина ее ссор с Эмиасом происходила из-за меня. Я к нему ревновала и делала ему всякие мелкие пакости. Утащила кошачьей настойки, чтобы налить ему в пиво, а один раз сунула ему в постель ежа. Но Кэролайн всегда меня защищала.

Мисс Уоррен, помолчав, снова принялась за рассказ:

— Разумеется, я вела себя отвратительно. Я была ужасно избалована. Но дело вовсе не в этом. Мы ведь говорим с вами о Кэролайн. Та вспышка ярости оставила у нее на всю оставшуюся жизнь отвращение к подобного рода действиям. Кэро всегда следила за собой, жила в постоянном страхе, как бы не случилось чего-либо подобного. И предпринимала придуманные ею самой меры предосторожности. Так, например, она позволяла себе, как ни странно, быть несдержанной на язык. Она решила (и мне представляется, что с точки зрения психологии она была совершенно права), что, выговариваясь, сумеет выплеснуть накопившийся гнев. И из опыта убедилась, что этот метод вполне срабатывает. Вот почему мне доводилось слышать, как Кэро говорила: «Я бы с удовольствием разорвала его на куски и жарила их в кипящем масле на медленном огне». А мне или Эмиасу грозила: «Если будешь действовать мне на нервы, я тебя прикончу». Она часто ссорилась с людьми и всегда переходила на крик. Она понимала, что легко возбудима, и намеренно давала этому возбуждению выход. У них с Эмиасом были фантастические по накалу ссоры.

— Да, об этом многие свидетельствуют, — кивнул Эркюль Пуаро. — Говорят, что они жили как кошка с собакой.

— Именно, — подтвердила Анджела Уоррен. — Что было совершенно несправедливым и сбило с толку присяжных. Конечно, Кэро и Эмиас ссорились! Кричали во весь голос, оскорбляя друг друга последними словами. Но никто не замечал, что они получают от этого удовольствие. Поверьте мне! Им обоим были по душе такие драматические сцены. Большинство людей этого не переносят. Люди предпочитают мир и тишину. Но Эмиас был художником. Он любил кричать, угрожать, грубить. Выпускал, так сказать, пар. Он был из тех мужчин, которые, потеряв запонку, вопят на весь дом. Я понимаю, это звучит странно, но Эмиас и Кэролайн по-своему развлекались такой жизнью с беспрерывными ссорами, а потом примирениями. — Она нетерпеливо дернула рукой. — Если бы только меня не убрали из зала суда, не выслушав до конца, я бы им все это объяснила. — Она пожала плечами. — Правда, не думаю, что мне бы поверили. И, кроме того, тогда я не представляла себе все так ясно, как нынче. Я всегда об этом знала, но всерьез никогда не задумывалась и, уж конечно, не собиралась предавать огласке. — Она посмотрела на Пуаро: — Вы, разумеется, понимаете, о чем я говорю?

Он энергично закивал:

— Конечно, мадемуазель. Есть люди, которым скучно, когда все вокруг с ними согласны. Чтобы жизнь была полноценной, им требуется возражение.

— Именно.

— Позвольте мне спросить вас, мисс Уоррен, а какие чувства испытывали вы в ту пору?

Анджела Уоррен вздохнула:

— В основном смятение и беспомощность. Мне все это казалось кошмаром. Кэролайн вскоре арестовали — дня через три. Я до сих пор помню, как я негодовала, возмущалась и по-детски надеялась, что все это нелепая ошибка, которая тотчас будет исправлена. Кэро же в основном волновалась за меня — она требовала, чтобы меня по возможности держали подальше от всего этого. Она почти сразу заставила мисс Уильямс увезти меня к каким-то родственникам. Полиция не возражала. А затем, когда было решено, что моих показаний не требуется, меня постарались поскорее отправить за границу. Я ужасно не хотела ехать. Но мне объяснили, что этого хочет Кэро, и что если я уеду, то тем самым только помогу ей. — Помолчав, она добавила: — И вот я уехала в Мюнхен. Я была там, когда огласили приговор. Меня ни разу не допустили к Кэро. Она сама не хотела меня видеть. Это был, по-моему, один-единственный случай, когда она отказалась выполнить мое желание.

— Я не разделяю вашего мнения, мисс Уоррен. Посещение горячо любимого человека в тюрьме могло бы произвести тяжкое впечатление на юную чуткую душу.

— Возможно. — Анджела Уоррен встала. — После вынесения приговора, когда мою сестру признали виновной, она написала мне письмо. Я никогда его никому не показывала. Мне кажется, я должна показать его вам. Оно поможет вам понять, что представляла собой Кэролайн. Если хотите, можете показать его и Карле.

Она пошла к дверям, затем, остановившись, сказала:

— Пойдемте со мной. У меня в комнате есть портрет Кэролайн.

Секунду Пуаро стоял, не сводя глаз с портрета.

507

Написан он был весьма средне. Но Пуаро смотрел на него с любопытством. Разумеется, его мало интересовала художественная ценность портрета.

Он видел чуть удлиненное, овальной формы лицо с округлой линией подбородка. Кроткое, даже робкое выражение лица свидетельствовало о натуре неуверенной в себе, эмоциональной, наделенной душевной красотой. Не было в нем той энергичности и жизненной силы, которая была у ее дочери, той силы и радости жизни, которые Карла Лемаршан, несомненно, унаследовала от своего отца. Женщина на портрете была существом с комплексами. Тем не менее, глядя на нее, Эркюль Пуаро понял, почему одаренный воображением Квентин Фогг был не в состоянии ее забыть.

Появилась Анджела Уоррен — на этот раз с письмом в руке.

— Теперь, когда вы увидели ее, — тихо сказала она, — прочитайте письмо.

Он осторожно развернул письмо и прочел то, что написала Кэролайн Крейл шестнадцать лет назад.

«Моя любимая малышка Анджела!

Тебе скоро станут известны дурные новости, и ты огорчишься, плакать не стоит. Я никогда тебе не лгала, не лгу и сейчас, когда говорю, что я по-настоящему счастлива, ибо испытываю истинную радость и покой, каких не знала до сих пор. Все хорошо, родная, все хорошо. Постарайся забыть прошлое, ни о чем не жалей, живи и будь счастлива. Ты сумеешь добиться многого, я знаю. Все хорошо, моя родная, я ухожу к Эмиасу. Мы будем вместе, я не сомневаюсь. Без него я все равно не могла бы жить... Прошу тебя — из любви ко мне будь счастлива. Я тебе уже сказала, я счастлива. Долги всегда нужно возвращать. Как хорошо, когда на душе покой.

Любящая тебя *Кэро*».

Эркюль Пуаро прочитал письмо дважды. Затем отдал ей назад.

— Чудесное письмо, мадемуазель, и по-своему необыкновенное. Весьма необыкновенное, — сказал он.

— Кэролайн, — откликнулась Анджела Уоррен, — была необыкновенной женщиной.

— Да, мыслила она оригинально... Вы считаете, что это письмо свидетельствует о ее непричастности к убийству?

— Конечно.

— Прямо об этом в нем ничего не говорится.

— Кэро была уверена, что я не сомневаюсь в ее невиновности.

— Понятно... Но его можно рассматривать и как свидетельство ее виновности: очищаясь покаянием, она обретает покой.

Что совпадало, подумалось ему, и с ее поведением в зале суда. В эту минуту, пожалуй, он всерьез засомневался, правильно ли поступил, взявшись за расследование этого дела. До сих пор все безоговорочно свидетельствовало о вине Кэролайн Крейл. А теперь даже ее собственное письмо служило уликой против нее.

На другой стороне весов пока покоилась только твердая уверенность Анджелы Уоррен. Анджела, не сомневался он, хорошо знала Кэролайн, но ее уверенность могла быть всего лишь фанатичной преданностью подростка, обожавшего свою горячо любимую сестру.

Словно прочитав его мысли, Анджела Уоррен сказала:

— Нет, мсье Пуаро, я знаю, что Кэролайн не виновна.

— Самому Господу известно, — живо откликнулся Пуаро, — как мне не хотелось бы уверять вас в противном. Но будем практичны. Вы говорите, что ваша сестра не виновна. Что же тогда, по-вашему, произошло?

— Я понимаю, что согласиться с этим трудно, — кивнула Анджела. — Думаю, Эмиас покончил с собой, как и утверждала Кэролайн.

— Похоже ли это на него?

— Нет, не похоже.

— Но в данном случае вы не утверждаете, как в случае с Кэролайн, что этого быть не может?

— Нет, потому что большинство людей совершают весьма странные поступки, порой совершенно несовместимые с их характером. Но я допускаю, что если хорошо знать этих людей, то можно найти объяснение их поступкам.

— Вы хорошо знали мужа своей сестры?

— Хорошо, но не так, как знала его Кэро. Мне трудно поверить в то, что Эмиас был способен убить себя, но я считаю, что он мог совершить подобный поступок. И наверное, совершил.

— Других объяснений вы не допускаете?

Анджела покачала головой, но вопрос чем-то ее заинтересовал.

— Мне понятно, о чем вы спрашиваете... О такой возможности я, честно говоря, никогда не задумывалась. Вы хотите сказать, что его мог убить кто-то другой? Что это было умышленное хладнокровное убийство...

— Могло такое случиться или нет?

— Да, могло... Но вряд ли это похоже на истину.

— Менее похоже, чем версия о самоубийстве?

— Трудно сказать... Вроде не было основания кого-либо подозревать. Да и сейчас эта мысль представляется мне абсурдной.

— Тем не менее давайте рассмотрим эту версию. Кто из лиц, причастных к этому делу, наиболее подходит к роли убийцы?

— Дайте подумать. Я его не убивала. И Эльза, разумеется, тоже. Когда он умер, она обезумела от ярости. Кто еще там был? Мередит Блейк? Он всегда благоговел перед Кэролайн, ходил за ней, как кот за любимой хозяйкой. Пожалуй, это можно было бы рассматривать как мотив. Допустим, он хотел убрать Эмиаса с пути, чтобы самому потом жениться на Кэролайн. Но он мог добиться этого, способствуя уходу Эмиаса к Эльзе, а потом выступив в роли утешителя. Кроме того, мне трудно представить себе Мередита в роли убийцы. Слишком мягок и осторожен. Кто еще был там?

— Мисс Уильямс? Филип Блейк? — подсказал Пуаро.

На мрачном лице Анджелы на секунду появилась улыбка.

— Мисс Уильямс? Чтобы гувернантка совершила убийство — в такое и поверить нельзя. Мисс Уильямс была человеком высоких моральных устоев. — Помолчав минуту, она продолжала: — Она была предана Кэролайн. Готова на все ради нее. И ненавидела Эмиаса. Она была страстной феминисткой и презирала мужчин. Но разве ради этого люди идут на убийство?

— Пожалуй, нет, — сказал Пуаро.

— Филип Блейк? — продолжала Анджела. Несколько секунд она молчала. Потом тихо сказала: — Знаете, если говорить о том, кто наиболее подходит, то это именно он.

— Очень интересно, мисс Уоррен, — заметил Пуаро. — Позвольте спросить почему?

— Ничего определенного сказать не могу. Но из того, что мне о нем помнится, я бы назвала его человеком с ограниченным воображением.

— А разве это непременное качество убийц?

— Нет, но человек с ограниченным воображением, решая свои затруднения, часто прибегает к насилию. Такие люди получают удовольствие от жестокости. А убийство — это проявление жестокости, правда?

— Да, конечно... Во всяком случае, такая точка зрения тоже может быть принята в расчет. Тем не менее, мисс Уоррен, это еще не повод для убийства. Какой мотив мог быть у Филипа Блейка?

Анджела Уоррен ответила не сразу. Она стояла нахмурившись и опустив глаза.

— Он был самым близким другом Эмиаса Крейла, верно? — спросил Пуаро.

Она кивнула.

— У вас есть еще какая-то мысль, мисс Уоррен? Которую вы мне так и не высказали. Были ли эти друзья одновременно и соперниками, например из-за Эльзы?

Анджела Уоррен покачала головой:

— О нет, только не Филип.

— В чем же тогда дело?

Анджела задумчиво сказала:

— Знаете, как бывает, когда вдруг вам вспоминается то, что произошло много лет назад? Я объясню, что я имею в виду. Однажды, когда мне было одиннадцать лет, я услышала историю. Никакого смысла в ней в ту пору я не уловила. Эта история меня не обеспокоила, и я ее тотчас забыла. Мне и в голову не приходило, что когда-нибудь я снова ее припомню. Но года два назад, присутствуя на каком-то концерте, я вдруг припомнила эту историю и так удивилась, что даже произнесла вслух: «Вот теперь я поняла смысл этой глупой истории про рисовый пудинг», хотя в актерской реплике — а это была какая-то шутка на грани приличия — ничего общего с той историей не было.

— Я понимаю вас, мадемуазель, — сказал Пуаро.

— Значит, вы поймете и то, что я собираюсь вам рассказать. Однажды я остановилась в гостинице. Когда я шла по коридору, одна из дверей открылась и из номера вышла знакомая мне женщина. Это был не ее номер, что сразу отразилось на ее лице, когда она меня увидела.

Точно такое же выражение лица было у Кэролайн, когда однажды ночью она вышла из комнаты Филипа Блейка в Олдербери.

Она наклонилась вперед, жестом опередив слова, готовые сорваться с губ Пуаро:

— В ту пору я этого, конечно, не поняла. Я во многом уже разбиралась — в этом возрасте девочки все знают, — но связать это с действительностью не сумела. Кэролайн, выходящая из комнаты Филипа Блейка, была просто Кэролайн, выходящая из комнаты Филипа Блейка, не более того. С таким же успехом она могла выйти из комнаты мисс Уильямс или из моей комнаты. Но зато я заметила выражение ее лица, ибо оно было странным — я никогда ее такой не видела и поэтому ничего не поняла. Я не понимала ничего до тех пор, пока, как я уже сказала вам, ночью в Париже не увидела то же самое выражение на лице совсем другой женщины.

— То, что вы рассказали мне, мисс Уоррен, — задумчиво заметил Пуаро, — уже само по себе удивительно. Сам Филип Блейк дал мне понять, что он всегда недолюбливал вашу сестру.

— Я знаю, — сказала Анджела. — Но так или иначе, я видела это собственными глазами.

Пуаро медленно кивнул. Еще в разговоре с Филипом Блейком он почувствовал какую-то фальшивую ноту. Эта преувеличенная враждебность к Кэролайн — она казалась какой-то неестественной.

Ему припомнились слова Мередита Блейка: «Очень был недоволен, когда Эмиас женился, не бывал у них больше года...»

512

Значит, Филип давно любил Кэролайн? А когда она вышла замуж за Эмиаса, его любовь к ней превратилась в ожесточение и ненависть?

Да, Филип был чересчур резок, чересчур предубежден. Пуаро видел его перед собой — бодрый, преуспевающий делец, обладатель площадки для гольфа и дома в ультрасовременном стиле. Какие же чувства испытывал Филип Блейк шестнадцать лет назад?

— Может, я чего-то не понимаю, — говорила Анджела Уоррен. — Видите ли, у меня нет опыта в любовных делах — со мной ничего такого не случалось. Я рассказала вам про Кэролайн и Филипа на тот случай, если вдруг это может оказаться полезным и иметь прямое отношение к делу.

Книга вторая

РАССКАЗ ФИЛИПА БЛЕЙКА

ПРЕДВАРЯЮЩЕЕ ПИСЬМО

«Уважаемый мсье Пуаро!

Выполняю свое обещание и посылаю Вам описание событий, имевших отношение к смерти Эмиаса Крейла. Должен предупредить, поскольку прошло много лет, я мог кое-что подзабыть, но я старался написать все, что сохранилось у меня в памяти.

Искренне Ваш

Филип Блейк».

Изложение событий, которые привели к убийству Эмиаса Крейла:

«*19 сентября...*

Моя дружба с покойным началась еще в детстве. Мы жили по соседству, и наши родители были в очень хороших отношениях. Эмиас Крейл был старше меня на два с лишним года. Мальчишками мы в каникулы играли вместе, хотя учились в разных школах.

Если исходить из того, что я так давно знал убитого, я считаю себя вправе дать квалифицированные свидетельские показания в отношении его характера и взгляда на жизнь в целом. А посему прежде всего должен заявить всем, кто хорошо знал Эмиаса Крейла, что мысль о его самоубийстве совершенно абсурдна. Крейл никогда бы не стал покушаться на собственную жизнь. Он слишком ее любил! Утверждения защиты во время процесса о том, что Крейла мучили угрызения совести и что в припадке раскаяния он выпил яд, представляются смехотворными для всех, кто его знал. Избытком совести Крейл, я бы сказал, не отличался, равно как и склонностью к меланхолии. Более того, он и его жена были в плохих отношениях, а потому не думаю, что он терзался сомнениями по поводу развода, ибо считал свой брак крайне неудачным. Он был готов взять на себя финансовое обеспечение жены и ребенка и, я уверен, ни в коем случае не позволил бы себе скупиться. Он вообще был человеком щедрым, а также отзывчивым и мягкосердечным. Он был не только великим художником, но и человеком, который имел много верных друзей. Насколько мне известно, врагов у него не было.

С Кэролайн Крейл я тоже был знаком много лет. Я знал ее еще до замужества, когда она приезжала в Олдербери в гости. В ту пору она была довольно привлекательной девицей несколько неврастеничного склада, отличавшейся несдержанностью, безусловно нелегкой для совместной жизни.

Свой интерес к Эмиасу она с самого начала не стала скрывать. Он, по-моему, не был особенно в нее влюблен. Но им часто приходилось бывать вместе, а поскольку она была, как я уже сказал, внешне весьма привлекательной, то в конце концов состоялась помолвка.

Близкие друзья Эмиаса Крейла отнеслись к идее его женитьбы несколько настороженно, ибо считали, что Кэролайн ему не пара.

Это вызвало некоторую натянутость отношений между женой Крейла и его друзьями, но Эмиас был верен друзьям и не собирался расставаться с ними. Через несколько лет мы возобновили с ним прежние отношения, и я стал частым гостем в Олдербери. Должен добавить, что я даже согласился быть крестным отцом его дочери Карлы. Это доказывает, я думаю, что Эмиас считал меня своим лучшим другом, и дает мне право говорить от имени человека, который уже не может высказаться сам.

Что касается событий, о которых меня просили написать, то я приехал в Олдербери, как свидетельствует мой старый дневник, за пять дней до случившегося. То есть 13 сентября. И тотчас же почувствовал, что атмосфера в доме напряженная. У них также гостила мисс Эльза Грир, портрет которой Эмиас в это время писал.

Я увидел мисс Грир впервые, хотя уже слышал о ее существовании. Эмиас целый месяц восторженно рассказывал мне о ней. Он встретил, по его словам, необыкновенную девушку. Он говорил о ней с таким энтузиазмом, что я шутя сказал ему:

— Берегись, старина, не то ты снова потеряешь голову.

Он ответил, чтобы я не говорил глупостей. Он просто пишет ее портрет. А она лично его мало интересует.

— Расскажи это другим! — ответил я. — Я уже не первый раз слышу от тебя такое.

— На этот раз все будет иначе, — возразил он, и я несколько цинично заметил:

— У тебя всякий раз по-другому.

Тогда Эмиас почему-то забеспокоился, заволновался и сказал:

— Ты не понимаешь. Она еще совсем молодая. Почти ребенок.

И добавил, что у нее очень современные взгляды и что она совершенно лишена устарелых представлений.

— Она откровенна, естественна и абсолютно бесстрашна, — сказал он.

Я подумал про себя, не обмолвившись ему ни словом, что на этот раз Эмиас серьезно влип. Через несколько недель я услышал, как кто-то сказал: «Эта Грир совсем потеряла голову». А кто-то еще добавил, что Эмиас, принимая во внимание юный возраст девицы, ведет себя неразумно, на что с усмешкой было замечено, что Эльза Грир отлично знает, что умеет добиваться того, что хочет, а также что «она всегда берет инициативу на себя». Прозвучал вопрос, о чем думает жена Крейла, на что последовал ответ, что она, должно быть, уже привыкла к такого рода делам, но кто-то возразил, заявив, что слышал, будто она чертовски ревнива и заставляет Крейла вести такую жизнь, что любого мужчину можно оправдать, если он при такой жене иногда заводит романы на стороне.

Я пишу обо всем этом, потому что считаю важным дать представление об общем положении дел перед моей поездкой в Олдербери.

Мне было интересно посмотреть на эту девицу — она и вправду была очень интересной и обаятельной, — и я от души и, признаться, с некоторой долей злорадства позабавился тем, как реагировала на происходившее Кэролайн.

Сам Эмиас Крейл на сей раз выглядел менее беззаботным, нежели обычно. Человеку, который плохо его знал, его поведение показалось бы таким же, как всегда. Но я, его закадычный друг, тотчас приметил в нем признаки нервозности, вспыльчивости, несдержанности и раздражительности.

Хотя ему вообще было свойственно пребывать в дурном настроении, когда он писал очередную картину, на этот раз вовсе не работа была причиной его раздражительности. Он обрадовался моему приезду и, как только мы остались наедине, сказал: «Слава Богу, что ты появился, Фил. С ума можно спятить в доме с четырьмя бабами. Из-за них я вот-вот угожу в психушку».

И в самом деле, атмосфера в доме была тяжелой. Кэролайн, как я уже сказал, реагировала на все крайне болезненно. Своей вежливой, воспитанной манерой обращения, не произнося при этом ни единого бранного слова, она выказывала такую неприязнь к Эльзе, какую и представить себе было трудно. Эльза в свою очередь была откровенно дерзка с Кэролайн. Позабыв о хорошем воспитании, она явно давала ей и остальным понять, что она хозяйка положения. В результате чего Крейл большую часть времени, когда не писал, цапался с Анджелой. Вообще-то они очень нежно относились друг к другу, хотя часто бранились и были не в ладах. Но на этот раз во всем, что Эмиас говорил или делал, сквозило раздражение, и они буквально теряли самообладание. Еще в доме была гувернантка. «Фурия с кислой физиономией, — сказал про нее Эмиас. — Пылает ко мне ненавистью. Сидит, поджав губы, всем своим видом порицая меня».

Вот тогда-то он и сказал:

— Черт бы побрал всех этих баб! Если мужчина хочет жить в мире и спокойствии, ему надо начисто отделаться от женщин!

— Тебе не следовало жениться, — заметил я. — Ты из тех мужчин, кто должен избегать семейных уз.

Он ответил, что теперь, мол, поздно об этом рассуждать. И добавил, что Кэролайн была бы только рада отделаться от него. Вот тогда-то я впервые почувствовал, что в доме происходит нечто необычное.

— О чем ты говоришь? — спросил я. — Или отношения с красавицей Эльзой зашли настолько далеко?

— С красавицей... — чуть ли не со стоном произнес он. — Как было бы хорошо, если бы мы с ней не встретились.

— Послушай, старина, — сказал я, — возьми себя в руки и не связывайся больше ни с какими женщинами.

Он посмотрел на меня и засмеялся.

— Тебе хорошо говорить, — сказал он. — Не могу я оставить женщин в покое, просто не могу, а если бы и мог, они бы не оставили меня в покое! — Потом, пожав своими широченными плечами, усмехнулся и сказал: — Все в конце концов, надеюсь, вернется на круги своя. Но ты должен признать, что картина удалась, а?

Он говорил о портрете Эльзы, который в то время писал, и, хотя я мало разбираюсь в живописи, даже я понимал, что это далеко не рядовое произведение.

Когда Эмиас принимался за работу, он становился другим человеком. Хотя он рычал, стонал, хмурился, ругался последними словами и порой швырял кисти на пол, в эти минуты он был по-настоящему счастлив.

Но когда он возвращался в дом к столу, рознь, которая все больше и больше разгоралась между женщинами, его подавляла. Достигла она апогея 17 сентября. Обед у нас происходил в крайне неловкой атмосфере. Эльза вела себя исключительно нагло — другого слова я не могу подобрать. Не обращая никакого внимания на Кэролайн, она умышленно то и дело обращалась к Эмиасу, как будто в комнате, кроме них, никого не было. Кэролайн легко и весело беседовала с остальными, ловко ухитряясь сказать что-то такое, что звучало вполне невинно, а на самом деле жалило, как оса. В ней не было такого откровенного пренебрежения, каким оперировала Эльза Грир. Все, что Кэролайн говорила, было скорее намеком, нежели решительным словоизлиянием.

События достигли кульминации в гостиной, куда мы после обеда удалились пить кофе. Я высказался по поводу головы, вырезанной из отполированного до зеркального блеска букового дерева, — весьма любопытной вещицы, — на что Кэролайн ответила:

— Это работа молодого норвежского скульптора. Мы с Эмиасом восхищены его творчеством и надеемся следующим летом побывать у него.

Такое столь спокойное высказанное предположение Эльза выслушать была не в силах. Не обратить внимания на брошенный ей вызов она не могла. Подождав минуту-другую, она громко и подчеркнуто отчетливо заявила:

— Эта комната была бы очень красивой, если бы ее обставить по-другому. Здесь чересчур много мебели. Когда я буду здесь жить, я выкину всю эту рухлядь, оставив две-три приличные вещи. И повешу золотистого цвета занавеси, чтобы на них играли лучи заходящего солнца. — И, повернувшись ко мне, спросила: — Как по-вашему, это будет красиво?

Не успел я ответить, как заговорила Кэролайн. Ее тихий голос так шелестел, что сразу услышалась таившаяся в нем угроза.

— Вы что, собираетесь купить наше поместье, Эльза? — спросила она.

— Нет, в этом не будет необходимости, — ответила Эльза.

— Тогда о чем разговор? — спросила Кэролайн, и в ее голосе зазвенел металл.

— К чему притворяться? — засмеялась Эльза. — Бросьте, Кэролайн, вам хорошо известно, о чем я говорю.

— Понятия не имею, — отозвалась Кэролайн.

— Не будьте страусом, который сует голову в песок. Зачем делать вид, будто вы ничего не видите и не знаете. Мы с Эмиасом любим друг друга. Это не ваш дом. Это его дом. И после нашей свадьбы я буду жить здесь с ним!

— По-моему, вы сошли с ума, — сказала Кэролайн.

— О нет, дорогая, и вам это хорошо известно, — откликнулась Эльза. — Было бы куда проще, если бы мы все вели себя честно. Эмиас и я любим друг друга, вы это знаете. И вам остается только одно: дать ему свободу.

— Я не верю ни единому вашему слову, — сказала Кэролайн.

Ее реплика прозвучала неубедительно. Эльза застала Кэролайн врасплох.

И в эту минуту в комнату вошел Эмиас Крейл.

— Если вы мне не верите, спросите у него, — засмеялась Эльза.

— Спрошу, — произнесла Кэролайн. И, ни на секунду не задумываясь, повернулась к Эмиасу: — Эмиас, Эльза говорит, что ты собираешься на ней жениться. Это правда?

Бедняга Эмиас. Мне его было жаль. Мужчину превращают в дурака, заставляя участвовать в такой сцене. Он побагровел и принялся кричать. Обратившись к Эльзе, он заорал на нее, почему она не придержит язык.

— Значит, это правда? — спросила Кэролайн.

Он ничего не ответил и стоял, засунув палец за воротник и оттягивая его. Он и мальчишкой делал то же самое, когда попадал в неприятное положение. Стараясь произносить слова с достоинством и не терпящим возражения тоном — ничего у него, бедняги, конечно, не получилось, — он сказал:

— Я не хочу об этом говорить.

— Зато я хочу, — заявила Кэролайн.

— По-моему, будет справедливо по отношению к Кэролайн, — прочирикала Эльза, — если ей все сказать.

— Это правда, Эмиас? — совсем тихо повторила Кэролайн.

Ему было стыдно. Как обычно бывает стыдно мужчинам, когда женщины загоняют их в угол.

— Ответь мне, пожалуйста. Я должна знать.

Он вскинул голову, как бык на арене, и отрезал:

— Правда, но я не хочу об этом сейчас говорить.

И, резко повернувшись, вышел из комнаты. Я двинулся за ним вслед. Мне не хотелось оставаться наедине с женщинами. На террасе я догнал его. Он ругался. Я еще никогда не слышал такого потока ругательств.

— Почему она не может придержать язык? — взорвался он. — Почему, черт подери, она не может помолчать? Теперь быть беде, а мне еще нужно закончить картину, слышишь, Фил? Это — лучшее из того, что я когда-либо написал. Лучшее за всю мою жизнь. А эти две глупые женщины готовы все испортить!

Потом, чуть поостыв, он заметил, что женщины лишены чувства меры.

Я не мог сдержать улыбки.

— Черт подери, старина, ты же сам виноват во всем этом, — сказал я.

— А то я не знаю, — простонал он. И добавил: — Но согласись, Фил, что мужчину нельзя винить, если он теряет из-за женщины голову. Даже Кэролайн следует это понять.

Я спросил его, что будет, если Кэролайн заупрямится и не даст ему развода.

Но им опять овладели его прежние мысли. Мне пришлось повторить свой вопрос, на что он ответил довольно рассеянно:

— Кэролайн никогда не станет мне поперек дороги. Ты не понимаешь, старина.

— Но ведь есть и ребенок, — заметил я.

Он взял меня за руку:

— Фил, старина, я понимаю, что ты действуешь из лучших побуждений, но не надо каркать, как ворона. Я сам улажу свои дела. Все будет в порядке, увидишь. — В этом был весь Эмиас — неунывающий оптимист. — Пошли они все к черту! — весело заключил он.

Не помню, говорили ли мы еще о чем-нибудь, но через несколько минут на террасе появилась Кэролайн. На ней была шляпа, нелепая, с большими полями, темно-коричневого цвета, но тем не менее привлекательная на вид. Совершенно ровным, обычным голосом она сказала:

— Сними эту заляпанную краской куртку, Эмиас. Мы идем на чай к Мередиту, ты не забыл?

Он вытаращил глаза и, чуть заикаясь, ответил:

— Совсем забыл. Да, да, конечно.

— Тогда пойди и переоденься, а то ты выглядишь как старьевщик.

И хотя произносила она слова совершенно ровным тоном, но на него не смотрела. А потом спустилась к клумбе с георгинами и принялась срывать самые пышные цветы.

Эмиас не спеша повернулся и вошел в дом.

Кэролайн заговорила со мной. Она болтала не переставая. О том, долго ли простоит хорошая погода, не появится ли в бухте макрель, и если да, то, может, Эмиас, Анджела и я отправимся на рыбную ловлю. Удивительная женщина, следует отдать ей должное.

Но в то же время это свидетельствует, по-моему, о ее характере. У нее была огромная сила воли и умение владеть собой. Не знаю, когда она решила убить его, но, если тогда, я не был бы удивлен. Умея мыслить хладнокровно и безжалостно, она была способна тщательно и бесстрастно продумать свой план.

Кэролайн Крейл была очень опасной женщиной. Мне бы следовало еще тогда понять, что она этого так не оставит. А я, идиот, решил, что она согласилась принять неизбежное или, по крайней мере, надеялась, что, если будет вести себя как ни в чем не бывало, Эмиас передумает.

Наконец вышли в сад все остальные. Эльза вела себя вызывающе, с видом победительницы. Кэролайн не обращала на нее никакого внимания. Обстановку разрядила Анджела. Она принялась спорить с мисс Уильямс, что не наденет другую юбку. Та, что на ней, вполне сойдет для милого доброго Мередита, он все равно никогда не обращает внимания на подобные вещи.

Наконец мы тронулись в путь. Кэролайн шла рядом с Анджелой. Я — с Эмиасом. А Эльза одна — шла и улыбалась.

Мне она не очень нравилась — слишком уж напористая, — но должен признать, что в тот день она выглядела невероятно красивой. Так бывает, когда женщина добивается того, чего хочет.

Я не очень хорошо помню все события того дня. Их словно подернуло туманной дымкой. Помню, как из дома навстречу нам вышел старина Мерри. По-моему, мы сначала обошли сад. Помню, что мы с Анджелой долго обсуждали, как натаскивать терьеров на крыс. Анджела съела бессчетное количество яблок и пыталась заставить меня последовать ее примеру.

Когда мы подошли к дому, под большим кедром уже был накрыт чай. Мерри, насколько я помню, выглядел очень расстроенным. Наверное, либо Кэролайн, либо Эмиас ему что-то сказали. Он то с сомнением поглядывал на Кэролайн, то переводил взгляд на Эльзу. Чем-то он явно был обеспокоен. Конечно, Кэролайн нравилось держать Мередита на привязи — старый преданный друг, пусть он всегда будет при ней. Такой она была человек.

После чая Мередит поспешил поговорить со мной.

— Послушай, Фил, — сказал он. — Эмиас не должен этого делать!

— Еще как сделает, можешь не сомневаться.

— Как он может бросить жену и ребенка ради этой девицы? Он ведь гораздо старше ее. Ей нет и восемнадцати.

Я ответил ему, что мисс Грир целых двадцать.

— Все равно, она еще несовершеннолетняя. Она не понимает, что творит, — сказал он.

Бедняга Мередит. Всегда видит в людях только хорошее.

— Не беспокойся, старина. Она знает, что делает, и это ей нравится.

Вот и все, что нам удалось друг другу сказать. Я подумал про себя, что Мерри, наверное, боится и представить себе, что Кэролайн окажется в роли брошенной жены. Как только состоится развод, она начнет надеяться, что ее верный рыцарь тотчас сделает ей предложение. А мне казалось, что ему куда больше по душе роль человека, лишенного последней надежды. И, должен признаться, меня эта ситуация очень забавляла.

Любопытно, однако, что я почему-то плохо помню наше посещение лаборатории Мередита. Ему страшно нравилось демонстрировать другим собственное увлечение. Лично мне оно представлялось крайне скучным. По-моему, я присутствовал там вместе с другими, когда он читал нам лекцию о свойствах кониума, но что именно он говорил, мне не запомнилось. Я не видел, как Кэролайн похитила яд. Как я уже сказал, она была ловкой женщиной. Еще я помню, как Мередит читал нам вслух отрывок из Платона, в котором описывается смерть Сократа. Тоже скука, по-моему. Меня классики всегда вгоняли в тоску.

Больше ничего про тот день я вспомнить не в силах. Эмиас и Анджела жутко поссорились, но нам, всем остальным, от этого стало только легче. Отвлеклись немного. Выкрикнув напоследок, что Эмиас еще пожалеет о ссоре с ней, что хорошо бы, чтобы он умер от проказы, — так, мол, ему и надо, — и, наконец, хорошо бы, если бы у него к носу приклеилась навечно колбаса, как в известной сказке, она отправилась спать. Когда она удалилась, мы не могли не рассмеяться — такая это была забавная сцена.

Вскоре ушла спать и Кэролайн. Мисс Уильямс исчезла вслед за своей ученицей. Эмиас и Эльза отправились бродить по саду. Мое общество, понял я, им было ни к чему. Я пошел прогуляться. Стоял чудесный вечер.

На следующее утро я спустился вниз поздно. В столовой никого не было. Смешно, что запоминаются совершенно несущественные детали. Я, например, хорошо помню вкус почек с беконом, которые я ел. Отличные почки. С перцем.

Затем я бродил по саду в поисках собеседника. Никого не нашел, выкурил сигарету, встретил мисс Уильямс, бегавшую в поисках Анджелы, которая где-то шлялась, как обычно, хотя должна была заняться починкой порванного платья. Я вошел в холл и услышал, как Эмиас и Кэролайн выясняют отношения в библиотеке. Говорили они очень громко.

— Ты и твои женщины! — выкрикнула она. — Прикончить бы тебя! Когда-нибудь я тебя прикончу!

На что Эмиас ответил:

— Не будь дурой, Кэролайн.

А она сказала:

— Я говорю серьезно, Эмиас.

Подслушивать мне не хотелось, поэтому я снова вышел на террасу. Прошелся вдоль нее и увидел Эльзу.

Она сидела в шезлонге как раз под окном библиотеки, а окно было открыто. Думаю, она сумела услышать все, что говорилось в библиотеке. Увидев меня, она встала и, приняв вполне хладнокровный вид, пошла мне навстречу.

— Какое чудесное утро! — сказала она, взяв меня под руку.

Да, для нее оно и впрямь было чудесным. До чего же жестокая девчонка! Нет, пожалуй, просто честная и лишенная воображения. Умела видеть только то, что ей в данный момент было нужно.

Разговаривая, мы постояли на террасе минут пять, затем хлопнула дверь библиотеки и появился Эмиас Крейл. Лицо у него пылало.

Бесцеремонно схватив Эльзу за плечо, он сказал:

— Хватит болтаться без дела. Пойдем поработаем.

— Хорошо, — согласилась она. — Только схожу наверх, захвачу пуловер. Ветер какой-то прохладный.

И вошла в дом.

Я ждал, что Эмиас мне что-нибудь скажет, но он промолчал, ограничившись лишь фразой:

— Эти женщины!

— Держись, старина! — отозвался я.

И мы промолчали до тех пор, пока на террасу снова не вышла Эльза.

Они вместе отправились в Оружейный сад, а я вошел в дом. В холле стояла Кэролайн. Меня она, по-моему, даже не заметила. Так с ней часто бывало. Казалось, она где-то далеко. Она что-то пробормотала. Не мне, а себе. Я только различил слова: «Слишком это жестоко...»

Вот что она сказала. А потом прошла мимо, казалось так меня и не заметив, словно была целиком погружена в собственные мысли, и поднялась наверх. Думаю (утверждать это я не имею права, вы понимаете), что она пошла за ядом и что именно в эту минуту она задумала совершить то, что совершила.

И тут зазвонил телефон. В некоторых домах полагается ждать, пока трубку возьмет кто-нибудь из слуг, но я так часто бывал в Олдербери, что практически считался членом семьи. Я поднял трубку.

Звонил мой брат Мередит. Он был очень расстроен. Он сказал, что побывал у себя в лаборатории и обнаружил, что бутылка с кониумом наполовину пуста.

Незачем вновь каяться в том, что я был обязан сделать тогда и не сделал. Новость эта меня оглушила, и я по глупости оказался застигнутым врасплох. На другом конце провода возбужденно верещал Мередит. Я услышал, что по лестнице кто-то спускается, и поэтому велел ему срочно прийти в Олдербери.

А сам пошел ему навстречу. Если вы не знаете расположения обоих владений, то должен вам объяснить, что кратчайший путь между ними — это пересечь в лодке небольшую бухту. Я спустился по тропинке к тому месту, где у крохотной пристани стояли лодки. Мне пришлось пройти вдоль ограды Оружейного сада, и я слышал, как разговаривают Эльза и Эмиас. Голоса у них были веселые и беззаботные. Эмиас заметил, что день удивительно жаркий (он и вправду был жарким для сентября), а Эльза сказала, что когда сидишь так, как она, на стене, то чувствуешь прохладный ветерок с моря. Потом она сказала:

— Я устала позировать. Нельзя ли мне отдохнуть, дорогой?

На что Эмиас крикнул:

— Ни в коем случае! Сиди. Ты ведь человек выносливый. А получается здорово, скажу я тебе.

— Какой ты жестокий, — засмеялась Эльза.

И все — больше я ничего не услышал.

Мередит уже отчалил от противоположного берега. Я подождал его. Он привязал лодку и поднялся по ступенькам. Он был очень бледен и явно обеспокоен.

— У тебя голова работает лучше, чем у меня, Филип. Что нам делать? — спросил он. — Это очень опасный яд.

— Ты уверен в пропаже? — спросил я.

Мередит, надо сказать, человек рассеянный. Может, именно поэтому я и отнесся к его сообщению не так серьезно, как следовало.

— Уверен, — ответил он. — Вчера днем бутылка была полной.

— И ты понятия не имеешь, кто взял яд? — спросил я.

Нет, ответил он и спросил, кого, по моему мнению, можно заподозрить. Кого-нибудь из слуг? Возможно, ответил я, но весьма сомнительно. Лаборатория ведь всегда заперта, не так ли? Да, ответил он и принялся молоть чепуху о том, что окно оказалось на несколько дюймов приоткрытым. Таким путем можно было проникнуть в лабораторию.

— Случайный грабитель, что ли? — усмехнулся я. — Тогда выбор у нас такой, Мередит, что и искать не стоит.

Что я на самом деле думаю, спросил он. И я ответил, что если он уверен, что яд украли, тогда, значит, его украла Кэролайн, чтобы отравить Эльзу, или, наоборот, его украла Эльза, чтобы убрать с дороги Кэролайн и освободить место для истинной любви.

Мередит прочирикал, что я несу сентиментальную чепуху, которая не может быть правдой.

— Но яд пропал, — возразил я. — Чем же ты можешь это объяснить?

Никакого объяснения он, разумеется, дать не мог. Он мыслил точно так же, как и я, только не хотел себе в этом признаться.

— Что же нам делать? — снова спросил он.

— Сначала надо все как следует обдумать, — ответил я, совершив непростительную ошибку. — А потом либо ты объявишь во всеуслышание о пропаже, либо скажешь по секрету Кэролайн, тем самым подвергнув ее испытанию. Если ты убедишься, что она ничего про это дело не знает, проделай то же самое с Эльзой.

— Такая изумительная девушка! — сказал он. — Не может быть, чтобы она это сделала.

Я ответил, что вовсе в этом не уверен.

Разговаривая, мы шли по дорожке к дому. После моего последнего замечания мы оба несколько секунд молчали. Как раз в эту минуту мы снова шли мимо садовой ограды, и я услышал голос Кэролайн.

Я было решил, что теперь они скандалят втроем, но оказалось, что речь идет об Анджеле.

— Это несправедливо по отношению к ней, — возражала Кэролайн.

Эмиас что-то раздраженно пробурчал в ответ. Затем калитка сада, как раз когда мы подошли к ней, открылась. Эмиас был несколько поражен, увидев нас. Из сада вышла Кэролайн.

— Здравствуй, Мередит! — сказала она. — Мы говорили об отъезде Анджелы в школу. Я не очень уверена, что ей там будет хорошо.

— Да не бойся ты за нее, — сказал Эмиас. — Ничего с ней не случится. Я сам ее провожу.

Как раз в эту минуту на дорожке появилась Эльза, которая бежала со стороны дома. В руках у нее был какой-то джемпер алого цвета.

— Скорее! — зарычал Эмиас. — Садись как полагается. Я не хочу терять время.

И пошел к мольберту. Я заметил, что он ступает как-то неуверенно, и подумал, не выпил ли он. При всей суете и скандалах человека легко понять и извинить.

— Пиво какое-то теплое, — проворчал он. — Почему сюда не принесут льда?

— Я пришлю тебе пива из холодильника, — пообещала Кэролайн.

— Спасибо, — буркнул Эмиас.

Затем Кэролайн закрыла калитку и вместе с нами направилась к дому. Мы сели на террасе, а она вошла в дом. Минут через пять появилась Анджела с двумя бутылками пива и стаканами. День и вправду был жаркий, и мы обрадовались пиву. Тут мимо нас прошла Кэролайн. В руках у нее была бутылка с пивом, которую она, по ее словам, несла Эмиасу. Мередит хотел было проводить ее, но она твердо отклонила его предложение. Я подумал — до чего же я был глуп! — что в ней говорит ревность. Ей было неприятно, чтобы кто-то еще увидел тех двоих наедине в саду. Поэтому она уже раз там побывала, придумав для этого весьма жалкий предлог: не отложить ли отъезд Анджелы.

Она шла по зигзагообразной дорожке, а мы с Мередитом смотрели ей вслед. Мы так ничего и не решили, а тут еще Анджела стала требовать, чтобы я пошел с ней купаться. Заставить Мередита действовать одного было невозможно, поэтому я только и сказал ему: «После обеда». Он кивнул.

Затем мы с Анджелой отправились купаться. Мы хорошо поплавали — через бухту и обратно, — а потом позагорали на скалах. Анджела почему-то была хмурой, но меня это вполне устраивало. Я решил, что сразу после обеда отведу Кэролайн в сторонку и напрямую предъявлю ей обвинение в краже яда. Без толку уговаривать Мередита сделать это — он слишком мягок. А я припру ее к стенке, и все. Ей придется возвратить яд, или уж, во всяком случае, она ни за что не осмелится им воспользоваться. Поразмыслив, я пришел к убеждению, что это она взяла яд. Эльза была слишком благоразумной и рациональной, чтобы пойти на такой риск. Голова у нее работала как следует, и больше всего она боялась за собственную шкуру. Кэролайн же была из легко воспламеняющегося материала — неуравновешенная, увлекающаяся, настоящая психопатка. И все же где-то в глубине сознания у меня копошилась мысль, что Мередит ошибся. Вдруг кто-нибудь из слуг проник к нему в лабораторию, отлил половину содержимого бутылки и побоялся в этом признаться? В нашем представлении яд — принадлежность мелодрамы, и в реальной жизни в него трудно поверить.

До тех пор, пока ничего не случится.

Когда я посмотрел на часы, оказалось, что уже довольно поздно, и мы с Анджелой буквально побежали на обед. Все только рассаживались за столом — все, кроме Эмиаса, который остался в Оружейном саду работать, что для него стало почти правилом. Как он умно поступил, сделав это и сегодня, подумал я, ибо за обедом у нас царила какая-то неловкость.

Кофе мы пили на террасе. Я плохо помню, как вела себя и как выглядела Кэролайн. Во всяком случае, обеспокоенной она не казалась. Скорее сдержанной и притихшей. Вот уж поистине сатана в юбке!

Ибо нужно было иметь сатанинскую волю, чтобы так хладнокровно отравить человека. Если бы она схватила револьвер и выстрелила в него — это я бы еще мог понять. Но продуманное, хладнокровное, сводящее счеты убийство... И такое спокойствие...

Она встала и самым естественным голосом объявила, что отнесет ему кофе. И ведь она уже знала — не могла не знать, — что застанет его там мертвым. С ней пошла мисс Уильямс. Не помню, Кэролайн попросила ее об этом или она вызвалась сама. Вроде Кэролайн.

Две женщины ушли. Через минуту-другую вслед за ними пошел и Мередит. Я только было принялся придумывать предлог, чтобы последовать за ним, как он снова появился на дорожке, спеша к нам. Лицо у него было пепельно-серым.

— Доктора... быстро... Эмиас... — задыхаясь, проговорил он.

— Он болен? — вскочил я. — Умирает?

— Боюсь, он уже умер... — ответил Мередит.

На мгновение мы забыли про Эльзу. Но она вдруг вскрикнула. Это был леденящий душу вопль.

— Умер? Умер?.. — И она бросилась бежать. Я и не знал, что человек способен так бегать — как олень, как раненый зверь. И как жаждущая мщения фурия.

— Беги за ней, — выдохнул Мередит. — Я позвоню. Беги за ней. Кто знает, что она там натворит?

Я бросился вслед изо всех сил. Она вполне была способна убить Кэролайн. Никогда я не видел столько горя и столько неистовой ненависти. Вся видимость культуры и образованности слетела с нее. Сразу стало ясно, что ее отец, дед и бабка со стороны матери были фабричными рабочими. Ее лишили ее любовника, и в ней взыграла простолюдинка. Если бы могла, она расцарапала бы Кэролайн лицо, вцепилась бы ей в волосы и сбросила бы ее через парапет. По какой-то причине она решила, что Кэролайн нанесла ему удар ножом. Она все перепутала.

Я придержал ее, а затем ею занялась мисс Уильямс. Должен признать, действовала она очень разумно. Она заставила Эльзу опомниться, велев ей помолчать, потому что нам совершенно ни к чему шум и крики. Она была сущая мегера. Но сумела сделать все, как нужно. Эльза стихла — стояла, всхлипывая и дрожа.

Что же касается Кэролайн, то, насколько я помню, маска с нее сразу слетела. Она стояла совершенно спокойно — в трансе, сказали бы вы. Только глаза выдавали ее. Они были начеку — настороженно и спокойно оглядывали всех. Она начала, по-моему, бояться...

Я подошел и заговорил с ней. Не думаю, что мои слова услышали две другие женщины.

— Проклятая убийца! Ты убила моего самого близкого друга! — еле слышно прошептал я.

— Нет... О нет... Он... сам... — отшатнувшись, сказала она.

Я посмотрел ей в глаза.

— Расскажи это полиции, — посоветовал я. Она последовала моему совету, но ей не поверили».

Конец рассказа Филипа Блейка.

РАССКАЗ МЕРЕДИТА БЛЕЙКА

«Дорогой мсье Пуаро!

Как я Вам обещал, я принялся за описание всего того, что помнится мне касательно трагических событий шестнадцатилетней давности. Прежде всего я хотел бы подчеркнуть, что я тщательно обдумал все сказанное Вами во время нашей недавней встречи. И по размышлении я более, чем прежде, убежден в невиновности Кэролайн Крейл. И раньше трудно было поверить, чтобы она решилась отравить своего мужа, но отсутствие других версий и ее собственное поведение вынудили меня, не долго думая, присоединиться к общему мнению: если не она, то кто?

После нашей встречи я долго размышлял о версии о самоубийстве Крейла, которую выдвинула на суде защита, и, хотя эта версия в ту пору показалась мне совершенно нелогичной, теперь я полагаю уместным изменить свое мнение, исходя в первую очередь из того в высшей степени знаменательного факта, что Кэролайн сама в это верила. Если мы допустим, что эта очаровательная и благородная женщина была несправедливо признана виновной, тогда ее собственное неоднократно высказанное убеждение имеет серьезное основание. Она знала Эмиаса гораздо лучше, чем любой из нас. Если она считала самоубийство возможным, значит, имело место самоубийство, несмотря на скептическое отношение к такой версии всех его друзей.

Я попытаюсь развить эту теорию, предположив, что в Эмиасе Крейле были какие-то известные только его жене зачатки совести, скрытые от посторонних взглядов раскаяние и даже отчаяние из-за злоупотреблений, вызванных его бурным темпераментом. Я полагаю, такая мысль имеет право на существование. Возможно, эту сторону своего характера он раскрывал только перед женой. Хотя это несовместимо с его собственными, не раз слышанными мною высказываниями, тем не менее у большинства мужчин действительно присутствует никем не подозреваемая и зачастую не соответствующая их характеру черта, которая часто является сюрпризом для людей, близко их знающих. Почтенный и суровый человек, бывает, втихомолку ведет себя крайне непристойно. Вульгарный делец оказывается тонким ценителем искусства. Нетерпимые и безжалостные люди нередко обнаруживают невиданную доселе доброту. А великодушные и общительные порой проявляют себя как подлецы и подонки.

Поэтому вполне возможно, что Эмиасу Крейлу были свойственны приступы раскаяния и чем больше он неистовствовал в своем эгоизме, утверждая право делать, что ему заблагорассудится, тем сильнее мучила его совесть. Как это ни невероятно, но теперь я считаю, что так оно, наверное, и было. И я еще раз повторяю, что сама Кэролайн твердо придерживалась именно этой версии. Что очень важно.

А теперь рассмотрим факты или, скорее, то, что осталось у меня в памяти, в свете моих нынешних убеждений.

Пожалуй, здесь было бы уместно упомянуть о разговоре, который состоялся у меня с Кэролайн за несколько недель до случившейся трагедии. Это произошло во время первого приезда Эльзы Грир в Олдербери.

Кэролайн, как я Вам уже говорил, знала, что я отношусь к ней с глубокой симпатией и уважением. Поэтому в моем лице она видела человека, которому вполне могла доверять. Выглядела она далеко не радостной. Тем не менее я был удивлен, когда однажды она вдруг спросила меня, считаю ли я, что Эмиас всерьез увлечен девушкой, которую пригласил к ним.

— По-моему, ему интересно ее писать, — ответил я. — Ты же знаешь, как Эмиас способен загореться очередной работой.

— Нет, он в нее влюблен, — покачала головой она.

— Разве что чуть-чуть.

— А по-моему, сильно.

— Она очень хороша, я согласен, — сказал я. — А нам обоим известно, что Эмиас неравнодушен к женским чарам. Но ты уже давно должна знать, дорогая, что Эмиас по-настоящему любит только тебя. Ему свойственно увлекаться, но эта страсть продолжается недолго. Для него существуешь только ты, и, хотя порой он ведет себя скверно, это ничуть не влияет на его чувство к тебе.

— Именно так я всегда и рассуждала, — сказала Кэролайн.

— Поверь мне, Кэро, — попросил я, — это действительно так.

— Но на этот раз, Мерри, — продолжала она, — я боюсь. Эта девушка ужасно... ужасно откровенна. Она такая юная, такая настойчивая. Я чувствую, что на сей раз он увлекся всерьез.

— Но то, что она юная и такая, как ты говоришь, откровенная, — возразил я, — и послужит ей защитой. Вообще-то женщины для Эмиаса — это дичь, на которую разрешено охотиться, но в случае с этой девушкой его ждет промах.

— Вот этого-то я и боюсь, — призналась Кэролайн. — Боюсь, что на сей раз он сам превратился в дичь. — И продолжала: — Мне, как ты знаешь, Мерри, тридцать четыре. Мы женаты уже десять лет. По внешности я не иду ни в какое сравнение с этой Эльзой, я это понимаю.

— Но тебе ведь известно, Кэролайн, — сказал я, — тебе хорошо известно, что Эмиас по-настоящему тебе предан.

— Разве можно быть уверенной в чувствах мужчины? — возразила она. А затем, хмуро усмехнувшись, заключила: — Я человек примитивный, Мерри. Мне бы хотелось расправиться с этой девушкой топором.

Я сказал, что Эльза, по-видимому, совсем не понимает, что делает. Она восхищается Эмиасом и преклоняется перед ним, вряд ли сознавая, что Эмиас в нее влюбляется.

— Милый мой Мерри! — только и ответила на мои слова Кэролайн и перевела разговор на сад.

Я надеялся, что она забудет про все свои беспокойства.

Вскоре после этого Эльза уехала в Лондон. Эмиас тоже отсутствовал несколько недель. Я, по правде говоря, и позабыл про них. А потом мне стало известно, что Эльза вновь вернулась в Олдербери, чтобы Эмиас мог завершить ее портрет.

Меня эта новость несколько обеспокоила. Но Кэролайн, когда я снова встретился с нею, не захотела продолжать разговор. Выглядела она как всегда — ни в коем случае не встревоженной и не огорченной. Все, наверное, в порядке, подумал я.

Вот почему я был так огорошен, узнав, как далеко зашло дело.

Я уже рассказал Вам о моих разговорах с Крейлом и с Эльзой. Поговорить с Кэролайн мне так и не удалось. Мы смогли лишь обменяться парой фраз, о которых я тоже уже вам говорил.

Я словно вижу перед собой ее лицо с огромными темными глазами и с трудом сдерживаю волнение. Я слышу ее голос, когда она произнесла: «Все кончено...»

Я не в силах описать то бесконечное отчаяние, которое скрывалось за этими словами. Они были констатацией факта. С уходом Эмиаса жизнь для нее кончилась. Вот почему, уверен я, она взяла кониум. Это был выход из положения. Выход, подсказанный ей моей глупой лекцией о свойствах этой настойки. И отрывок из «Федона», живописующий смерть от яда.

Вот как я нынче представляю себе случившееся. Она взяла кониум, решив покончить с собой, если Эмиас ее бросит. Быть может, он заметил, как она отливала настойку, или потом обнаружил у нее яд.

Эта находка произвела на него впечатление. Он ужаснулся, до чего довел ее своим поведением. Но, невзирая на страх и раскаяние, он тем не менее был не в силах отказаться от Эльзы. Я могу его понять. Любой, кто ею увлекся, был не способен ее забыть.

Он не представлял себе жизни без Эльзы. И понял, что Кэролайн не может жить без него. Вот он и решил, что единственный выход — это самому воспользоваться кониумом.

Он действовал в характерной для себя манере. Самым дорогим для него в жизни были его картины. Он предпочел умереть с кистью в руке. А последнее, что видели его глаза, — это лицо девушки, которую он так безумно любил. Наверное, он решил, что ей тоже будет лучше, если его не станет...

Эта теория, правда, оставляет необъясненными некоторые любопытные факты. Например, почему на пустом флаконе из-под кониума остались только отпечатки пальцев Кэролайн. Наверное, после того, как Эмиас держал флакон в руках, все отпечатки стерлись мягкими вещами, среди которых нашли флакон после его смерти. Кэролайн же взяла флакон в руки, чтобы посмотреть, трогал ли его кто-нибудь. По-моему, такое объяснение вполне вероятно и правдоподобно. Что же касается отпечатков пальцев на бутылке из-под пива, свидетели защиты высказали мнение, что, приняв яд, человек плохо владеет руками и может касаться бутылки необычным образом — отсюда и искажение отпечатков.

Остается еще поведение Кэролайн во время процесса. Но мне думается, я вижу этому объяснение. Она украла яд из лаборатории, решив покончить с собой, и тем самым навела мужа на мысль о самоубийстве. Можно предположить, что она, при ее повышенном чувстве ответственности, сочла себя повинной в его смерти, убедив себя, что она — убийца, хотя это было вовсе не такое убийство, за какое ее судили.

Все это мне кажется вполне логичным. А если это так, тогда Вам, наверное, будет не трудно убедить в этом маленькую Карлу? И она сможет выйти замуж за своего молодого человека, удостоверившись, что единственное, в чем была виновата ее мать, — это желание (не более того) покончить с собой.

Я понимаю, что это вовсе не то, о чем Вы просили меня написать, а именно о событиях, как я их помню. Позвольте мне сейчас исправить свою ошибку. Я уже полностью поведал Вам о том, что произошло накануне смерти Эмиаса. Теперь перейдем ко дню его гибели.

Спал я очень плохо, поскольку был расстроен неприятным осложнением событий в судьбе моих друзей. После того как я долго не мог заснуть, безуспешно размышляя над тем, что предпринять, дабы предотвратить катастрофу, около шести утра я заснул глубоким сном. Я даже не слышал, как мне принесли утренний чай, и проснулся примерно в половине десятого с тяжелой головой и разбитый. Вскоре после этого мне показалось, что я услышал какой-то шорох в комнате под моей спальней — там была лаборатория.

Здесь мне, пожалуй, следует упомянуть, что, по-видимому, в лаборатории побывала кошка. Я обнаружил, что оконная рама была чуть приподнята. Я по легкомыслию оставил окно приоткрытым с вечера, и кошка вполне могла в него пролезть. Я упоминаю об этом, чтобы объяснить, почему я очутился в лаборатории.

Я пошел туда, как только оделся, и, окинув взглядом полки, заметил, что бутылка, в которой была настойка кониума, стоит не в ряд с другими. А приглядевшись, с ужасом констатировал, что значительная часть содержимого бутылки исчезла. Накануне бутылка была почти полной, сейчас — почти пустой.

Я закрыл окно и вышел, заперев за собой дверь. Я был крайне расстроен и, признаться, сбит с толку. Когда меня что-либо выводит из себя, я плохо соображаю.

Сначала я был просто огорчен, потом почувствовал нечто недоброе и наконец начал испытывать настоящую тревогу. Я опросил всех слуг, они сказали, что никто из них не входил в лабораторию. Поразмыслив над случившимся, я решил позвонить брату, чтобы спросить у него совета.

Филип соображал лучше меня. Он сразу распознал всю серьезность пропажи и велел мне тотчас прийти.

Я вышел, встретив по дороге мисс Уильямс, которая была занята поисками своей манкирующей занятиями ученицы. Я заверил ее, что не видел Анджелы и что у меня в доме ее не было.

По-моему, мисс Уильямс заметила, что я несколько не в себе. Она смотрела на меня с любопытством. Но я не собирался рассказывать ей о том, что произошло. Я посоветовал ей пройти в дом — у Анджелы была там любимая яблоня, — а сам поспешил к бухте, где сел в лодку и перебрался на другую сторону, в Олдербери.

Мой брат уже ждал меня на берегу.

Мы направились к дому тем же путем, каким третьего дня прошли с вами. Если вы помните, как расположено поместье, значит, вы поймете, что, проходя мимо ограды Оружейного сада, мы не могли не услышать разговора в саду.

Кэролайн и Эмиас о чем-то спорили, но предмет их спора у меня интереса не вызвал.

Никаких угроз со стороны Кэролайн я не услышал. Речь шла об Анджеле — Кэролайн просила отложить ее отъезд в школу. Эмиас, однако, был настроен категорично, выкрикивал, что, поскольку все решено, он сам ее проводит.

Калитка сада отворилась как раз в ту секунду, когда мы с ней поравнялись, и оттуда вышла Кэролайн. Она была расстроена, но не более того. Она несколько рассеянно улыбнулась мне и сказала, что они говорили об Анджеле. В эту минуту на дорожке появилась Эльза, и, поскольку было совершенно очевидно, что Эмиас хочет продолжать работу, а мы ему мешаем, мы двинулись к дому.

Филип потом отчаянно ругал себя за то, что мы не предприняли немедленных действий. Я же придерживаюсь иного мнения. У нас не было никаких оснований считать, что замышляется убийство. (Более того, теперь я уверен, что оно вовсе не замышлялось.) Было ясно, что нам следовало что-то предпринять, но я по сей день убежден, что мы были обязаны тщательно это обсудить и определить, как действовать, тем более что, признаться, меня не раз брало сомнение, не ошибаюсь ли я. Действительно ли бутылка была накануне полной? Я не из тех людей (в отличие от моего брата Филипа), которые всегда во всем уверены. Память порой играет с человеком злые шутки. Как часто, например, ты убежден, что положил предмет на одно место, а потом обнаруживаешь его совсем в другом. Чем больше я старался припомнить, сколько настойки было в бутылке накануне, тем больше сомневался и терял уверенность. Это ужасно раздражало Филипа, который окончательно вышел из себя.

Мы так и не сумели продолжить наш разговор и молча согласились отложить его на послеобеденное время. (Должен заметить, что я, если хотел, мог без особого приглашения являться к обеду в Олдербери.)

Затем Анджела и Кэролайн принесли нам пива. Я спросил у Анджелы, почему она прогуливает уроки, и предупредил, что мисс Уильямс сердится, но она ответила, что купалась, и добавила, что не видит смысла зашивать страшную старую юбку, когда едет в школу экипированная заново.

Поскольку возможности поговорить с Филипом наедине так и не представилось, а мне, кроме того, очень хотелось еще раз поразмыслить самому, я решил пройтись по дорожке к Оружейному саду. Как раз над садом, где я вам уже показывал, на прогалине среди деревьев стояла старая скамья. Я уселся там с трубкой, думал и смотрел на Эльзу, которая позировала Эмиасу.

Мне она навсегда запомнилась такой, какой я видел ее в тот день. Одетая в желтую рубашку, темно-синие брюки, с красным пуловером, накинутым на плечи для тепла, она сидела неподвижно.

Ее лицо лучилось оживлением и здоровьем. И она веселым голосом вещала о планах на будущее.

Получается, что я вроде как бы подслушивал, на самом деле это было вовсе не так. Эльза меня прекрасно видела. И она и Эмиас знали, где я сижу. Она помахала мне рукой и крикнула, что Эмиас вел себя тем утром чудовищно, не давая ей ни минуты отдыха. Она вся застыла и окоченела.

Эмиас проворчал, что он еще больше окоченел. Что у него все мышцы как деревянные. «Бедный старичок!» — засмеялась Эльза. А Эмиас сказал, что придется ей взять себе инвалида, у которого хрустят суставы.

Меня потрясло их легкомыслие в беседе о совместном будущем, в то время как они причиняют другим так много страданий. И тем не менее я не мог упрекнуть ее. Она была такой юной, такой уверенной в себе, такой влюбленной. И она не ведала, что творит. Она не знала, что такое страдание. С наивностью ребенка она считала, что с Кэролайн «ничего не случится» и что «она вскоре обо всем забудет». Она не видела ничего, кроме того, что они с Эмиасом будут счастливы. У нее не было сомнений, ее не терзали угрызения совести, она не ведала жалости. Но можно ли ждать жалости от молодости? Это чувство знают только пожилые, умудренные опытом люди.

Они не все время разговаривали. Ни один художник не будет заниматься болтовней во время работы. Каждые десять минут или что-то вроде этого Эльза высказывалась, а Эмиас что-то бурчал в ответ. Один раз она сказала: «По-моему, ты прав насчет Испании. Туда мы поедем прежде всего. И ты поведешь меня на корриду. Наверное, это удивительное зрелище. Только мне бы хотелось, чтобы бык убил человека, а не наоборот. Я понимаю, что испытывали римлянки, видя, как умирает гладиатор. Люди ничего собой не представляют, а животные прекрасны».

Она сама была похожа на животное — юная и первозданная, еще не постигшая ни печального опыта, ни умения сомневаться. По-моему, она даже не умела думать, она только чувствовала. Но в ней было так много жизни, гораздо больше, чем в ком-либо из моих знакомых...

В последний раз я видел ее такой радостно-уверенной — на вершине вселенной. Но за такой веселостью обычно грядет беда.

Прозвонил гонг на обед, я встал и подошел к калитке Оружейного сада, где ко мне присоединилась Эльза. Когда я вышел из тени деревьев, оказалось, что вокруг ослепительно светло. Я плохо видел. Эмиас сидел, откинувшись на спинку скамьи и раскинув руки. И смотрел на картину. Я часто видел его в таком положении. Откуда мне было знать, что яд уже убивает его?

Он ненавидел и презирал болезни. Он их не признавал. Наверное, решил, что у него что-то вроде солнечного удара — симптомы очень схожи, — но ни за что не стал бы жаловаться.

— Он не пойдет обедать, — сказала Эльза.

Про себя я подумал, что он правильно поступает.

— Тогда — до свидания, — сказал я.

Он оторвал взгляд от картины, и его глаза медленно обратились ко мне. Было что-то странное — как это сказать? — похожее на злорадство в его взгляде. Глаза его горели недоброжелательством.

Естественно, я тогда не понял — если в картине что-то получалось не так, как ему хотелось, он всегда злился. Вот я и решил, что именно в этом причина его злости. Он, мне показалось, даже что-то буркнул.

Ни Эльза, ни я не видели в этом чего-то необычного — просто темперамент художника.

Поэтому мы оставили его там и вместе отправились к дому, смеясь и болтая. Если бы она знала, бедное дитя, что в последний раз видит его в живых... Слава Богу, она этого не знала. Ей предоставилась возможность еще немного быть счастливой.

За обедом Кэролайн вела себя совершенно нормально — пожалуй, казалась озабоченной чуть больше прежнего. Не доказывает ли это, что она не имела никакого отношения к трагедии? Не могла же она быть такой актрисой.

Кэролайн и гувернантка пошли в сад и там обнаружили Эмиаса. Я встретил мисс Уильямс, когда она бежала к дому. Она велела мне вызвать врача и бросилась обратно к Кэролайн.

Бедное дитя! Я говорю об Эльзе. Она горевала так отчаянно, так откровенно, как горюют только дети. Дети не могут поверить, что жизнь бывает столь несправедлива. Кэролайн держалась вполне спокойно. Да, она была спокойна. Конечно, она умела держать себя в руках куда лучше Эльзы. Она не выглядела кающейся — в ту пору. Только сказала, что он, наверное, покончил с собой. А мы не могли этому поверить. Эльза не удержалась и прямо в лицо обвинила ее в убийстве.

Конечно, Кэролайн, наверное, уже сообразила, что подозрения падут на нее. Да, этим, скорее всего, и объясняется ее поведение.

Филип не сомневался, что это совершила она.

Гувернантка оказала нам всем большую помощь и поддержку. Она заставила Эльзу лечь, дала ей успокоительное, а когда явилась полиция, держала Анджелу подальше. Да, эта женщина была цитаделью силы.

Все происходящее стало кошмаром. Полиция производила в доме обыски, вела допросы, затем, как мухи, налетели репортеры, щелкали своими камерами, требовали интервью у членов семьи.

Словом, кошмар...

Это оставалось кошмаром и годы спустя. Ради Бога, если Вам удастся убедить маленькую Карлу, что произошло на самом деле, быть может, мы сумеем забыть об этом навсегда.

Эмиас покончил с собой, как ни трудно в это поверить».

Конец рассказа Мередита Блейка.

РАССКАЗ ЛЕДИ ДИТТИШЕМ

«Я излагаю здесь всю историю моих отношений с Эмиасом Крейлом, начиная с нашего знакомства и до дня его трагической гибели.

Впервые я увидела его на приеме у одного художника. Он стоял, помнится, у окна, и я заметила его, как только вошла в комнату. Я спросила, кто это. Мне ответили: «Крейл, художник». И я сказала, что хотела бы с ним познакомиться.

В тот раз нам удалось поговорить, наверное, минут десять. Когда человек производит такое впечатление, какое Эмиас Крейл произвел на меня, попытка описать его бесполезна. Если я скажу, что, когда увидела Эмиаса Крейла, все остальные показались мне ничтожными и неприметными, это, пожалуй, будет точнее всего.

Сразу после нашего знакомства я отправилась смотреть его картины. У него была в ту пору выставка на Бонд-стрит, одна из его картин была выставлена в Манчестере, еще одна — в Лидсе и две — в публичных галереях в Лондоне. Я посмотрела их все. Затем мы снова с ним встретились.

— Я видела все ваши картины, — сказала я. — Они изумительны.

Ему это понравилось.

— А кто вам сказал, что вы имеете право судить о живописи? Вряд ли вы в этом разбираетесь.

— Может, и нет, — согласилась я. — Но картины все равно чудесные.

— Не болтайте чепухи, — усмехнулся он.

— Не буду, — ответила я. — Я хочу, чтобы вы меня написали.

— Если бы вы хоть немного соображали, то поняли бы, что я не пишу портретов хорошеньких женщин.

— Это не обязательно должен быть портрет, и я не просто хорошенькая женщина.

Он взглянул на меня так, будто впервые меня увидел.

— Может, вы и правы, — сказал он.

— Значит, вы согласны? — спросила я.

Чуть склонив голову набок, он не спускал с меня внимательного взгляда.

— Вы необычное существо, верно? — спросил он.

— Я, знаете ли, довольно богата. И могу как следует оплатить вашу работу, — сказала я.

— А почему вам так хочется, чтобы я вас написал? — спросил он.

— Хочется, и все, — ответила я.

— Разве это веская причина? — спросил он.

— Да. Я всегда добиваюсь того, чего хочу, — ответила я.

— О, бедное дитя, как же вы еще молоды! — воскликнул он.

— Так вы напишете меня? — настаивала я.

Он взял меня за плечи, повернул к свету и осмотрел с головы до ног. Потом сделал шаг назад. Я стояла молча, в ожидании.

— Порой мне хотелось написать полет красочных австралийских макао, садящихся на купол собора Святого Павла. Если я напишу вас на фоне нашего обычного загородного пейзажа, мне кажется, я добьюсь того же результата.

— Так вы согласны? — спросила я.

— Вы одно из когда-либо виденных мною прекраснейших созданий, насыщенных яркими, сочными, экзотическими красками. Я вас напишу!

— Значит, решено, — подытожила я.

— Но я должен предупредить вас, Эльза Грир, — продолжал он, — если я буду вас писать, я, наверное, буду добиваться близости с вами.

— Я на это надеюсь... — отозвалась я.

Я произнесла эти слова твердо и спокойно. И услышала, как у него перехватило дыхание, увидела, как загорелись глаза.

Вот как внезапно все это началось.

Через день-другой мы снова встретились. Он хочет, сказал он, чтобы я приехала к нему в Девоншир, — там у него есть такое место, на фоне которого он и собирается меня писать.

— Я женат, вы, наверное, знаете? И очень люблю свою жену.

Я заметила, что если он очень любит свою жену, значит, она славная женщина.

— Исключительно славная, — сказал он. — По правде говоря, — продолжал он, — она прелестный человек, и я ее обожаю. Поэтому примите это к сведению, милая Эльза, и ведите себя соответственно.

Я сказала, что хорошо его понимаю.

Он начал работу над картиной через неделю. Кэролайн Крейл встретила меня довольно радушно. Я ей не очень понравилась — собственно говоря, почему я должна была ей понравиться? Эмиас вел себя осторожно. Он не сказал мне ни слова, которого не должна была бы услышать его жена, я тоже держалась с ним почтительно и формально. Но мы оба понимали — это лишь видимость.

Спустя десять дней он велел мне возвращаться в Лондон.

— Картина еще не закончена, — сказала я.

— Она толком и не начата, — объяснил он. — Честно говоря, я не могу писать вас, Эльза.

— Почему? — спросила я.

— Вы сами знаете почему, — ответил он. — И поэтому вам придется убраться отсюда. Я не могу сосредоточиться, потому что думаю только о вас.

Мы были в Оружейном саду. Стоял жаркий солнечный день. Пели птицы, и жужжали пчелы. Казалось бы, надо испытывать счастье, когда кругом мир и покой. Но я этого не чувствовала. Было что-то... трагическое в атмосфере. Как будто... как будто то, чему суждено было случиться, отразилось в этом дне.

Я понимала, что мой отъезд в Лондон ничего не изменит, но сказала:

— Хорошо. Если вы говорите, что я должна уехать, я уеду.

— Умница, — похвалил меня Эмиас.

Я уехала и ему не писала.

Он продержался десять дней, а затем приехал сам. Он так похудел, был таким изможденным и несчастным, что я испугалась.

— Я предупреждал вас, Эльза, — сказал он. — Не говорите, что я вас не предупреждал.

— Я вас ждала, — ответила я. — Я знала, что вы приедете.

У него вырвался какой-то стон, когда он сказал:

— Есть вещи, которые мужчина не в силах преодолеть. Я не могу ни спать, ни есть, ни отдыхать, потому что все время думаю о вас.

Я сказала, что знаю об этом и что испытываю те же чувства с той минуты, когда его увидела. Это — судьба, и незачем с ней сражаться.

— Но вы ведь и не особенно сражались, Эльза? — спросил он.

И я ответила, что вовсе не сражалась.

Если бы я не была такой юной, сказал он, на что я ответила, что это не имеет значения. Следующие несколько недель, должна признаться, мы были счастливы. Даже не счастливы, нет, это не то слово. Это было нечто более глубокое и грозное.

Мы были рождены друг для друга, мы обрели друг друга, и оба чувствовали, что нам суждено вечно быть вместе.

Но случилось еще кое-что. Эмиаса начала преследовать мысль о незаконченной картине.

— Забавно получается, — сказал он мне. — Раньше я не мог тебя писать — ты сама мне мешала. А теперь я хочу писать тебя, Эльза. Я хочу написать тебя, и эта картина будет лучшей из написанных мною. Мне так не терпится взяться за кисть и написать тебя сидящей на старинной бойнице на фоне традиционно голубого неба и чинных английских деревьев, где ты... ты будешь диссонирующим криком торжества. Именно так я должен написать тебя, — продолжал он. — И мне нельзя мешать, пока я буду работать. Когда картина будет закончена, я скажу Кэролайн правду, и мы проясним наши запутанные отношения.

— Кэролайн устроит скандал по поводу развода? — спросила я.

— Думаю, нет, — ответил он. — Но кто знает, как поведет себя женщина?

— Жаль, — сказала я, — если она будет огорчена, но, в конце концов, она не первая и не последняя.

— Очень верно сказано, Эльза. Но Кэролайн не слушает, никогда не слушала и уж никак не будет слушать голос разума. Она меня любит, понятно?

Понятно, сказала я, но, мол, если она его любит, то прежде всего должна заботиться о его счастье и уж ни в коем случае не мешать ему, если он хочет обрести свободу.

— Жизнь не решается с помощью прописных истин, почерпнутых из современной литературы. Природа велит человеку бороться не на жизнь, а на смерть.

— Но разве мы все в наши дни не цивилизованные люди? — спросила я.

— Цивилизованные? — рассмеялся Эмиас. — Кэролайн, наверное, была бы рада зарубить тебя топором. Она вполне на это способна. Разве ты не понимаешь, Эльза, что она будет страдать, — страдать? Знаешь ли ты, что такое страдание?

— Тогда не говори ей, — сказала я.

— Нет, — упирался он. — Разрыв неизбежен. Ты должна принадлежать мне, как полагается, Эльза. Чтобы весь мир знал об этом.

— А что, если она откажет тебе в разводе? — спросила я.

— Я этого не боюсь, — ответил он.

— Чего же тогда ты боишься? — спросила я.

— Не знаю... — медленно произнес он.

Видите, он знал Кэролайн. Я же не знала.

Если бы я представляла...

Мы вернулись в Олдербери. На этот раз обстановка была сложной. Кэролайн что-то заподозрила. Мне это не нравилось... не нравилось... ничуть не нравилось. Я всегда ненавидела обман и ложь. Я считала, что нам следует ей сказать. Эмиас и слышать об этом не хотел.

Самое забавное заключалось в том, что на самом деле ему все это было безразлично. Он любил Кэролайн и не хотел причинять ей боль, но что касается честности или лжи, то ему на это было глубоко наплевать. Он был безумно увлечен своей живописью, а все остальное для него не существовало. Мне прежде не доводилось видеть его в таком состоянии, когда он был целиком захвачен работой. Теперь-то я понимаю, что он был настоящим гением. Поэтому он, естественно, был так увлечен своим творчеством, что никакого представления о приличиях для него не существовало. Я же мыслила по-другому. Я оказалась в чудовищном положении. Кэролайн меня терпеть не могла — и была совершенно права. Единственное, что оставалось делать, — это сказать ей правду.

Но Эмиас продолжал твердить, что его нельзя беспокоить скандалами и сценами, пока он не закончит картину. А может, никакой сцены и не будет, спросила я. У Кэролайн ведь есть и чувство собственного достоинства, и гордость.

— Я хочу быть честной, — настаивала я. — Мы должны быть честными.

— К черту честность! — взорвался Эмиас. — Я пишу картину, мне некогда.

Я его понимала, он же меня понять не желал.

В конце концов я не выдержала. Кэролайн завела разговор о каких-то планах на осень. Она говорила о себе и Эмиасе с такой уверенностью, что я вдруг испытала чувство отвращения к тому, что мы совершаем, позволяя ей оставаться в полном неведении, а может, меня рассердило еще и то, что она полностью игнорировала меня, но таким образом, что придраться вроде было не к чему.

Поэтому я и высказала ей всю правду. Отчасти я и по сей день считаю, что поступила правильно. Хотя, разумеется, ни за что на это не решилась бы, если бы имела хоть малейшее понятие, к чему это приведет.

Началась ссора. Эмиас жутко разозлился на меня, но вынужден был признать, что я сказала правду.

Я никак не могла понять Кэролайн. Мы все отправились к Мередиту Блейку на чай, и Кэролайн держалась великолепно — болтала и смеялась. Я как дура решила, что она смирилась. Я чувствовала себя крайне неловко из-за того, что продолжала оставаться у них в доме, но Эмиас не смог бы закончить работу, если бы я уехала. Я надеялась, что, может, Кэролайн уедет. Нам всем было бы проще, если бы она уехала.

Я не видела, как она украла кониум. Я не хочу лгать и поэтому полагаю возможным, что она его украла, чтобы покончить с собой.

Но в глубине души я так не считаю. По-моему, она была из тех донельзя ревнивых, наделенных собственническим инстинктом женщин, которые ни за что не выпускают из рук того, что, по их мнению, им принадлежит. Эмиас был ее собственностью. Ей было легче, мне думается, его убить, нежели отдать целиком и навсегда другой женщине. По-моему, она тогда же и решила его убить. И лекция Мередита о качествах кониума только помогла ей заполучить средство для выполнения того, что она давно задумала. Она была злая и мстительная женщина и умела сводить счеты. Эмиас с самого начала знал, что она опасный человек. Я же этого не знала.

На следующее утро у них с Эмиасом состоялась финальная сцена. Большую часть их разговора я слышала, сидя на террасе. Эмиас держался превосходно — был терпелив и спокоен. Он умолял ее быть разумной. Сказал, что любит ее и ребенка и всегда будет любить. Сделает все возможное, чтобы обеспечить их будущее. Потом разозлился и заявил:

— Пойми, я намерен жениться на Эльзе и ничто не помешает мне осуществить это намерение. Мы с тобой всегда считали возможным предоставлять друг другу свободу. Наступает минута, когда такая свобода нужна.

— Поступай как хочешь, — сказала ему Кэролайн. — Я тебя предупредила.

Произнесла она эти слова тихо, но в ее голосе звучала какая-то странная нота.

— Что ты хочешь этим сказать, Кэролайн? — спросил Эмиас.

— Ты принадлежишь мне, и у меня нет желания отпустить тебя на все четыре стороны, — сказала Кэролайн. — Я скорее тебя прикончу, нежели отдам этой девчонке...

Как раз в эту минуту на террасу вышел Филип Блейк. Я встала и пошла ему навстречу. Я не хотела, чтобы он услышал их разговор.

Затем на террасе появился и Эмиас и сказал, что пора приниматься за работу. Мы вместе отправились в Оружейный сад. Он молчал. Сказал только, что Кэролайн ничего и слышать не хочет, — но, ради Бога, не будем сейчас об этом говорить. Он хотел сосредоточиться на своей работе. Еще день, сказал он, и картина будет закончена.

— И это будет лучшая из моих работ, Эльза, — добавил он, — даже если за нее придется платить слезами и кровью.

Чуть позже я пошла в дом за пуловером. Дул холодный ветер. Когда я вернулась обратно в сад, там была Кэролайн. Наверное, приходила в последний раз умолять его. Филип и Мередит Блейки тоже были там. Именно в эту минуту Эмиас сказал, что хочет пить, что его пиво стало теплым.

Кэролайн обещала прислать ему пива со льда. Сказала она это вполне естественно, почти дружеским тоном. Она была актрисой, эта женщина. Должно быть, уже решилась.

Минут через десять она принесла пиво. Эмиас писал. Она налила пиво в стакан, поставила у него под рукой. Мы на нее не смотрели. Эмиас был увлечен работой, а я обязана была сидеть неподвижно.

Эмиас выпил пиво, как всегда, залпом. Затем, скорчив гримасу, сказал, что пиво противное, но холодное.

И даже когда он это сказал, у меня не возникло ни тени подозрения. Я только засмеялась: «Гурман!»

Увидев, что он все выпил, Кэролайн ушла.

Прошло, должно быть, минут сорок, когда Эмиас пожаловался на ломоту и боль в суставах. Наверное, подхватил ревматизм, заметил он. Эмиас не выносил болезней и не любил о них говорить. Спустя минуту он весело заключил: «Возраст дает себя знать. Смотри, Эльза, ты соединяешь свою судьбу со стариком». Я засмеялась, хотя заметила, что он с трудом двигает ногами и раза два скривился от боли. Мне и в голову не могло прийти, что это вовсе не ревматизм. Потом он подвинул скамейку и полулег на нее, время от времени протягивая руку, чтобы сделать мазок на холсте то в одном месте, то в другом. Он часто так поступал, когда писал. Сидел, поглядывая то на меня, то на холст. Порой так бывало с полчаса. И поэтому такое поведение не вызвало у меня удивления.

Мы услышали гонг к обеду, но он сказал, что не пойдет. Останется в саду — есть он не хочет. Это тоже было привычным, да и не хотелось ему сидеть с Кэролайн за одним столом.

Говорил он тоже странно — словно ворчал. Но и это не было необычным — так он говорил, когда ему в картине что-то не нравилось.

За мной зашел Мередит Блейк. Он заговорил с Эмиасом, но Эмиас лишь что-то хмыкнул в ответ.

Мы вдвоем направились к дому, оставив Эмиаса в саду. Оставили одного — умирать. Я никогда не видела, как люди болеют, не разбиралась в этом, думала, что на Эмиаса нашло дурное настроение. Если бы я знала... Если бы поняла... Быть может, врач еще мог его спасти... О Господи, почему я не... К чему теперь об этом думать? Я была слепой дурой. Слепой глупой дурой.

Больше рассказывать не о чем.

Кэролайн и гувернантка пошли после обеда в сад. За ними Мередит. И сейчас же прибежал обратно. Он сказал нам, что Эмиас умер.

В ту же секунду я прозрела. Я поняла, что это сделала Кэролайн. Только я не знала про яд. Я думала, что она пошла туда и либо застрелила его, либо ударила ножом.

Мне хотелось добраться до нее и убить ее...

Зачем она это сделала? Зачем? Он был таким жизнерадостным, энергичным, сильным. Лишить его всех этих качеств — превратить в холодный, неподвижный труп. Только ради того, чтобы он мне не достался.

Страшная женщина...

Страшная, жестокая, мстительная женщина, достойная только презрения...

Я ненавижу ее. До сих пор ненавижу.

Ее даже не удалось повесить.

А следовало бы...

Впрочем, и виселицы для нее было бы мало...

Я ее ненавижу... ненавижу... ненавижу...»

Конец рассказа леди Диттишем.

РАССКАЗ СЕСИЛИ УИЛЬЯМС

«Уважаемый мсье Пуаро!

Посылаю Вам описание событий, имевших место 19 сентября... свидетельницей которых я была.

Я излагаю их с полной искренностью, ничего не утаивая. Можете показать мое письмо Карле Крейл. Возможно, оно причинит ей боль, но я всегда была сторонницей правды. Полуправда приносит только вред. Человек должен стойко выдерживать испытания. Без наличия такого мужества жизнь не имеет смысла. Поверьте мне, больше всего бед исходит от людей, которые укрывают нас от испытаний.

Искренне Ваша

Сесили Уильямс.

Меня зовут Сесили Уильямс. Я была нанята миссис Крейл в качестве гувернантки для ее сводной сестры Анджелы Уоррен в 19.. году, когда мне было сорок восемь лет.

Я приступила к своим обязанностям в Олдербери, очень красивом поместье в южном Девоне, которое принадлежало многим поколениям семьи мистера Крейла. Я слышала, что мистер Крейл — известный художник, но познакомилась с ним только по приезде в Олдербери.

В доме жили мистер и миссис Крейл, Анджела Уоррен, которой в ту пору было тринадцать лет, и трое слуг, работавших в этой семье много лет.

Моя воспитанница оказалась интересной и многообещающей натурой. У нее были явные способности, и преподавать ей было приятно. Она была несколько несдержанна и недисциплинированна, но эти качества обычно присущи людям, обладающим силой духа, а я предпочитаю неординарных воспитанниц. Под руководством педагога избыток энергии может быть направлен на умение идти к цели.

В общем-то я увидела, что Анджелу можно научить дисциплине. Она была несколько избалована — в основном с помощью миссис Крейл, которая потворствовала ей, чем могла. Влияние мистера Крейла я считала отрицательным. Он был то чересчур снисходителен, то чересчур строг безо всякой на то надобности. Он был человеком настроения, что обычно объясняют артистическим темпераментом.

Я лично никогда не могла понять, почему творческие способности человека могут служить извинением для его неумения сдерживаться. Мне работы мистера Крейла не нравились. Рисунок представлялся мне несовершенным, а краски чрезмерно яркими, но, естественно, никто меня не просил высказывать свое мнение по этому поводу.

Очень скоро я глубоко привязалась к миссис Крейл. Я восхищалась ее характером и тем, как стойко она переносит жизненные трудности. Мистер Крейл был не из верных мужей, и это, на мой взгляд, служило для нее источником огорчения. Более волевая женщина давно бы его оставила, но миссис Крейл, по-моему, такая мысль даже не приходила в голову. Она очень переживала его измены, но прощала ему. Правда, я не могу сказать, что она молчала. Она протестовала — и в полный голос!

На суде говорилось, что они жили как кошка с собакой. Я бы этого не сказала: миссис Крейл обладала чувством собственного достоинства, но они в самом деле ссорились. И я считаю это вполне естественным в подобных обстоятельствах.

Я прожила у миссис Крейл чуть больше двух лет, когда появилась мисс Эльза Грир. Она прибыла в Олдербери летом 19.. года. Ранее миссис Крейл не была с ней знакома. Мисс Грир была приятельницей мистера Крейла, и стало известно, что она приехала позировать для его очередной картины.

Было совершенно очевидно, что мистер Крейл увлечен этой особой, которая только поощряла его интерес. Вела она себя, на мой взгляд, вызывающе, ибо была откровенно неуважительна с миссис Крейл и публично флиртовала с мистером Крейлом.

Естественно, миссис Крейл мне ничего не говорила, но я видела, что она обеспокоена и подавлена, и я делала все возможное, стараясь отвлечь ее и снять тяжесть с ее души. Мисс Грир ежедневно позировала мистеру Крейлу, но я заметила, что работа у него не спорится. У них, несомненно, было еще о чем поговорить!

Моя воспитанница, к счастью, почти не замечала происходящего. Анджела в некотором отношении отставала от детей ее возраста. Хотя интеллект у нее был неплохо сформирован, ее нельзя было причислить к детям, развитым не по годам. У нее не было желания читать запрещенные книги, и она не проявляла склонности к нездоровому любопытству, которое присуще девочкам в ее возрасте.

Поэтому она не видела ничего предосудительного в дружбе между мистером Крейлом и мисс Грир. Тем не менее она невзлюбила мисс Грир и считала ее глупой. В этом она была совершенно права. Мисс Грир, на мой взгляд, получила хорошее образование, но она никогда не брала в руки книгу и была совершенно незнакома с современной литературой. Более того, она не умела поддержать беседу на интеллектуальные темы.

Ее интересы были целиком сосредоточены на собственной внешности, туалетах и мужчинах.

Анджела, по-моему, не сознавала, что ее сестра несчастна. В ту пору она не отличалась особой проницательностью. Она проводила время в шалостях, вроде лазания по деревьям или катания на велосипеде на неразумной скорости. Кроме того, она страстно увлекалась чтением, проявляя подлинный вкус в выборе книг.

Миссис Крейл всегда старалась скрыть от Анджелы свою подавленность и в присутствии девочки пыталась выглядеть бодрой и веселой.

Мисс Грир уехала обратно в Лондон, чему, надо признаться, мы все обрадовались. Слуги невзлюбили ее не меньше, чем я. Она была из тех людей, которые доставляют лишнее беспокойство, забывая при этом о благодарности.

Вскоре уехал и мистер Крейл, и, разумеется, я понимала, что он бросился вслед за этой особой. Мне было очень жаль миссис Крейл. Она крайне болезненно переживала его отъезд. Я была очень разочарована в мистере Крейле. Когда у человека прелестная, благородная, умная жена, он не имеет права плохо к ней относиться.

Однако и она и я надеялись, что этот роман вскоре закончится. Нет, мы не беседовали друг с другом на эту тему, но она прекрасно понимала, какие чувства я испытываю.

К сожалению, несколько недель спустя эта пара снова появилась. Оказалось, работа над картиной должна быть продолжена.

Теперь мистер Крейл увлекся работой. По-видимому, мысли его были в меньшей степени заняты этой особой, нежели ее портретом. Тем не менее мне стало ясно, что завершение этого романа отличается от финалов прежних. Эта особа вонзила в него свои когти и была настроена весьма решительно. Он был воском в ее руках.

Ситуация достигла апогея в день накануне его смерти, то есть 17 сентября. Поведение мисс Грир последние дни было невыносимо наглым. Она желала самоутвердиться. Миссис Крейл вела себя так, как и подобает благородной женщине. Она была уничтожающе вежлива, но ясно давала понять мисс Грир, чтó о ней думает.

17 сентября, когда мы сидели после обеда в гостиной, мисс Грир высказалась по поводу того, как она намерена обставить эту комнату заново, когда будет жить в Олдербери.

Естественно, миссис Крейл не могла смолчать. Она потребовала объяснения, и мисс Грир имела нахальство заявить в нашем присутствии, что собирается выйти замуж за мистера Крейла. Она говорила о своем предполагаемом замужестве с человеком, который уже был женат. И кому? Его жене!

Я очень рассердилась на мистера Крейла. Как он позволил этой особе оскорблять его жену, да еще в ее собственном доме? Если он решил уйти к этой особе, то должен был сделать это сразу, а не вводить ее в дом своей жены и разрешать ей вести себя подобным образом.

Но что бы она ни испытывала в ту минуту, миссис Крейл не утратила своего достоинства. И когда в гостиную вошел ее муж, она незамедлительно потребовала у него объяснения.

Он, естественно, не мог не рассердиться на мисс Грир за ее неразумное усложнение ситуации. Помимо всего прочего, он предстал перед нами в невыгодном свете, а мужчины этого не терпят. Это никак не тешит их тщеславия.

Рослый и крупный мужчина, он стоял в дверях, робко озираясь, как напроказивший школьник. А вот его жена держалась достойно. Он вынужден был пробормотать что-то вроде того, что да, это правда, но, мол, он вовсе не хотел, чтобы это дошло до нее таким образом.

Я никогда не видела такого презрительного взгляда, каким она одарила его. И вышла из комнаты с высоко поднятой головой. Она была красивая женщина, гораздо красивее, нежели эта яркая особа. И шла она поступью королевы.

Я всем сердцем надеялась, что Эмиас Крейл будет наказан за жестокость, которую проявил, и за обиду, которую нанес этой многострадальной и благородной женщине.

Впервые я попыталась выразить свое участие миссис Крейл, но она меня остановила.

— Мы должны стараться вести себя как ни в чем не бывало. Так будет лучше, — сказала она. — Мы все пойдем на чай к Мередиту Блейку.

— По-моему, вы редкий человек, миссис Крейл, — отозвалась я.

— Вы не знаете... — пробормотала она.

Уже собравшись выйти из комнаты, она вернулась и поцеловала меня.

— Вы для меня такое утешение, — сказала она.

Она пошла к себе в комнату и, по-моему, там поплакала. Потом я увидела ее, когда они все отправились в путь. На ней была шляпа с большими полями, которые закрывали ее лицо, — она очень редко ее надевала.

Мистер Крейл чувствовал себя неловко, но старался держаться как ни в чем не бывало. Мистер Филип Блейк тоже пытался вести себя как обычно. Мисс Грир напоминала кошку, которая слизала все сливки. Она прямо-таки мурлыкала от удовольствия.

Они двинулись в путь. А вернулись около шести. Больше в этот вечер я с миссис Крейл наедине не была. За ужином она держалась очень спокойно и собранно и рано легла спать. По-моему, никто не заметил ее страданий.

Весь вечер мистер Крейл и Анджела переругивались. Опять вспомнили про школу. Он был явно не в духе, а она чересчур надоедлива. Вопрос о школе был решен давным-давно, ей купили все нужные вещи, никакого смысла снова поднимать этот вопрос не было, но она вдруг стала заново высказывать свои претензии. Она почувствовала общую напряженность, не сомневалась я, и это оказало на нее такое же влияние, как и на других.

Боюсь, я была слишком увлечена собственными мыслями и не остановила ее вовремя, как поступала обычно. Все кончилось тем, что она швырнула в мистера Крейла пресс-папье и выбежала из комнаты.

Я пошла вслед за ней и отчитала, сказав, что мне стыдно за ее ребяческое поведение, но она принялась мне возражать, и я сочла за лучшее оставить ее в покое.

Я решила было пойти в спальню к миссис Крейл, но раздумала, не желая лишний раз ее беспокоить. И очень жалею об этом: надо было еще раз поговорить с ней. Случись это, может, все было бы по-другому. У нее не было никого, кому она могла бы довериться. Хотя я восхищаюсь сдержанностью в людях, должна с горечью признать, что порой она заводит слишком далеко. Куда полезнее выплеснуть свои чувства наружу.

По дороге к себе я встретила мистера Крейла. Он пожелал мне спокойной ночи, но я промолчала.

Утро следующего дня было прекрасным. Я подумала, проснувшись, что, когда вокруг такой покой, даже мужчина должен опомниться и прийти в себя.

Перед тем как спуститься вниз к завтраку, я зашла в комнату к Анджеле, но ее уже след простыл. Я подобрала с пола порванную юбку и взяла ее с собой, чтобы заставить Анджелу после завтрака заняться ее починкой.

Анджела, однако, взяв на кухне хлеб с джемом, скрылась. После завтрака я отправилась ее искать. Я рассказываю об этом, желая объяснить, почему я не была утром возле миссис Крейл, как следовало бы поступить. В ту пору я, конечно, считала себя обязанной прежде всего разыскать Анджелу. Она была крайне непослушной и упорно не желала чинить свои вещи, а я никак не могла допустить неповиновения.

Ее купальника на месте не оказалось — и я пошла на пляж. Но ни в море, ни на скалах ее не было, и я решила, что она перебралась во владения мистера Мередита Блейка. Они были большими друзьями. Я тоже в лодке перебралась через бухту и возобновила поиски. Не найдя ее, я вернулась домой. На террасе я застала миссис Крейл, мистера Блейка и мистера Филипа Блейка. Утро, если укрыться от ветра, было очень жарким, поэтому в доме и на террасе тоже было жарко. Миссис Крейл спросила у мужчин, не хотят ли они холодного пива.

При доме была небольшая теплица, пристроенная еще в эпоху королевы Виктории. Миссис Крейл она не нравилась, поэтому она ничего там не выращивала, а превратила ее в нечто вроде бара, где на полках стояли бутылки с джином, вермутом, лимонадом, имбирным пивом и прочими напитками. В холодильнике, который каждое утро наполнялся льдом, тоже держали пиво и эль.

Миссис Крейл направилась туда, чтобы взять пиво, и я пошла с ней. Возле холодильника мы застали Анджелу, которая только что вытащила оттуда бутылку с пивом.

Миссис Крейл опередила меня, сказав: «Мне нужна бутылка пива, чтобы отнести Эмиасу».

Сейчас трудно понять, следовало ли мне в ту минуту что-либо заподозрить. Голос у нее был самый обычный. Но должна признать, что тогда я была больше сосредоточена на Анджеле, нежели на ней. Анджела стояла возле холодильника, и я была рада убедиться, что она покраснела и выглядела виноватой.

Я сделала ей выговор, и, к моему удивлению, она восприняла его безропотно. Я спросила ее, где она была.

— Купалась, — сказала она.

— Я не видела тебя на море, — сказала я.

Она засмеялась. Затем я спросила, где ее шерстяная кофта, на что она ответила, что, должно быть, забыла ее на берегу.

Я упоминаю об этих подробностях, чтобы объяснить, почему я дала миссис Крейл возможность самой отнести пиво в Оружейный сад.

Что еще происходило в то утро, я не запомнила. Анджела, взяв коробку со швейными принадлежностями, без дальнейших напоминаний принялась зашивать свою юбку. Я, по-моему, тоже занималась починкой белья. Мистер Крейл к обеду не явился. Хорошо, что у него хоть на это хватило такта.

После обеда миссис Крейл сказала, что идет в Оружейный сад. Я хотела поискать на пляже кофту Анджелы. Поэтому мы пошли вместе. Она вошла за ограду, я же двинулась дальше, но ее крик заставил меня вернуться. Как я вам уже рассказывала, когда вы приходили ко мне, она попросила меня вызвать врача. По дороге я встретила мистера Мередита Блейка и вернулась обратно к миссис Крейл.

Все это я рассказала следователям и затем в суде.

Сейчас же я намерена написать то, о чем никогда не говорила ни единой живой душе. Мне не задавали вопросы, на которые я бы дала неправдивые ответы. Тем не менее на мне лежит вина за укрытие некоторых фактов, но я не жалею. Я бы снова поступила так же. Я прекрасно сознаю, что, признаваясь в этом, достойна осуждения, но не думаю, что по прошествии стольких лет кто-то воспримет мое признание всерьез, — тем более что Кэролайн Крейл все равно была признана виновной.

А произошло следующее.

Я встретила мистера Мередита Блейка, как я уже сказала, и с быстротой, на какую была способна, побежала по дорожке обратно в сад. На ногах у меня были сандалии, да и поступь у меня всегда была легкой. Я вбежала в отворенную калитку и вот что увидела.

Миссис Крейл носовым платком вытирала стоявшую на столе бутылку. Сделав это, она взяла руку своего мертвого мужа и прижала его пальцы к бутылке из-под пива. Все это время она прислушивалась и была начеку. Я увидела на ее лице страх и поняла все.

Теперь я знала и не сомневалась, что Кэролайн Крейл отравила своего мужа. Но я не осуждала ее. Он сам довел ее до такого состояния, когда человек больше не в силах терпеть, и тем самым определил свою судьбу.

Я ни словом не обмолвилась об этом миссис Крейл, и она умерла, так и не узнав, что я видела.

Дочь Кэролайн Крейл не должна начинать свою жизнь со лжи. Как ни больно будет ей узнать правду, только правда может ей помочь.

Передайте ей от моего имени, чтобы она не осуждала мать. Ее довели до того, чего не в силах выдержать женщина, которая любит. Дочь должна понять ее и простить».

Конец рассказа Сесили Уильямс.

РАССКАЗ АНДЖЕЛЫ УОРРЕН

«Уважаемый мсье Пуаро!

Выполняя данное Вам обещание, я постаралась вспомнить трагические события шестнадцатилетней давности и только тогда осознала, как мало в действительности помню. А то, что этому предшествовало, вообще не зафиксировалось у меня в памяти.

Смутно помнятся мне летние дни и отдельные эпизоды, но я не могу с твердостью сказать, к какому году они относятся. Смерть Эмиаса была для меня как гром среди ясного неба. Никаких предчувствий — по-видимому, все, что к этому привело, прошло мимо меня.

Я старалась вспомнить, следовало ли того ожидать. Неужто все пятнадцатилетние девочки столь же слепы, глухи и тупы, какой была я? Может быть. По-моему, я довольно чутко улавливала настроение людей, но мне и в голову не приходило задуматься над тем, чем объясняется то или иное настроение.

Кроме того, как раз в ту пору я вдруг стала испытывать упоение словом. Книги, которые я читала, поэзия, сонеты Шекспира эхом отзывались у меня в мыслях. Я помню, как бродила по тропинкам сада, зачарованно повторяя: «...улыбку шлет лугам зеленым...» Эти слова звучали так прекрасно, что я твердила их себе десятки раз.

А рядом с этими волнующими открытиями были вещи, которые я любила делать с тех пор, как себя помню: плавать и лазать по деревьям, есть фрукты, дразнить конюшенного мальчика и кормить лошадей.

Без Кэролайн и Эмиаса я жизни не мыслила. Они были центральными фигурами в моем мире, но я никогда не думала про них, про их дела или про то, что они могли думать и чувствовать.

Я даже не обратила внимания на появление Эльзы Грир. Считала ее неумной и не очень привлекательной. Мне она представлялась богатой, но надоедливой женщиной, которую Эмиас взялся рисовать.

Впервые обо всей этой истории я узнала, подслушав на террасе, где однажды укрылась после обеда, как Эльза заявила, что выходит за Эмиаса замуж! Мне это показалось нелепостью. Помню, я даже решила поговорить об этом с Эмиасом. Случай представился в саду в Хэнд-кроссе.

— Почему это Эльза говорит, что выходит за тебя замуж? — спросила я. — Как это может быть? Двух жен иметь нельзя. За это сажают в тюрьму.

— Откуда, черт побери, тебе это известно? — разозлился Эмиас.

Я сказала, что подслушала это на террасе.

Он еще больше разозлился и заявил, что мне давно пора отправляться в школу и разучиться подслушивать.

Я до сих пор помню, как я обиделась, услышав его слова. Тем не менее, спросила я, почему Эльза говорит такие глупости?

Это шутка, ответил Эмиас.

На этом мне следовало бы успокоиться. Я и успокоилась — но не до конца.

На обратном пути я сказала Эльзе: «Я спросила у Эмиаса, что вы имели в виду, когда сказали, что выходите за него замуж, и он ответил мне, что это — шутка».

Я надеялась, что она смутится, но она лишь улыбнулась.

Мне не понравилась ее улыбка. Я поднялась к Кэролайн в комнату, когда она переодевалась к ужину, и спросила у нее прямо, может ли случиться так, что Эмиас женится на Эльзе.

Я помню ответ Кэролайн так, будто только что услышала его. «Эмиас женится на Эльзе только после моей смерти», — четко выговаривая каждое слово, ответила она.

Я безоговорочно ей поверила. Смерть была от всех нас далеко-далеко. Тем не менее я очень рассердилась на Эмиаса за то, что он сказал днем, и весь ужин злилась на него: мы даже по-настоящему поссорились и я выбежала из комнаты, бросилась в постель и плакала, пока не уснула.

Я плохо помню визит к Мередиту Блейку, хотя ничуть не забыла, как он читал нам отрывок из «Федона», описывающий смерть Сократа. Раньше я этого никогда не слышала. Мне этот отрывок показался самым прекрасным из слышанных мною ранее вещей. Это я помню. Но когда именно это было, не помню. Мне кажется, что это могло иметь место в любой день того лета.

Не помню ничего, что было на следующее утро, хотя старательно рылась в памяти. Мне почему-то кажется, что я купалась, и еще вспоминается, что меня заставили что-то зашивать.

Но с той минуты, когда на террасу, задыхаясь, вбежал Мередит, — лицо у него было серое и чужое, — я начинаю все помнить отчетливо и ясно. Я помню, как упала со стола и разбилась чашка с кофе, — это сделала Эльза. Еще я помню отчаянное выражение ее лица и как она изо всех сил бросилась бежать.

Я повторяла про себя: «Эмиас умер», но поверить в это не могла.

Помню, как шел доктор Фоссет и лицо у него было мрачное. Мисс Уильямс хлопотала возле Кэролайн. Я, забытая всеми, бродила, попадаясь людям под ноги. Меня тошнило. Мне не позволили пойти посмотреть на Эмиаса. Потом появилась полиция, они что-то записывали и наконец на носилках унесли его тело, укрытое простыней.

Позже мисс Уильямс отвела меня к Кэролайн. Кэролайн лежала на диване. Она была белой как мел и казалась больной.

Она поцеловала меня и сказала, что мне нужно как можно быстрее уехать, что все это ужасно, но я ни в коем случае не должна ни о чем беспокоиться и как можно меньше думать. Мне следует поехать к леди Трессилиан, где уже была Карла, потому что в этом доме скоро никого не будет.

Я прижалась к Кэролайн и сказала, что не хочу уезжать. Я хотела быть с ней. Она ответила, что знает это, но мне лучше уехать и перестать беспокоиться.

— Больше всего ты поможешь своей сестре, Анджела, — вмешалась мисс Уильямс, — если безо всяких возражений выполнишь то, о чем она тебя просит.

Тогда я сказала, что сделаю все, чего хочет Кэролайн.

— Вот это моя любимая Анджела, — обняла меня Кэролайн и повторила, что мне не о чем беспокоиться и лучше говорить и думать об этом как можно меньше.

Мне пришлось спуститься и побеседовать с полицейским комиссаром. Он был очень добр, спросил меня, когда я последний раз видела Эмиаса, и задал еще кучу вопросов, которые показались мне тогда довольно глупыми, но теперь я, разумеется, понимаю их смысл. Он удовлетворился тем, что я не могу поведать ему чего-то такого, о чем он еще не слышал от других, и сказал мисс Уильямс, что не возражает против моего отъезда в Ферриби-Грейндж, где жила леди Трессилиан.

Я уехала туда, и леди Трессилиан была очень добра ко мне. Но конечно, вскоре я узнала правду. Кэролайн арестовали почти тотчас же. Я была так испугана и ошеломлена, что серьезно заболела.

Позже я услышала, что Кэролайн очень волновалась обо мне. По ее настоянию меня увезли из Англии до начала суда. Но об этом я Вам уже говорила.

Как видите, рассказать я Вам сумела ничтожно мало. После нашей беседы я обдумала то немногое, когда старательно вспоминала, кто как выглядел или реагировал. И не могу вспомнить ничего, что бы свидетельствовало о виновности того или иного действующего лица. Безумие Эльзы. Серое от волнения лицо Мередита. Отчаяние и ярость Филипа. Все они вели себя вполне естественно. Неужто кто-то был способен играть роль?

Я знаю только одно: Кэролайн этого не совершала.

В этом я навсегда убеждена, доказательств у меня никаких нет, кроме того, что я хорошо знала свою сестру».

Конец рассказа Анджелы Уоррен.

Книга третья

Глава 1
ВЫВОДЫ

Карла Лемаршан подняла глаза. В них застыли усталость и боль. Утомленным жестом она откинула упавшие на лоб волосы.

— Все это так сбивает с толку, — сказала она, дотронувшись до писем. — Каждый раз все случившееся описывается с новой точки зрения. Каждый видит мою мать по-своему. Но факты совпадают. В этом они не расходятся.

— Эти письма вас огорчили?

— Да. А вас нет?

— Нет. Мне они показались очень поучительными и содержательными.

Пуаро говорил медленно и задумчиво.

— Лучше бы я их не читала! — сказала Карла.

— Вот, значит, как? — внимательно взглянул на нее Пуаро.

— Они все убеждены, что мама убила отца, — горько констатировала Карла, — все, кроме тети Анджелы, а ее мнение не в счет, потому что у нее нет никаких доказательств. Она просто из тех людей, которые остаются верными, несмотря ни на что. Будет твердить до конца: «Кэролайн этого совершить не могла».

— Вам так кажется?

— А как еще мне может казаться? Еще я поняла, что если не мама, значит, убийство совершил кто-то из этих пятерых. Я даже могу объяснить из-за чего.

— Это интересно. Ну-ка, поведайте мне.

— Но это только в теории. Возьмем, например, Филипа Блейка. Он биржевой маклер, был близким другом моего отца — отец, наверное, доверял ему. Художники обычно беспечно относятся к деньгам. Быть может, Филип Блейк оказался в стесненных обстоятельствах и воспользовался деньгами отца. Возможно, заставил отца что-то подписать. Потом вся эта история готова была просочиться наружу, и только смерть отца могла его спасти. Вот одна из версий, которые я придумала.

— Воображение у вас, я вижу, работает. Что еще?

— Возьмем Эльзу. Филип Блейк говорит, что она была слишком умна, чтобы трогать то, что не положено, то есть яд, но я вовсе так не думаю. Предположим, мама пошла к ней и сказала, что не собирается разводиться с моим отцом и ничто не принудит ее к этому. Можете говорить что хотите, но я считаю, что Эльзе, с ее буржуазным воспитанием, требовалось выйти замуж официально. А поэтому она вполне была в состоянии украсть яд — в тот день ей, как и другим, представилась возможность это сделать — и попытаться отравить мою мать, чтобы убрать ее с пути. По-моему, это очень похоже на Эльзу. Но совершенно случайно отрава досталась Эмиасу, а не Кэролайн.

— Тоже неплохо придумано! Что еще?

— А может... Мередит... — в раздумье произнесла Карла.

— Мередит Блейк?

— Да. Он кажется мне человеком вполне способным на убийство. Он был медлительным, часто приходил в смятение, над ним смеялись, и в душе он, наверное, очень обижался. Затем мой отец женился на девушке, на которой он сам собирался жениться. Отец имел успех, разбогател. И потом, Мередит ведь собственноручно готовил все эти отравы! Может, он и готовил их, вынашивая мысль в один прекрасный день кого-нибудь убить. Он намеренно привлек внимание к факту пропажи яда, чтобы отвлечь подозрение от себя. Скорее всего, он сам взял этот яд. Может, даже мечтал, чтобы Кэролайн повесили, потому что когда-то она его отвергла. Знаете, мне почему-то не понравилось, как он в своем письме рассуждает о том, что люди часто совершают поступки, вовсе им не свойственные. Что, если он, когда писал, имел в виду себя самого?

563

— Вот тут вы правы — нельзя принимать на веру все, что написано. То, что написано, вполне может быть написано с целью сбить с толку.

— Я знаю. И все время помнила об этом.

— Еще есть идеи?

— До того как прочесть ее письмо, — медленно сказала Карла, — я подозревала мисс Уильямс. С отъездом Анджелы в школу она теряла работу. А если Эмиас вдруг умрет, Анджела, вполне возможно, никуда не поедет. Разумеется, если бы его смерть приняли за естественную, что могло бы случиться, не хватись Мередит своего кониума. Я читала про кониум, — оказывается, при вскрытии его следов можно и не обнаружить. Решили бы, что он умер от солнечного удара. Я понимаю, что потеря работы — не причина для убийства, но убийства совершаются по самым разным и необъяснимым причинам. Порой из-за ничтожно малой суммы денег. А немолодая и, быть может, не очень образованная гувернантка боялась, что ее ждет необеспеченное будущее.

Как я уже сказала, такие мысли у меня были до того, как я прочла письмо мисс Уильямс. Нет, на нее это вовсе не похоже. Ее ни в коем случае нельзя назвать необразованной...

— Конечно. Она очень деловая и умная женщина.

— Я знаю. Это сразу видно. И ее словам вполне можно доверять. Вот это-то меня и печалит. Вы ведь понимаете меня. Вам-то все равно. Вы с самого начала заявили, что вам нужна правда. Вот мы и получили эту правду! Мисс Уильямс совершенно права. Только правда может быть в помощь. Нельзя строить свою жизнь на лжи, я согласна. Моя мать была виновна. Она написала мне это письмо в минуту слабости — ей хотелось меня пощадить. Не мне ее судить. Быть может, на ее месте и я поступила бы так же. Я не знаю, что делает с человеком тюрьма. Я не могу ее винить — если она так отчаянно любила моего отца, она, наверное, была не в силах справиться с собой. Отца своего я тоже не виню. Я понимаю — хотя и не совсем, — что он испытывал. Такой жизнерадостный, он был полон желания обладать всем. Он не мог справиться с собой, таким он был создан. И то, что он был большим художником, многое извиняет.

Лицо у нее пылало, подбородок был упрямо вздернут.

— Значит, вы удовлетворены? — спросил Эркюль Пуаро.

— Удовлетворена? — переспросила Карла Лемаршан, и голос ее дрогнул.

Пуаро наклонился и отечески погладил ее по плечу.

— Послушайте, — начал он, — вы отказываетесь от борьбы как раз в ту самую минуту, когда ее стоит продолжать. В ту минуту, когда я, Эркюль Пуаро, понял наконец, что произошло.

Карла уставилась на него.

— Мисс Уильямс любила мою мать, — сказала она. — Она видела... видела собственными глазами, как моя мать подделывала улики в пользу версии о самоубийстве. Если вы верите тому, что она пишет...

Эркюль Пуаро встал:

— Мадемуазель, именно потому, что Сесили Уильямс утверждает, что видела, как ваша мать делала попытку фальсифицировать отпечатки пальцев Эмиаса Крейла на бутылке из-под пива, — на бутылке, обратите внимание! — именно поэтому я и делаю окончательный вывод: ваша мать не виновна!

Он несколько раз кивнул и вышел из комнаты, а Карла долго смотрела ему вслед.

Глава 2

ПЯТЬ ВОПРОСОВ ПУАРО

I

— Слушаю вас, мсье Пуаро. — В голосе Филипа Блейка слышалось нетерпение.

— Я должен поблагодарить вас за превосходное и ясное изложение событий, имевших отношение к трагедии Крейлов.

Филип Блейк чуть смутился.

— Очень любезно с вашей стороны, — пробормотал он. — Я сам удивился тому, сколько вспомнилось, когда я принялся это записывать.

— Это был исключительно четкий рассказ, но в нем кое-что пропущено, не так ли?

— Пропущено? — нахмурился Филип Блейк.

— Ваше повествование было, скажем так, не совсем откровенным. — В голосе его появилась твердость. — Мне дали знать, мистер Блейк, что, по крайней мере однажды, тем летом видели, как миссис Крейл вышла из вашей комнаты в довольно поздний час.

Наступило молчание, прерываемое только тяжелым дыханием Филипа Блейка.

— Кто вам это сказал? — наконец спросил он.

— Не имеет значения, — покачал головой Эркюль Пуаро. — Важно то, что мне это известно.

Опять молчание. Затем Филип Блейк принял решение.

— По-видимому, волею случая вам довелось прикоснуться к личному в моей жизни, — сказал он. — Я согласен, что это никак не увязывается с тем, что я написал. Тем не менее это увязывается гораздо больше, чем вы полагаете. Что ж, я вынужден поведать вам правду.

Я действительно испытывал чувство неприязни к Кэролайн Крейл. И одновременно — сильное влечение. Возможно, именно влечение вызвало неприязнь. Меня возмущала ее власть надо мной, и я пытался избавиться от чувства влечения к ней тем, что постоянно размышлял о ее дурных качествах. Мне она никогда не нравилась, если вы понимаете, о чем я говорю, но я без труда мог бы сойтись с ней. Еще мальчишкой я был влюблен в нее, но она не обращала на меня внимания. Этого простить я не мог.

Когда Эмиас окончательно потерял голову из-за этой девчонки Грир, у меня появился шанс. Ни о чем как следует не подумав, я вдруг объяснился Кэролайн в любви. Она спокойно ответила: «Я всегда об этом знала». Подумайте только, какая наглость!

Разумеется, я понимал, что она меня не любит, но она была выведена из равновесия и расстроена последним увлечением Эмиаса. В таком настроении женщину нетрудно завоевать. В ту ночь она согласилась прийти ко мне. И пришла.

Блейк помолчал. Ему было трудно говорить.

— Она пришла ко мне. А потом, когда я ее обнял, она спокойно заявила, что из этого ничего не получится. Она всю жизнь любила и будет любить только одного человека. Что бы ни произошло, она принадлежит только Эмиасу Крейлу. Она согласилась, что дурно обошлась со мной, но сказала, что ничего не может с собой поделать. И попросила у меня прощения.

И ушла. Ушла от меня. Приходится ли удивляться, мсье Пуаро, что моя ненависть к ней возросла во сто крат? Приходится ли удивляться, что я никогда ей этого не простил? Не простил нанесенного оскорбления, а также того, что она убила друга, которого я любил больше всех на свете! — И, дрожа всем телом, Филип Блейк воскликнул: — Я не хочу об этом говорить, слышите? Вы получили ответ. А теперь уходите! И никогда не упоминайте при мне об этом!

II

— Мне бы хотелось знать, мистер Блейк, в каком порядке ваши гости вышли в тот день из лаборатории?

— Дорогой мой мсье Пуаро, — запротестовал Мередит Блейк, — как можно об этом помнить спустя шестнадцать лет? Я сказал вам, что последней ушла Кэролайн.

— Вы уверены?

— Да. По крайней мере... По-моему...

— Пойдемте туда. Нам нельзя сомневаться.

С явной неохотой Мередит Блейк направился в лабораторию. Он отпер дверь и раскрыл ставни.

— А теперь, мой друг, — властно заговорил Пуаро, — вы демонстрируете вашим друзьям настойки из трав. Закройте глаза и думайте...

Мередит Блейк покорно закрыл глаза. Пуаро вытащил из кармана носовой платок и тихо поводил им в воздухе. Ноздри у Блейка еле приметно зашевелились, и он пробормотал:

— Да, да, просто удивительно, как все вспоминается. На Кэролайн было платье цвета кофе с молоком. Филу явно было скучно... Он всегда считал мое увлечение идиотским.

— А сейчас припомните, как вы уходили. Шли в библиотеку, где вы собирались читать отрывок, описывающий смерть Сократа. Кто вышел из комнаты первым?

— Эльза. Она вышла первой. За ней я. Мы разговаривали. Я остановился, ожидая, пока выйдут остальные, чтобы запереть дверь. Филип... Да, следующим вышел Филип. За ним Анджела. Она спрашивала у него, что значит на бирже играть на повышение и на понижение. Они прошли через холл. За ними шел Эмиас. Я стоял и ждал — Кэролайн, конечно.

— Значит, вы совершенно уверены, что последней была Кэролайн? Что же она там делала?

— Не знаю, — покачал головой Блейк. — Я стоял спиной к комнате. Я разговаривал с Эльзой. По-моему, рассказывал ей, что некоторые растения, согласно старинному суеверию, полагается собирать только в полнолуние. А затем торопливо вышла Кэролайн, и я запер дверь.

Он замолчал и взглянул на Пуаро, который прятал платок в карман. Мередит Блейк повел носом и с отвращением подумал: «Этот человек пользуется духами!»

— Вот теперь я уверен, — сказал он, — мы вышли из лаборатории в таком порядке: Эльза, я, Филип, Анджела, Эмиас и Кэролайн. Поможет это вам?

— Да, картина становится ясной, — ответил Пуаро. — Послушайте, мне хотелось бы, чтобы вы собрали их всех здесь. Это, наверное, не будет слишком затруднительно?..

III

— Слушаю вас.

Эльза Диттишем произнесла это с любопытством — как ребенок.

— Мне хотелось бы задать вам вопрос, мадам.

— Да?

— После того как все было кончено, после суда, Мередит Блейк сделал вам предложение.

Эльза уставилась на Пуаро. Потом в ее глазах появилось презрение, даже скука.

— Да. А что?

— Вы были удивлены?

— Я? Не помню.

— И что же вы ответили?

Эльза рассмеялась:

— Что, по-вашему, я могла ответить? После Эмиаса — Мередит? Это смешно! А с его стороны глупо. Впрочем, он никогда не отличался умом. — Она вдруг улыбнулась. — Он хотел, понимаете ли, защитить меня, «заботиться обо мне», как он выразился! Он, как и все прочие, считал, что процесс был для меня тяжким испытанием — репортеры, и улюлюкающая толпа, и та грязь, которой меня закидали! — С минуту она сидела в раздумье. А затем сказала: — Бедняга Мередит! Какой же он осел! — И снова рассмеялась.

IV

Опять Эркюля Пуаро встретил проницательный взгляд мисс Уильямс, и снова ему показалось, что годы куда-то исчезли и он превратился в робкого, пугливого мальчишку.

Есть вопрос, который ему хотелось бы задать, объяснил он.

Мисс Уильямс выразила желание узнать, что за вопрос.

— Анджеле Уоррен еще в младенчестве, — медленно, тщательно подбирая слова, заговорил Пуаро, — было причинено увечье. В своих записях я дважды натолкнулся на упоминание об этом факте. В одном месте говорится, что миссис Крейл швырнула в нее пресс-папье. В другом — что она ударила девочку кочергой. Какая из версий соответствует действительности?

— Я никогда ничего не слышала про кочергу, — быстро ответила мисс Уильямс. — Я знаю только про пресс-папье.

— Кто вам сказал?

— Сама Анджела. Она рассказала мне об этом вскоре после моего появления в Олдербери.

— Будьте добры дословно передать, что она вам рассказала.

— Она дотронулась до своей щеки и сказала: «Это сделала Кэролайн, когда я была совсем маленькой. Она бросила в меня пресс-папье. Но пожалуйста, никогда про это не говорите, потому что она очень расстраивается».

— А сама миссис Крейл упоминала об этом?

— Только косвенно. Она считала, что мне эта история известна. Я помню, как она однажды сказала: «Я знаю, вы полагаете, что я балую Анджелу, но, видите ли, я постоянно чувствую, что ничем не могу искупить свою вину перед ней». А в другой раз она сказала: «Знать, что ты на всю жизнь изувечила человека, — это самая тяжкая ноша, которую можно вынести».

— Благодарю вас, мисс Уильямс. Это все, что я хотел знать.

— Я не понимаю вас, мсье Пуаро, — резко отозвалась мисс Уильямс. — Вы показали Карле мое письмо?

Пуаро кивнул.

— И тем не менее вы продолжаете... — Она умолкла.

— Задумайтесь на минуту, — попросил Пуаро. — Если вы проходите мимо лавки торговца рыбой и видите на прилавке с десяток рыб, вы уверены, что это — настоящие рыбы, не так ли? А ведь одна из них может оказаться подделкой.

Мисс Уильямс возразила с горячностью:

— Вряд ли, и во всяком случае...

— Вряд ли, да, но и вполне возможно, потому, что однажды мой приятель показал мне чучело рыбы (он их неплохо делал, должен сказать) рядом с настоящей рыбой. И если бы вам довелось увидеть в декабре вазу с цветами магнолии, вы бы решили, что цветы искусственные, а они могли оказаться и настоящими, если их самолетом доставили из Багдада.

— К чему вы мне все это говорите? — рассердилась мисс Уильямс.

— Чтобы объяснить вам, что, когда что-нибудь видишь, следует подумать, зачем это делается...

V

Пуаро чуть замедлил шаг, приблизившись к многоквартирному дому, который выходил на Риджентс-парк.

В общем-то, если как следует подумать, у него вовсе не было никакого желания расспрашивать о чем-либо Анджелу Уоррен. С единственным вопросом, который ему хотелось задать, можно было не спешить...

На самом деле его пригнала сюда ненасытная жажда к точности. Пять человек — значит, должно быть и пять вопросов? Тогда все завершалось более четко.

Ладно, что-нибудь он придумает.

Анджела Уоррен встретила его несколько нетерпеливо.

— Выяснили что-нибудь? — спросила она. — Добрались до истины?

Пуаро медленно закивал на манер китайского мандарина.

— Прогресс, по крайней мере, есть, — сказал он.

— Филип Блейк? — Она скорее утверждала, нежели спрашивала.

— Мадемуазель, пока я ничего не могу сказать. Эта минута еще не настала. Не откажите в любезности приехать в Хэндкросс-Мэнор. Все остальные уже дали согласие.

— А что вы намерены там делать? — чуть нахмурившись, спросила она. — Воссоздать картину того, что случилось шестнадцать лет назад?

— Пожалуй, не воссоздать, а прояснить под несколько другим углом. Приедете?

— Приеду, — согласно кивнула Анджела Уоррен. — Интересно увидеть снова всех этих людей. Я, наверное, увижу их под несколько другим, более острым углом, как вы изволили выразиться, нежели прежде.

— И привезете с собой письмо, которое показывали мне?

— Это письмо адресовано только мне, — нахмурилась Анджела Уоррен. — Я показала его вам из лучших побуждений, но у меня вовсе нет намерения позволить чужим и малосимпатичным мне людям его читать.

— Может, вы не откажетесь руководствоваться в этом случае моими советами?

— Откажусь. Я привезу письмо с собой, но руководствоваться буду собственными соображениями, которые, осмелюсь сказать, ничуть не хуже ваших.

Пуаро поднял руки, показывая, что смирился с судьбой. Он встал и собрался уходить.

— Вы позволите мне задать вам один небольшой вопрос? — спросил он.

— О чем?

— В ту пору, когда произошла трагедия, вы читали «Луну и грош» Сомерсета Моэма, не так ли?

Анджела вытаращила глаза:

— По-моему, да. Совершенно верно, — и, не скрывая любопытства, спросила: — А откуда вы узнали?

— Я хотел показать вам, мадемуазель, что и в малых, не имеющих принципиального значения делах я в некотором роде волшебник. Есть вещи, которые я знаю, даже когда мне об этом не говорят.

Глава 3

ПУТЕШЕСТВИЕ В ПРОШЛОЕ

Послеполуденное солнце заливало своим светом лабораторию в Хэндкросс-Мэнор. В комнату внесли несколько стульев и кушетку, но они скорее подчеркивали заброшенность этого помещения, нежели служили ему обстановкой.

Смущенно пощипывая усы, Мередит Блейк в каких-то отрывочных фразах вел беседу с Карлой.

— Господи, — перебив самого себя, не выдержал он, — до чего же ты похожа на свою мать и вместе с тем какая-то другая!

— Чем же я похожа и чем не похожа? — спросила Карла.

— Такие же глаза и волосы, та же поступь, но ты — как бы это сказать? — более уверена в себе, чем она.

Филип Блейк, наморщив лоб, выглянул из окна и нетерпеливо забарабанил по стеклу.

— Какой во всем этом смысл? Чудесный субботний день...

Эркюль Пуаро поспешил успокоить его:

— О, прошу меня извинить — я знаю, нарушать игру в гольф непростительно. Mais voyons[1], мсье Блейк,

_____

[1] Но посмотрите *(фр.).*

вот дочь вашего лучшего друга. Поступитесь ради нее игрой.

— Мисс Уоррен, — доложил дворецкий.

Мередит пошел ей навстречу.

— Спасибо, что нашла время приехать, Анджела, — сказал он. — Я знаю, что ты очень занята.

Он подвел ее к окну.

— Здравствуйте, тетя Анджела, — поздоровалась с ней Карла. — Сегодня утром я читала вашу статью в «Таймс». Как приятно иметь такую знаменитую родственницу. — Она показала на высокого молодого человека с квадратным подбородком и спокойным взглядом серых глаз. — Это Джон Рэттери. Мы с ним... собираемся пожениться.

— А я и не знала... — удивилась Анджела Уоррен.

Мередит отправился навстречу очередной гостье:

— Мисс Уильямс! Сколько же лет мы не виделись!

Худенькая, хрупкая, но по-прежнему энергичная, в комнату вошла старушка гувернантка. На секунду ее глаза задумчиво остановились на Пуаро, потом она перевела их на высокую широкоплечую женщину в твидовом костюме отличного покроя.

Анджела Уоррен двинулась к ней с улыбкой:

— Я чувствую себя снова школьницей.

— Я очень горжусь тобой, моя дорогая, — отозвалась мисс Уильямс. — Ты делаешь мне честь. А это Карла, наверное? Она меня, конечно, не помнит. Была еще совсем малышкой...

— В чем дело? — сердился Филип Блейк. — Никто мне не сказал...

— Я предлагаю назвать нашу встречу, — заговорил Эркюль Пуаро, — путешествием в прошлое. Давайте сядем и приготовимся к встрече последней нашей гостьи. Как только она явится, мы приступим к делу — будем вызывать духов.

— Что за глупости? — воскликнул Филип Блейк. — Уж не собираетесь ли вы заниматься спиритизмом?

— Нет-нет. Мы собираемся только воссоздать некоторые события, имевшие место много-много лет назад, — воссоздать и, быть может, уточнить, как они происходили. Что же касается духов, то они вряд ли материализуются, но кто может утверждать, что их нет здесь, среди нас, только мы их не видим? Кто может сказать, что Эмиаса и Кэролайн Крейл нет здесь в комнате и что они не слышат нас?

— Полная чепуха... — заговорил было Филип Блейк, но замолчал, потому что дверь открылась и дворецкий доложил о прибытии леди Диттишем.

Вошла Эльза Диттишем. Всем своим видом она показывала, как ей все это надоело и неинтересно. Она чуть улыбнулась Мередиту, окинула холодным взглядом Анджелу и Филипа и села на стул у окна, стоявший чуть поодаль от других. Расстегнув роскошную горжетку из светлого меха, она откинула ее назад, на спину. Минуту-другую она оглядывалась, потом, заметив Карлу, присмотрелась к ней, а Карла в свою очередь не сводила глаз с той, что разрушила жизнь ее родителей. На ее юном задумчиво-серьезном лице не было враждебности, на нем отражалось лишь любопытство.

— Извините за опоздание, мсье Пуаро, — сказала Эльза.

— Благодарю вас за то, что вы пришли, мадам.

Еле слышно фыркнула Сесили Уильямс. Эльза совершенно равнодушно встретила ее враждебный взгляд.

— Я бы ни за что не узнала тебя, Анджела, — проронила она. — Сколько же лет прошло? Шестнадцать?

Эркюль Пуаро не упустил этой возможности:

— Да, прошло шестнадцать лет с тех пор, как случились события, о которых мы намерены сегодня поговорить, но сначала позвольте мне объяснить вам, почему мы собрались здесь.

И вкратце он рассказал о просьбе к нему Карлы и о своем согласии выполнить эту просьбу.

Не обращая внимания на готовую вот-вот разразиться грозу, что явно было написано на лице у Филипа, и на возмущенное лицо Мередита, он быстро продолжал:

— Я принял это предложение и тотчас занялся выяснением правды...

Эти слова словно издалека доносились до Карлы Лемаршан, сидящей в большом вольтеровском кресле.

Прикрыв рукой глаза, она незаметно вглядывалась в лица пятерых людей. Кто из них способен на убийство? Красавица Эльза, багровощекий Филип, добрый, славный мистер Мередит Блейк, суровая, мрачная гувернантка или хладнокровная и деловая Анджела Уоррен?

Может ли она — если постараться изо всех сил — представить себе, как кто-либо из них убивает человека? Да, может, но это было бы совсем другое убийство. Она может представить себе, как Филип Блейк в приступе ярости душит женщину, — да, это можно представить... Можно представить, как Мередит Блейк нацеливает на грабителя револьвер и нечаянно спускает курок... Можно представить, что и Анджела Уоррен стреляет из револьвера, только вряд ли нечаянно. Не из каких-то личных побуждений, нет, ну, например, если от этого зависит судьба экспедиции. И Эльза в каком-то фантастическом замке, сидя на кушетке, крытой восточными шелками, говорит: «Выбросите эту нечисть в ров за стену крепости!» Приходят же в голову такие нелепые мысли, но даже в самой нелепой из нелепых она не могла представить себе, как совершает убийство маленькая мисс Уильямс. Еще одна картина: «Вы когда-нибудь совершали убийство, мисс Уильямс?» — «Занимайся арифметикой, Карла, и не задавай глупых вопросов. Убить человека — это большое зло».

«Я, наверное, сошла с ума, надо прогнать эти мысли. Прислушайся лучше ты, дурочка, прислушайся к словам этого маленького человека, который утверждает, что знает все», — приказала себе Карла.

А Эркюль Пуаро говорил:

— В мою задачу входило дать задний ход, вернуться на много лет назад и узнать, что произошло на самом деле.

— Мы все давно знаем, что произошло, — возразил Филип Блейк. — Сделать вид, будто случилось что-то другое, — это откровенное мошенничество. Вы под явно фальшивым предлогом вымогаете у этой девушки деньги.

Пуаро не позволил себе рассердиться.

— Вы утверждаете, что вам всем известно, что произошло, — сказал Пуаро, — но говорите это, не подумав как следует. Принятая судом версия случившегося не всегда истина в последней инстанции. Вот, например, вы, мистер Блейк, было принято считать, питали неприязнь к Кэролайн Крейл. Но человек, хоть чуть-чуть разбирающийся в психологии, может тотчас заметить, что имело место как раз обратное явление. Вы испытывали страстную привязанность к Кэролайн Крейл. Вы отвергали этот факт и пытались бороться с этим чувством, то и дело напоминая себе о ее недостатках и искусственно возбуждая в себе неприязнь к ней. Что же касается мистера Мередита Блейка, то он, считали все, был предан Кэролайн Крейл всей душой. В своем повествовании о случившемся он рассказывает о том, как его возмущало отношение к ней Эмиаса Крейла, но если вчитаться внимательно, то между строк можно заметить, что эта преданность давным-давно изжила себя и что его душа и разум были целиком заняты юной прекрасной Эльзой Грир.

Мередит что-то залепетал, а леди Диттишем улыбнулась.

— Я упоминаю об этих фактах только в качестве иллюстрации, — продолжал Пуаро, — хотя они имеют и непосредственное отношение к тому, что произошло. Итак, я начинаю путешествие в прошлое, чтобы выяснить все, что можно, о случившейся трагедии. Но прежде я скажу вам, что я уже проделал. Я переговорил с защитником, который выступал на процессе по делу Кэролайн Крейл, с помощником прокурора, со старым адвокатом, который хорошо знал семью Крейлов, с клерком адвокатской фирмы, постоянно присутствовавшим на судебных заседаниях, с офицером полиции, который расследовал это дело, и, наконец, с пятью свидетелями, которые были непосредственными участниками разыгравшихся событий. Из всех этих разговоров у меня сложилось определенное мнение о женщине, признанной виновной, также мне стали известны следующие факты: что Кэролайн Крейл ни разу не заявила о своей невиновности (за исключением письма, адресованного ее дочери); что Кэролайн Крейл, давая показания, не проявляла страха; что она держалась безучастно; что она, казалось, заранее смирилась со своей участью; что в тюрьме она держалась спокойно и сдержанно; что в письме, написанном сестре сразу после вынесения приговора, она выражала согласие с выпавшей на ее долю судьбой. И, по мнению всех, с кем я беседовал (за одним примечательным исключением), Кэролайн Крейл была виновна.

— Конечно была, — кивнул Филип Блейк.

— Но я вовсе не считал себя обязанным, — продолжал Эркюль Пуаро, — полагаться на чужое мнение. Я решил лично проверить все доказательства. Подвергнуть сомнению факты и убедиться, что они соответствуют психологии участников событий. Для этого я тщательно перечитал материалы дела, а также заставил пятерых участников событий собственноручно описать все, чему они были свидетелями. Эти письма оказались весьма ценными, ибо содержали определенный материал, опущенный в полицейском досье, а именно: а) беседы и происшествия, которые с точки зрения полиции не представляли интереса; б) предположения о том, что Кэролайн Крейл думала и чувствовала (с точки зрения юриспруденции они не могли служить доказательством); в) определенные факты, которые были умышленно скрыты от полиции.

Теперь я мог судить о деле лично. Казалось, не было сомнения, что у Кэролайн Крейл имелись основательные мотивы для совершения преступления. Она любила своего мужа, он публично признался, что намерен оставить ее ради другой женщины, и, по ее собственному признанию, она была человеком ревнивым.

Если перейти от мотивов к средствам, то пустой флакон из-под духов, в котором затем был кониум, нашли в ящике ее бюро. Кроме ее отпечатков пальцев, других на нем не было. Когда полиция спросила ее об этом, она призналась, что взяла кониум из комнаты, где мы сейчас находимся. На бутылке с кониумом также были найдены отпечатки ее пальцев. Я спросил у мистера Мередита Блейка, в каком порядке пять человек вышли из этой комнаты в тот день, ибо поверить в то, что кто-то на глазах у других мог отлить кониум, было трудно. Вот в каком порядке вы вышли из комнаты: Эльза Грир, Мередит Блейк, Анджела Уоррен и Филип Блейк, Эмиас Крейл и, наконец, Кэролайн Крейл. Более того, мистер Мередит Блейк в ожидании миссис Крейл стоял спиной к дверям, а потому не мог видеть, что она там делает. Поэтому ей представилась, так сказать, возможность сделать это незаметно. Вот почему я не сомневаюсь, что кониум действительно взяла она. Тому есть косвенное подтверждение. Мистер Мередит Блейк сказал мне на днях: «Вот именно здесь я стоял, вдыхая запах цветущего жасмина». Но был сентябрь, и куст жасмина под окном никак не мог быть в цвету. Жасмин обычно цветет в июне и июле. А вот во флаконе, найденном в комнате Кэролайн, в котором оказались остатки кониума, прежде были духи с запахом жасмина. Отсюда следует, что миссис Крейл, решив украсть кониум, тайком опорожнила флакончик с духами, который был у нее в сумке.

Переходим к утру следующего дня. Пока все факты совпадают. Мисс Грир внезапно объявила о том, что мистер Крейл и она решили пожениться, Эмиас Крейл это подтвердил, чем очень огорчил Кэролайн Крейл. Об этом говорят все свидетели.

А вот утром рокового дня имеет место ссора между мужем и женой в библиотеке. Первое, что было слышно, — это как Кэролайн Крейл зло сказала: «Ты и твои женщины!» — а потом: «Когда-нибудь я тебя прикончу». Филип Блейк услышал это из холла. А мисс Грир — с террасы.

Затем она услышала, как мистер Крейл просил жену вести себя разумно. На что миссис Крейл ответила: «Я скорее тебя убью, нежели отдам этой девице». Вскоре после этого на террасе появился Эмиас Крейл, который бесцеремонно велел Эльзе Грир идти в сад и позировать ему. Она поднялась наверх за пуловером и пошла в сад вместе с Крейлом.

Пока нет ничего, что может быть квалифицировано как психологическое несоответствие. Каждый ведет себя так, как ожидается. Но далее мы подходим к тому, что не подкреплено логикой.

Мередит Блейк обнаруживает пропажу кониума, звонит брату; они встречаются возле причала и проходят вместе мимо Оружейного сада, где Кэролайн Крейл спорит с мужем по поводу отъезда Анджелы в школу. Вот это представляется мне весьма странным. Между мужем и женой произошел скандал, который кончился явной угрозой со стороны Кэролайн, и тем не менее минут через двадцать или около того она идет к нему и они обсуждают повседневные домашние заботы.

Пуаро повернулся к Мередиту Блейку:

— В вашем письме вы упомянули, что слышали, как Крейл выкрикнул: «Все решено — я ее провожу». Правильно?

— Да, что-то вроде этого, — подтвердил Мередит Блейк.

— А вам что помнится? — обратился Пуаро к Филипу Блейку.

— Я вспомнил эти слова, — нахмурился Филип, — только когда вы их повторили. Но теперь да, я их помню. Действительно что-то было сказано про проводы.

— Сказано мистером Крейлом или миссис Крейл?

— Эмиасом. Кэролайн говорила, что девочке будет трудно. Но какое это имеет значение? Мы все знаем, что через день-другой Анджеле предстояло отправиться в школу.

— Вам не понятно, о чем я толкую? Почему Эмиас Крейл должен был провожать девочку? Здесь нет смысла. В доме были миссис Крейл, мисс Уильямс, наконец, горничная. Проводить девочку — обязанность женщины, а не мужчины.

— Какое это имеет значение? — раздраженно повторил Филип. — Что тут общего с преступлением?

— Вы так думаете? Это было первое, что навело меня на размышления. А за ним немедленно последовало второе. Миссис Крейл, пребывающая в отчаянии, с разбитым сердцем, женщина, которая незадолго до этого угрожала мужу и которая думает об убийстве или самоубийстве, вдруг весьма охотно предлагает ему принести пива со льда.

— Ничего тут нет странного, если она решила отравить его, — медленно проговорил Мередит Блейк. — Именно так ей и следовало поступить. Прикинуться доброй.

— Вы полагаете? Она решила отравить мужа, яд у нее уже был. В Оружейном саду у ее мужа есть запас пива. Будь она хоть чуть-чуть сообразительнее, она бы, когда поблизости никого не было, вылила яд в одну из этих бутылок.

— Она не могла этого сделать, — возразил Мередит Блейк. — Потому что это пиво мог выпить кто-нибудь другой.

— Да, например Эльза Грир. Вы хотите убедить меня, что, приняв решение убить своего мужа, Кэролайн Крейл мучилась бы вопросом: а вдруг она по ошибке убьет свою соперницу?

Не будем об этом спорить. Ограничимся фактами. Кэролайн Крейл обещает мужу прислать пива со льда. Она возвращается в дом, берет из кладовой, где хранится пиво, бутылку и несет ему. Она наливает пиво в стакан, Эмиас Крейл залпом выпивает его и говорит: «Сегодня у всего какой-то противный привкус».

Миссис Крейл снова возвращается в дом. Она обедает и при этом ведет себя как всегда. Кто-то упомянул, что она выглядела чуть возбужденной и рассеянной. Это нам не в помощь — ибо нет критерия для поведения убийцы. Есть убийцы спокойные, и есть возбужденные.

После обеда она снова идет в Оружейный сад. Там она обнаруживает своего мужа мертвым и поступает, скажем, так, как от нее ожидается. Она проявляет волнение и посылает гувернантку к телефону, чтобы вызвать врача. Сейчас мы подошли к факту, который ранее нам не был известен. — Он посмотрел на мисс Уильямс: — Вы не возражаете?

Мисс Уильямс побледнела.

— Я не брала с вас слово держать мой рассказ в секрете, — отозвалась она.

Спокойно, но со значением Пуаро пересказал то, что увидела гувернантка.

Эльза Диттишем зашевелилась и внимательно всмотрелась в сидевшую в большом кресле пожилую женщину.

— Вы в самом деле видели, как она это делала? — недоверчиво спросила она.

— Вот и решение! — вскочил Филип Блейк. — Вот и окончательное решение.

— Совсем не обязательно, — мягко возразил Эркюль Пуаро.

— Я этому не верю, — резко заявила Анджела Уоррен, и во взгляде, который она бросила на маленькую гувернантку, блеснула неприязнь.

Мередит Блейк теребил свои усы, на лице его отражалось полное смятение. Одна мисс Уильямс оставалась спокойной. Она сидела очень прямо, а на щеках у нее горело по красному пятну.

— Именно это я и видела, — подтвердила она.

— Разумеется, мы можем положиться только на ваше слово... — словно в раздумье сказал Пуаро.

— Вот именно. — Отважный взгляд серых глаз встретился с его взглядом. — Я не привыкла, мсье Пуаро, к тому, чтобы мне не верили.

Эркюль Пуаро поклонился.

— Я не сомневаюсь в ваших словах, мисс Уильямс, — сказал он. — То, что вы видели, произошло именно так, как вы утверждаете, и именно по этой причине я и делаю вывод, что Кэролайн Крейл была не виновна — не могла быть виновной.

Впервые возбужденно заговорил высокий молодой человек.

— Мне бы хотелось узнать, почему вы так говорите, мсье Пуаро, — спросил Джон Рэттери.

— С удовольствием вам объясню, — повернулся к нему Пуаро. — Мисс Уильямс видела, как Кэролайн Крейл, оглядываясь по сторонам, тщательно вытирает бутылку из-под пива, а потом прикладывает к ней пальцы своего покойного мужа. К бутылке из-под пива, заметьте. Но кониум был найден в стакане, а не в бутылке. Полиция не нашла и следов кониума в бутылке. Потому что его там не было. А Кэролайн Крейл этого не знала. Она, которая, как считают, отравила своего мужа, не знала, где был яд. Она полагала, что яд был в бутылке.

— Но почему... — возразил было Мередит.

— Правильно — почему? — тут же перебил его Пуаро. — Почему Кэролайн Крейл так упорно отстаивала версию о самоубийстве? Ответ очень прост. Потому что она знала, кто отравил его, и готова была сделать все, стерпеть все, только чтобы на этого человека не пало подозрение.

Отсюда недалеко и до конца нашей истории. Кто же был этот человек? Стала бы она покрывать Филипа Блейка? Или Мередита? Или Эльзу Грир? Или Сесили Уильямс? Нет, существовал только один человек, которого она была готова защищать, чего бы ей это ни стоило.

Он умолк.

— Мисс Уоррен, — продолжал он, — если вы привезли с собой последнее письмо вашей сестры, мне бы хотелось прочитать его вслух.

— Нет, — сказала Анджела Уоррен.

— Но, мисс Уоррен...

Анджела встала:

— Я прекрасно понимаю, на что вы намекаете. — В голосе ее зазвенела сталь. — Вы хотите сказать, что это я убила Эмиаса Крейла и что моя сестра знала об этом, не так ли? Я полностью отвергаю ваше обвинение.

— Письмо... — опять начал Пуаро.

— Письмо предназначено только для моих глаз.

Пуаро посмотрел на стоявших рядом двух самых молодых в комнате людей.

— Прошу вас, тетя Анджела, — сказала Карла Лемаршан, — сделайте то, о чем просит вас мсье Пуаро.

— Подумай, что ты говоришь, Карла? — с горечью отозвалась Анджела Уоррен. — Неужто у тебя нет уважения к памяти твоей матери?..

— Кэролайн Крейл была моей матерью, — твердо и четко произнесла Карла. — Поэтому я имею право просить вас. Я говорю от ее имени. Я хочу, чтобы это письмо было прочитано.

Анджела Уоррен медленно вынула из сумки письмо и подала его Пуаро.

— Зачем только я вам его показала? — с горечью произнесла она.

И, отвернувшись, стала смотреть в окно.

Пока Пуаро читал вслух последнее письмо Кэролайн Крейл, по углам комнаты сгустились тени. И Карле вдруг почудилось, будто в комнате появился кто-то еще, кто слушает, дышит, ждет. «Она здесь, — подумала она, — мама здесь. Кэролайн Крейл здесь, в этой комнате».

Эркюль Пуаро кончил читать.

— Мне кажется, вы все согласны, что это удивительное письмо. Прекрасное письмо, но очень странное. Ибо в нем опущено самое главное: она не опровергает обвинения.

— В этом не было необходимости, — сказала Анджела Уоррен, не оборачиваясь.

— Да, мисс Уоррен, в этом не было необходимости. Кэролайн Крейл незачем было уверять свою сестру в собственной невиновности, потому что она считала, что ее сестра отлично об этом знает. Больше всего в ту минуту Кэролайн Крейл хотела успокоить и утешить свою сестру и помешать ей признаться в убийстве Эмиаса Крейла. Недаром она несколько раз повторяет: «Все в порядке, дорогая, все в порядке».

— О чем вы говорите? — возмутилась Анджела Уоррен. — Она просто хотела, чтобы я была счастлива, вот и все.

— Да, она хотела, чтобы вы были счастливы, это совершенно ясно. Только об этом она и думает. У нее есть ребенок, но она думает не о ребенке, о нем она будет думать потом. Нет, ее мысли заняты ее сестрой, и больше никем. Сестру следует утешить, поддержать в предназначенной ей судьбе, научить быть счастливой и удачливой. И чтобы Анджеле было легче принять подарок из рук сестры, Кэролайн пишет эту полную значения фразу: «Долги всегда нужно возвращать».

Эта единственная фраза объясняет ее. Она откровенно свидетельствует о той тяжкой ноше, которая была на душе Кэролайн с тех пор, как в приступе свойственной подросткам ярости она швырнула пресс-папье в свою младшую сестру, причинив ей увечье на всю жизнь. Теперь наконец у нее появилась возможность вернуть свой долг. И если это послужит вам утешением, могу сказать: я искренне верю, что в возможности искупить свою вину перед сестрой Кэролайн Крейл обрела мир и покой, каких не знала прежде. Веря в то, что она оплачивает свой долг, она сумела пройти сквозь тяжкое испытание на суде и во время приговора. Странно, говоря о приговоренной к пожизненному заключению убийце, сказать, что у нее было все, что нужно для счастья. Да, больше, чем вы можете себе представить, что я вам сейчас и докажу.

Посмотрите, как с помощью такого объяснения все, что касается поведения самой Кэролайн, становится на свои места. Посмотрите на ход событий с ее точки зрения. Начнем с того, что накануне вечером происходит ссора, которая напоминает ей о ее собственной недисциплинированности, когда она была девочкой. Анджела швыряет пресс-папье в Эмиаса Крейла. То есть поступает так, как поступила она сама много лет назад. Анджела выкрикивает, что хорошо бы, если бы Эмиас умер. А на следующее утро, когда Кэролайн приходит в кладовую, она застает там Анджелу, которая производит какие-то эксперименты с пивом. Вспомним слова мисс Уильямс: «Там была Анджела. Вид у нее был виноватый...» Виноватый из-за того, что она манкирует своими обязанностями, решила мисс Уильямс, но для Кэролайн виноватое лицо застигнутой врасплох Анджелы означает совсем другое. Вспомните, что по меньшей мере один раз Анджела уже что-то положила в стакан Эмиаса. Вот об этом и вспомнила Кэролайн.

Кэролайн берет бутылку из рук Анджелы и направляется в Оружейный сад. Там она наливает пиво в стакан и подает его Эмиасу. Он его залпом выпивает, а потом делает гримасу и произносит слова, имеющие очень большое значение: «Сегодня все имеет противный привкус».

В эту минуту Кэролайн еще ничего не подозревает, но после обеда она идет в Оружейный сад, где застает мужа мертвым. У нее нет сомнений, что его отравили. Она этого не делала. Тогда кто? И ей сразу приходят на память угрозы Анджелы, лицо Анджелы, застигнутой врасплох над бутылкой с пивом. Она! Но зачем девочка это сделала? Чтобы отомстить Эмиасу, может, и без намерения его убить, просто чтобы ему стало плохо, чтобы его рвало? Или она поступила так ради нее, Кэролайн? Узнала, что Эмиас хочет бросить ее сестру? Кэролайн помнит, чересчур хорошо помнит собственную несдержанность в возрасте Анджелы. И только одна мысль вертится у нее в голове. Как спасти Анджелу? У Анджелы в руках была эта бутылка — на ней будут отпечатки пальцев Анджелы. Она быстро вытирает бутылку насухо. Только бы удалось заставить людей поверить, что это — самоубийство! Если на бутылке будут отпечатки пальцев самого Эмиаса! Она пытается приложить его пальцы к бутылке — действует быстро, прислушиваясь, не войдет ли кто в сад...

Если принять такое предположение за истину, тогда и все остальное встает на свои места. Ее постоянное волнение за судьбу Анджелы, стремление ускорить отъезд Анджелы, старание, чтобы Анджела ни о чем не узнала. Кэролайн боится, что полиция будет допрашивать Анджелу. И наконец, она просто требует, чтобы Анджелу увезли за границу до начала суда. Потому что она все время боится, что Анджела не сумеет совладать с собой и признается.

Глава 4

ПРАВДА

Анджела Уоррен медленно повернулась к присутствующим. Суровым, презрительным взглядом она оглядела обращенные к ней лица.

— Вы все слепые идиоты — вот вы кто. Неужто вы не понимаете, что если бы это совершила я, то я бы тотчас призналась. Я никогда не позволила бы Кэролайн страдать из-за меня. Никогда!

— Но вы открывали пиво, — возразил Пуаро.

— Я? Открывала пиво?

Пуаро повернулся к Мередиту Блейку:

— Послушайте, в вашем рассказе вы упомянули, что слышали утром того дня, когда было совершено преступление, какие-то звуки здесь, в этой комнате, которая находится как раз под вашей спальней.

Блейк кивнул:

— Но это была всего лишь кошка.

— Откуда вам известно, что это была кошка?

— Я... Я не помню. Но это была кошка. Я убежден, что это была кошка. Окно было приоткрыто настолько, что сюда могла влезть только кошка.

— Но рама не была закреплена в этом положении, и потому ее легко поднять и опустить. Значит, сюда мог влезть и человек.

— Да, но я знаю, что это была кошка.

— Вы ее видели?

— Нет... не видел, — смутившись, запнулся Блейк. Он помолчал, хмурясь. — И тем не менее я знаю.

— Сейчас объясню вам, откуда вы знаете. А пока обращаю ваше внимание на следующее обстоятельство. В то утро любой человек мог пробраться в дом, проникнуть в вашу лабораторию, взять с полки то, что ему нужно, и уйти незамеченным. Далее, если этот кто-то явился сюда из Олдербери, то это не мог быть ни Филип Блейк, ни Эльза Грир, ни Эмиас Крейл, ни Кэролайн Крейл. Нам хорошо известно, чем были заняты эти четверо. Остаются Анджела Уоррен и мисс Уильямс. Мисс Уильямс здесь была — вы ее увидели, когда вышли из дома. Она сказала вам, что ищет Анджелу. Анджела рано утром отправилась купаться, но мисс Уильямс не нашла ее ни в воде, ни на скалах. Анджела легко могла переплыть через бухту — что сделала позже, когда пошла купаться с Филипом Блейком, — подойти к дому, влезть в окно и взять что-то с полки.

— Ничего подобного я не делала, — возмутилась Анджела Уоррен. — По крайней мере...

— Ага! — торжествуя, воскликнул Пуаро. — Вы вспомнили! Вы сказали мне, что ради того, чтобы сыграть жестокую шутку с Эмиасом Крейлом, вы отлили немножко того, что назвали «кошачьей настойкой», и влили это...

— Валерьянка! — сообразил Мередит Блейк. — Ну конечно!

— Именно. Вот почему вы решили, что в лаборатории побывала кошка. Вы очень чувствительны к запахам. Вы уловили слабый запах валерьянки, не давая, впрочем, себе в этом отчета, и подсознательно пришли к выводу: кошка. Кошки любят валерьянку и полезут за ней куда угодно. Валерьянка довольно неприятна на вкус, и после вашей лекции накануне шаловливая мисс Анджела задумала подлить валерьянку в пиво, которое, она знала, Эмиас обычно выпивает залпом.

— Неужто это было в тот же день? — изумилась Анджела Уоррен. — Я хорошо помню, как отливала валерьянку. Да, помню и как брала пиво, но вошла Кэролайн и чуть меня не поймала! Конечно, помню... Но у меня это как-то не связывалось с тем днем.

— Конечно нет, потому что два этих события не ассоциировались друг с другом у вас в мыслях. Одно квалифицировалось как шалость, другое было трагедией, свалившейся как снег на голову и вытеснившей из памяти все более мелкие происшествия. Что же касается меня, то я заметил, что, когда вы говорили об этом, вы сказали: «Отлила кошачьей настойки, чтобы налить ее Эмиасу в пиво...» Вы не сказали, что сделали это.

— Не сказала, потому что так и не сделала. Кэролайн вошла как раз в ту минуту, когда я отвинчивала пробку. Ох! — вскрикнула она. — Значит, Кэролайн решила... решила, что это я... — Она умолкла, огляделась. И тихо заключила своим обычным холодным тоном: — Вы все, наверное, тоже так думаете? — Она помолчала. — Я не убивала Эмиаса, — сказала она. — Ни из злой шалости, ни из каких-либо других побуждений. Если бы я это сделала, я бы не смолчала.

— Разумеется, нет, моя дорогая, — решительно поддержала ее мисс Уильямс. Она взглянула на Эркюля Пуаро: — Только глупцу могла бы прийти в голову подобная мысль.

— Я не глупец, — спокойно отозвался Эркюль Пуаро, — и я тоже этого не думаю. Я прекрасно знаю, кто убил Эмиаса Крейла. — Он помолчал. — Факты нельзя считать доказательством, ибо они им вовсе не являются. Возьмем ситуацию, сложившуюся в Олдербери. Знакомая ситуация. Две женщины и один мужчина. Мы все убеждены, что Эмиас Крейл был намерен оставить жену ради другой женщины. А я вам говорю, что он никогда ничего подобного делать не собирался.

Он увлекался женщинами и прежде. Они владели им. Пока увлечение длилось, он был ими одержим, но вскоре наступал конец. Женщины, в которых он влюблялся, обычно были женщинами опытными и ничего от него не требовали. Но на этот раз женщина предъявила требования. Да она, собственно говоря, еще и не была женщиной. Она была юной девушкой и, по мнению Кэролайн Крейл, предельно искренней... На словах она казалась видавшей виды и свободной от предрассудков, но в любви была весьма целеустремленной. Из-за того, что она сама испытывала глубокую и всепоглощающую страсть к Эмиасу Крейлу, она решила, что и он отвечает ей тем же. Она не сомневалась, что их любовь — это любовь на всю жизнь. Не спрашивая его об этом, она была уверена, что он бросит свою жену.

Но почему, спросите вы, Эмиас Крейл не попытался ее разуверить? Мой ответ — из-за картины. Он хотел закончить картину.

Некоторым это покажется невероятным, но только не тем, кто знаком с художниками. И мы уже в принципе согласились с таким объяснением. Теперь становится более понятным разговор Крейла с Мередитом Блейком. Крейл смущен, он похлопывает Блейка по плечу и оптимистически уверяет его, что вся история кончится благополучно. Эмиасу Крейлу, поймите, все казалось просто. Он пишет картину, хотя ему мешают две, как он их называет, ревнивые психопатки, но ни одной из них он не позволит помешать ему делать то, что считает главным делом своей жизни.

Если бы он сказал Эльзе правду, то с картиной было бы кончено. Быть может, когда его чувство к ней только вспыхнуло, он всерьез вел разговор о том, что оставит Кэролайн. Мужчины, когда они влюблены, часто говорят подобные вещи. Но не исключено, что он просто делал вид, что это может произойти. Ему было в высшей степени безразлично, на что рассчитывает Эльза. Пусть думает что хочет. Только бы помолчала еще день-другой.

А потом — потом он скажет ей правду, объяснит, что их роман кончен. Он был из тех мужчин, кого не терзают угрызения совести.

По-моему, он с самого начала попытался предотвратить возможность близости с Эльзой. Он предупредил ее, сказав, что собой представляет, но она не прислушалась к его предупреждению. Она пыталась торопить судьбу. А для мужчины вроде Крейла женщина — всего лишь желанная добыча. Если бы его спросили, он бы с легкостью ответил, что Эльза молода и быстро обо всем забудет. Вот как рассуждал Эмиас Крейл.

Если кого он и любил, то только свою жену. Но не особенно о ней беспокоился. Придется ей потерпеть еще несколько дней — вот и все. Он был очень зол на Эльзу за то, что она сболтнула лишнее, но полагал, что все обойдется. Кэролайн, как уже не раз прежде, простит его, а Эльза...

Эльзе придется примириться со своей участью. Так просто решает жизненные проблемы человек, каким был Эмиас Крейл.

Но, мне кажется, в тот последний вечер он и вправду начал беспокоиться. Не об Эльзе, а о Кэролайн. Быть может, он пошел к ней в комнату и она отказалась с ним разговаривать. Во всяком случае, после тревожной ночи он, позавтракав, повел ее в библиотеку и там сказал ей всю правду. Признался в своем увлечении Эльзой, но сказал, что все кончено. Как только картина будет завершена, он расстанется с Эльзой навсегда.

И в ответ на это Кэролайн Крейл возмущенно воскликнула: «Ты и твои женщины!» Эта фраза, как вы видите, ставит Эльзу в один ряд с его прежними увлечениями, которые исчезли навсегда. И добавила: «Когда-нибудь я тебя прикончу».

Она была рассержена, ее возмущала его бесчувственность и грубость по отношению к девушке. Когда Филип Блейк увидел ее в холле и услышал, как она шептала: «Слишком это жестоко!» — она думала не о себе, а об Эльзе.

Что же касается Крейла, то он, выйдя из библиотеки, встретил Эльзу с Филипом Блейком и бесцеремонно велел ей идти в сад позировать. Но он не знал, что Эльза, сидя у окна библиотеки, подслушала весь его разговор с женой. И, рассказывая о том, что слышала, она лгала. Вспомните, ведь слышала его только она.

Представьте себе все отчаяние, какое она испытала, когда узнала жестокую правду!

Накануне, по словам Мередита Блейка, когда он ждал, пока Кэролайн выйдет из лаборатории, он стоял в дверях спиной к помещению и разговаривал с Эльзой Грир. Значит, Эльза стояла к нему лицом и могла видеть, что там делает Кэролайн, — только она, и никто другой.

Она видела, как Кэролайн взяла яд. Она ничего не сказала, но, сидя под окном библиотеки, вспомнила об этом.

Когда на террасе появился Эмиас Крейл, она под тем предлогом, что ей нужно взять пуловер, поднялась в спальню Кэролайн, чтобы отыскать этот яд. Женщины обычно знают, где другие женщины припрятывают вещи.

Она нашла яд и, не забыв о том, что нельзя оставлять на флаконе отпечатки пальцев, набрала немного настойки в пипетку от авторучки.

Затем она спустилась вниз и вместе с Крейлом пошла в Оружейный сад. И там вылила яд в пиво, которое он опрокинул в себя, как обычно.

Тем временем Кэролайн Крейл продолжала беспокоиться. Она видела, как Эльза снова вернулась в дом (на этот раз действительно взять свой пуловер), а потом быстро побежала в Оружейный сад, где принялась спорить с мужем. То, что он делает, стыдно! Она этого не потерпит! Это жестоко и бесчеловечно по отношению к девушке! Эмиас, сердитый, потому что его вынудили прервать работу, сказал, что все решено, что, как только он завершит картину, он ее выпроводит. Не проводит, а выпроводит. «Все решено — я ее выпровожу, говорю я тебе».

Затем они услышали шаги обоих Блейков, и Кэролайн, чуть смущенная, вышла и пробормотала что-то насчет отъезда Анджелы в школу, что предстоит масса дел, и, естественно, братья решили, что разговор, который они невольно подслушали, шел об Анджеле, и «я ее выпровожу» превратилось в «я ее провожу».

В это время на дорожке появилась невозмутимо улыбающаяся Эльза с пуловером в руках и снова уселась позировать.

Она, несомненно, рассчитывала на то, что Кэролайн окажется под подозрением, тем более что у нее в комнате найдут флакончик с кониумом. Но Кэролайн еще больше сыграла ей на руку. Она принесла мужу пиво со льда и сама налила его в стакан.

Эмиас одним глотком опорожнил его и, сделав гримасу, сказал: «Сегодня у всего какой-то противный привкус».

Понимаете ли вы, насколько важно это замечание: «Сегодня у всего какой-то противный привкус»? Значит, уже перед этим он попробовал что-то такое, от чего у него во рту до сих пор остался неприятный привкус? И еще одно. Филип Блейк упомянул о нетвердой походке Крейла и выразил сомнение, «не выпил ли он». Эта нетвердая поступь была первым признаком того, что кониум действует, и это означало, что ему дали яд до того, как Кэролайн принесла ему пиво со льда.

Итак, Эльза Грир, сидя на каменной стене, позировала ему, и, поскольку ей следовало помешать ему что-либо заподозрить, пока не станет слишком поздно, она весело и вполне естественно болтала с Эмиасом Крейлом. Увидев на скамье Мередита, она помахала ему рукой, сыграв свою роль и для него.

А Эмиас Крейл, который презирал всякие болезни и не желал сдаваться, упорно писал и писал, пока его конечности не одеревенели, а речь стала невнятной, и тогда он беспомощно откинулся на спинку скамейки, но разум у него еще оставался ясным.

Прозвонил гонг к обеду, Мередит встал и подошел к калитке сада. В минуту Эльза слезла со стены, подбежала к столу и накапала последние несколько капель яда в стакан, в котором было чистое пиво. (Пипетку она выбросила по дороге к дому, растоптав ее в песке.) А у калитки встретилась с Мередитом.

Из тени деревьев сердито смотрел Эмиас. Мередиту плохо было видно — он видел только, что его приятель сидит, откинувшись на спинку скамьи, и что взгляд у него злой. — Эркюль Пуаро красноречивым жестом показал на висящую на стенке картину. — Мне бы следовало понять все, как только я увидел эту картину. Ибо это необыкновенный портрет. Это портрет убийцы, написанный ее жертвой, — портрет девушки, которая смотрит, как умирает ее возлюбленный...

Глава 5

ЭПИЛОГ

В наступившем молчании — присутствующие оцепенели от ужаса и потрясения — исчез и последний луч медленно уходившего за горизонт солнца, освещавший темноволосую голову сидевшей возле окна женщины, кутавшейся в серебристый мех.

Эльза Диттишем зашевелилась и заговорила.

— Уведите всех, Мередит, — сказала она. — Я хочу остаться с мсье Пуаро вдвоем. — И опять застыла в неподвижности, пока не закрылась за ними дверь. — Наверное, считаете себя очень умным, не так ли? — спросила она.

Пуаро ничего не ответил.

— Что вам от меня надо? Чтобы я созналась?

Он покачал головой.

— Я этого все равно ни в коем случае не сделаю! — заявила Эльза. — И никогда не признаю, что вы правы. То, что мы говорим здесь, значения не имеет. Свидетелей у нас нет.

— Совершенно справедливо.

— Я хочу знать, что вы собираетесь предпринять.

— Я сделаю все, что смогу, чтобы заставить власти посмертно оправдать Кэролайн Крейл.

— Какая глупость! — засмеялась Эльза. — Оправдать человека за то, чего он не совершил. А по поводу меня? — спросила она.

— Я представлю свои соображения компетентным лицам. Если они придут к выводу, что есть возможность привлечь вас к ответственности, тогда они начнут действовать. На мой взгляд, однако, доказательств недостаточно — налицо лишь умозаключения, а не факты. Более того, судебные власти весьма неохотно возбуждают уголовные дела против людей в вашем положении, если на то нет достаточных оснований.

— Мне все это безразлично, — отозвалась Эльза. — Если бы я сидела на скамье подсудимых, защищая свою жизнь, быть может, я бы ожила, принялась волноваться. Быть может, я получила бы от этого удовольствие.

— Вряд ли его получил бы ваш муж.

Эльза окинула Пуаро пристальным взглядом.

— Неужто вы думаете, что меня интересуют чувства моего мужа?

— Нет, я так не думаю. Я уверен, что всю вашу жизнь вы были совершенно равнодушны к тому, какие чувства испытывают другие люди. Не будь этого, вы могли бы стать счастливой.

— Почему вам меня жаль? — неприязненно спросила она.

— Потому что, дитя мое, вам слишком многое пока недоступно.

— Что именно?

— Все эмоции, которые испытывает взрослый человек: жалость, участие, понимание. Вы ведь в своей жизни знали только два чувства: любовь и ненависть.

— Я видела, как Кэролайн взяла кониум, — сказала Эльза. — И решила, что она хочет покончить с собой. Это, разумеется, значительно упростило бы ситуацию. А на следующее утро я услышала, как он говорит ей, что я ему совершенно безразлична. Раньше, мол, да, он увлекался мною, но теперь все кончено. Как только он завершит картину, он меня выпроводит. Ей не о чем беспокоиться, сказал он.

А ей... Ей было меня жаль... Вы понимаете, что вызвала во мне ее жалость? Я нашла яд, налила его в пиво и сидела и смотрела, как он умирает. Никогда еще я не чувствовала в себе такой жизнерадостности, такого ликования, такой энергии. Я смотрела, как он умирает... — Она вскинула руки. — В те минуты я не понимала, что убиваю не его, а себя. И когда потом увидела ее в западне, то тоже не испытала радости. Я не могла причинить ей боли, ей было все равно — она ушла из жизни. Они с Эмиасом ушли, — ушли, и я не могла до них добраться. Не они умерли, умерла я.

Эльза Диттишем встала. Подошла к двери. Остановилась и повторила:

— Умерла я...

В холле она прошла мимо двух молодых людей, чья совместная жизнь только начиналась.

Шофер поспешно открыл дверцу. Леди Диттишем села в машину, и шофер укутал ее ноги меховой полостью.

КОММЕНТАРИИ

«ТАИНСТВЕННОЕ ПРОИСШЕСТВИЕ В СТАЙЛЗ»

Роман был опубликован в 1920 году в лондонском издательстве «Бодли хэд», где пролежал почти два года. А написан он был еще раньше, когда Агата Кристи во время Первой мировой войны работала в госпитале Красного Креста в городе Торки в графстве Девоншир. Тогда старшая сестра Агаты предложила ей на пари написать роман.

Здесь впервые появляется детектив Эркюль Пуаро, отставной офицер полиции, бельгиец по национальности. Почему бельгиец? Потому что в Англии во время войны было много беженцев из Бельгии.

Писательница твердо решила не делать Пуаро похожим на Шерлока Холмса. Однако, несмотря на их внешнее несходство, оба обладают поразительными умственными способностями и умением мгновенно схватывать суть вещей.

Более важным представляется другой факт. Уже в этом произведении Агата Кристи проявила себя как мастер построения сюжета, мастер интриги. Она собирает какое-то число людей в каком-то определенном месте, объясняя причины того, почему они все тут оказались. А затем кто-то из них будет убит. Подобное построение сюжета мы встретим и в последующих романах Агаты Кристи. Это «Смерть в облаках», «Карты на столе», «Смерть на Ниле», «Десять негритят».

Гонорар, который писательница получила за роман «Таинственное происшествие в Стайлз», был более чем скромный. Всего двадцать пять фунтов стерлингов. (Сколько получил издатель Джон Лэйн, неизвестно.) По условиям договора эту сумму Агата Кристи могла получить за первые две тысячи напечатанных экземпляров романа. Кроме того, пять следующих романов она должна была отдать для публикации в это же издательство. Но все это писательницу не огорчило, ведь ее роман наконец-то увидит свет. И она подписала договор с издательством почти не глядя. «Я подписала бы все, что угодно», — вспоминала позже Агата Кристи. Она была в приподнятом настроении: война кончилась, ее муж полковник Арчибальд Кристи вернулся домой живым. Жизнь ей вроде бы улыбалась. Писать же романы она больше не собиралась, лишь иногда рассказы. Она еще не считала себя профессионалом, а только любителем. Сочинять было для нее развлечением, и никаких мук творчества Агата просто не знала.

«СМЕРТЬ ЛОРДА ЭДВЕРА»

На раскопках древнего ассирийского города Ниневии (Ирак) и было написано произведение «Смерть лорда Эдвера». Для того чтобы творчески трудиться, Агате Кристи требовались, как она отмечает в «Автобиографии», кое-какие «орудия труда» — пишущая машинка, карандаш и, самое главное, массивный стол, а не какое-то там «колченогое приспособление». Такие непритязательные условия ей были созданы. Остальное ее не беспокоило.

Что же касается сюжета произведения, то он уже давно будоражил ее воображение. «Я обдумываю и обыгрываю сюжеты в голове, зная, что в один прекрасный день займусь их воплощением на бумаге», — пишет Агата Кристи в «Автобиографии». Так, сюжет «Убийства Роджера Экройда» долго не давал ей покоя. Подобное произошло и с сюжетом «Смерти лорда Эдвера». Агата Кристи еще в Лондоне побывала на представлении известной тогда американской актрисы Руфи Дрейпер. «Я подумала, — пишет в «Автобиографии» писательница, — как она умна и каким замечательным даром перевоплощения обладает... представляя то сварливую жену, то коленопреклоненную крестьяночку в церкви». Постепенно в голове писательницы возник сюжет произведения «Смерть лорда Эдвера».

Читатель, вероятно, помнит, что произведение заканчивается письмом преступницы, адресованным Эркюлю Пуаро. В письме нет и следа раскаяния. Почему в обществе появляются подобные люди? Этот вопрос очень интересовал писательницу. В «Автобиографии» она пытается как-то ответить на него, не принимая во внимание существующие определенные социальные критерии и подходы. Возможно, пишет Агата Кристи, люди уже рождаются с комплексом неполноценности, иными словами, моральными уродами. Они привносят в общество лишь ненависть и жестокость. Более ничего. Но берут от общества все, что могут. Не исключено, размышляет писательница, врожденную жестокость удастся когда-нибудь излечить. Ведь научились же люди делать операции на сердце. Когда-нибудь научатся изменять и гены.

К людям, склонным к преступлению, следует относиться без сожаления, считает писательница. Их можно было бы транспортировать в пустынные места, где они вели бы примитивное существование. Людей же, совершивших преступление, в качестве наказания можно было бы использовать в процессе научных исследований, например в медицине, где бывает необходим человеческий материал, а животные не подходят. Читатель пусть сам решает, насколько нравственна подобная позиция писательницы. Но именно таким путем она надеется защитить тех, кто становится безвинными жертвами преступников. Агата Кристи признается в «Автобиографии», что именно безвинные жертвы преступников, а не преступники волнуют ее более всего. «Меня пугает, — пишет она, — что никто не заботится о невинных жертвах. Никого не приводит в ужас зрелище старушки в табачной лавочке, которую молодой убийца ударил сзади, когда она доставала ему пачку сигарет. Никто не представляет себе агонии жертвы. Все только и жалеют убийцу по причине его молодости». К таким невинным жертвам писательница полна сострадания и сочувствия.

Произведение «Смерть лорда Эдвера» было выпущено в свет лондонским издательством «Коллинз» в 1933 г. Почти одновременно оно было опубликовано в нью-йоркском издательстве «Додд, Мид энд К°» под названием «Тринадцать за обедом».

«ПЯТЬ ПОРОСЯТ»

Военные годы, несмотря на все трудности этого времени — бомбежки Лондона, нехватку продуктов и т. д., — были очень плодотворными для Агаты Кристи. За этот период она создала двенадцать романов, хотя много работала в госпитале и поздно возвращалась домой по затемненному Лондону.

В эти годы был написан роман «Пять поросят» (опубликован в 1942 году в лондонском издательстве «Коллинз»). В нем действует ставший не менее знаменитым, чем Шерлок Холмс, Эркюль Пуаро. Как и великий детектив Конан Дойла, традицию которого очень тонко почувствовала и искусно воплотила в литературе своего времени Агата Кристи, Пуаро до сих пор остается непревзойденным образцом, привлекающим внимание и широкой читательской аудитории, и литературных критиков, стремящихся постичь его тайну. Чем же так привлекает этот неумирающий персонаж многих романов Агаты Кристи?

Критики давно заметили, что этот пятидесятилетний бельгиец, как, впрочем, и мисс Марпл, другой бессмертный образ Агаты, не стареет. «Какую ошибку я совершила, — заметит впоследствии Агата Кристи в своей «Автобиографии» (1977), — представив Пуаро не таким уж молодым. Теперь ему уже должно быть более ста лет». Действительно, возникнув впервые в романе «Таинственное происшествие в Стайлз» в 1920 году, он все так же успешно борется со злом и на страницах произведений шестидесятых годов, оставаясь, подобно Шерлоку Холмсу, воплощением человеческих достоинств, надеждой беззащитных перед лицом зла.

Эпоха, породившая Шерлока Холмса, эпоха королевы Виктории, встающая со страниц рассказов Конан Дойла, ушла в прошлое вместе со своим героем, воплощавшим лучшие черты английского джентльмена своего времени в сочетании с блистательным аналитическим умом. Но зло осталось, как осталась и живая литературная традиция, которую подхватила талантливая писательница. И в новую эпоху вызов сил зла принял Эркюль Пуаро, встав на защиту традиционных британских ценностей.

Но эпоха эта иная, эпоха заката Британской империи, лишенная романтического ореола, присущего времени Холмса. Великий сыщик Дойла боролся со столь же великими злодеями. Недаром в биографии Мориарти, «Наполеона преступного мира», блестящего ученого, в двадцать один год получившего университетскую кафедру, а затем вставшего на путь преступлений, английские критики усмотрели определенное сходство с биографией Фридриха Ницше, университетского профессора и поэта, ставшего пророком идей сверхчеловека и «морали господ». Да и сам Холмс несет в себе черты сильной личности, которая стремится ко всему необычному, ко всему, что выходит за пределы привычного и банального течения жизни, и может полностью раскрыть себя лишь в борьбе с равным ей по силе гением зла («Мой ум ржавеет в бездействии», — говаривал Холмс, жалуясь на заурядность, схематизм многих преступлений, отсутствие в них оригинальности, тайны).

Эркюль Пуаро не ищет своего Мориарти. Имя его в переводе с французского означает «Геркулес», на которого он явно не похож и не обладает, видимо, физической силой Холмса — тот, хоть и не был богатырски сложен, мог, однако, разогнуть стальную кочергу, согнутую в рассказе «Пестрая лента» гигантом Ройлоттом, пожелавшим так продемонстрировать свою силу. Пуаро выглядит даже комично при своем небольшом росте, яйцеобразной голове, всегда склоненной влево, и усах, лихо загнутых вверх.

Не ищет Пуаро и никакой криминальной экзотики. Скорее она сама как бы находит его, когда в результате расследования самых банальных преступлений среди самой обычной обстановки истина оказывается настолько неожиданной, настолько противоречит внешнему, стереотипно-упрощенному восприятию жизни (как, впрочем, и нарочито усложненному), что кажется невероятной, чуть ли не экзотичной. И в этом смысле Пуаро не уступит Холмсу ни в силе аналитического ума, ни в наблюдательности, ни в знании английской жизни своего времени и психологии англичан. Его проницательность настолько велика, что он догадывается, кто истинный убийца, увидев портрет якобы одной из свидетельниц преступления в романе «Пять поросят». Союзником Пуаро становится сила искусства, гений погибшего художника, запечатлевшего свою убийцу. Призывая в союзники живопись, Агата Кристи идет гораздо дальше своего предшественника Конан Дойла, у которого портрет просто выполняет роль фотографии, когда Холмс замечает сходство Стэплтона с одним из предков Баскервиля в повести «Собака Баскервилей» и догадывается об истинных мотивах преступления. Агата Кристи убеждает нас, что скрытая за покровом обыденности правда, выявленная гением Пуаро и гением погибшего мастера, оказывается страшнее самой мрачной экзотики неоромантизма.

Эта правда страшна именно тем, что неотделима от обыденной реальности, рутины жизни, английского быта, традиций. А Пуаро как раз и отстаивает верность традициям, порядку, закону, идеям справедливости. И он прекрасно отличает видимость от сущности.

Обладая блестящими аналитическими способностями, Пуаро в основном раскрывает преступление сидя на месте — он думает, теоретизирует, а не ловит преступника, как часто делает Шерлок Холмс (впрочем, тоже после долгих раздумий). «В нашей профессии мускульная сила — не главное, — говорит он в романе «Пять поросят». — Мне не нужно наклоняться, измерять следы, подбирать окурки и изучать травинки. Мне достаточно откинуться в кресле и думать. Вот тут, — он постучал по голому черепу, — все происходит тут». Его интересует психологическая сторона преступления, произошедшего шестнадцать лет назад, а на нее время не влияет, «исчезают только вещественные доказательства — все эти окурки, следы, примятые травинки». Психологическая подоплека заключена в портрете убийцы, и Пуаро прекрасно это понял и почувствовал.

С блеском закручивая интригу внешне неторопливого повествования, Агата Кристи отвлекает внимание читателя рассуждениями о лекарственных травах, которые собирает один из персонажей и из которых готовит, в частности, ядовитый настой кониума (из плодов болиголова). Эти рассуждения не случайны — Агата еще во время Первой мировой войны работала в аптеке при госпитале и приобрела там свои знания о лекарственных травах и ядах.

Т.Н. Шишкина

СОДЕРЖАНИЕ

Литературно-художественное издание

Агата Кристи

Весь Эркюль Пуаро

ТАИНСТВЕННОЕ ПРОИСШЕСТВИЕ В СТАЙЛЗ

Романы

Ответственный редактор *З.В. Полякова*

Художественный редактор *И.А. Озеров*

Технический редактор *Л.И. Витушкина*

Ответственный корректор *В.А. Андриянова*

Изд. лиц. ЛР № 065372 от 22.08.97 г.
Подписано к печати с готовых диапозитивов 02.03.2000
Формат 84х108¹/₃₂. Бумага газетная. Гарнитура «Таймс»
Печать офсетная. Усл. печ. л. 31,92. Уч.-изд. л. 31,16
Тираж 8000 экз. Заказ № 480

ЗАО «Издательство «Центрполиграф»
111024, Москва, 1-я ул. Энтузиастов, 15
E-MAIL: CNPOL@DOL.RU

Отпечатано в ГУП Издательско-полиграфический
комплекс «Ульяновский Дом печати»
432601, г. Ульяновск, ул. Гончарова, 14

ЭРЛ СТЕНЛИ ГАРДНЕР

«ВЕСЬ ПЕРРИ МЕЙСОН»

*Знаменитый адвокат расследует
самые запутанные дела!*
Полное собрание романов о Перри Мейсоне!

Популярнейший американский писатель Эрл Стенли Гарднер много лет владел адвокатской конторой и положил в основу своих произведений богатый опыт ведения запутанных дел. Его бессмертный герой — адвокат Перри Мейсон пользуется заслуженной славой, ведь он способен докопаться до истины, даже если для этого потребуется рисковать собственной жизнью. К нему обращаются и те, кто потерял надежду найти защиту у закона, и те, кто сам хочет нарушить закон. Неожиданные повороты дела способны поставить любого адвоката в тупик, но только не Перри Мейсона! Он сам принимается за расследование дела и представляет его в суде именно таким, каким оно было в действительности.

Выпуск 1   «Дело беглой медсестры»
Выпуск 2   «Дело о фальшивом глазе»
Выпуск 3   «Дело опасной вдовы»
Выпуск 4   «Дело о наживке»
Выпуск 5   «Дело об искривленной свече»
Выпуск 6   «Дело счастливого неудачника»
Выпуск 7   «Дело сердитой девушки»
Выпуск 8   «Дело о стройной тени»
Выпуск 9   «Дело о преследуемом муже»

Перри Мейсон и его друзья-соратники — частный детектив Пол Дрейк и секретарша Делла Стрит — всегда готовы прийти на помощь человеку, потерявшему надежду на спасение.
Дела адвоката Перри Мейсона известны во всем мире!

Твердый целлофанированный переплет, формат 130×206 мм.
Объем 592—608 с.

МИККИ СПИЛЛЕЙН

ПОЛНОЕ СОБРАНИЕ СОЧИНЕНИЙ

Современный американский писатель Микки Спиллейн создал многочисленную галерею ярких, запоминающихся героев, крутых парней, чей главный жизненный принцип — отстоять попранную справедливость. Наиболее известный из них частный сыщик Майкл Хаммер. Средств они не выбирают и, не находя поддержки закона, жестокостью карают жестокость.

ДЕТЕКТИВНЫЕ РОМАНЫ

Том 1. **Я сам вершу суд**
Том 2. **Мой револьвер быстр**
Том 3. **Большое убийство**
Том 4. **Охотники за девушкой**
Том 5. **Долгое ожидание**

Твердый целлофанированный переплет, формат 130 x 206 мм. Объем 490—500 с.

ДЖЕЙМС ХЕДЛИ ЧЕЙЗ

ПОЛНОЕ СОБРАНИЕ СОЧИНЕНИЙ

Дж.Х. Чейз — король «крутого» детектива, возведенный на трон читателями многих и многих стран. По крутым, обрывистым склонам пролегают тропы его героев: борьба, перестрелки, погони, горы трупов, любовные «ловушки» и бесконечные варианты чрезвычайных ситуаций, из которых герою нужно выйти победителем, иначе — смерть.

Но Чейз никогда не оправдывает насилия. Преступивший черту терпит крах.

ДЕТЕКТИВНЫЕ РОМАНЫ

Том 1. **Плохие новости от куклы**
Том 2. **Весь мир в кармане**
Том 3. **Это не мое дело**
Том 4. **Мертвые всегда одиноки**
Том 5. **Судите сами**
Том 6. **Вор у вора**
Том 8. **Избавьте меня от нее**

Твердый целлофанированный переплет, формат 130 x 206 мм. Объем 480—530 с.

СЕРИЯ «БИБЛИОТЕКА ФРАНЦУЗСКОГО ДЕТЕКТИВА»

БУАЛО-НАРСЕЖАК

• •

Первое полное собрание детективных произведений в 11 томах

Французские писатели Пьер Буало и Тома Нарсежак — новаторы детективного жанра. Они приблизили детективный вымысел к реальной жизни, которая способна ставить смертельно опасные ловушки перед любым и каждым. В своих романах и рассказах авторы мастерски создают и нагнетают атмосферу напряженного ожидания развития событий, вызывая у читателя чувство постоянной, от первой страницы до последней, тревоги за судьбу героев. Буало-Нарсежак по

праву стоят в одном ряду с такими писателями-детективистами, как Конан Дойл, Агата Кристи, Жорж Сименон.

том 1 Из царства мертвых
том 2 Замок спящей красавицы
том 3 С сердцем не в ладу
том 4 Разгадка шарады — человек
том 5 Морские ворота
том 8 Конечная остановка
том 9 Любимец зрителей
том 10 В тесном кругу
том 11 Солнце в руке

Твердый целлофанированный переплет, формат 206 х 125 мм, средний объем книги 526 с.

ЦЕНТРПОЛИГРАФ

Книга-почтой

Если Вы желаете приобрести книги издательства «Центрполиграф» без торговой наценки, то можете воспользоваться услугами отдела «Книга-почтой»

Все книги будут рассылаться наложенным платежом без предварительной оплаты. Заказы принимаются на отдельные книги, а также на целые серии, выпускаемые нашим издательством. В последнем случае Вы будете регулярно получать по 2 новых книги выбранной серии в месяц.

Для этого Вам нужно только заполнить почтовую карточку по образцу и отправить по адресу:

111024, Москва, а/я 18, «Центрполиграф»

ПОЧТОВАЯ КАРТОЧКА

В
РОССИЯ

Куда ___ г. Москва, а/я 18 ___

Кому **«ЦЕНТРПОЛИГРАФ»**

Индекс предприятия связи и адрес отправителя
680011
г.Хабаровск, ул. Мира, д. 10, кв. 5.
Ивановой Г.П.

=111024

Мин. связи России. Издательстр «Марка». 1992.
З. 105(?). ППФ Гознака. Ц 55 к.

Пишите индекс предприятия связи места назначения

На обратной стороне открытки необходимо указать, какую книгу Вы хотели бы получить или на какую из серий хотели бы подписаться. Укажите также требуемое количество экземпляров каждого названия.

Указанные цены включают затраты по пересылке Вашего заказа, за исключением авиатарифа.

Стоимость пересылки почтового перевода наложенного платежа оплачивается отделению связи и составляет 10—20% от стоимости заказа.

Книги оплачиваются при получении на почте.

К сожалению, издательство не может долго удерживать объявленные цены по независящим от него причинам, в связи с общей ситуацией в стране. Надеемся на Ваше понимание.

МЫ РАДЫ ВАШИМ ЗАКАЗАМ!